EUROPÄISCHE AUFKLÄRUNG

EUROPÄISCHE AUFKLÄRUNG

HERBERT DIECKMANN
ZUM 60. GEBURTSTAG

Herausgegeben von
Hugo Friedrich und Fritz Schalk

1967

WILHELM FINK VERLAG

© 1967 Wilhelm Fink Verlag, München-Allach
Satz und Druck: Buchdruckerei Rischmöller & Meyn

Gedruckt mit Unterstützung des Kultusministeriums
des Landes Nordrhein-Westfalen

Umschlagillustration nach einer Radierung
von Huber, « Le souper des philosophes »,
Bibliothèque National, Paris

INHALT

TABULA GRATULATORIA

M. H. Abrams, Cornell University, Ithaca, N. Y.
Wilhelm Alff, München
Horst Baader, Freie Universität, Berlin
William H. Barber, Birkbeck College, University of London
Marcel Bataillon, Collège de France, Paris
Ernst Behler, University of Washington, Seattle, Wash.
P. Beylin, Universität Warschau
Gerd Birkner, Universität Köln
Anneliese Botond, Frankfurt
Vinzenz Buchheit, Universität Gießen
Paolo Casini, Università di Roma
Alice M. Colby, Cornell University, Ithaca, N. Y.
Alfred Cornelius, Bad Godesberg
Ana Berta Davis, Colegio de Mexico, Mexico
Jean-Jacques Demorest, Cornell University, Ithaca, N. Y.
Department of French and Italian, University of Pittsburgh, Pa.
Department of Romance Languages, University of Pennsylvania,
    Philadelphia, Pa.
Roswitha Derndarsky, Wien
Liselotte Dieckmann, Washington University, St. Louis, Mo.
Christa Diener, Köln
Rolf M. Eichler, Universität Köln
Robert J. Ellrich, University of Washington, Seattle, Wash.
Englisches Seminar der Universität Köln
Bernhard Fabian, Universität Münster
Fachbereich Literaturwissenschaft, Universität Konstanz
Facultad de Filosofía y Letras, Universidad Externado de Colombia, Bogotá
Liliane Fearn, Birkbeck College, University of London
Helmut Feldmann, Ruhr-Universität, Bochum
Otis Fellows, Columbia University, New York, N. Y.
Martin Franzbach, Universität Mainz
Herbert Frenzel, Universität Innsbruck
Ingrid Füssel, Weiden
Manfred Fuhrmann, Universität Konstanz
Armin Geraths, Universität Köln
Germanistisches Seminar der Universität Bonn

Das 18. Jahrhundert, lange unter dem Einfluß der Romantik abschätzig beurteilt, hat sich in den historischen Wissenschaften wieder einen festen Platz erobert. Die Forschungen über die europäische Aufklärung, denen die Arbeiten von Hettner, Troeltsch, Dilthey, Cassirer, Hazard vorausgegangen waren, sind heute allenthalben, in Europa wie in den USA, lebendig und fruchtbar. Dabei ist vielen Problemen eine neue Bahn der Erkenntnis gewiesen worden: der Einsicht in die Tatsache, daß eine Reihe von Begriffen, wie das 18. Jahrhundert sie gebracht hatte, seither Wert und Bedeutung gewechselt haben, entspringt einer der Impulse in der gegenwärtigen Erforschung des 18. Jahrhunderts. Viele der sich kreuzenden oder nebeneinander laufenden Linien in der Geschichte und Geistesgeschichte jenes Jahrhunderts müssen schärfer voneinander unterschieden werden, als das früher geschah. Erst dann kann der Versuch gelingen, sie wieder auf jenes Fundament zurückzuführen, das sich selber Aufklärung nannte, und das seinerseits wieder von den anderen Inhalten des 18. Jahrhunderts abzugrenzen ist.

Die führenden Fragen, die das 18. Jahrhundert unserer Forschung stellt, verlangen eine Verschmelzung von Textkritik und Textinterpretation. Die aus den 8oer Jahren des 19. Jahrhunderts stammenden Gesamtausgaben der großen Autoren des Zeitalters der Aufklärung sind fast durchweg veraltet. Inzwischen liegen kritische Neuausgaben von Lessing, Hamann, Montesquieu, Rousseau und anderen vor. In Vorbereitung befindet sich eine solche von Voltaire, dessen über hundert Bände umfassende Korrespondenz jetzt schon und erstmals vollständig zur Verfügung steht, ergänzt durch die für die Interpretation Voltaires und der Aufklärung bedeutsamen *Studies on Voltaire and the Eighteenth Century*.

Wenn das gleiche, was hier erreicht ist, auch in der Diderot-Forschung glücken soll und die neue kritische Ausgabe Diderots vorliegen wird, so verdanken wir in dieser Hinsicht das meiste Herbert Dieckmann. Diderot war jahrzehntelang Ziel und Mittler fast aller seiner Untersuchungen. Man könnte in solcher Konzentrierung auf e i n e n Autor Einseitigkeit sehen. In Wahrheit zeigt sich aber in dieser scheinbaren Einseitigkeit die echte Vielseitigkeit, diejenige nämlich, die alle ihre Seiten in der Einheit ihres Ursprungs und ihres Ziels miteinander verbindet. Die Genialität Diderots war so umspannend, daß sie alle Strömungen des Jahrhunderts in sich auffing und verwandelt weitergab. Der Interpret Diderots muß sich daher dessen Universalität aneignen, um ihm gerecht zu werden. In einer so gearteten Beschäftigung mit Diderot fand H. Dieckmann stets die Brücke vom Einzelnen zum Ganzen, und, im Geiste seines Autors wirkend, überwand er selber jegliches

Spezialistentum, ja, die Trennung der Wissenschaften. So führte ihn die Analyse des *Rêve de d'Alembert* zu den Naturwissenschaften, so die Erörterung der *Salons* zur Geschichte und zu den Prinzipien der Ästhetik, ein weiterer Teil des Werks zur Begriffs- und zur Philosophiegeschichte.

Alle diese Leistungen wären aber nicht möglich gewesen ohne textkritische Vorarbeiten. H. Dieckmann besitzt das große Verdienst, lang verschollen geglaubte Manuskripte seines Autors entdeckt, viele erstmals richtig entziffert und kritisch herausgegeben zu haben. In der Vereinigung von editorischer Akribie, entdeckerischem Spürsinn und weitgespannter Kunst der Deutung stellt H. Dieckmann eine Persönlichkeit dar, wie sie in der jüngeren Generation unseres Faches nicht mehr ihresgleichen hat.

Hugo Friedrich
Fritz Schalk

Yvon Belaval

SUR LE MATÉRIALISME DE DIDEROT

Cette note offre moins le résultat que le projet d'une recherche. Il faudrait poursuivre l'enquête.[1]

Ce projet a pour origine la remarque des confusions que l'on ne manque pas de rencontrer quand on traite du matérialisme français au XVIIIème siècle comme s'il formait une doctrine d'un seul bloc. En réalité, il y a des matérialismes français, dont la différence peut aller jusqu'à l'opposition — Diderot contre Helvétius, par exemple —, et qu'il s'agit d'examiner dans leurs principes.

D'entrée, cet examen soulève deux difficultés.

La première est dans le refus de la métaphysique alors proclamé, parfois résolument (La Mettrie), parfois avec la nostalgie qui la transforme en *Rêve*. Or, l'examen d'un matérialisme selon ses principes concerne la métaphysique. Il ne reste donc plus qu'à protester, à la façon de dom Deschamps contre d'Holbach, que tous ces « philosophes » sont des métaphysiciens malgré eux, pour débrouiller ensuite leur système. Plus simplement, dans le cas de Diderot, il reste à observer ses rêves sur les conditions fondamentales des phénomènes.

La deuxième difficulté est un corollaire de la première. Comment lire ? Quoi qu'ils en aient, les Lumières ont bien l'esprit de système : néanmoins, même cohérente, leur vision du monde ne s'exprime pas selon les techniques du philosophe — il suffirait pour s'en convaincre, de comparer *Le rêve de d'Alembert* avec *Die Träume eines Geistersehers* où Kant adopte cependant le ton du siècle — mais, davantage, selon des techniques littéraires, voire journalistiques. Ils lisaient tout. Ils discutaient de tout. Ils gardaient, *présente* à leur mémoire, une culture classique dont nous n'avons plus qu'une connaissance *lointaine*, et c'est ainsi qu'un démarquage de Lucrèce, dans la *Lettre sur les Aveugles*, semble soudain annoncer Lamarck ou Darwin — et peut-être, en effet, l'annonce si Lucrèce a été repris et compris dans un nouveau contexte de sciences ; seulement, il nous est difficile d'en décider. Il y a plus : à ces brasseurs d'idées, à ces polémiqueurs, souvent bousculés par le temps, il arrive de découper, pour leur *Encyclopédie* ou leur *Correspondance*, des passages d'un autre auteur avec lequel nous risquons de les confondre. Ils oscillent — et Diderot se voit « empêtré dans une diable de philosophie » où

---

[1] Les chiffres romains suivis de chiffres arabes renvoient au tome et à la pagination de l'édition Assezat-Tourneux. Les chiffres romains seuls : à la numérotation des *Pensées sur l'interprétation de la Nature*.

il ne sait plus s'il est libre ; ils évoluent — et le même Diderot, après avoir opté pour la préexistence des germes, la rejette dans la *Lettre sur les Aveugles*, ou, encore, après le voyage de d'Holbach en Angleterre (1765), lit d'un autre œil Hobbes, Toland, etc. Bref, l'absence d'exposé technique chez ces essayistes, leur mobilité de pensée impose de ne pas réduire leurs écrits à trop de cohérence scolastique et, au besoin, d'y démêler la part du rêve d'avec celle de la réflexion positive.

Compte tenu de ces difficultés, il demeure hors de doute qu'un La Mettrie, un Diderot, un Helvétius, un d'Holbach, etc., ont une attitude commune. Tous « en veulent » à la distinction des deux substances (II,114) ; il n'y a pas d'âme séparable de la matière et, par conséquent (II,49), pas d'Esprit, pas de Dieu ; d'où, encore, l'interrogation sur le *pourquoi* du monde est vaine, il faut s'en tenir au *comment* (II,34). En second lieu, ils refusent d'accepter le principe cartésien selon lequel l'âme est plus aisée à connaître que le corps. Déjà, Malebranche s'était éloigné de Descartes en invoquant, à ce propos, une connaissance par sentiment. Mais c'est Locke qui, à sa suite, lance la formule qui, traversant le siècle, aboutira aux critiques d'Auguste Comte contre l'introspection : l'esprit, pas plus que l'œil, ne peut se voir lui-même.[2] Naturellement, ce refus de l'évidence cartésienne dans la connaissance de soi n'est pas propre aux matérialistes, mais ils se l'approprient contre la distinction des deux substances. De même est-ce toujours contre le spiritualisme qu'ils s'approprient la prétention de n'accepter pour guide que l'expérience. En troisième lieu, le mouvement leur paraît essentiel à la matière : la matière n'est donc pas mue, ce qui renverrait à Dieu, premier moteur, elle se meut et ainsi devient autonome.[3] Tout, enfin, est soumis à la nécessité du mouvement : il n'y a pas de liberté.

---

[2] J. Locke : *An Essay concerning Human Understanding*, Livre I, chap. I, Introd. paragr. 1 : "The understanding, like the eye, whilst it makes us see and perceive all other things, takes no notice of itself, and it requires art and pains to set it at distance, and make it its own object". — En 1743, Dumarsais (?) dans les *Nouvelles Libertés de penser* : «.. mais comme l'œil ne saurait se voir, le philosophe connait qu'il ne saurait se connaître parfaitement puisqu'il ne saurait recevoir des impressions extérieures du dedans de lui-même ...», formule qui sera recopiée par Voltaire, en 1773, dans *Les Lois de Minos* (sur tout cela, cf. : *Le Philosophe, Texts and Interpretation*, by H. Dieckmann, Saint-Louis, 1948, p. 36—37). — En 1745 : *Psychologie ou Traité sur l'Ame* ... par M. Wolf (Amsterdam, chez Pierre Mortier), p. 251 : «.. tandis que comme l'œil, il (l'entendement) nous sert à connaître toutes les autres choses, il ne se connaît pas lui-même, dit. M. Locke ..». — En mai 1751, Diderot dans une Lettre *à Mlle de la* Chaux (éd. Roth, t. I, p. 121) : « Mais il en est de l'esprit comme de l'œil ; il ne se voit pas ». Rousseau semble s'en souvenir au début du *Deuxième Discours* (1754) : en tout cas lui aussi, il écrira : « Nous ne voyons ni l'âme d'autrui, parce qu'elle se cache, ni la nôtre parce que nous n'avons pas de miroir intellectuel » (*Corresp. Générale*, éd. Th Dufour et P. P. Plan (Paris, 1924—1934, t. 3, p. 354.)

[3] Voir l'article *Chaos* de l'Encyclopédie.

Telle est l'attitude commune. Les différences se dessinent dans l'interprétation des principes du mouvement. Pour les cartésiens, ce principe était la force d'impulsion par laquelle ils unifiaient leur système du monde. Une fois affirmé que Dieu l'a imprimée à la matière, Descartes ne s'occupe guère de la métaphysique de cette force (ses analyses ne vont même pas aussi loin que celles de Hobbes à partir des notions scolastiques du *conatus* et de l'*impetus*) : il suffit de savoir qu'elle agit *par contact*, à la *superficie* des molécules qu'elle entraîne dans le mouvement local, plus aisé à concevoir que la ligne des géomètres, parce qu'il est, en effet, vidé de tout « en puissance », de futur, et n'est plus qu'une trajectoire. Voilà donc un ensemble de mouvements comme ceux que nous produisons en agissant *du dehors* sur les choses dans notre action artisanale. Le monde est un ouvrage, maxime sans fin répétée par les déistes, et tout, dans le monde, est machine. Il n'y a plus qu'à nier Dieu, et l'on obtient le matérialisme artisanal d'un La Mettrie, d'un Helvétius, qui machine les organismes et les soumet à l'habitude.

Avec Newton — surtout après la Préface de Cotes (1717) — intervient un deuxième principe de mouvement : la force d'attraction. Celle-ci agit à distance. Elle est proportionnelle à la masse et pénètre donc la matière, et elle attire, dirait-on — Euler le dit dans la 68ème de ses *Lettres à une Princesse d'Allemagne* — à la manière d'un désir, comme le Premier Moteur d'Aristote. Son effet est toujours un mouvement local, mais il n'est guère plus possible d'y voir un déplacement réductible à une trajectoire ; il est habité d'une force qui paraît — à tort ou à raison, n'importe ![4] — plus énigmatique que la force d'impulsion, plus vivante. C'est pourquoi — comme, plus tard, Spencer — Buffon, souvent inspirateur de Diderot, imagine d'expliquer la vie à partir des lois de la gravitation.

La crise ouverte par Newton pose la question de savoir si les forces de la nature, principes du mouvement, peuvent se ramener l'une à l'autre (II,45—46), ou, en d'autres termes, s'il n'y a qu'une sorte de mouvement. Cette crise est un retour inaperçu à Aristote. Pour Aristote (et pour presque tous les penseurs de l'Antiquité), le monde se divise en deux régions : céleste et sublunaire. Dans la première règne le mouvement local (φορά) ; dans la seconde se développent les mouvements vitaux, la genèse d'une substance, sa croissance et sa décroissance, son altération. Et Aristote approfondit son analyse jusqu'à une conception quasi chimique de la *mixtion* qui fonde, en partie, ces processus vitaux (*De Generatione et Corruptione*, I,10). Descartes n'avait conservé que le mouvement local, le mieux mathématisable. Le XVIIIème accepte que la mécanique céleste soit légitimement mathématique. Mais si le *monde* est mathématisable, la *nature* ne l'est pas. La nature agit *du dedans*, et non, à la façon artisanale, *du dehors* : elle n'est donc pas un

---

[4] Voltaire dans la 14ème des *Lettres Philosophiques* : « Chez vos Cartésiens tout se fait par une impulsion qu'on ne comprend guère ; chez M. Newton, c'est par une attraction dont on ne connaît pas mieux la cause ». — En écho, Diderot : II, 116 ; IX, 379.

ouvrage. Le mouvement n'est plus la trajectoire regardée, il est un processus interne. Par sa proportion *à la masse*, la force d'attraction pouvait se rapprocher d'un processus interne, comme celui de la formation du fœtus. Cependant, ne vaut-il pas mieux accorder à la vie une force *sui generis* ? Certes, le vitalisme prend, à partir de l'*anima,* un sens spiritualiste, et c'est bien ce que redoute Diderot à la lecture de Maupertuis (II,49) ; mais, si l'on ne l'appuie pas sur l'âme, il devient, même chez des platoniciens comme Cudworth un naturalisme (XVI,305). Alors, au lieu que l'art humain « n'agit qu'en dehors et de loin, sans pénétrer la matière », la matière plastique « agit intérieurement et immédiatement », son art « est comme incorporé à la matière », et l'on a pu prétendre « qu'elle favorise l'athéisme ».[5] Sans doute la doctrine des natures plastiques pèche-t-elle contre la maxime *entia non esse multiplicanda præter necessitatem* (XVI, 311) ; surtout, elle a le tort d'être métaphysique (XVI,302). Du moins se prête-t-elle à une utilisation matérialiste. Peut-être le chimisme est-il apte à la transformer en doctrine expérimentale.

Ni l'alchimie, ni la chimie pré-lavoisienne ne se séparent nettement du vitalisme. Si l'archée des paracelsistes est une nature plastique (XVI, 302), l'iatrochimie de Paracelse associait ses trois principes vitaux (*archæus, spiritus vitæ, munia*) aux trois substances chimiques, le sel, le soufre, le mercure. Le vitalisme de Stahl reprend la vieille théorie (en particulier, stoïcienne) de l'âme ignée,[6] et l'unit à l'élément fondamental des réactions chimiques, le phlogistique. La chimie peut donc, sans rompre avec le vitalisme, établir, sur le sol de l'expérience un nouveau matérialisme. On comprend que Diderot, ami de deux admirateurs de Stahl, Rouelle et d'Holbach, retrouve, à la fin de sa carrière, pour Catherine II, les termes de son *Prospectus* pour l'*Encyclopédie* :[7] « Le chimiste Becker a dit que les physiciens n'étaient que des animaux stupides qui léchaient la surface des corps, et ce dédain n'est pas tout à fait mal fondé. Rien n'est simple dans la nature, la chimie analyse, compose, décompose : c'est la rivale du grand ouvrier. L'athanor du laboratoire est une image fidèle de l'athanor universel. C'est dans le laboratoire que sont contrefaits l'éclair, le tonnerre, la cristallisation des pierres précieuses et des pierres communes, la formation des métaux, et tous les phénomènes qui se passent autour de nous, sous nos pieds, au dessus de nos têtes » (III, 463).

*

---

[5] Cf. art. *Plastique* (nature), XVI, p. 305, 307. Cet article serait non de Diderot, mais de l'abbé Yvon, selon J. Proust : *Diderot et l'Encyclopédie,* p. 158, en note.

[6] Voir, à propos de l'âme ignée, l'art. *Immatérialisme* (qui semble inspiré surtout par Mirabaud).

[7] « La chimie est imitatrice et rivale de la Nature ; son objet est presque aussi étendu que celui de la nature même : ou elle *décompose* les êtres ; ou elle les *revivifie ;* ou elle les *transforme* . . », XIII, 155.

Dès lors, nous semble-t-il, il faut prendre au sérieux, au moins comme idée directice pour un travail de recherches, l'Avertissement de Naigeon au fragment intitulé *Principes philosophiques sur la matière et le mouvement* (1770). On y reconnaît surtout, dit Naigeon, combien l'étude de la chimie a été utile à Diderot : « Les applications qu'il a su faire depuis de ces connaissances si nécessaires et sans lesquelles il ne peut y avoir ni bonne physique ni bonne philosophie font regretter qu'il n'ait pas pris plus tôt les leçon de Rouelle. C'est dans le laboratoire de ce grand chimiste qu'il aurait trouvé la réponse à la plupart des questions qui terminent ses *Pensées sur l'interprétation de la Nature,* ou plutôt il ne les aurait jamais proposées : car une grande partie de ces doutes, si difficiles à éclaircir par la métaphysique, même la plus hardie, se résolvent facilement par la chimie » (II, 64).

Diderot aurait donc évolué sous l'influence de Rouelle ; la chimie permettrait d'éclaircir des problèmes que la métaphysique laisse obscurs ; autrement dit, elle établirait le matérialisme plus solidement que la métaphysique.

Repartons des *Pensées sur l'interprétation de la Nature* (1754). Les inspirateurs en sont avant tout Buffon et Maupertuis (dont la *Dissertatio* vient, cette même année 1754, d'être traduite en français). A Buffon Diderot doit sans doute sa défiance sur la portée des mathématiques (II–IV), une idée plus précise sur la gradation entre les règnes « par degrés insensibles » (XII), ses conjectures sur la môle (XXXII), sur le magnétisme expliqué par un noyau solide de verre au centre de la Terre (XXXIII), sur la matière électrique (XXXIV–XXXV) ; il lui doit la distinction entre la matière inerte et la matière vivante (LI), la théorie de la molécule organique (LVIII), les conjectures sur la combinaison d'une molécule de matière vivante avec une molécule de matière morte (LVIII). A la double lecture de Buffon et de Maupertuis, il est désormais convaincu que le mécanisme, cartésien ou attractionnaire, est insuffisant pour rendre compte de la formation d'une plante ou d'un animal. Il admet la dualité de la matière morte et de la matière vivante, sans comprendre comment leurs molécules se peuvent combiner entre elles — et là sont les questions que Naigeon estime insolubles sans la chimie. Or la chimie n'apparaît que furtivement dans les *Pensées* de Diderot: peut-être songe-t-il à elle lorsqu'il imagine que les éléments de la môle *s'échauffent, s'exaltent, prennent de l'activité* dans le corps, soit de la femme soit de l'homme (XXXII) ; à coup sûr l'augmentation du poids de certaines matières par le feu renvoie au phlogistique (XXXIV) ; le plus intéressant se trouve dans la phrase : « Les opérations les plus simples de la chimie, ou (traduisez : c'est-à-dire) de la physique élémentaire (traduisez : physique des éléments) des petits corps, a fait (doit-on traduire par : Buffon ?) recourir à des attractions qui suivent d'autres lois » que celles de l'attraction newtonienne (L). Ces attractions qui suivent d'autres lois pourraient bien être, encore que le mot ne fasse pas partie du vocabulaire diderotien, celles de l'affinité. Mais la suite de la Conjecture *saute* au vitalisme de la sensibilité sourde assimilée à un toucher — avec Bordeu, le *Rêve* attribuera ce toucher non à la molécule, mais à chaque organe — sans établir une liaison entre ce toucher et l'affinité attractive de la chimie. De toute façon, le principe de l'organisation, la molécule, ne saurait être lui-même organisé ; la molécule ne peut différer d'une autre que par la qualité de sa substance — lorsqu'elles diffèrent en genre — et par sa masse (II, 56) : mais ces remarques s'appliquent aussi bien aux molécules de matière morte qu'à celles de la molécule vivante.[8]

Après la parution des *Pensées sur l'interprétation de la Nature* (1754), Diderot suit pendant trois ans les leçons de Rouelle (VI, 407). Il n'oublie pas, favorables au passage de la matière morte à la matière vivante, les expériences du collaborateur de Buffon, Needham. Son amitié devient de plus en plus intime avec d'Holbach, traducteur de tant de chimistes allemands, qui, en 1765, rapporte d'Angleterre de nouveaux arguments en faveur du matérialisme :[9] et peut-être est-ce à sa demande qu'il rédige les *Principes philosophiques sur la matière et le mouvement* (1770).

Ces principes sont trois : la force mécanique de Descartes, la force d'attraction et la force chimique. S'il faut tous trois les admettre (II, 68), ce n'est pas sur le même plan. La force mécanique de Descartes ne concerne que le repos absolu *ou* (sans continuité de l'un à l'autre) le mouvement de translation. Ce mouvement se communique à une matière en elle-même inerte et homogène. Or, qu'un corps ou une molécule soit par lui-même sans action et sans force, « c'est une terrible fausseté bien contraire à toute bonne physique, à toute bonne chimie » (II, 65). Le repos n'est qu'une abstraction (II, 66). Par conséquent le mécanisme cartésien n'exprime que l'aspect le plus extérieur, le plus abstrait (par là, le plus géométrique) du réel.

Ce qu'il y a de plus profond que le mouvement ou la force de translation, c'est le mouvement ou force *in nisu*, qui en est l'origine. Que peut-être cet *in nisu* indestructible, inhérent à la molécule ? On pense à l'attraction, le deuxième des trois principes. Cette attraction a pour effet des translations, mais elle agit aussi comme tendance essentielle au corps et proprotionnelle à la masse, elle exclut le repos : « la pesanteur n'est point *une tendance au repos* ; c'est une tendance au mouvement local » (II, 66). Impulsion ou attraction, ces deux forces sont communes à tous les corps ; elles supposent l'unité de la matière, des agrégats homogènes et des énergies relatives (II, 67). Si ces agrégats se combinent, leurs combinaisons ont le sens de la Combinatoire mathématique et (nous y reviendrons) engendrent un monde à l'épicurienne.[10]

Il en va autrement du troisième principe. La chimie traite de substances différentes, hétérogènes, puisque chacune se caractérise par son énergie

---

[8] L'article *Naître* qui semble une esquisse du *Rêve*, ne serait pas, selon J. Proust, de Diderot.

[9] Voir notre Introduction au *Système de la Nature* de d'Holbach éd. Georg Olms, 1966.

[10] Diderot se montre souvent réservé à l'égard de la métaphysique des attractionnaires. D'une part (II, 32), il ne croit pas au vide, d'autre part (IX, 269), il se

propre, son action diverse qui n'est pas proportionnelle à la masse (« Une molécule d'air fait éclater un bloc d'acier. Quatre grains de poudre suffisent pour diviser un rocher », II, 67) ; et qui constitue « sa nature de molécule ignée, aqueuse, nitreuse, alkaline, sulfureuse » (II, 66). Ainsi donc, maintenant que nous sommes en présence « d'agrégats hétérogènes, de molécules hétérogènes, ce ne sont plus les mêmes lois. Il y a autant de lois diverses, qu'il y a de variétés dans la force propre et intime de chaque molécule élémentaire et constitutive des corps » (II, 67). Avec ces agrégats hétérogènes nous passons de la combinaison combinatoire à la combinaison chimique. Des trois principes, celui de la chimie est sans conteste le plus interne de la Nature. Avec les deux premiers « vous ferez de la géométrie et de la métaphysique tant qu'il vous plaira » (II, 66) ; avec le troisième, vous entrez dans « le laboratoire » de la Nature où tout s'agite, explose, brûle, fermente ; vous découvrez cette « fermentation générale dans l'univers » (II, 69), dont Auguste Comte fera encore le phénomène le plus général de la chimie organique.

Toutefois, cet examen des trois principes de la matière et du mouvement ne fait pas mention d'une force vitale ou d'une matière vivante. Ne laisse-t-il pas subsister le dualisme du physico-chimique et de la vie ? Les leçons de Rouelle et celles de Bordeu ou de Haller se sont-elles conciliées en monisme ? Procédons d'abord par synthèse. La matière peut-elle s'animaliser ?[11] Pourquoi pas ? Cela n'est pas démontré impossible. Car enfin, interroge Diderot dans le *Rêve*, d'où savez-vous « que la sensibilité est essentiellement incompatible avec la matière, vous qui ne connaissez l'essence de quoi que ce soit, ni de la matière, ni de la sensibilité ? » (II, 116). La question, posée par Gassendi à Descartes dont les *Méditations* ne prouvaient pas que la matière ne peut pas penser, était devenue, en particulier par Locke (*Essays*, IV, iii, 22) repris par Voltaire (13ème des *Lettres Philosophiques*), un thème polémique du XVIIIème siècle. La réponse ne donne qu'une possibilité. Mais les expériences de Needham, évoquées par le *Rêve* (II, 131, 134), montrent, du moins aux yeux de Diderot (et de Buffon) la réalité du passage de la matière à la vie qui naît spontanément lorsqu'on humecte de la farine.[12] Allons plus loin : mettons en œuvre l'assimilation. Pulvérisons du marbre, mêlons-le à de l'humus, pétrissons, arrosons, laissons putrifier, attendons : l'humus végétal servant de moyen d'appropriation, de « *latus*, comme vous dirait le chimiste »,

---

demande si l'attraction n'est pas « une conséquence du mouvement ou de la force », ce qui semble renvoyer au mécanisme cartésien ou à la dynamique leibnizienne, mais conteste, dans les deux cas, la réalité de l'attraction elle-même.

[11] Le mot *s'animaliser* est généralement attribué à d'Holbach, mais est commun à d'Holbach et à Diderot (IX, 256 et la *Lettre à Hemsterhuys* p. 163).

[12] IX, 258 : « Needham ne croit pas que ces anguilles soient des animaux, il en fait des êtres vitaux ; Buffon, des molécules organiques vivantes : Fontana, des animaux ».

le marbre se transforme, il se végétalise, après quoil il s'animalise (II, 108). Le passage de la matière à la vie s'accomplit, semble-t-il, par « appropriation » — ou par « fermentation » (II, 133, 134) — c'est-à-dire par une opération chimique — une transmutation, comme le voulait l'alchimie (à la quelle un Newton demeure fidèle). Procédons, à l'inverse, par analyse. « Vivant, j'agis et je réagis en masse . . . mort, j'agis et je réagis en molécules . . . » (II, 139) : si la mort est décomposition, n'est-ce point, encore une fois, par une opération chimique que l'animal se désanimalise ? Tel était l'argument de Stahl — mais, au vrai, pour opposer les processus vitaux (assimilation, régénération, croissance, etc.) aux processus chimiques.[13]

En effet, bien que l'expérience indique le passage de la matière à la vie et de la vie à la matière, la preuve n'est pas faite que la molécule de marbre et la molécule de chair soient réductibles l'une à l'autre et que, par conséquent, la chimie soit au fond de la physiologie. L'expérience ne fournit qu'une probabilité. Et Diderot, s'il part de la matière, comme dans le fragment sur les *Principes philosophiques,* aboutit, naturellement, à des molécules de matière, qui, par delà l'étendue cartésienne et la masse newtonienne, se révèlent molécules chimiques. S'il part de l'animal, soit qu'il écrase le polype de Trembley (II, 128), soit qu'il imagine sa propre décomposition (II, 139), il aboutit à des molécules vivantes. Le dualisme semble d'autant mieux subsister que les questions qui terminent les *Pensées sur l'interprétation de la Nature* (II, 59) envisageaient toutes les applications d'une molécule vivante à une molécule morte, en cherchant, chaque fois, si le tout serait vivant ou mort. Le *Rêve* ne paraît pas aller plus loin, puisque les transitions d'un règne à l'autre s'y font toujours en supposant, dans la combinaison, la présence du règne supérieur : le *latus* ne végétalise l'atome de marbre que parce qu'il est lui-même végétal ; et le végétal, à son tour, est assimilé par la chair. Il faut donc démêler quels arguments invoque ou, parfois, seulement, suggère Diderot pour réduire la molécule vivante à la molecule chimique, réduction qui va dans le sens du matérialisme beaucoup mieux que la thèse d'un vitalisme pur.

Eliminons d'abord un faux problème. Le *Rêve*, comme les *Eléments de Physiologie* (IX, 275), distingue trois vies — et, du même coup, trois sensibilités — : celle de l'animal, celle de chaque organe, celle de la molécule. La molécule ne peut être le résultat de l'organisation ou composé organique, puisqu'elle en est le principe, l'élément simple. La sensibilité de la molécule organique ne résulte donc pas, elle non plus, de l'organisation, comme la sensibilité d'un sens. Doit-on admettre que, par une sorte de retour aux homéoméries d'Anaxagore,[14] il y ait autant de différentes molécules que d'espèces animales et que d'organes ? et, par suite, autant de différentes

---

[13] Voir H. Dieckmann : *Théophile Bordeu und Diderots « Rêve de d'Alembert »,* p. 73. — Cf. IX, 269.

[14] Que Diderot, assûrément, connaît au moins (sans parler de Brucker) par la critique de Lucrèce, I, 830 ssq.

sensibilités organiques ? Diderot ne le dit pas. Il dit : « nos sensations en général » ne sont « qu'une espèce de toucher diversifié » (II, 152). Comme la diversification, dans cette page, provient de l'organisation, l'« espèce de toucher » ne peut être que d'*avant l'organisation*.[15] Ce toucher, au moment du *Rêve*, est celui dont parle Bordeu. Mais au moment de *l'interprétation de la Nature* (II, 49), l'animal se définissait : « un système de différentes molécules organiques qui, par l'impulsion d'une sensation semblable à un toucher obtus et sourd, se sont combinées jusqu'à ce que chacune ait rencontré la place la plus convenable à sa figure et à son repos ». Ne retenons que ce toucher obtus et sourd.[16] Ce n'est évidemment pas le tact qui résulte de l'organisation. Si on le rattache à l'irritabilité,[17] il faut, pour continuer l'analyse, remonter à la fibre, et de la fibre aux molécules ; et ce toucher « obtus et sourd », lié à une « impulsion », s'enveloppe en une sensibilité de plus en plus sourde. La vie ne rejoint-elle pas alors le chimique ? Sans doute. Car le passage de la force morte à la force vive est mis en parallèle — précisément, en invoquant la chimie — avec le passage de la sensibilité inerte à la sensibilité vive (II, 106). Dans les deux cas, il suffit de « lever l'obstacle » qui maintient la force ou la sensibilité *in nisu*, pour que leur activité se libère. Or, dans le second cas, la force qui s'éploie en sensibilité active est bien une force chimique, puisque Diderot l'associe à un processus d'assimilation rapproché expressément (II, 108) d'un échange chimique par un *latus* ; que la chaleur et un fluide sont nécessaires pour la génération (II, 115, 149), ou, encore, la fermentation (II, 134) ; et que l'on a affaire, condition fondamentale de la chimie, à des éléments ou sub-stances hétérogènes. Certes, la fermentation ramène à Epicure (II, 133) ; mais sa notion n'a pu rester la même au temps de Rouelle qu'au temps de Lucrèce. Enfin, et surtout, le témoignage de Naigeon affirme que la chimie de Rouelle à résolu pour Diderot les conjectures terminales de *l'interprétation de la Nature* sur la combinaison des molécules.

Cependant, une fois admise l'hypothèse que la molécule organique soit en définitive d'essence chimique — c'est-à-dire, qu'elle obéisse à d'autres lois que celles de la mécanique des chocs élastiques et de la gravitation — on se heurte à la difficulté : comment s'élever par synthèses de molécules chimiques

---

[15] IX, 269 : « On en viendra quelque jour à démontrer que la sensibilité ou le toucher est un sens commun à tous les êtres... Alors la matière en général aura cinq ou six propriétés essentielles, la force morte ou vive, la longueur, la largeur, la profondeur, l'impénétrabilité et la sensibilité. »

[16] Ici, en poursuivant l'enquête, il est probable qu'on reviendrait, par Maupertuis, à Wolff qui, transformant et déformant la monade leibnizienne, en fait un *Atomus naturæ* doué du seul *Appetitus*. A ce sujet, notre étude : *Sur un point de comparaison entre Leibniz et Kant*, dans Hommage à Heinz Heimsœth (1966).

[17] Comparer ce que nous venons de rappeler du principe chimique du mouvement, qui n'obéit plus aux lois de la mécanique (II, 67) avec IX, 270 à propos de l'irritabilité : « Cette force ne dépend ni de la pesanteur, ni de l'attraction, ni de l'élasticité ».

à l'organisation ? Chacune de ces molécules a, spécifique et individuelle, sa force propre, sa tendance propre, ce toucher sourd qui lui permet de réagir, à sa manière, dans son contact avec une autre : disons sa sensibilité ou ses affinités. Mais la vie est de l'agrégat (II, 78). Il faut donc que de l'interaction de deux molécules chimiques naisse un tout vivant. En tant que *tout* et en tant que *vivant*, ce tout vivant est un phénomène radicalement neuf qui n'était contenu en aucune des molécules prises à part.[18] C'est en pensant à la chimie que Diderot accepte la possibilité d'un composé offrant des propriétés nouvelles, absentes de ses composants : par exemple, que deux molécules lourdes produisent un mixte léger (II, 69). Dire que le tout est vivant, c'est déjà dire qu'il propose une organisation, en sorte que la vie est organisée à l'infini (II, 128). Dire que ce vivant est un tout, c'est dire que les deux molécules n'en font qu'une : on est donc passé de la contiguïté à la continuité et, en conséquence, de deux sensibilités moléculaires à une sensibilité commune d'un autre ordre, une sensibilité d'organisation ; le toucher primitif se diversifie par l'organe (II, 145, 152, 147). Attentif au passage du contigu au continu, Diderot reprend, sous de nouvelles perspectives,[19] la comparaison d'un organisme avec un essaim d'abeilles : *amollisez* les pattes, « à présent, c'est un tout, un animal un », « que la loi de continuité tient dans une sympathie, une unité, une identité générales » (II, 127). A coup sûr, c'est un médecin, c'est Bordeu qui parle. Mais il doit *amollir*, fluidifier, — se diriger vers la chimie dont la caractéristique est d'exiger, en ses combinaisons, l'état gazeux ou fluide d'au moins un des corps en présence. L'animal est une machine qui naît d'un point, d'un fluide (II, 149).[20] D'autre part, si la molécule de marbre se transmue en molécule de chair, cette métamorphose implique une transformation interne des éléments assimilés : et cela est encore une caractéristique fondamentale de la chimie. Ainsi est-ce bien dans la chimie — en particulier, par ses processus de fermentation et de nutrition[21] — que réside la possibilité de l'organisation.

Ce n'est pas assez pour comprendre la formation d'un organe et d'un organisme. Le « moule intérieur » lui-même expliquerait tout au plus la constance d'une forme, mais non pas l'origine de cette forme. Ayant renoncé à l'emboîtement des germes, se défiant des conjectures sur le moule intérieur,

---

[18] IX, 254: «Les éléments en molécules isolées n'ont aucune des propriétés de la masse » ; plus loin, p. 278 : « Analyse du gluten : terre, eau et huile ; mais combinées, et par la combinaison formant un tout qui n'est ni eau, ni terre, ni huile, ni rien qui soit dissipé dans l'analyse ».

[19] Voir H. Dieckmann : *Théophile Bordeu . . .*, p. 87—88.

[20] IX, 274 : « l'homme est d'abord fluide ; chaque partie du fluide peut avoir sa sensibilité et sa vie ». A partir de ce fluide, « à mesure que l'animal s'organise, il y a des parties qui se durcissent, qui prennent de la continuité ». Et, p. 276, 277, il faudra le feu ou une longue putréfaction pour séparer les éléments fluides des solides. Toute la suite sur les *fibres* renvoie à des opérations chimiques.

[21] IX, 281 : « Ainsi toute nutrition tend à engendrer le tissu cellulaire ».

Diderot construit une philosophie où la combinaison chimique se complète par la combinatoire épicurienne. La formation d'un organe ou d'un organisme aura pour base l'assimilation, processus chimique, et la juxtaposition, phénomène mécanique. La contiguïté, qu'il avait fallu dépasser pour parvenir au plus interne de la vie, réapparait dans la genèse organique, sans exclure, bien entendu, la continuité des échanges bio-chimiques. Dans la *Lettre sur les Aveugles*, c'est la combinatoire épicurienne qui engendre et brasse les formes, qui élimine, sans finalité, « toutes les combinaisons vicieuses de la matière » (I, 309 ; IX, 252, 264, 418) ; dans l'*interprétation de la Nature*, c'est encore cette combinatoire qui varie « le même mécanisme d'une infinité de manières différentes » (II, 15), en sorte que l'animal doit être défini : « un système de différentes molécules organiques qui ... se sont combinées jusqu'à ce que chacune ait rencontré la place la plus convenable à sa figure et à son repos » (II, 49—50) ; et le *Rêve* rappelle que la Nature amène avec le temps « tout ce qui est possible » (II, 159). Par opposition à l'art humain qui se hâte, se fatigue, se relâche, « la Nature est opiniâtre et lente dans ses opérations » (II, 35). Avec le temps toutes les distributions, toutes les appositions (II, 136), ou juxtapositions des molécules sont possibles. Mais chaque structure d'organisation — c'est-à-dire chaque structure de combinaison à la fois combinatoire et chimique — a pour résultat une sensibilité particulière. Dans les échanges avec le milieu, cette sensibilité ou réactivité propre modifie l'organe. En conséquence, « les organes produisent les besoins, et réciproquement les besoins produisent les organes » (II, 137 ; IX, 264, 336). Avec le temps, certaines formes s'établissent, se stabilisent « en apparence » (IX, 264), se transmettent — et passent.

Que Diderot associe le mécanisme au chimisme ne doit en rien surprendre puisque, nous le savons, il refuse, comme une abstraction de géomètre, de réduire à un seul les trois principes de la matière et du mouvement. Le mécanique représente les conditions spatio-temporelles du phénomène ; le chimique en représente le processus le plus interne. A partir de ce processus s'engendrent des structures de plus en plus hautes. Avant leur organisation, on n'a que la sensibilité du simple. Avec l'organisation apparaît la sensibilité du composé. Ces deux sensibilités ne s'opposent pas l'une à l'autre : en supprimant, par la combinaison, les obstacles qui contiennent *in nisu* la sensibilité du simple, on obtient synthétiquement celle du composé. Mais elles se distinguent nettement l'une de l'autre, comme le vital se distingue, aux yeux de Bordeu, du chimique. Si Bordeu ne se hasarde pas à l'intérieur des structures vitales,[22] Diderot semble s'y avancer jusqu'au principe du mouvement.

*

Certes, on n'oublie pas les réserves de Diderot sur tout « rêve » dépassant les faits. Nul ne sait comment le mouvement — ou l'attraction — est dans les

---

[22] H. Dieckmann, *ibid.* p. 88.

corps, se communique ou agit, « mais ce sont des faits . . . Et la production de la sensibilité ? — C'en est un autre. Laissons les causes qui nous sont inconnues, et parlons d'après les faits » (IX, 379). En vain interrogerait-on le physicien et le chimiste : « Il faut en convenir, l'organisation ou la coordination de parties inertes ne mène point du tout à la sensibilité, et la sensibilité générale des molécules de la matière n'est qu'une supposition, qui tire toute sa force des difficultés dont elle débarrasse, ce qui ne suffit pas en bonne philosophie » (II, 302). Ainsi importe-t-il de séparer en Diderot la réflexion positiviste et le rêve qui, lui, peut être « de la plus haute extravagance ». Positiviste? Oui, puisqu'il répond d'avance au vœu d'Auguste Comte (Leçon XL, ed. Schleicher, t. 3, p. 171) de ne pas vouloir ramener les forces de la vie à celles de la pesanteur et du choc. Vitaliste? En tout cas, pas à la maniere d'Aristote chez qui l'organisation résulte de l'âme ; et pas, non plus, par conséquent, à la manière de certains stahliens qui font du corps une machine hydraulique animée par une substance immatérielle (IX, 378, 262). Il reste, selon Condorcet, que Rouelle a fait comprendre Stahl et que « la chimie doit à Stahl l'heureuse révolution qui en fait une branche, ou plutôt une des bases de la physique ».[23] Les *Principes philosophiques sur la matière et le mouvement* soulignent l'intérêt de Diderot pour cette base de la physique. Il en retient l'hétérogénéité de la matière et, sans doute, quand il invoque le principe des indiscernables, faut-il penser à Rouelle plus qu'à Leibniz. Si, *d'autre part*, on analyse un organisme, on y constate des échanges chimiques, mais il semble bien difficile de rapporter à la chimie la sensibilité *qui résulte* de l'organisation : on pourrait dire qu'il y a alors, chez Diderot, un *vitalisme de l'organisation*. Mais poursuivons notre analyse *par la pensée* : partant du point où les sens et les instruments abandonnent l'observateur, interprétons (II, 53). Puisque — aveu qui porte contre Epicure et contre Descartes — on ne voit pas comment le sensible pourrait naître du non-sensible, le mieux n'est-il pas d'admettre, au terme de l'analyse, des molécules sensibles ? Or — la remarque est d'A. Comte (*ibid.*, p. 184) — la chimie prélavoisienne se prête à identifier la vie à l'activité spontanée. Et c'est ici que le début du *Rêve* imagine de transmuer la molécule de marbre en molécule de chair. Extravagance ? Peut-être aussi « de la plus grande profondeur » : et ce rêve de Diderot n'est pas sans ressemblance avec certains endroits de la *Naturphilosophie*, non vitaliste, de Schelling où l'inorganique est de la vie engourdie — *in nisu* — et liée à l'oxygénation.

En fait, le matérialisme dernier de Diderot — il a évolué sous l'influence de Rouelle entre 1754 et 1757, et de d'Holbach, nous semble-t-il, à partir de 1765 surtout — n'est pas un matérialisme unitaire et s'établit sur les trois principes de la matière et du mouvement : cependant, de ces trois principes le plus intérieur, en notre monde sublunaire, est la force chimique.

---

[23] Condorcet, *Eloges des Académiciens*, t. 2, p. 97 (Brunswick et Paris, 1799).

En rêve, ce matérialisme tend à devenir unitaire et à prendre pour base la chimie (prélavoisienne) intermédiaire entre la physique et la physiologie.

En tout cas, le matérialisme de Diderot n'est pas, *au fond*, un mécanisme. S'il fallait le caractériser en tenant compte de l'ambiguïté des textes, nous verrions volontiers en lui un *vitalo-chimisme* ou un *chimio-vitalisme*.

Hans Blumenberg

DIE VORBEREITUNG DER AUFKLÄRUNG ALS RECHTFERTIGUNG DER THEORETISCHEN NEUGIERDE

Die Aufklärung hat sich als das Zeitalter der endgültigen Durchsetzung der Vernunft und damit der natürlichen Bestimmung des Menschen verstanden. Die Schwierigkeit dieses Selbstverständnisses bestand darin, eine Erklärung für die geschichtliche Verspätung derjenigen Daseinsform zu geben, die ihrer Identität mit der Natur des Menschen wegen selbstverständliche Allgegenwart in der Geschichte hätte sein müssen. Die Vorstellungen vom Geschichtsverlauf, die dieses Problem zu bewältigen suchen, lassen sich danach einteilen, ob sie die Vorgeschichte des Zeitalters der Vernunft als natürliche Ohnmacht oder gewaltsame Unterdrückung der rationalen Potenz beschreiben. Wie vielen Metaphern ist denen des organischen Wachstums oder des Aufgehens des Tagesgestirns nach der langen Nacht seiner Abwesenheit eine primäre, aber nicht standhaltende Plausibilität eigen. Die Vorstellung eines kontinuierlichen Fortschrittes der Rationalität setzte sich in Widerspruch zu dem Grundgedanken der radikalen, revolutionären Selbstermächtigung der Vernunft als eines Ereignisses von epochaler, unvorbereiteter Plötzlichkeit. Die Idee der Selbstbefreiung der Vernunft aus ihrer mittelalterlichen Knechtschaft konnte nicht einleuchtend machen, weshalb der konstitutiven Kraft des menschlichen Geistes überhaupt je solches zuzustoßen vermochte und über Jahrhunderte hinweg angedauert hatte; die gefährliche Implikation dieser Erklärung war darüber hinaus, daß sie das Selbstbewußtsein der Endgültigkeit des Sieges der Vernunft und der Unwiederholbarkeit ihrer Unterdrückung mit Zweifel infizieren mußte. So ist die Selbstdarstellung, die die Epoche der Rationalität von ihrer eigenen Herkunft und geschichtlichen Möglichkeit gegeben hat, eigentümlich irrational geblieben. Das Verhältnis von Mittelalter und Neuzeit trägt im Geschichtsverständnis der Aufklärung die Züge eines Dualismus, und dem entspricht am ehesten die von Descartes formulierte Konzeption des absoluten und radikalen Neuanfanges, der seine Voraussetzungen ausschließlich in der Selbstversicherung des rationalen Subjekts hatte und dem die Geschichte erst unter der Herrschaft der 'Methode' zur Einheit werden konnte.

Man kann sagen, daß historisches Verstehen und historische Einstellung in eben dem Maße sich ausbildeten, in dem dieser Dualismus als Spontaneitätsanspruch der Neuzeit überwunden und das Mittelalter in die Einheit der Geschichtskonzeption hereingeholt wurde. Aber der Weg hierzu war die Verwischung der Epochenschwelle durch den Nachweis der Rückführbarkeit von Elementen des vermeintlich Neuen auf Bestandteile und Faktoren, die sich 'schon' im Bestand des Mittelalters aufzeigen ließen. Die Verwandlung des Mittelalters in eine sich ständig nach rückwärts ausdehnende 'Renaissance' war die Folge dieser historischen Auflösung des Dualismus der Aufklärung; sie läßt sich verstehen als Rationalisierung des Irrationalen im Selbstverständnis der Rationalität und darin als Konsequenz der Aufklärung selbst. Aber die Folge war, daß die Neuzeit ihre Konturen als Epoche und damit die Legitimität ihres Anspruches, den Menschen in eine neue und endgültige Phase seines Selbstbesitzes und seiner Selbstverwirklichung geführt zu haben, zu verlieren schien.

Der Versuch, die Struktur des Epochenwandels mit rationalen Kategorien zu erfassen, ist von der Aufklärung nicht gemacht worden und ist bis heute schließlich im Dilemma von Nominalismus und Realismus hinsichtlich der Gültigkeit des Epochenbegriffs stecken geblieben. Wölfflins Resignation in den *Kunstgeschichtlichen Grundbegriffen* von 1915 charakterisiert den theoretischen Befund: *Alles ist Übergang, und wer die Geschichte als ein unendliches Fließen betrachtet, dem ist schwer zu entgegnen. Für uns ist es eine Forderung intellektueller Selbsterhaltung, die Unbegrenztheit des Geschehens nach ein paar Zielpunkten zu ordnen.* Eine Rückkehr zum Selbstbewußtsein der Aufklärung oder nur dazu, es mit seiner Implikation der Singularität des Epochencharakters der Neuzeit ernst zu nehmen, gibt es offenbar nicht, solange auch nur ein Rest von so viel 'Geschichtlichkeit' in unserer historischen Einstellung wirksam ist. Aber müssen Gültigkeit der Epochenkategorie und Rationalität der historischen Objektivierung in Widerstreit zueinander stehen? Offenbar, solange die Logik der Kontinuität nur die Konstanz des Immer-schon-Dagewesenen oder die im dokumentarisch Unbemerklichen verschwindende Präformation als ihre alleinigen Alternativen vorgibt. Daß alle Logik geschichtlich wie systematisch auf Strukturen des Dialogs beruht, ist eine für die historische Kategorienbildung noch nicht relevant gewordene Einsicht. Wenn die Neuzeit nicht der in ihrer Selbstauffassung vorgestellte, auf dem Nullpunkt ansetzende Monolog des absoluten Subjekts wäre, sondern das System der Anstrengungen, die im Mittelalter dem Menschen aufgeworfenen Fragen in einem neuen Kontext zu beantworten, so ergeben sich neue Anforderungen der Interpretation dessen, was zwar die Funktion der Antwort hat, aber sich nicht als solche darstellt oder gar verhehlt, es zu sein. Jedes Ereignis, im weitesten Sinne, hat Korrespondenzcharakter, entgegnet auf eine Frage, eine Herausforderung, ein Unbehagen, überbrückt eine Inkonsistenz, löst eine Spannung oder besetzt eine leere Stelle. Auf einer Karikatur von Jean Effel im 'L'Express' war De Gaulle in einer Pressekonferenz dargestellt und mit dem Ausspruch bedacht 'Meine Herren! Wollen Sie jetzt bitte die Fragen auf meine Antworten stellen!' Das etwa wäre die Beschreibung des Verfahrens, mit dem eine historische Epoche im Verhältnis zu der ihr vorhergehenden in ihrer Logik interpretiert werden müßte. Nietzsche hat die Neuzeit als das Resultat der intellektuellen Pression verstanden, unter der der Mensch zuvor gelebt hatte; aber eben nicht als das

bloße cartesische 'jetter par terre' aller Bestände, das den durchdachten Neu-
bau ermöglichen sollte, sondern als das spezifische, in die Zumutung und
Herausforderung genau eingestellte Korrelat. Den Biologismus des Züch-
tungsgedankens wird man unschwer aus dem eliminieren können, was
Nietzsche in *Jenseits von Gut und Böse* (§ 188) sagt: *Die lange Unfreiheit
des Geistes, der mißtrauische Zwang in der Mitteilbarkeit der Gedanken, die
Zucht, welche sich der Denker auferlegte, innerhalb einer kirchlichen und
höfischen Richtschnur oder unter aristotelischen Voraussetzungen zu denken,
der lange geistige Wille, alles, was geschieht, nach einem christlichen Schema
auszulegen und den christlichen Gott noch in jedem Zufalle wieder zu entdecken und zu rechtfertigen, — all dies Gewaltsame, Willkürliche, Harte,
Schauerliche, Widervernünftige hat sich als das Mittel herausgestellt, durch
welches dem europäischen Geiste seine Stärke, seine rücksichtslose Neugierde
und feine Beweglichkeit angezüchtet wurde . . .* Übersetzt man Eigenschaft in
Funktion, Stärke in Argumentation, so erhält man ein Schema des historischen Zusammenhanges, in dem das Mittelalter seine historische Kontingenz
gegenüber der Neuzeit, die es im Geschichtskonzept der Aufklärung hatte,
seine Beliebigkeit als ärgerliche Episode der Verwirrung und Verdunkelung
des Geschichtstextes verliert und seine historische Relevanz gerade darin gewinnt, den Schlüssel zu dem Inbegriff derjenigen Anforderungen zu liefern,
als deren implizite (gleichgültig, ob vermeintliche oder wirkliche) Erfüllung
sich die Neuzeit formiert hat.

Nicht zufällig nennt Nietzsche die *rücksichtslose Neugierde* als eines der
epochalen Merkmale der Neuzeit, die nur aus dem Durchgang durch das
Mittelalter nach Spezifität und Energie verstanden werden können. Die Dis-
kriminierung der theoretischen Neugierde, zumindest die Statuierung einer
vom Heilsinteresse regulierten Ökonomie des Erkenntniswillens, gehört
konstitutiv in das geistige System des Mittelalters und ist ihm in seinen Formeln weitgehend schon von Augustin mitgegeben worden. Die 'theoretische
Einstellung' mag eine Konstante der europäischen Geschichte seit dem Erwachen des jonischen Naturinteresses sein, wie es Edmund Husserl für seine
Konzeption einer Teleologie dieser Geschichte als elementare Vorentscheidung angenommen hat; die Ausdrücklichkeit der Insistenz auf Willen und
Recht zur theoretischen Neugierde konnte diese Einstellung aber erst annehmen, nachdem ihr Widerspruch, Einschränkung, Konkurrenz und Ausschließlichkeit gegenüber anderen Wesensinteressen des Menschen entgegen-
gesetzt worden waren. Theorie konnte nach dem Mittelalter nicht mehr
einfach Fortsetzung des theoretischen Ideals der Antike sein, so als wäre nur
eine jahrhundertelange Störung dazwischen getreten. Für die rehabilitierte
Neugierde hatte sich nicht nur eine Energie aufgestaut, die der ruhenden
Anschauung des antiken Ideals das Prädikat eben der ruhenden Gelassenheit
entzog, sondern auch eine durch die mittelalterlichen Vorbehalte definierte
und gerichtete Konzentration des Erkenntniswillens und gegenständlichen
Interesses vollzogen, die als Fortsetzung der Antike zu verstehen das Mit-

machen desjenigen Mißverständnisses bedeutet, das in der Angewiesenheit
auf die Sprachmittel und sanktionierenden Formeln der Tradition suggestiv
angelegt ist.

Der Vorgang der Rechtfertigung der theoretischen Neugierde um die
Wende vom 16. zum 17. Jahrhundert darf. also unser Interesse auch und
gerade unter dem Gesichtspunkt der Herausarbeitung der rationalen Strukturen der Epochenwende beanspruchen.

I

Unter den Aphorismen und Fragmenten Goethes zur Wissenschaftsgeschichte
findet sich eine Aufzeichnung, die die Epochen der Wissenschaften nach
den beteiligten Geisteskräften des Menschen systematisch zu entwickeln
sucht: Sinnlichkeit und Phantasie begründen eine erste kindliche Phase des
erkennenden Interesses, das sich in der Form *poetischer* und *abergläubischer*
Anschauungen Ausdruck verschafft; in der zweiten Phase begründen Sinnlichkeit und Verstand eine empirische Weltdeutung, die *Neugierige* und
Forschende als ihre Typen prägt; Dogmatismus und Pedanterie sind die
Merkmale einer dritten Epoche, in der Verstand und Vernunft sich in über-
wiegend *didaktischer* Zielsetzung verbinden; in der vierten und letzten
Epoche treten Vernunft und Phantasie in eine Konstellation des *Ideellen*,
deren Spannungspole als *methodisch* und *mystisch* bezeichnet werden.[1] Die
Attribute der einzelnen Epochen, die mit polarisierenden Vorzeichen versehen sind, erwachsen in diesem Schema ganz aus dem wechselnden Zusammenspiel der menschlichen Vermögen; die Spannungen liegen in den
Äußerungsformen der Epochen selbst, aber es ist keine Logik sichtbar, die
von der Spannung zur Steigerung führt, also z. B. aus der kindlichen Polarität
der Weltansicht zwischen Poesie und Aberglauben zur empirischen Welt-
erschließung im Feld zwischen dem negativen Pol der neugierigen und dem
positiven Pol der forschenden Welthaltung (dies die Vorzeichensetzung
Goethes). Die eigentümliche Ungeschichtlichkeit des anthropologisch aufge-
fächerten Schemas verdeckt die geschichtliche Logik, in der Einstellungen des
Glaubens und Aberglaubens ihre eigene Stufe der dogmatischen Pedanterie
erreichen und durch den Anschein der systematischen Vollständigkeit und
Stabilität den Ausblick auf das versperren, was das System gefährden
könnte. Neugierde, Forschungstrieb, empirische Unbefangenheit erwachen
aber gerade aus dem Tabuierungszwang des dogmatischen Systems, das
seinen Anhängern nicht nur bestimmte Fragen und Ansprüche abschneiden
muß, sondern ihnen diese Entsagung mit einer besonderen Angemessenheit
und Verdienstlichkeit aus dem System begründet. Das Maß, in dem die
Nichtüberfragbarkeit des Systems an Selbstverständlichkeit verliert und in
dem die Verdienstlichkeit des Verzichts oder die Lasterhaftigkeit der Grenz-

---

[1] Werke, Artemis-Gedenkausgabe, XVII 757.

überschreitung der Begründung bedürfen, indiziert nicht nur den Rest an ungesättigter Neugierde oder den Stau erwachenden Ungenügens, sondern wirkt auch stimulierend, akzentuierend, tendenzierend auf diesen zurück. Die noch 'mittelalterlichen' Zugeständnisse und Einschränkungen, mit denen das 17. Jahrhundert der Wißbegierde Bahn und Recht verschaffen will, wirken immer zugleich als Reflexionen auf das, was noch freizugeben blieb.

An der Wende zum 17. Jahrhundert gewinnt die theoretische Neugierde an Typik, an gestalthafter Ausprägung, an Reichtum der Gebärde. Mit der poetischen Figur des Doktor Faustus ist ein Träger ihrer Wandlungen und des Fortschritts ihrer Rechtfertigung geschaffen. Die ursprüngliche Faust-Gestalt der *Historia* des Johann Spies von 1587 verkörpert noch das Erschrecken vor der sündhaften Wißbegierde, welche 'nahm an sich Adlers Flügel und wollte alle Gründ am Himmel und Erden erforschen'. Schon der englische Übersetzer Gent milderte die Epitheta der moralischen Verwerflichkeit, und Christopher Marlowe steigerte die Niedertracht des zu jedem Einsatz bereiten Wissensdranges zur tragischen Größe. Noch bleibt die Verdammnis als letzte Konsequenz, aber der Zweifel hat angesetzt, ob der Geist, wenn er sich ganz seinem eigensten Antrieb überläßt, sündhaft sein kann. Der Chor schließt die Tragödie mit der Moral, Faustens Sturz zu betrachten, um sich durch sein Schicksal warnen zu lassen, „verbotner Weisheit grübelnd nachzugehn, / Denn ihre Tiefe lockt vorschnellen Erdenwitz / Zu tun, was hier und dort der Seele wenig nütz." Erst Lessings Faust sollte Erlösung finden, Goethes Faust fand sie — aber löste Erlösung die Frage, die der Gestalt ihren epochalen Rang gab? In seiner Vorrede zur Übersetzung des Marlowschen Faust von Wilhelm Müller (1817) hat Achim von Arnim *die Freiheit für die erwachsende Welt zur Wiederbearbeitung dieses Stoffes zurückgefordert* und seine Voraussetzung, es seien *noch nicht genug Fauste geschrieben*, mit dem *ungeheuren Hochmuthe, dessen die Wissenschaften unserer Zeit in genialer Ausbildung sich schuldig machten*, begründet, ohne damit an dem Wirkungspotential der goetheschen Fassung zu zweifeln: *Je weiter das Lüsten nach Wissenschaft sich verbreitet, je höher der Hochmuth der Einzelnen wächst, die Etwas geleistet zu meinen glauben, und sich dann vergöttern, je mehr Entbehrung die Wissenschaft fordert, je mehr sich der Genuß in der Wissenschaft ausbreitet, je tiefer wird die ernste Wahrheit von Göthe's Faust gefühlt werden*... Als Paul Valéry das Anrecht auf Wiederverkörperung ein vielleicht unüberbietbares Mal im Jahre 1940 wahrnahm, Faust und Mephistopheles als *instruments de l'esprit universel* mit der Geschichte ihre Metamorphosen zu geben, das Menschliche und Unmenschliche der gewandelten Welt in ihnen wiederzuerkennen — wurde eine Komödie mit einer Zauberposse daraus. Weshalb? Weil nicht mehr Faust der Verführung bedarf, sondern sein Verführer: der Prozeß der Erkenntnis selbst hat alles überboten, was Magie verlockend machen konnte. Die große Geste der Neugierde hat ihren Spielraum verloren, wo Zeiger den Augenblick für den Druck auf eine Taste angeben.

Als Christopher Marlowe seinen *Faust* schrieb (1588), hatte Giordano Bruno schon seinen Weg des triumphierenden Trotzes der *curiositas* bis zum Ende zu gehen begonnen. Er ist zumindest in dem, was er der Welterkenntnis des Menschen zutraut, die reale Faustgestalt des Jahrhunderts, dem poetischen Genossen an Nachmittelalterlichkeit weit voraus. Im ersten Dialog des *Aschermittwochsmahls* feiert er das Werk der Erkenntnis, seiner Erkenntnis, als Durchbrechung des Himmels und Überschreitung der Grenzen der Welt, als Öffnung des Gewahrsams der Wahrheit und als Entblößung der verhüllten Natur — als Handstreich also des Wissensdranges gegen seine mittelalterliche Einschließung und Begrenzung. Augustins Verdacht, hinter der Astronomie stehe das Streben, sich aus eigener Kraft zum Himmel zu erheben, scheint sich in Bruno zu bestätigen: *non altrimente calcamo la stella, et siamo compresi noi dal cielo, che essi loro*, heißt es in der Einleitung zu den Dialogen über das unendliche Universum. Naturerkenntnis und Glücksbesitz sind identisch; aber die aristotelische Formel vom Wissensdrang des Menschen, die Giordano Bruno an den Anfang seiner Auslegung der aristotelischen Physik stellt, ist nun gerade gegen das geschlossene Universum des Aristoteles und des Mittelalters gerichtet, sie ist zur Formel der Befreiung statt der Rechtfertigung geworden. Dieses befreiende Wissensstreben ist nicht mehr die gemeinsame Natur aller Menschen — sonst empfände Bruno nicht die Einsamkeit und Verlorenheit seines Schicksals —, sondern Sache der Wenigen, die er mit sich reißen und in den ekstatischen Aufschwung der Neugierde hineinziehen kann: *O curiosi ingegni, / Peregrinate il mondo, / Cercate tutti i numerosi regni!*

II

Ganz anders, lässiger, mit juristischem Kniff und schlauer Wendung geheiligter Argumente, verteidigt Francis Bacon die theoretische Neugierde. So wie er, nach einer Beobachtung Liebigs, den Naturprozeß in den juristischen Kategorien „genau wie eine Civil- und Kriminalsache behandelt",[2] schlägt ihm auch das Verhältnis des Menschen zur Natur in dem ganzen von ihm zuerst gesehenen Umfang der theoretischen und technischen Bemächtigung zu einer Rechtsfrage aus. Die zumeist als terminologische Flüchtigkeit verstandene Unterscheidung von ewigen Gesetzen der Natur *(leges aeternae)* und ihrem gewöhnlichen Verlauf *(cursus communis)* ist streng nach der Unterscheidung von kodifiziertem und usuellem Recht angesetzt und dient gerade dazu, die menschlichen Eingriffsmöglichkeiten in die Natur abzugrenzen. Diesem Ansatz entspricht die Kompetenzverteilung von Metaphysik und Physik: jene hat das unveränderliche und dem Menschen entzogene Gesetz

---

[2] Justus Liebig, Francis Bacon von Verulam und die Geschichte der Naturwissenschaften (1863). In: *Reden und Abhandlungen.* Leipzig 1874, 233 f. Hierzu: G. Gawlick, Justus Liebig und die Geschichte der Philosophie. In: *Nachrichten der Gießener Hochschulgesellschaft* 33, 1964, 115—130.

zum Gegenstand, diese umfaßt alle Erkenntnisse der wirkenden und stofflichen Ursachen, die der Mensch in Beeinflussung der gegebenen Sachverhalte umsetzen kann.[3] Bacon kennt also keine durchgängige gesetzliche Determination der Natur, und ich zweifle, ob man seinen berühmten Satz, die Natur lasse sich nur beherrschen, indem man ihr gehorcht, heute noch richtig versteht, wie man ihn unmittelbar verstehen zu können glaubt, indem man Gehorsam und Herrschaft auf ein und denselben gesetzlichen Aspekt bezieht.

Die Idee eines wiederzugewinnenden essentiellen Rechtes des Menschen auf Erkenntnis beherrscht das *Novum Organum* (1620). Die Vorrede behandelt den stagnierten Zustand der zeitgenössischen Wissenschaften und verspricht, dem menschlichen Geist einen neuen, bisher ungekannten Weg zu eröffnen und ihm Hilfsmittel bereitzustellen, damit er *von seinem Rechte gegenüber der Natur Gebrauch machen könne (ut mens suo jure in rerum naturam uti possit)*. Der Anspruch der Menschheit auf Wissenschaft gründet in einem ihr von Gott verliehenen Rechtstitel, dessen Vollstreckbarkeit es nun auszuschöpfen gelte, soweit Vernunft und *gesunde Religion* es zuließen.[4] Die Beruhigung der menschlichen Wißbegierde an dem, was die Antike erreicht hatte, führt Bacon nicht auf eine bewußte Selbstbeschränkung der Vernunft angesichts vermeintlicher Grenzsetzungen zurück, sondern auf die illusionäre Unterschätzung der eigenen Kräfte und Mittel, die sich zugleich als Überschätzung des Erreichten beschreiben lasse .Die Säulen des Herkules, die das Titelblatt der 'Instauratio Magna' mit einem schon transzendierenden Schiffsverkehr vor Augen führt, sind zwar eine schicksalhafte Grenze *(columnae fatales)*, aber nicht im Sinne einer göttlichen Mahnung gegen die Hybris, sondern der mythischen Entmutigung des Begehrens und der Hoffnung. Bacon vermeidet es, der mittelalterlichen Sanktion des überlieferten Weltrahmens die Verantwortung dafür anzulasten, daß der Mensch seine Möglichkeiten brachliegen ließ; er muß sich, wie noch zu zeigen sein wird, die theologischen Prämissen unbelastet erhalten, um aus ihnen eine neue Legitimität abzuleiten. Also nicht religiöse Demut und theologische Tabuierung haben die große Stagnation bewirkt, sondern der Irrtum des Menschen über den Spielraum seiner Mächtigkeit: eingebildeter Reichtum sei eine der Hauptursachen der Armut *(opinio copiae inter maximas causas inopiae)*, und falsches Weltvertrauen im Gegenwärtigen läßt die ereichbaren Hilfsmittel für die Zukunft vernachlässigen. Falsches Weltvertrauen — das ist der Bacon beherrschende Antrieb für seine folgenreiche Ausschaltung der teleologischen Naturbetrachtung. Aber es ist nicht mehr der verborgene und unbegreiflich souveräne Gott, der dem Menschen Einblick und Eingriff in die Natur verwehrt, sondern es ist die geschichtliche Trägheit des Menschen selbst, der die

---

[3] *Novum Organum* II 9. Vgl. die Unterscheidung des *cursus consuetus* der Natur von ihren *praeter-generationes* in *De augmentis scientiarum* II 2.

[4] *Novum Organum* I 129: *Recuperet modo genus humanum jus suum in naturam quod ei ex dotatione divina competit, et detur ei copia: usum vero recta ratio et sana religio gubernabit.*

Ziele seiner Auseinandersetzung mit der Natur verkennt und sich vorzeitig
mit seinem Glauben an eine Begünstigung durch die Natur den Weg des
Fortschrittes versperrt. Die Stellen von Hybris und Angemessenheit der
Selbsteinschätzung sind bei Bacon im System vertauscht: Sorglosigkeit und
Trägheit (socordia et inertia) der Menschen ließen sie das Selbstvertrauen und
die Selbstüberhebung eines verwegenen Geistes — des Aristoteles — akzeptieren und sich zur angenehmen Autorität werden, die ihnen die Mühsal
weiterer Untersuchungen ersparte.[5]

Dieses Bild von der geschichtlichen Indolenz und Fortschrittsunwilligkeit
des menschlichen Geistes hat freilich eine Voraussetzung in dem Begriff von
der Theorie selbst, die nicht mehr ruhende und beglückende Anschauung der
sich selbst darbietenden Dinge ist — wie es die Antike gesehen hatte —, sondern als Arbeit und Kraftprobe begriffen wird. Es genügt nicht mehr, den
einzelnen Gegenstand in den Focus der Anschauung zu rücken und von ihm
gleichsam eine Aussage über sich selbst zu erwarten; nur angestrengte Veränderung der Wirklichkeit gewährt Aufschluß über sie, und die Insistenz der
ruhenden Anschauung ist nutzlos.[6] Auch hier ist, ohne daß von Fernrohr und
Mikroskop Notiz genommen wäre, die Relevanz des Unsichtbaren zur Geltung gebracht, aber nicht als die des zu Kleinen oder zu Fernen, sondern als
die jenseits der Selbstdarbietung der Oberfläche der Natur liegende Ver-
schlossenheit ihrer konstituierenden Elemente und Kräfte. Das Neue der
methodischen Induktion ist das primäre Wegsehen vom thematisierten
Gegenstand selbst. Die sich selbst überlassene Vernunft (intellectus sibi per-
missus) ist ohnmächtig, weil sie in der Momentaneität vermeintlicher Evidenz
(anticipatio) aufgeht, die den Intellekt im Augenblick durchdringt und die
Phantasie erfüllt, während die methodisch gerüstete und kontrollierte Vernunft auf ein erst in seinen Zusammenhang zu bringendes Faktenmaterial
gerichtet ist, das keinen vorgegebenen (familiariter) Kontext bildet, sondern
erst in diesen gebracht werden muß und in ihm seine Interpretation ermöglicht.[7] In diesem Konzept der Erkenntnis ist die kritische Front gegen den
Wirklichkeitsbegriff der momentanen Evidenz gerichtet und der neue Entwurf ganz von dem Wirklichkeitsbegriff des experimentellen Kontextes getragen, in dem die wahre Natur der Dinge — wie die des Bürgers — sich nur
zeigt, wenn sie ihrer „Natürlichkeit" entzogen und gleichsam künstlicher
Unordnung ausgesetzt sind (cum quis in perturbatione ponitur).[8]

---

[5] Novum Organum Praef.: Id tamen posteris gratum esse solet, propter usum
  operis expeditum et inquisitionis novae taedium et impatientiam.
[6] Novum Organum Praef.: Nemo enim rei alicuius naturam in ipsa re recte aut
  feliciter perscrutatur; verum post laboriosam experimentorum variationem non
  acquiescit, sed invenit quod ulterius quaerat. Daher die Bedeutung der 'negativen Instanzen' im Erkenntnisprozeß; der Mensch kann nicht ab initio contem-
  plationis erkennen, sondern sein Weg geht über das procedere primo per
  negativas ... post omnimodam exclusionem (Novum Organum II 15,2.).
[7] Novum Organum I 28: ... ex rebus admodum variis et multum distantibus
  sparsim collectae (sc. interpretationes) ...

Hier ist die Wendung beschrieben, der Galilei größere Folgen abgewann als Bacon, indem er der natürlichen Natur den Rücken kehrte und sich von seiner Neugier in das Arsenal von Venedig führen ließ, wo die gleichsam „künstliche" Natur in den Mechanismen des Kriegsinstrumentariums ihre Geheimnisse preisgab. Bacons Erkenntnisideal steht sicher noch der magischen Unterströmung der mittelalterlichen Scholastik näher, als es für Galileis Physik gilt; aber andererseits ist Galileis Vertrauen in die Demonstrationskraft der optisch verstärkten Anschauung im Fernrohr, seinem Wirklichkeitsbegriff nach, antikischer als es in der mythisierten Szene erscheint, und Bacons Begriff der indirekten Erfahrung weist hier ausdrücklicher den neuen Weg. Der magische Habitus ist auch zu einem guten Teil Stilisierung, Metaphernfreudigkeit, und nicht zuletzt der Versuch, dem paradiesischen Status Adams als dem zwar verlorenen, aber den Rechtstitel des Menschen in der Geschichte verbürgenden Typus seines Naturverhältnisses Farbe und Konkretion, Attraktivität als Geschichtsziel der Restituierung des Paradieses zu geben. Bacons Ablehnung der Mathematik als Formular der Naturerkenntnis hängt mit seiner Definition des paradiesischen Zustandes als Mächtigkeit durch das Wort zusammen.[9]

Den deutlichsten Umriß seiner Rechtfertigung der menschlichen Wißbegierde aus der Umdisponierung des biblischen Paradieses in eine Utopie des menschlichen Geschichtszieles hat Bacon schon in dem 1603 niedergeschriebenen, aber erst nach seinem Tode 1734 veröffentlichten Fragment

---

[8] *Novum Organum* I 98: *occulta naturae magis se produnt per vexationes artium* ... Voraussetzung ist hier, daß es die aristotelische Differenz von 'natürlicher' und 'gewaltsamer' Bewegung nicht mehr gibt bzw. geben darf, sonst könnte diese für jene keine übertragbaren Aufschlüsse gewähren. Der indirekte Gegenstandsbezug definiert die „Interpretation" der Natur: ... *omnis verior interpretatio naturae conficitur per instantias, et experimenta idonea et apposita; ubi sensu de experimento tantum, experimentum de natura et re ipsa judicat.* (*Novum Organum* I 50) Gegen diese „übersetzte" Naturerklärung fallen die instrumentellen Verstärkungen der Sinne, die *organa ad amplificandos sensus*, an Bedeutung für Bacon ab; Fernrohr und Mikroskop mochten ihm zu viel an direkter Anschauung des einzelnen Gegenstandes haben, eine Bindung an die momentane Evidenz, die den abgelehnten Wirklichkeitsbegriff implizierte.

[9] F. Schalk, Zur Vorgeschichte der Diderotschen Enzyklopädie. In: *Romanische Forschungen* 70, 1958, 40 f.: „Die eigentümliche Geringschätzung, die Bacon sowohl der Mathematik wie den mechanischen Hilfsmitteln der Forschung erweist und die ihm den Tadel seiner Kritiker im 19. (dem 'technischen') Jahrhundert zugezogen hat, wird nur verständlich, wenn man mit ihm den Blick auf jenen Adam lenkt, der durch Namengebung den Kosmos beherrschte." Aber der Typus der gewaltlosen Herrschaft durch das Wort ist diesseits des Paradieses suspendiert und zur utopischen Figur geworden; wo Bacon gegenwärtige Erkenntniswege beschreibt, ist die Sprache erfüllt vom Ausdruck der Mühsal und Gewaltsamkeit. Die „Idee des *regnum hominis* als der Herrschaft der Magier über den Kosmos und der Verwaltung dieser Herrschaft im Dienste des Menschengeschlechts" (Schalk, 46) gibt nur der Totalität der vollbrachten Erkenntnis ihr Gepräge.

'Valerius Terminus' gegeben. Es ist die früheste Form des Entwurfs der
Systematik seiner Hauptwerke. Das erste Kapitel des Fragments trägt die
Überschrift *Grenzen und Ziel der Erkenntnis*. Dieses Problem wird sogleich
auf zwei analoge Ereignisse der theologischen Urgeschichte zurückgeführt:
auf den Fall der Engel und auf den Fall des Menschen. Die Beziehung der
beiden Ereignisse liegt in der Vertauschung der angemessenen Motivation
des Verhaltens, die dadurch schuldhaft wird: die Engel, zur reinen Anschauung der göttlichen Wahrheit bestimmt, trachteten nach der Macht; die Menschen, in ihrem paradiesischen Zustand ausgestattet mit der Macht über die
Natur, trachteten nach der reinen und verborgenen Erkenntnis.[10] Zugleich
ist in dieser mythischen Konfiguration das Verhältnis von Erkenntnis und
Herrschaft präfiguriert. Der Engel des Lichts, mit reiner Erkenntnis beschenkt,
aber zum Dienst der höchsten Macht bestimmt, greift nach der höchsten
Macht selbst; der Mensch, ausgestattet mit Herrschaft über alle Kreatur, aber
der Geheimnisse der Gottheit nicht im tiefsten teilhaftig, als Geist in den Leib
eingeschlossen, erliegt der Verlockung des Lichtes und der Freiheit der Erkenntnis.[11] Nun gefährdet ihn beides, die verlorene Souveränität über die
Wirklichkeit und die Sehnsucht nach der Reinheit der Erkenntnis, die für
dieses Wesen so gefährlich ist wie das Anstoßen einer Quelle, deren Wasser-
fluten sich ohne gebahnten Lauf ergießen. Aber die frevelhaft angemaßte
Erkenntnis ist nicht die der Dinge und der Natur, sondern *moral knowledge*,
Unterscheidung von Gut und Böse. Nur dies ist das Geheimnis Gottes, das er
offenbaren, aber nicht dem selbstmächtigen Zugriff preisgeben wollte. Indem
Bacon den biblischen „Baum der Erkenntnis" beim Namen nimmt, reserviert
er der Religion den Bereich der Moral, gewinnt aber die Natur als den unbe-
denklichen Gegenstand einer Forschung, die dem Menschen die verlorene
Herrschaft des Paradieses zurückgewinnen will und darf.

Kein Hauch eines Zweifels ist zu verspüren, ob Wiedergewinnung der
paradiesischen Herrschaft und Offenbarungsvorbehalt der Gottheit, wenn
dieser auf die Moral beschränkt bleibt, miteinander verträglich sind, da doch
das verlorene Paradies offenbar der Moral nicht bedurfte und ihre Entdeckung
zugleich Vertreibung bedeutete. Auf solche mögliche Inkonsistenz kommt es
Bacon nicht an; ihm genügt es, daß Erkenntnis der Natur nicht die Versuchung war, die den Menschen zu Fall brachte.[12] Wenn Gott auch in der

---

[10] *Valerius Terminus* 1: *In aspiring to the throne of power the angels trans-*
gressed and fell; in presuming to come within the oracle of knowledge man
transgressed and fell . . .

[11] *Valerius Terminus* 1: *. . . he was fittest to be allured with appetite of light and*
liberty of knowledge; therefore this approaching and intruding into God's
secrets and mysteries was rewarded with a further removing and estranging
from God's presence.

[12] *Valerius Terminus* 1: *. . . it was not that pure light of natural knowledge,*
whereby man in Paradise was able to into every living creature a name according
to his propriety, which gave occasion to the fall; but it was an aspiring desire

Natur seine Geheimnisse zu haben scheint, so bedeutet das kein Verbot, sondern eher das Entzücken der göttlichen Majestät nach Art unschuldiger Kinderspiele, seine Werke zu verbergen, um sie schließlich doch gefunden werden zu lassen.[13] Das große Weltversteckspiel des verborgenen Gottes im Nominalismus des späten Mittelalters, das Descartes zum Verdacht des universalen Betruges eines *Dieu trompeur* steigerte und in der Begründung aller Gewißheit auf die absolute Subjektivität zu durchbrechen suchte, hat bei Bacon die Unschuld eines Spiels, das auf Finden und Lösung angelegt ist und dem jeder Zug der Eifersucht auf die Einsicht des Menschen in das Geheimnis der Schöpfung fehlt.

Bacon ist der Gedanke fremd, daß menschliche Erkenntnis Hilfskonstruktion für das Unbekannte, Hypothese und bloße Wahrscheinlichkeit sei, eine Überlegung, die das 17. Jahrhundert immer wieder zur Deckung seines Erkenntnisanspruches verwendet hat. Der menschliche Geist ist für Bacon ein Spiegel, der das Bild des Universums aufzufangen vermag.[14] Die Vorstellung dieses Universums ist vom Gedanken des Naturgesetzes (*law of nature*) bestimmt; aber das Verständnis dieses Ausdrucks bleibt noch ganz gebunden an sein metaphorisches Substrat, an die Analogie des politischen Gesetzes. Das schließt die Vorstellung in den Horizont des politischen Denkens der Zeit ein: nicht in allem wird der Bürger der Einsicht in den Willen des Herrschers teilhaftig, aber die Vorgänge und Veränderungen erlauben ihm auf die Vernunft, die hinter dem Ganzen steht, zu schließen.[15] Bacon liebt noch eine andere Metaphorik, die des organischen Wachstums, und sie hat hier wie auch sonst die Funktion, den Fortgang eines einmal angesetzten Bildungsprozesses auf eine Totalität hin zu rechtfertigen.[16] Die Erkenntnis ist eine von Gott selbst zum Wachsen gebrachte Pflanze (*a plant of God's own planting*), und ihre Entwicklung zu Blüte und Frucht, angelegt in ihrem inneren Prinzip, ist bestimmt für die Erntezeit des Herbstes der Welt (*appointed to this autumn of the world*), den Bacon für sein Jahrhundert als

---

to attain to that part of moral knowledge which defineth of good and evil, whereby to dispute God's commandments and not to depend upon the revelation of his will, which was the original temptation.

[13] *Valerius Terminus* 1: ... *as if according to the innocent play of children the divine Majesty took delight to hide his works, to the end to have them found out* ... Vgl. *Nov. Org.* Praef.

[14] *Valerius Terminus* 1: ... *God has framed the mind of man as a glass capable of the image of the universal world, joying to receive the signature thereof as the eye is of light, yea not only satisfied in beholding the variety of things and vicissitude of times, but raised also to find out and discern those ordinances and decrees which throughout all these changes are infallibly observed.*

[15] *Valerius Terminus* 1: *And although the highest generality of motion or summary law of nature God should still reserve within his own curtain, yet many and noble are the inferior and secondary operations which are within man's sounding.*

[16] H. Blumenberg, *Paradigmen zu einer Metaphorologie.* Bonn 1960, 69—83.

Zeitpunkt der „Fälligkeit" seiner Philosophie gekommen glaubt und der sich
in der Öffnung der Welt durch Seefahrt und Handel und durch den Aufbruch
der Erkenntnis ankündigt. Die Religion sollte, so ist seine Folgerung, die
Naturerkenntnis stützen und fördern, denn ihre Vernachlässigung beleidigt
die Majestät Gottes, etwa so, als ob man die Leistungen eines hervorragen-
den Juweliers nur nach dem beurteilt, was er in der Auslage seines Schau-
fensters zeigt. Aber in allem bleibt das verlorene Paradies die regulative Idee
der Erkenntnis: Wissen bleibt auf Herrschaft funktionalisiert, auf den
Nutzen von Staat und Gesellschaft (the benefit and relief of the state and
society of man), sonst entartet es und bläht den Geist des Menschen auf
(maketh the mind of man to swell).

Hier tritt die Lust der Neugier (the pleasure of curiosity) in ihrer mittelalterlichen Bedeutung wieder auf; aber der Ausdruck beschreibt nicht eine
bestimmte Art und Gegenständlichkeit der Erkenntnis selbst, sondern ein
Stehenbleiben bei der Erkenntnis, ein Vergessen ihrer ursprünglichen Bestimmung, das Ausschlagen ihres Potentials zur Wiederherstellung des
Paradieses.[17] Erkenntnis, die nur sich selbst genügt, verfehlt ihre organische
Bestimmung und nimmt die Züge des sexuellen Lasters an, das keine Nach-
kommenschaft hervorbringt.[18] Die Fahrt über die Säulen des Herkules hinaus hat ihre Abenteuerlichkeit verloren und zielt nicht mehr nur in die
lockende Unbestimmtheit des Weltmeeres; die Gewißheit, jenseits des
Meeres die terra incognita zu finden, rechtfertigt die Ausfahrt, ja macht das
Verweilen im Binnenmeer des Bekannten sträflich. Das Maß, in dem wir
sicher sind, die Natur noch nicht zu kennen und zu beherrschen, dem verlorenen Paradies noch nicht wieder nahe zu sein, garantiert die Zukunft neuer
Entdeckungen. Der Zuwachs an bekannter Welt, der zu Bacons Zeit schon
eingetreten war, schrumpft im großen Rahmen dieses spekulativen Ge-
schichtsbildes zu einem bloßen Anfang, zu einem Symptom der Möglichkeiten, zusammen.[19] Die reine Erkenntnis, deren Idee für Bacon mit der der
antiken Theorie zusammenfällt, erscheint ihm als eine Einstellung der unab-
wendbaren Resignation, weil sie kein Motiv ihres Fortschritts hat, sondern
in der Insistenz vor jedem ihrer Phänomene verharrt und sich in seine Be-

---

[17] Valerius Terminus 1: ... but it is a restitution and reinvesting (in great part)
of man to the sovereignty and power (for whensoever he shall be able so call
the creatures by their true names he shall again command them) which he
had in his first state of creation.

[18] Valerius Terminus 1: And therefore knowledge that tendeth but to satisfaction
is but as a courtesan, which is for pleasure and not for fruit or generation. Vgl.
Val. Term. 9.

[19] Valerius Terminus 1: ... the new-found world of land was not greater addition
to the ancient continent than there remaineth at this day a world of inventions
and sciences unknown, having respect to those that are known, with this dif-
ference, that the ancient regions of knowledge will seem as barbarous compared with the new, as the new regions of people seem barbarous compared
to many of the old. Vgl. Val. Term. 5.

wunderung verliert.[20] Die *curiositas* ist zur weltlichen Sünde, zur theoretischen Trägheit in der Theorie selbst geworden, zur Verfehlung der Extensität des Wissensanspruches an seiner Intensität. Die voreilige Behauptung von Grenzen des Wissens und Könnens war in der Tradition das Resultat dieses Ideals reiner Theorie.[21]

Konsequent folgt aus dieser Position Bacons die Nivellierung und Homogenisierung der Gegenstandswelt. Es gibt keine bevorzugten und keine unwürdigen Gegenstände der Theorie, und die finale Deutung der Erkenntnis selbst schließt die finale Interpretation ihrer Gegenstände aus. Was ein Gegenstand „bedeutet", das zeigt sich erst, wenn er als „Instanz" in der Methode fungiert, also an dem, was er erschließt, nicht an dem, was er ist. Hier bildet sich ein neuer Begriff von „Reinheit" der Theorie aus, der nichts mehr mit dem antiken Ideal zu tun hat, sondern eher auf das verweist, was wir heute „Grundlagenforschung" nennen, bei der wir nur den bestimmten und vordefinierten Zweck ausschließen, aber durchaus voraussetzen, daß theoretische Ergebnisse selbst mögliche Zwecke erzeugen, den Weg zu Anwendungen freilegen. Das generelle Ziel der Wiedererlangung des Paradieses läßt sich nicht spezifizieren in Zielsetzungen der einzelnen Teilprozesse. Das Bild der zeitgenössischen Entdeckungsreisen beherrscht auch hier Bacons Vorstellung: nicht die Annahme eines unbekannten Ziels lenkt den Fahrtweg des Schiffes, sondern der Kompaß gewährleistet die Einhaltung eines Weges, auf dem sich im Feld des Unbekannten schließlich neues Land zeigen wird. Welche Ziele erreichbar sind, ergibt sich aus und auf den gefundenen Wegen; Bekenntnis ist unspezifische Potentialität der Erkenntnis, Sicherheit des Festhaltens der eingeschlagenen Richtung und Klärung der in ihr liegenden Möglichkeiten. Die systematische Topographie der Wege verbürgt lediglich, daß die Zufälle des Sich-Zeigens schließlich zur universalen Kenntnis der Welt führen. Die Erfindung des Kompaß erlaubt die Vorstellung eines über die Wirklichkeit gelegten und von ihren Strukturen unabhängigen Koordinatennetzes, in dem das Unvermutete gesucht und gestellt werden kann. Wenn dem menschlichen Geist durch viele Jahrhunderte hindurch so vieles verborgen blieb und weder durch die Philosophie noch durch die Fähigkeit der Vernunft, sondern durch Zufall und günstige Gelegenheit entdeckt wurde, weil es von dem Vertrauten allzu verschieden und entfernt war, so daß kein Vorbegriff (*praenotio aliqua*) zu ihm hinführen konnte, so darf man hoffen, daß

---

[20] *Valerius Terminus* 17: *That those that have been conversant in experience and observation have used, when they have intended to discover the cause of any effect, to fix their consideration narrowly and exactly upon that effect itself with all the circumstances thereof, and to vary the trial thereof as many ways as can be devised; which course amounteth but to a tedious curiosity, and ever breaketh off in wondering and not in knowing ...*

[21] *Novum Organum* Praef.: *Quin illis hoc fere solenne est, ut quicquid ars aliqua non attingat id ipsum ex eadem arte impossibile est statuant.* Vgl. *Nov. Org.* I 88.

die Natur in ihrem Schoße noch vieles von großer Wichtigkeit verbirgt, das
völlig außerhalb der Wege der Vorstellungskraft (*extra vias phantasiae*) liegt
und nur durch Systematisierung des Zufalls mit Sicherheit gefunden werden
kann.[22] Den menschlichen Geist in kontrollierte Bewegung zu setzen, ist der
Sinn der Methode Bacons; wo nichts unternommen wird, kann man nichts
erreichen, und Zielvorstellungen zu erwarten, wo Vorstellung und Begriff
versagen, verleitet zum Stillstand; Wege müssen betreten und ihre Richtungen (*directions*) eingehalten werden, um Neues zu finden.

III

Die mythische Konstruktion vom Sturz der Engel und Menschen und von der
immanenten Restauration des Paradieses, die Bacon zur Rechtfertigung der
menschlichen Neugierde gegenüber der Natur dient, setzt eine politomorphe
Verfassung der Welt voraus, also die Deutung der Naturgesetze als göttlicher
Willensdekrete und die im Schöpfungsplan definierte Rolle der Geschöpfe
nach Dienst und Herrschaft. Was offenliegt und was verborgen bleibt, was
zu Heil oder Unheil ausschlägt, ist durch diesen quasi-politischen Status bestimmt. Befehl und Gesetz, die im Wort über die Natur ergangen sind und im
Wort vollstreckt werden, haben das Wort auch als angemessenes Medium
der Erkenntnis. Die entschiedene Antithese zu dieser Position bildet die
Metaphysik der Mathematisierung der Naturwissenschaft. Sie geht von der
prinzipiellen Unmöglichkeit des Naturgeheimnisses und des Erkenntnisvor-
behalts aus, soweit mathematische Gesetzmäßigkeiten in der Natur vollstreckt sind. Das mathematisch faßbare Naturgesetz ist nicht Willensdekret
der Gottheit, sondern Inbegriff der Notwendigkeit, in der göttlicher und
menschlicher Geist ihre gemeinsame Evidenz besitzen, die als solche den Vorbehalt der Unzugänglichkeit ausschließt. Kepler und Galilei haben diesem
Gedanken seinen zwingendsten Ausdruck gegeben, zwingender als Descartes, weil dieser den indirekten Weg der Sicherung der Gewißheit über die
göttliche Garantie auch für die Mathematik gehen muß. Der menschliche
Geist werde seine Kräfte erst dann richtig ermessen, schreibt Kepler am
19. April 1597 an Mästlin, wenn er einsieht, *daß Gott, der alles in der Welt
nach der Norm der Quantität begründet hat, auch dem Menschen einen Geist
verliehen hat, der diese Normen erfassen kann. Denn wie das Auge für die
Farbe, das Ohr für die Töne, so ist der Geist des Menschen für die Erkenntnis nicht irgendwelcher beliebigen Dinge, sondern der Größen geschaffen;
er erfaßt eine Sache umso richtiger, je mehr sie sich den reinen Quantitäten
als ihrem Ursprung nähert.*
    Der nominalistische Grundgedanke von der Mathematik als einem kon-
struktiven Notbehelf der Erkenntnis gegenüber der puren Fremdartigkeit
der Welt ist damit aufgegeben und eine Form der Rechtfertigung der Wiß-

---

[22] *Novum Organum* I 109; I 122. *Valerius Terminus* 11.

begierde gefunden, die im Grunde Rechtfertigungsunbedürftigkeit ist. Mag
Kepler dem Gedanken noch die fromme Gestalt der Ableitung aus der Gottebenbildlichkeit des Menschen geben, so ist dies doch für die Stringenz des
Arguments unwesentlich; daß wir *Anteil bekommen an seinen eigenen Gedanken,* wie Kepler an Herwart am 9./10. April 1599 schreibt, beruht auf der
wesentlichen Öffentlichkeit dieser Gedanken selbst in ihrer mathematischen
Struktur. Bei der Erkenntnis der Zahlen und Größen ist, so schreibt Kepler
weiter, *unser Erkennen, wenn es die Frömmigkeit zu sagen erlaubt, von der
gleichen Art wie das göttliche Erkennen, wenigstens soweit wir in diesem
sterblichen Leben etwas davon zu erfassen vermögen. Nur Toren fürchten,
daß wir damit den Menschen zu einem Gott machen; denn die Ratschlüsse
Gottes sind unerforschlich, nicht aber seine körperlichen Werke.* Kepler hat
diesen Gedanken noch nicht aus seiner mittelalterlichen Einbettung in die
Vorstellung der providentiellen Bevorzugung des Menschen gelöst; das sollte
erst Leibniz gelingen, der das Prinzip vom zureichenden Grunde zum
Kriterium der objektiven Nachprüfbarkeit des göttlichen Schöpfungsplanes
machte und darauf die Unmöglichkeit der arkanen Natur der *Mathesis
Divina* begründete.[23]

---

[23] Leibniz an Joh. Bernoulli, 21. Februar 1699 (*Mathematische Schriften*, ed. C. I.
Gerhardt, III 574): *Scio multos dubitare, ut insinuas, an nos possimus cognos-
cere, quid sit Sapientiae Justitiaeque divinae conforme. Puto tamen, ut
Geometria nostra et Arithmetica etiam apud Deum obtinent, ita generales
boni justique leges, mathematicae certitudinis et apud Deum quoque validas
esse.* — Animadversiones in partem generalem Principiorum Cartesianorum
(*Philosophische Schriften*, ed. C. I. Gerhardt IV 375 f.) ad II 45: *... sed natura,
cujus sapientissimus Auctor perfectissimam Geometriam exercet, idem obser-
vat, alioqui nullus in ea progressus ordinatus servaretur.* — Die *Mathesis
Divina* ist ihrerseits nicht selbständiges und letztes Prinzip, sondern fundiert
im Prinzip vom zureichenden Grunde, die Form, in der sich die Begründung
verwirklichter Möglichkeiten auslegt: Tentamen anagogicum (*Phil. Schr.* VII
273 f., 304; vgl. II 105, II 438, III 51, IV 216, VII 191). Damit konvergiert die
Feststellung, daß die göttliche Geometrie bei Leibniz nicht räumlich-anschaulich
ist, sondern nach dem Modell der analytischen Geometrie Inbegriff der Erzeu-
gungskalküle von Körpern. Die räumlich-körperliche Natur ist nur das abbild-
liche Äquivalent dieser Geometrie; aber der platonische Sinn dieser Aussage
ist aufgehoben, wie er noch für Kepler mit dem geometrisierenden Gott verbunden war: *Non aberrat ... ab archetypo suo Creator, geometriae fons ipsis-
simus, et, ut Plato scipsit, aeternam exercens geometriam ...* (Harmoniae
mundi, *Ges. Werke*, ed. Caspar, VI 299). Der Fortschritt der Mathematik stellt
den Prozeß dar, in dem der Mensch in den Zusammenhang von *ratio sufficiens*
und Weltkalkül eindringt und damit zugleich seine Erkenntnis dem Legitima-
tionszwang entzieht. Diese Argumentation wiederholt sich mit den Schritten,
in denen die Mathematik sich ihrer „Reinheit" versichert und sich von ihrem
eidetischen Ausgang entfernt, bis zur Gegenwart: *From the intrinsic evidence of his creation, the Great Architect of the Universe now begins (!) to
appear as a pure mathematician.* (J. H. Jeans, *The Mysterious Universe.* Cambridge 1933, 122; vgl. dagegen: H. Jonas, Is God a Mathematician? In: *Measure*
II, Chicago 1951, 4). Solche Formeln verraten den Rest des Bedürfnisses nach
Rechtfertigung der Erkenntnis, während sie es implizite aufheben.

Das ist keine 'Säkularisierung' des Theologumenons von der Gotteben-bildlichkeit des Menschen. Die Funktion des Gedankens tritt nackt und unverstellt heraus und macht seine historische Provenienz gleichgültig: die Erkenntnis bedarf keiner Rechtfertigung, sie rechtfertigt sich selbst, sie ver-dankt sich nicht Gott, hat nichts mehr von Erleuchtung und gnädigem Teil-habenlassen, sondern ruht in ihrer eigenen Evidenz, der sich Gott und Mensch nicht entziehen können. Das Mittelalter hatte den Wirklichkeitsbezug des Menschen als über die Gottheit vermitteltes Dreiecksverhältnis gesehen: Erkenntnisgewißheit war möglich, weil Gott dem Menschen Anteil an seiner schöpferischen Rationalität gewährt, weil er ihn in die Genossenschaft seines Weltgedankens einbezogen hatte und ihm nach dem Maß seiner Gnade Einblick in die Konzeption der Natur gewähren wollte. Jeder selbstmächtige Schritt über diese Konzeption hinaus strapazierte das Verhältnis der Ab-hängigkeit und der Dankesschuld. Dieses Dreiecksverhältnis löst sich jetzt auf; die menschliche Erkenntnis ist der göttlichen kommensurabel, und zwar vom Gegenstand und seiner Notwendigkeit her. Die Wirklichkeit hat ihre authentische, obligatorische Rationalität und bedarf der Garantie ihrer adä-quaten Zugänglichkeit nicht mehr. Die Problematik der theoretischen Neu-gierde, die unter der Vorstellung der Welt als einer göttlichen Machtdemon-stration und des menschlichen Stupor als des korrespondierenden Effekts gestanden hatte, wird paralysiert durch den Gedanken, daß Erkenntnis nicht Anspruch auf das Unerforschliche, sondern Freilegung der Notwendigkeit sei. Von dem Stand her, den das Argument bei Leibniz erreichen sollte, werden die Stellung, die Galilei in seiner Herausbildung einnimmt, und die Last, die er gegen die theologische Position zu tragen hatte, deutlicher.

IV

Am Ende des *Ersten Tages* des *Dialogs über die Weltsysteme* wird die Frage nach der Existenz von Lebewesen auf dem Mond diskutiert. Die menschliche Vorstellungskraft, so entscheidet sich Salviati, sei unfähig, solche Wesen zu imaginieren, da der Reichtum der Natur und die Allmacht des Schöpfers erwarten ließen, daß sie von den uns bekannten völlig verschieden sind. Sagredo pflichtet ihm bei, daß es höchste Vermessenheit (*estrema temerità*) wäre, die menschliche Fassungskraft zum Maßstab dessen zu machen, was in der Natur existieren kann. Nur der gänzliche Mangel aller Erkenntnis führe zu der eitlen Anmaßung (*vana presunzione*), das Ganze verstehen zu wollen. Die *Docta ignorantia*, das sokratische Wissen des Nichtwissens, wird als Effekt wirklicher Erkenntnis gepriesen; kein faktisch erreichbarer Wissens-stand könne die Differenz gegenüber dem göttlichen Wissen in seiner Unend-lichkeit verringern: *il saper divino esser infinite volte infinito*. Soweit könnte das einem mittelalterlichen Traktat entnommen sein. Galileis raffinierte Dialektik besteht nun darin, daß er der designiert konservativen Figur des Scholastikers in seinem Dialog, dem Simplicio, die Äußerung in den Mund legt, die der Argumentation ihre Wendung gibt. Wenn es mit der menschlichen Erkenntnis so bestellt wäre, sagt Simplicio, müsse man einräumen, daß die Natur es nicht verstanden habe, einen Intellekt hervorzubringen, der versteht.[24] Salviati lobt den Scharfsinn des sonst Stumpfsinnigen, und das bedeutet immer, daß er 'das Mittelalter' bei einer Inkonsequenz fassen kann. Tatsächlich sei alles, was man bisher als Schwäche des menschlichen Geistes eingestanden habe, auf die Extensität der Erkenntnis bezogen gewesen. Betrachte man aber ihre Intensität, also den Grad der Gewißheit einer einzelnen Wahrheit, so müsse man zugeben, daß der menschliche Intellekt einige Wahrheiten so vollkommen begreife und davon so unbedingte Gewißheit habe, wie sie nur die Natur selbst besitzen könne.[25] Zwar erkenne der göttliche Geist unendlich viel mehr mathematische Wahrheiten als der menschliche, nämlich alle, aber die Erkenntnis der wenigen komme an objektiver Gewißheit (*certezza obiettiva*) der göttlichen Erkenntnis gleich, wenn auch die Art des Erkenntnisaktes verschieden sein möge. Und nun folgt der entscheidende Satz, der den ganzen Gedankengang von dem Hintergrund des noch mittelalterlich Denkbaren abhebt: die menschliche Erkenntnis der mathematischen Wahrheiten begreife sie in ihrer Notwendigkeit, über die hinaus es keine höhere Stufe der Gewißheit geben kann.[26] Diese Feststellungen seien Allgemeingut und frei von dem Verdacht der Vermessenheit oder Kühnheit (*lontane da ogni ombra di temerità o d'ardire*). Der Dialog hat die obligatorische Demutsstrecke durchlaufen und sich für die Steigerung der Würde und Leistung des menschlichen Geistes Lizenz geholt. Jene Nichtigkeit ist so nichtig nicht, als daß man den Tag des Dialogs nicht mit einer Laudatio des Scharfsinns und der Erfindungen des menschlichen Geistes beenden könnte.[27]

Als Galilei den *Dialog über die Weltsysteme* abgeschlossen hatte, wurde er mit der Frage der Legitimität des Erkenntniswillens erneut und gewaltsam konfrontiert. Der römische Zensor machte ihm die Auflage einer Klausel, in der die Thesen des Werkes — insbesondere die Erklärung der Gezeiten aus den Erdbewegungen im *Vierten Tag* — unter den Vorbehalt der unendlichen

---

[24] *Dialogo dei massimi sistemi* I: . . . *adunque bisognerà dire che né anco la natura abbia inteso il modo di fare un intelletto che intenda.*

[25] *Dialogo* I: . . . *dico che l'intelletto umano ne intende alcune così perfettamente, e ne ha così assoluta certezza, quanto se n'abbia l'istessa natura . . .*

[26] *Dialogo* I: . . . *poiché arriva a comprenderne la necessità, sopra la quale non par che possa esser sicurezza maggiore.*

[27] *Dialogo* I: . . . *anzi, quando io vo considerando quante e quanto maravigliose cose hanno intese investigate ed operate gli uomini, pur troppo chiaramente conosco io ed intendo, esser la mente umana opera di Dio, e delle più eccellenti.* Die Schlußformel ist weniger mittelalterlich, als sie sich ausnimmt: sie unterstellt die Beweislast dafür, seinen Urheber auszuweisen, den verifizierbaren Leistungen des Intellekts, statt Gottebenbildlichkeit und Illumination vorauszusetzen.

Möglichkeiten der Allmacht gestellt werden sollten. Man könnte sagen, daß dieser erzwungene Souveränitätsvorbehalt Galilei nicht im Kern seiner Erkenntnistheorie traf, weil der ganze Dialog von der Technik der mathematischen Astronomie so gut wie keinen Gebrauch machte, also jene höchste intensive Dignität des Intellekts gar nicht berührte, für die Galilei eine Gott und Mensch gemeinsame Evidenz postuliert hatte. Die Ironie der Situation liegt darin, daß der Papst Galilei über den Inquisitor von Florenz hatte wissen lassen, daß ihm die mathematische Darstellung der kopernikanischen Lehre durchaus freigestellt bleibe; Galilei trägt all die Materialien zusammen, die er selbst nach seiner Einteilung der extensiven Leistung der Erkenntnis hätte zuschreiben und damit jener Schwäche verdächtigen müssen, die der Erkenntnis überall dort eignet, wo sie nicht mathematisch wird. Freilich, wo es um die kopernikanische Sache geht, lassen Galilei seine eigenen Kriterien im Stich. Die Formel, die Galilei in den Text einarbeiten mußte, enthält nicht, wie behauptet worden ist, so etwas wie die persönliche Gegentheorie Urbans VIII. zu Galileis Gezeitenerklärung, sondern sie ist „Gegentheorie" schlechthin und gegen jede Art von physikalischer Theorie. In ihr tritt die Differenz zwischen dem Denken des ausgehenden Mittelalters und dem neuen Anspruch wissenschaftlicher Naturerklärung unverhüllt zutage. Anstoß sollte erregen, daß Galilei die ärgerliche Formel dem Simplicio in den Mund legt, also der Figur des Dialoges, die am Ende Verlierer ist. Ihm sei, so sagt dieser, immer eine Lehre gegenwärtig, die ihm eine hochgelehrte und hochgestellte Persönlichkeit einmal gegeben habe und die er für unerschütterlich feststehend (*saldissima dottrina*) halte, daß nämlich Gott ein Phänomen in der Natur auch auf andere Weise hervorbringen könne, als eine bestimmte Erklärung es plausibel erscheinen läßt, und daß es daher unzulässige Kühnheit (*soverchia arditezza*) wäre, durch die Wahrheitsbehauptung jener einen Erklärung die göttliche Macht und Weisheit auf eine bestimmte Vorstellung einengen und festlegen zu wollen. Dieser generelle Vorbehalt wirft den Menschen, sofern es ihm um theoretische Wahrheit geht, auf eine hoffnungslose Position zurück; für ihn bliebe die Welt von einer undurchsichtigen Struktur, deren Gesetze ihm unbekannt sein müßten und für die jede theoretische Anstrengung unter der Drohung des Widerrufs der Bedingung ihrer Möglichkeit stände. Für den Theologen Maffeo Barberini, der auf dem päpstlichen Stuhle saß, *durfte* freilich Gott ein Unsicherheitsfaktor der Erkenntnis sein, da er doch gleichzeitig dem Menschen seine Offenbarung als einzige heilbringende Sicherheit anbot und im Recht war, ihre Einzigartigkeit nicht durch andere vermeintliche Sicherheiten nivellieren oder ersetzen zu lassen. Es ist handgreiflich, daß Galilei es hier mit der zur 'Maßnahme' gewordenen Position des *curiositas*-Verdikts zu tun bekommen hatte. Die Disziplin, mit der Galilei den Salviati antworten läßt, dies sei eine bewundernswerte und wahrhaft engelgleiche Lehre, erlaubt ihm ein neues Stückchen Dialektik: es sei damit völlig im Einklang, uns die Erlaubnis zuzusprechen, Untersuchungen über den Aufbau des Weltalls durchzuführen, auch wenn wir nicht beanspruchen dürften, das Werk, wie es aus den göttlichen Händen hervorgehe, zu durchschauen, da sonst die Regsamkeit des Menschengeistes vielleicht erlahmen und erliegen würde.[28] Die theoretische Neugierde, so etwa wird hier argumentiert, hat ihre Ökonomie zwischen der Vergeblichkeit, in die sie die Allmachtsklausel versetzen will, und der Endgültigkeit, in der sie der Glaube des vollendeten Wissensbesitzes fixieren würde. Galileis Widerstand gegen die Allmachtsklausel deutet sich in der Richtung an, daß erst und gerade die Bewegung des Intellekts als Fortschritt seiner Einsicht und seiner Problembildung das Bewußtsein der Endlichkeit des Wissens gegenüber der Unendlichkeit des ihr zwar nie unaufhebbar, aber doch noch je Vorbehaltenen gewährleiste, während die bloße Berufung auf die Unendlichkeit der in sich widerspruchsfreien Möglichkeiten der Allmacht jedes Bewußtsein eines Verhältnisses zwischen dem schon Erkannten und dem noch Erkennbaren zerstöre und die Vernunft in die Indifferenz der Resignation zurückstoße. Der Entwurf des unendlichen Fortschrittes richtet sich zwar gegen die theologische Resignation der Vernunft, aber nicht gegen die Reflexion auf ihre Endlichkeit, die gerade erst im Vollzug ihrer Möglichkeiten erfahrbar wird.

Die Rolle, die der Fortschritt der Erkenntnis in der Rechtfertigung der Neugierde zu spielen beginnt, zeichnet sich am Schluß des *Dialogo* im Negativ ab: nicht das, was der Fortschritt an Erkenntnissen schon gebracht hat und je bringt, legitimiert den Trieb, der ihn in Bewegung hält, sondern die Bewußtseinsfunktion des noch je vor ihm Liegenden, das alles Erreichte mit dem Index der Endlichkeit und Vorläufigkeit versieht. *Herr, meine Wissenschaft ist noch wißbegierig!*, traktiert Bertolt Brechts Galilei den Kurator der Universität Padua, der seine Gehaltswünsche auf die lukrativere private Stundengeberei ablenken möchte. Der Ausspruch, den Brecht Galilei hier in den Mund legt, objektiviert die Neugierde und macht sie zu einem Merkmal des unvollendeten Status seiner Wissenschaft; das entspricht der Objektivität des Konfliktes der Systeme, in dem Galilei und Urban VIII. die Exponenten sind. Aber bei Brecht wird diese Objektivierung der Neugierde nicht durchgehalten; er schreibt in den *Anmerkungen zu „Leben des Galilei"*: *Der Forschungstrieb, ein soziales Phänomen, kaum weniger lustvoll oder diktatorisch wie der Zeugungstrieb, dirigiert Galilei auf das so gefährliche Gebiet, treibt ihn in den peinvollen Konflikt mit seinen heftigen Wünschen nach anderen Vergnügungen. Er erhebt das Fernrohr zu den Gestirnen und liefert sich der Folter aus. Am Ende betreibt er seine Wissenschaft wie ein Laster, heimlich, wahrscheinlich mit Gewissensbissen. Angesichts einer solchen Lage kann man kaum darauf erpicht sein, Galilei entweder nur zu loben oder nur zu*

---

[28] *Dialogo* IV: Mirabile e veramente angelica dottrina: alla quale molto concordemente risponde quell'altra, pur divina, la quale, mentre ci concede il disputare intorno alla costituzione del mondo, ci soggiunge (forse acciò che l'esercizio delle menti umane non si tronchi o anneghittisca) che non siamo per ritrovare l'opera fabbricata dalle Sue mani.

verdammen.[29] Solche späte Zurücknahme der theoretischen Neugierde in den Lasterkatalog hat freilich ihre neuen Prämissen: wo sie als Triebkraft sich in Wissenschaft umsetzt, gibt sie dieser Wissenschaft ein Gepräge der ,Reinheit' und apragmatischen Rücksichtslosigkeit, das sie unter dem Aspekt der humangesellschaftlichen Relevanz genauso fragwürdig erscheinen läßt, wie sie unter dem Primat der theologischen Exklusivität der Heilsfrage diskriminiert war. Galilei habe, so schreibt Brecht, *die Astronomie und die Physik bereichert, indem er diese Wissenschaften zugleich eines Großteils ihrer gesellschaftlichen Bedeutung beraubte . . . Galileis Verbrechen kann als die „Erbsünde" der modernen Naturwissenschaften betrachtet werden. Aus der neuen Astronomie, die eine neue Klasse, das Bürgertum, zutiefst interessierte, da sie den revolutionären sozialen Strömungen der Zeit Vorschub leistete, machte er eine scharf begrenzte Spezialwissenschaft, die sich freilich gerade durch ihre 'Reinheit', d. h. ihre Indifferenz zu der Produktionsweise, verhältnismäßig ungestört entwickeln konnte. Die Atombombe ist sowohl als technisches als auch soziales Phänomen das klassische Endprodukt seiner wissenschaftlichen Leistung und seines sozialen Versagens.*

Man kann die Differenz der beiden Aussagen über Galilei — im Schauspiel und in der Anmerkung zum Schauspiel — verwenden, um einen Leitfaden für die Neuartigkeit des Problems der theoretischen Neugierde im 17. Jahrhundert zu gewinnen. Ich meine, es sei die präziseste Erfassung der Sachlage, die in dem kurzen Satz an den Paduanischen Kurator herausgetrieben wird: die Neugierde hat nicht nur aufgehört, eines der Laster des erlösungsbedürftigen Individuums sein zu können, sondern sie hat sich von der Personalstruktur, von den psychischen Triebkräften bereits abgelöst und ist zum Merkmal der hektischen Unruhe des wissenschaftlichen Prozesses selbst geworden. Dem entspricht freilich weder das Bild, das Galilei sich vom Typus seiner eigenen geistigen Gespanntheit gemacht hat, noch das, in dem ihn seine Zeitgenossen sahen.

Die Digressivität, die den Stil seiner beiden großen Dialoge beherrscht und die so weit entfernt ist von jener linearen Methodik, die Descartes für die neue Wissenschaftsidee entwerfen sollte, ist dem psychologischen Reiz jeder nächsten *curiosità* als einer fast isolierten Qualität der Gegenstände selbst mit betonter Unbekümmertheit ums Systematische hingegeben. Neue Wahrheiten werden abseits vom geraden Wege der methodischen Antizipationen gefunden, im Ergreifen der zufälligen Gelegenheit, in der Bereitschaft,

---

[29] *Materialien zu Brechts 'Leben des Galilei'.* Frankfurt 1963, 12 f. Dazu die Notiz in „Aufbau einer Rolle" (S. 60): *Er berief sich auf seinen unbezwinglichen Forschungstrieb, wie ein ertappter Sexualverbrecher sich auf seine Drüsen berufen mag.* Die anthropologische Systematik, in die Brechts Galileifigur gehört, verdeutlicht sich an seinen theatertheoretischen Kategorien: anstelle des aristotelischen Duals von 'Furcht und Mitleid' in der dramatischen Rezeption treten für das nichtaristotelische experimentelle Theater 'Wissensbegierde und Hilfsbereitschaft' (vgl. *Materialien* 163, 169).

den Leitfaden schon gefundener Sätze loszulassen.[30] Gegentypus sind die Leute, die nicht neugierig genug sein konnten, durch das Fernrohr zu sehen, weil sie schon zu genau zu wissen glaubten, was man mit diesem nicht sehen könne. Wenn im *Dritten Tag* des *Dialogs über die Weltsysteme* die Rede auf William Gilberts Theorie vom Magnetismus kommt, läßt Galilei den Salviati sagen, gegen die Autorität der hergebrachten Auffassungen könne nur eine der seinen vergleichbare Neugierde *(una curiosità simile alla mia)* und der Verdacht des unendlichen Bereichs unbekannter Dinge in der Natur *(un conoscere che infinite cose restano in natura incognite)* innere Freiheit und Unbefangenheit für das Neue geben. Schon Martin Horky, der von Magini vorgeschobene Pamphletist gegen die Jupitermonde, hat Galileis Augenleiden, das schließlich zur Erblindung führen sollte, mit seiner Neugierde in einen infamen Zusammenhang gebracht: ... *optici nervi, quia nimis curiose et pompose scrupula circa Jovem observavit, rupti* ..., und der erste Biograph Vincenzo Viviani macht die *filosofica curiosità* zum Schlüsselwort der Charakterisierung seines Lehrers. Aber den entscheidenden, weil eben nicht mehr mittelalterlichen Einwand gegen die Neugierde als bestimmende Kraft für den Forschungsstil Galileis sollte erst und konnte nur Descartes erheben, der seinerseits der neuen Wissenschaftlichkeit zwar nicht die Ziele und Inhalte, wohl aber die Form und die Prozeßordnung gegeben hat. Er schreibt an Mersenne: *Sein Fehler ist, daß er beständig abschweift und niemals seinen Stoff erschöpft, woraus man erkennt, daß er ihn nie ordnungsgemäß geprüft hat und daß er ohne die ersten Gründe der Natur zu betrachten, lediglich die Ursachen einiger besonderer Vorgänge gesucht, so daß er ohne Fundament gebaut hat.*[31] Die motorische Qualität der theoretischen Neugierde erscheint bei Descartes gefährdet durch die gegenständlichen Irritationen, denen sie nur allzuleicht erliegt, durch ihr Vergessenlassen der Grundlegungs- und Voraussetzungsfragen, der Fundierungen und kritischen Abstützungen, denen der Denker vom cartesischen Typus ganz hingegeben ist. Hier erhebt sich eine Art von innerszientifischer Moral, ein Rigorismus der systematischen Logik, dem die ungezügelte Wißbegierde suspekt sein muß.

So entschieden Descartes die Finalität aus dem Kanon möglicher Fragen an die Natur ausgeschlossen hat, so dezidiert gibt er der menschlichen Er-

---

[30] *Discorsi* I: *Ma se le digressioni possono arrecarzi la cognizione di nuove verità che pregiudica a noi, non obbligati a un metodo serrato e conciso, ma che solo per proprio gusto facciamo i nostri congressi, digredir ora per non perder quelle notizie che forse, lasciata l'incontrata occasione, un'altra volta non ci si rappresenterebbe? anzi chi sa che bene spesso non si possano scoprir curiosità più belle delle primariamente cercate conclusioni?*

[31] Descartes an Mersenne, 28. 1. 1641 (ed. Adam-Tannery III 297 f.): *Il me semble qu'il manque beaucoup en ce qu'il fait continuellement des digressions, et ne s'arreste point à expliquer tout à fait une matière; ce qui monstre qu'il ne les a point examinées par ordre, et que, sans avoir consideré les premières causes de la nature, il a seulement cherché les raisons de quelques effets particuliers, et ainsi qu'il a basti sans fondement.*

kenntnis den finalen Zug einer durch die Methode geeinten Kraftanstrengung zur Erlangung einer definitiven Moral, die als Inbegriff sachgemäßen Verhaltens in der Welt die Vollendung der Sacherkenntnis zur Voraussetzung hat. Die Verwendung der Ausdrücke *curiosité* und *curieux* hat bei Descartes weder Pathos noch Spezifität; das rationale Ziel der Erkenntnis schließt jede andere Rechtfertigung der Energien aus, die zu seiner Erreichung aufgewendet werden müssen. Der *curieux* nimmt den professionellen Habitus des Gelehrten an, der eher durch den methodisch gesicherten bzw. erreichbaren Wissensbesitz als durch das elementare Wissensbedürfnis charakterisiert ist, mag auch den in das Ordinarium der Gelehrsamkeit einrückenden Disziplinen, wie Anatomie oder Chemie, noch etwas von der Verruchtheit der *sciences curieuses* anhaften.[32] Das Attribut der einsamen Kühnheit Einzelner verharmlost sich zur Bezeichnung eines interessierten Publikums und zur Kennzeichnung ebenso harmloser Tätigkeiten des Sammelns und der Liebhaberei, die im großen Zuge des wissenschaftlichen Fortschritts mitgeführt und von ihm gedeckt werden.[33] Die Problematik der theoretischen Neugierde scheint ausgeschöpft zu sein. Die Übermacht der Konsequenz, mit der sich die Idee der Wissenschaft Bahn bricht, kann die Absplitterungen und Reflexe

---

[32] U. Ricken, *'Gelehrter' und 'Wissenschaft' im Französischen. Beiträge zu ihrer Bezeichnungsgeschichte vom 12.–17. Jahrhundert.* Berlin 1961, 167 f. Im *Discours de la Méthode* I sind die *sciences curieuses* die abseits des scholastischen Schulpensums liegenden Disziplinen. Vgl. Étienne Gilson, Kommentar zum *Discours*, Paris 1947, 109 mit der dort wiedergegebenen Glosse aus dem *Dictionnaire universel* von Furetière. Ein Zug des Magischen und Mantischen bleibt solchen abseitigen Interessen, ein Mehr gegenüber dem Lebensdienlichen, das sie aus dem methodischen System ausschaltet. (Gilson, 120 f., 140 f.) Die Antithese: *pour mon utilité — pour ma curiosité* in dem Brief an Mersenne vom 9. 2. 1639 (ed. Adam-Tannery, II 499). Die Verteidigung der *curiosité* ist nur noch beiläufig und ohne argumentative Anstrengung: *ce n'est pas un crime d'estre curieux de l'Anatomie ... j'allois quasi tous les jours en la maison d'un boucher, pour luy voir tuer les bestes ...* (II 621). Die unbeantwortbaren Fragen schließen sich am Kriterium der Methode dadurch von selbst aus, daß sich ihre Behandlung der Mathematisierbarkeit entzieht: *Regulae ad directionem ingenii* 8 (X 398). Es bleibt die Wurzelbedeutung der angespannten Sorgfalt, die sich der Evidenz versichert: *Atque haec omnia quo diutius et curiosius examino, tanto clarius et distinctius vera esse cognosco ...* (*Meditationes* III 16; ed. Adam-Tannery VII 42).

[33] Furetière, *Dictionnaire universel* (1690): *C'est un curieux de livres, de médailles, d'estampes, de tableaux, de fleurs, de coquilles, d'antiquités, de choses naturelles.* — Das Müßige der Liebhaberei wird durch ein Allerweltswort indiziert: *C'est un chymiste curieux qui a fait de belles experiences, de belles descouvertes.* Ein 'Collegium Naturae Curiosorum' bildet sich 1650, ungezählte Buchtitel bieten 'curiöse' Gegenstände für 'curiöse' Leser aus, wie Caspar Schotts *Technica Curiosa* von 1664 und *Physica Curiosa* von 1662, W. H. von Hochbergs *Georgica Curiosa* von 1682/87, der *Schatzkammer rarer und neuer Curiositäten in den allerwunderbahrsten Würckungen der Natur und Kunst* (Hamburg 1686). Vgl. H. Bausinger, Aufklärung und Aberglaube. In: *Deutsche Vierteljahresschrift für Literaturwissenschaft und Geistesgeschichte* 37, 1963, 436 f.

ihres epochalen Interesses ertragen. Aber eine Frage bleibt angesichts des selbstverständlichen Zusammenhangs von Erkenntnis und Lebensdienlichkeit ungestellt, eine auf den ersten Blick Antikes wieder hervorholende Frage; zwar nicht mehr die nach der Identität von Theorie und Eudämonie, aber die nach der Abhängigkeit des Menschenglücks von der Erkenntnis, oder noch um einen Schritt verschärft, die nach der Ungefährdetheit des Menschenglücks durch die Erkenntnis.

Bernhard Fabian

DER NATURWISSENSCHAFTLER ALS ORIGINALGENIE

I

"Though the notion of 'genius' has been one of the most discussed concepts in modern aesthetics and philosophy, wide realms of its historical development are still unexplored." Mit dieser Bemerkung begann Herbert Dieckmann vor fünfundzwanzig Jahren eine Studie über den Geniebegriff Diderots.[1] Man kann sie heute ohne Vorbehalte wiederholen. Noch immer fehlt es an Untersuchungen, die nicht nur der Geschichte des Wortes, sondern vor allem auch der Geschichte der Sache nachgehen. Dabei bedürfen die verschiedenen Ausprägungen der Geniekonzeption ebenso der Analyse wie die mannigfachen Komponenten, die in den Geniebegriff eingegangen sind.

Für eine künftige Geschichte der Genievorstellung — im Unterschied zur chronologisch arrangierten Mitteilung von Einzeltatsachen — hat Herbert Dieckmann ein überaus beachtenswertes Prinzip vorgeschlagen. Er möchte das Genie unter jene Leitbilder aufnehmen, die etwa in Gestalt des *uomo universale*, des *cortegiano* oder des *honnête homme* aus der Zeit zwischen Renaissance und Aufklärung bekannt sind und die im geschichtlichen Ablauf einander abgelöst haben. Das Genie als der Typ Mensch, der die höchstmögliche geistige Leistung vollbringt, würde in diesem Rahmen ein Leitbild konstituieren, das sich in der zweiten Hälfte des achtzehnten Jahrhunderts gegenüber traditionellen Leitbildern durchsetzt und in deren Hierarchie an die Spitze rückt. Welche Möglichkeiten dieser Ansatz für das Verständnis der Genielehre und ihrer Ausbreitung eröffnet, liegt auf der Hand.

Auch die genetische Betrachtung der Geniekonzeption kann von diesem Prinzip profitieren. Es legt einmal Vergleiche zwischen der Vorstellung vom Originalgenie und zeitlich früheren Leitbildern nahe, wobei die Beobachtung von Übereinstimmungen und Abweichungen willkommene Aufschlüsse liefern dürfte. Möglicherweise lassen sich auch Vorstufen und Vorformen des Geniebegriffs auffinden, die beim Entwurf der Geniekonzeption verwendet oder übernommen wurden. Schließlich ist es denkbar, daß ein oder mehrere Leitbilder unter gewissen Transformationen in die Genievorstellung eingegangen sind. In jedem Falle würde die Wahrnehmung eines Wechselspiels zwischen Leitbildern oder einer Abfolge oder Verdrängung von Leitbildern

---

[1] "*Diderot's Conception of Genius*", *Journal of the History of Ideas*, II (1941), 151—182.

präzisere Aussagen erlauben als jedes isolierte Studium der Genievorstellung
es vermag.

Mir geht es hier, unter solchen genetischen Aspekten, um den Zusammenhang zwischen der Konzeption des Originalgenies in der frühen englischen
Genielehre des achtzehnten Jahrhunderts und dem Leitbild des Naturwissenschaftlers, das in der zweiten Hälfte des siebzehnten Jahrhunderts Profil und
Gestalt gewann. Zwischen diesen beiden idealtypischen Entwürfen gibt es
eine Reihe von so auffälligen Übereinstimmungen, daß man, in thesenhafter
Zuspitzung, den Naturwissenschaftler des anbrechenden Zeitalters der Experi-
mentalwissenschaften als das erste Originalgenie der Moderne bezeichnen
könnte. In der Tat wird sich zeigen, daß sich die frühen englischen Theoretiker der Geniekonzeption — Alexander Gerard, Edward Young, William
Duff — in ihrer Gedankenbildung nicht in erster Linie am künstlerischen
Genie, sondern am ‚wissenschaftlichen‘ Genie orientierten und daß entscheidende Attribute des künstlerischen Genies aus dem Leitbild des Naturwissenschaftlers übernommen wurden.

II

Über den Naturwissenschaftler des siebzehnten Jahrhunderts gibt es keine
‚Programmschrift‘, die dem Renaissance-Traktat über den *cortegiano* oder
Youngs Aufruf an die Literaten seiner Zeit vergleichbar wäre.[2] Manche Züge
seines Bildes treten bereits vor der Jahrhundertmitte zutage, andere nicht vor
der Restauration, deren wichtigste Auswirkung auf die Wissenschaft bekanntlich die Gründung der Royal Society im Jahre 1662 war. In den frühen
Kontroversen um Sinn und Berechtigung nicht so sehr der Royal Society
selbst als der von ihr propagierten ‚experimentellen Methode‘ bildete sich
erstmals eine Modellvorstellung aus. Allerdings war diese bei aller Einheit-
lichkeit der Auffassung auf eine Vielzahl von Schriften verteilt und nur selten
primärer Anlaß und Gegenstand der entsprechenden Literatur. Die Konzeption entwickelte sich in These und Erwiderung, in Eulogium und Apologie, in
Vision und Rapport, so daß der historische Betrachter ein mosaikartiges
Gesamtbild zusammenfügen muß.

Thomas Sprat, der 1667 die erste große Rechenschaft und Rechtfertigung
der jungen Institution vorlegte, präsentierte den Naturwissenschaftler, mit
einer Geste der Huldigung gegenüber dem königlichen Schirmherrn, unum-
wunden als epochale Figur:

---

[2] Die grundlegende Darstellung der Wissenschaftsbewegung ist Richard Foster
Jones, *Ancients and Moderns: A Study of the Rise of the Scientific Movement
in Seventeenth-Century England*, Second Edition (St. Louis, 1961). Vgl. weiterhin auch: G. N. Clark, *Science and Social Welfare in the Age of Newton*
(Oxford, 1949) und Lewis S. Feuer, *The Scientific Intellectual: The Psychological & Sociological Origins of Modern Science* (New York-London, 1963).

Of all the Kings of *Europe*, Your Majesty was the first, who confirm'd this Noble Design of *Experiments*, by Your own Example, and by a Public Establishment. An *Enterprize* equal to the most renoun'd Actions of the best *Princes*. For, to increase the Powers of all Mankind, and to free them from the bondage of *Errors*, is greater Glory than to enlarge *Empire*, or to put Chains on the necks of Conquer'd *Nations*. What Reverence all *Antiquity* had for the *Authors* of *Natural Discoveries*, is evident by the Diviner sort of Honor they conferr'd on them. Their Founders of *Philosophical Opinions* were only admir'd by their own *Sects*. Their *Valiant Men* and *Generals* did seldome rise higher than to *Demy-Gods* and Heros. But the *Gods* they Worshipp'd with *Temples* and *Altars*, were those who instructed the World to *Plow*, to *Sow*, to *Plant*, to *Spin*, to *build Houses*, and to find out *New Countries*. This Zeal indeed, by which they express'd their Gratitude to such Benefactors, degenerated into *Superstition*: yet has it taught us, That a higher degree of Reputation is due to *Discoverers*, than to the *Teachers* of *Speculative Doctrines*, nay even to *Conquerors* themselves. Nor has the *True God* himself omitted to shew his value of *Vulgar Arts*. In the whole *History* of the first *Monarchs* of the World, from *Adam* to *Noah*, there is no mention of their *Wars*, or their *Victories*: All that is Recorded is this, They liv'd so many years, and taught their *Posterity* to keep *Sheep*, to till the *Ground*, to plant *Vineyards*, to dwell in *Tents*, to build *Cities*, to play on the *Harp* and *Organs*, and to work in *Brass* and *Iron*. And if they deserv'd a *Sacred Remembrance*, for one *Natural* or *Mechanical Invention*, Your *Majesty* will certainly obtain *Immortal Fame*, for having establish'd a perpetual *Succession* of *Inventors*.[3]

Auf eine einfache Formel gebracht: Der Naturwissenschaftler ist ein Entdecker und Erfinder, der vor anderen Sterblichen ausgezeichnet ist und der als Wohltäter der Menschheit eine ‚heroische' Tat vollbringt.

Die Auffassung des Naturwissenschaftlers als Entdecker hatte für die spätere Genielehre weitreichende Konsequenzen. Die dafür fast durchgängig verwendeten Bezeichnungen 'discovery' und 'invention' kehren im achtzehnten Jahrhundert in der Charakteristik des künstlerischen Genies wieder und haben dort vielfach einen falschen Eindruck erweckt. Da man ihren Ursprung nicht erkannte, galten sie ausschließlich als Relikte einer von rhetorischen Kategorien geprägten neoklassischen Literaturauffassung, wie sie etwa in der berühmten Beschreibung des dichterischen Prozesses in Drydens Vorrede zu *Annus Mirabilis* zu finden ist.[4] Bei Lesern, die ‚neue', auf die Romantik vorausweisende Kunsttheorien suchten, gerieten Autoren wie Alexander Gerard in den Verdacht, konservativ und rückständig zu sein, während sie in Wirklichkeit nur die ‚originalen' Gedanken weiterführten.

Bei Sprat gibt sich das Vorstellungsmodell, das hinter der Konzeption der wissenschaftlichen Entdeckung stand, sofort zu erkennen. Neben dem Entdecker des Pfluges, eines technischen Gerätes, kommt der Entdecker neuer Länder zu göttlichen Ehren. Diese geographische Entdeckung stand dem Wissen-

---

[3] *History of the Royal Society* (1667), ed. Jackson I. Cope and Harold Whitmore Jones (St. Louis, 1958), sig. A3r—A4r. Der gedankliche Gehalt des Passus ist stark von Bacon beeinflußt.

[4] *Poems*, ed. James Kinsley (Oxford, 1958), I, 46 f.

schaftstheoretiker im siebzehnten Jahrhundert vor Augen, wenn er von der
Entdeckung überhaupt sprach. Bei ihr war der Sachverhalt, daß etwas bislang
Unbekanntes neu aufgefunden wurde, im handgreiflichen Sinn gegeben, und
an ihr orientierten sich Sprachgebrauch und Vorstellungsweise. Das jede derartige Gedankenbildung bestimmende Ereignis war die columbianische Entdeckung Amerikas. Sie wurde zum Urbild und zur Urform der Entdeckung, an
der sich das Selbstverständnis der Wissenschaftsbewegung ausbildete.

In vielfältigen Formen entstand eine Metaphorik der geographischen Entdeckung. Robert Hooke, der Verfasser der berühmten *Micrographia*, des
ersten englischen Buches über Mikroskopie, stellte sich den Naturwissenschaftler ganz columbianisch vor. Seine "Requisites in a Natural Historian",
wohl der erste systematische Überblick über die Berufsvoraussetzungen für
einen Wissenschaftler, enthalten mehrere Analogiebetrachtungen:

> As *Columbus* did in the Discovery of the New World of *America*, he ought to
> contrive his Design well; then to procure what Helps and Assistances he is
> able, lastly, thoroughly to prosecute it, and not to be discouraged by the many
> Courses and ill Successes he may at first chance to meet with in the Attempt,
> and afterwards also in the Prosecution thereof . . . He ought, as *Columbus* did,
> freely and impartially to discover what he finds; but yet with particular and
> more especial Regard to the great Promoters and Benefactors of this Design.[5]

Nicht selten begegnen concettistische Formulierungen, die der Dichtung des
frühen siebzehnten Jahrhunderts entstammen könnten. Man wird an Donnes
neunzehnte Elegie erinnert, wenn Joseph Glanvill von einem *"America of
secrets"* und einem "unknown *Peru* of Nature" spricht[6] oder ein sonst unbekannter Autor namens Agricola Carpenter prophezeit: " . . . there is an
America of knowledge yet unfound out, discoverable by the endeavours of
some wiser *Columbus*, and the promised fertility of succeeding Ages."[7] Es
fügt sich ins Bild, daß Isaac Newton im frühen achtzehnten Jahrhundert von
den Dichtern als Columbus des Himmels besungen wurde[8] und daß eine

---

[5] *The Posthumous Works of Robert Hooke . . . Containing his Cutlerian Lectures,
and other Discourses, Read at the Meetings of the Illustrious Royal Society . . . ,*
ed. Richard Waller (London, 1705), pp. 20 f.

[6] *The Vanity of Dogmatizing: or Confidence in Opinion . . .* (London, 1661),
p. 178. Der Zusammenhang führt die Metapher weiter aus: "That all Arts, and
Professions are capable of maturer improvements; cannot be doubted by those,
who know the least of any. And that there is an *America* of secrets, and
unknown *Peru* of Nature, whose discovery would richly advance them, is more
then conjecture. Now while we either sayl by the *Land* of gross and vulgar
Doctrines, or direct our Enquiries, by the *Cynosure* of meer abstract *notions;*
we are not likely to reach the Treasures on the other side [of] the *Atlantick:*
The directing of the World the way to which is the noble end of true *Philosophy*" (pp. 178 f.).

[7] *Pseuchographia Anthropomagica: or, A Magicall Description of the Soul:
Wherein is set forth the Nature, Genesis and Exodus of it* (London, 1652), p. 22.

[8] Vgl. etwa John Hughes, "The Ecstacy: An Ode", *The Poets of Great Britain,* ed.
Robert Anderson (Edinburgh, 1794), VII, 331.

stolze Weltmetaphorik auftauchte, sobald genügend wissenschaftliche Kontinente entdeckt waren:

> The *latter* Ages have a much *larger* World than *Aristotle's Asia*; We have the *America*, and the many *New* Lands that are *discovered* by *Modern Navigators*; we have *larger* and more *perfect Geography* even of the *old* World, infinitely more *acquaintance* and better correspondence in all the parts of the *Universe*, by our *general Traffique*, than the *Ancients*, whose *Commerce* was narrow, and knowledge of *remote* Parts consisted but in *hearsays* and *doubtful Rumours*. We have besides, *New Heavens* as well as a *New Earth*, a larger and truer prospect of the World above us. We have travell'd those *upper* Regions by the help of our *Tubes*, and made *Discoveries* more becoming the *Wisdom* and *Magnificence* of *our Creatour*, and more agreeable to the *appearances* of things, than the arbitrary phansies and conjectures of *Aristotle* and his *Schools*. We have a *greater World* of *Arts, Instruments*, and *Observations*, as in *Particulars* my Discourse hath made good.[9]

Offenbar ist diese Stelle ebenso konsequent wie subtil auf jenes Emblem abgestellt, mit dem Francis Bacon das Zeitalter der wissenschaftlichen Entdeckung einleitete. Die *Instauratio Magna* zeigt auf dem Titelbild ein Schiff, das sich mit vollen Segeln zu einer Fahrt jenseits der Säulen des Herkules anschickt — zur Umseglung des "globus Orbis Intellectualis".[10]

Bereits im siebzehnten Jahrhundert wurde diese Metaphorik in einer sekundären Übertragung auch auf die Literatur angewandt. So beschrieb etwa Thomas Sprat die dichterische Entwicklung Abraham Cowleys als Seereise von Indien nach Amerika:

> Thou hast search'd through every creek
> From the East Indies of the poets' world, the Greek,
> To the America of wit,
> Which was last shown, and has most gold in it.[11]

"America of wit" stand dabei für nichts anderes als für die ‚Entdeckung' neuer Formen und Ausdrucksmöglichkeiten, wie sie auch Dryden in seinem Essay "Of Dramatic Poesy" suchte. Hier die nämliche Analogie. Eine „neue Natur" hatte sich erschlossen, „erhabene Geheimnisse" der Optik, der Medizin, der Anatomie und der Astronomie waren entdeckt, folglich mußten auch bei ähnlichen Anstrengungen ähnliche Erfolge in der Literatur zu er-

---

[9] Joseph Glanvill, *Plus Ultra: or, The Progress and Advancement of Knowledge since the Days of Aristotle* (1668), ed. Jackson I. Cope (Gainesville, 1958), pp. 112 f.

[10] "De Augmentis", IX; *Works*, ed. Spedding-Ellis-Heath (ed. Stuttgart-Bad Cannstatt, 1963), I, 836. Solche Formulierungen treten bei Bacon häufig auf, etwa in "Novus Orbis Scientiarum" (I, 838) oder in "Descriptio Globi Intellectualis et Thema Coeli" (III, 713).

[11] "Upon the Poems of the English Ovid, Anacreon, Pindar, and Virgil, Abraham Cowley", *The Poets of Great Britain*, VI, 754. Vgl. auch Edmund Waller, "To his Worthy Friend Mr. Evelyn, upon his Translation of Lucretius", *ibid.*, V, 483.

zielen sein.[12] Man entdeckte also Literatur in der gleichen Weise wie Amerika oder wie das Gravitationsgesetz.

Im Hinblick auf die Genielehre des achtzehnten Jahrhunderts interessiert vor allem das unreflektierte Wirklichkeitsverständnis, das sich in einer solchen Metaphorik verrät. Es ist die klassische Ausprägung eines naiven erkenntnistheoretischen Realismus, der vom Urerlebnis der geographischen Entdeckung geprägt wurde. Niemand hätte im siebzehnten Jahrhundert aus Amerika ein erkenntnistheoretisches Problem gemacht. Es war einfach da, unabhängig von der Kenntnis, die man davon hatte oder nicht hatte, und es wurde im ursprünglichen Wortsinn entdeckt. Weitreichende Konsequenzen ergaben sich allerdings, sobald man die Metaphorik auf Wissenschaft und Literatur anwandte. Der Kompaß, die Differentialrechnung und die chemische Zusammensetzung der Luft waren dann ebenfalls ‚Entdeckungen‘ einfacher Tatbestände, die vor und außerhalb der Erfahrung existierten. Der Erkenntnisprozeß bestand lediglich in einer Art von columbianischer Ankunft auf einem Gebiet, das in seiner Beschaffenheit durch den Entdecker nicht verändert wurde. Die Literatur gab sich bei dieser Betrachtungsweise als das Gegenteil von einem produzierten Artefakt. Jedes *genre*, jede literarische Form war bereits vorhanden und wurde durch den Autor nur aufgefunden. So konnte Homer als ‚Entdecker‘ des Epos gelten, und die aus ihm abgeleiteten Regeln entsprachen in ihrer Gültigkeit und Verbindlichkeit Keplers Gesetzen über den Umlauf der Planeten.

Ein selbstverständliches Korrelat zu dieser Konzeption war ein naiver Fortschrittsgedanke. In der Vorstellung des Zeitgenossen drang der Naturwissenschaftler des siebzehnten Jahrhunderts in immer weitere Bereiche ein, und wie bei einer Landnahme schritt er von Erkenntnis zu Erkenntnis fort. Der Zuwachs an Wissen stellte sich als Eingliederung von ‚Neuem‘ dar, und die Leistung des Naturwissenschaftlers bemaß sich nach der Menge des ‚Neuen‘, das er zu einem gemeinsamen Fundus beisteuern konnte. (Wie konkret man in dieser Hinsicht dachte, zeigt Joseph Glanvills Bemerkung, die Royal Society vermöge eine „Bank von allem nützlichen Wissen unter den Menschen" anzulegen).[13] Unzählige Buchtitel des siebzehnten Jahrhunderts legen Zeugnis davon ab, daß ‚Neuheit‘ nicht nur eine deskriptive Bezeichnung, sondern ein Qualitätskriterium ersten Ranges war. Bacons *Novum Organum*, das prophetische Buch des mosaischen Verkünders neuer geistiger Länder,[14]

---

[12] *Of Dramatic Poesy and Other Critical Essays*, ed. George Watson (London, 1962), I, 26; vgl. auch I, 32.

[13] *Plus Ultra*, p. 108. Literarisches Pendant dazu ist Blackmores "Bank for Wit and Sense"; vgl. "A Satyr against Wit" (1700), *Critical Essays of the Seventeenth Century*, ed. J. E. Spingarn (ed. Oxford, 1957), III, 329.

[14] In Cowleys Gedicht "To the *Royal Society*", das Sprats *History* vorangestellt ist, heißt es (ed. 1667, sig. B2v):
   Bacon, like *Moses*, led us forth at last,
   The barren Wilderness he past,

setzte hier einen Standard, dem sich noch der letzte Virtuoso verpflichtet fühlte. Und Kepler, Galilei, Boyle, Huygens, Leibniz und Descartes taten ein übriges, damit der Fortschritt zu neuen Erkenntnissen das Kennzeichen des außergewöhnlichen Naturwissenschaftlers wurde.[15]

Man kann hier bereits das Fazit für die Genielehre des achtzehnten Jahrhunderts ziehen. Das Analogiesystem und die metaphorische Konzeption, mit der sich der Zeitgenosse der Restauration die Arbeit des Naturwissenschaftlers vergegenwärtigte, tauchen fast unverändert bei Young, bei Duff und bei Gerard wieder auf. Youngs *Conjectures on Original Composition*, weniger eine Studie des Genies als ein Plädoyer für den ‚Fortschritt‘ der Literatur, ist ganz von jenem Parallelitätsgedanken durchdrungen, der sich schon bei Dryden fand. Weil in den Naturwissenschaften neues Wissen entdeckt wird, muß die Literatur mit eigenen Entwicklungen folgen: "Knowledge physical, mathematical, moral, and divine, increases; all arts and sciences are making considerable advance; ... these are as the root, and composition, as the flower; and as the root spreads, and thrives, shall the flower fail?"[16] In seinen Forderungen fühlte sich Young nachdrücklich durch Bacon bestätigt,[17] und damit assoziierte sich zwangsläufig die Metapher der Reise um die geistige Welt und des Vorstoßes in unbekannte Regionen.[18] Das literarische Originalgenie schließlich, wie es sich Young dachte, ist ganz nach dem Naturwissenschaftler des siebzehnten Jahrhunderts konzipiert: "*Originals* are, and ought to be great favourites, for they are great benefactors; they extend the republic of letters, and add a new province to its dominion."[19] Die Provinz des Originalgenies ist also eine Kombination aus dem columbianischen Neuland des siebzehnten und der Gelehrtenrepublik des achtzehnten Jahrhunderts.

Die ausgeprägte Bildersprache in Youngs *Conjectures* ist nicht zu übersehen. Allerdings hat man bislang nur das Bildfeld wahrgenommen, das an organischen Prozessen orientiert ist. Young gilt — zu Unrecht übrigens[20] —

Did on the very Border stand
Of the blest promis'd Land,
And from the Mountains Top of his Exalted Wit
Saw it himself, and show'd us it.

[15] Vgl. Lynn Thorndike, "Newness and Craving for Novelty in Seventeenth-Century Science and Medicine", *Journal of the History of Ideas*, XII (1951), 584-598.

[16] *Conjectures on Original Composition*, Second Edition (London, 1759), p. 75. Auf die Zusammenhänge zwischen Bacon und Young hat erstmals Alois Brandl aufmerksam gemacht: *Shakespeare Jahrbuch*, XXXIX (1903), 8 ff. Vgl. weiterhin das Vorwort von Edith J. Morley zu ihrer Ausgabe der *Conjectures* (Manchester, 1918) und vor allem die grundlegende Studie von Richard Foster Jones, "Science and Criticism in the Neo-Classical Age of English Literature", in: *The Seventeenth Century: Studies in the History of English Thought and Literature from Bacon to Pope* (Stanford, 1951), pp. 41—74.

[17] Vgl. *Conjectures*, p. 69.

[18] Vgl. *ibid.*, p. 70 und p. 38 über das "fairyland of fancy".

[19] *Ibid.*, p. 10.

[20] Vor Young verglich 1758 Alexander Gerard das Genie mit der Pflanze.

als der ‚Erfinder' der vegetativen Analogie, und so richtet sich die Aufmerksamkeit auf jenen berühmten Vergleich zwischen Genie und Pflanze, der die
späteren Spekulationen über das Genie so nachhaltig bestimmt hat. Dieses
vegetative Bildfeld ist jedoch nur *ein* Stratum. Daneben gibt es, wie angedeutet, ein zweites Stratum bildhafter Vergegenwärtigung, das auf anderen
analogischen Voraussetzungen ruht und dessen Suggestionskraft in eine
andere Richtung weist. Die Verbindung von Boden und Pflanze, die Young an
mancher Stelle durch Überlagerung von Bildern gelingt, sollte nicht darüber
hinwegtäuschen, daß jeder Bildsphäre eine verschiedene Konzeption zuzuord-
nen ist. Der Naturwissenschaftler des siebzehnten Jahrhunderts, von dem
Young ausging, ist nicht mit Hilfe von vegetativen Analogien zu begreifen,
denn seine originale Entdeckung reift nicht pflanzenhaft. Andererseits können
die prominenten Züge seiner Physiognomie nicht zur Charakteristik eines
organisch-unbewußt-produktiven Genies beitragen. Daher der Riß, den der
aufmerksame Leser in Youngs Schrift wahrnimmt, und daher auch der Fehl-
schlag, den die *Conjectures* trotz ihrer historischen Wirkung in der Literatur
über das Originalgenie bedeuten.

Während bei Young das Leitbild des Naturwissenschaftlers nur als Vorstellungsmodell für das literarische Genie diente, bezogen die beiden wichtigsten schottischen Beiträge zur Genieliteratur, William Duffs *Essay on Original Genius* (1767) und Alexander Gerards *Essay on Genius* (1774), den
Naturwissenschaftler in die Betrachtung ein. Hier gibt es ein wissenschaft-
liches und ein künstlerisches Genie als parallele Manifestationen der gleichen
geistigen Kräfte, und hier wird auf der Grundlage der im achtzehnten Jahrhundert ausgebildeten psychologischen Konzeptionen eine Beschreibung oder
sogar eine Definition des Genies versucht.

Duffs Studie sollte ursprünglich auf das literarische Genie beschränkt sein
und jenen inspirierten Barden im Mittelpunkt haben, den der Primitivismus
der Epoche als den eigentlich ‚originalen' Dichter ansah. Mit der Berücksichtigung des Wissenschaftlers und des Philosophen (die beide als weitgehend
identisch gelten) wollte Duff offenbar jede Einseitigkeit vermeiden und sich
überdies den besten Zugang zum Phänomen des Genies sichern. Er unterschied zwischen dem bloßen Genie und dem ‚originalen' Genie als der höchsten, weit über jedes Talent hinausgehenden Art genialer Begabung.[21] Seine
Charakteristik dieses Originalgenies ist die erste Definition in der englischen
Genieliteratur:

> By the word ORIGINAL, when applied to Genius, we mean that NATIVE and
> RADICAL power which the mind possesses, of discovering something NEW and

---

[21] Diese Unterscheidung läßt die Ablösung des Wortes Genie von seiner früheren
Bedeutung ‚geistige Fähigkeit', ‚Talent' erkennen. Aufschlußreich ist in diesem
Zusammenhang William Sharpe, *A Dissertation upon Genius: Or, an Attempt
to shew, That the several Instances of Distinction, and Degrees of Superiority
in human Genius are not, fundamentally, the Result of Nature, but the Effect
of Acquisition* (London, 1755).

UNCOMMON in every subject on which it employs its faculties. This power appears in various forms, and operates with various energy, according to its peculiar modification, and the particular degree in which it is bestowed . . . . The word ORIGINAL, considered in Connection with Genius, indicates the DEGREE, not the KIND of this accomplishment, and . . . it always denotes its highest DEGREE.[22]

Diese Formulierung sollte das Gemeinsame in den höchsten Leistungen der Philosophie, der Naturwissenschaft, der Dichtung und der bildenden Künste sichtbar machen. Sie brachte Homer und Newton auf einen Nenner, und sie gab die Grundlage für einen Vergleich von Miltons *Paradise Lost* und Thomas Burnets *Telluris Theoria Sacra* ab.[23]

Aus dem Blickwinkel des siebzehnten Jahrhunderts gesehen, dürfte es kaum eine bessere Definition für den Naturwissenschaftler geben. Was die Zeitgenossen der Restauration über den ,originalen' wissenschaftlichen Entdecker dachten, ist hier mit größter Vollständigkeit zusammengefaßt, und man hat Mühe, sich nicht nur Boyle und Newton unter dieser Formel vorzustellen. Wie zu erwarten, bleibt kein unerklärbarer Rest, solange Duff seine Formel auf Naturwissenschaftler und geeignete Philosophen anwendet. Bei Descartes etwa taucht die übliche Weg- und Entdeckungsmetapher mit allem wünschenswerten Detail wieder auf,[24] und bei Bacon wandelt sie sich in die höhere Form der imperialen Eroberung: "His penetrating and comprehensive Genius . . . qualified him not only for extending the empire of Science far beyond the limits within which it had been formerly confined, but also for discovering those immense tracts of uncultivated ground, which since his time, by tracing his footsteps, have been occupied and improved."[25] Ähnliches gilt für Newton, obwohl hier mehr von den Entdeckungen als vom Entdecker selbst die Rede ist.

Wie sehr der Naturwissenschaftler Vorbild für das Originalgenie war, wird an bestimmten Passagen über den Dichter deutlich. Obwohl die Ästhetik der Zeit längst über andere Vorstellungen vom Charakter des Kunstwerks verfügte, gilt der Dichter, wie auch bei Young, noch als naiver Entdecker. Gerade im Hinblick auf das damals viel diskutierte Verhältnis zwischen Imitation und Originalität bleibt die Analogie in Kraft: die Nachahmung hindert die „Entdeckung neuer Minen geistigen Erzes".[26] In einem breit ausgeführten Vergleich assoziiert sich das zu 'discovery' gehörige Vokabular. Allerdings sind

---

[22] *An Essay on Original Genius; and its Various Modes of Exertion in Philosophy and the Fine Arts, Particularly in Poetry* (London, 1767), pp. 86—87.

[23] Vgl. *ibid.*, pp. 121 f.

[24] "He struck out a path for himself, through the gloom which the obscure and unintelligible jargon of the Schools had thrown on Science; and though he could not pursue it through its several windings, he pointed out the track which has been followed by others, and has led to the most important discoveries" (*ibid.*, p. 114).

[25] *Ibid.*, p. 116.

[26] *Ibid.*, pp. 131 f.

solche Passagen in der Minderzahl. Meist tritt 'invention' an die Stelle von 'discovery'. 'Invention' ist nach Duffs Auffassung das belebende Element der Dichtung, und entsprechend werden vier Arten von 'invention' unterschieden — "of INCIDENTS, of CHARACTERS, of IMAGERY, of SENTIMENT."[27] Ohne Unterschied dazu gilt auch die philosophische Theorienbildung als 'invention'. Während Bacon und Newton als Entdecker wirken, zeichnet sich etwa Berkeley als philosophisches Genie durch 'reason and invention' aus.[28] Hier wird also die Leistung des Genies mit einem Begriff erfaßt, der in der ursprünglichen Definition fehlt.

Der Sachverhalt kompliziert sich dadurch, daß neben 'discovery' und 'invention' auch der Begriff 'creation' auftaucht. Es gibt typische Formulierungen, denen man einen Zusammenhang zwischen 'invention' und 'creation' entnehmen kann.[29] Manchmal scheinen in Duffs Gedankenbildung die beiden Begriffe identisch zu sein, anderwärts sind sie deutlich gegeneinander abgesetzt. In jedem Falle ist jedoch ihre Anwendung nicht konsequent. Epische Charaktere gelten wohl als "pure creation of the mind",[30] aber übernatürliche Wesen, die nach der Auffassung des Zeitalters das höchste Kriterium für das Schöpfertum des Dichters darstellten, erhalten die Bezeichnung 'inventions'.[31] Bei den Schönen Künsten schließlich kommt noch ein neuer Aspekt hinzu. Hier dokumentiert sich nach Duffs Auffassung die gleiche Erfindungskraft des Genies ('power of invention') wie in den Wissenschaften.[32]

Der Regreß auf neue Begriffe enthüllt gedankliche Schwierigkeiten. Wie Young ging es Duff vor allem um das literarische Genie. Aber beide sahen Kunst und Wissenschaft als komplementäre Bereiche an — eine Auffassung der Zeit, die Samuel Johnson zu dem Ausspruch veranlaßte, Newton hätte ebenso gut ein Epos verfassen können,[33] und die Lessing in einem Gedicht schreiben ließ, Newton und Homer seien „zwei Geister gleich an Größ' und ungleich nur im Werk".[34] Da im Leitbild des Naturwissenschaftlers eine Geniekonzeption zumindest angelegt war, nahm der Definitionsprozeß von hier seinen Ausgang. Doch das Wirklichkeitsverständnis der klassischen Physik setzte der Einbeziehung der Literatur dort eine Grenze, wo deren Eigenart nicht mehr durch die Analogie der Entdeckung gedeutet werden konnte. Der Kompromiß war das Wort 'invention'. Im siebzehnten Jahrhundert als Synonym für 'discovery' gebraucht, war es für die Definition des wissenschaftlichen Genies brauchbar. Und aus der Rhetorik in die neoklassische Literaturtheorie übernommen, schien es auch als Synonym für eine

---

[27] *Ibid.*, p. 126.
[28] Vgl. *ibid.*, pp. 96 und 121.
[29] Vgl. etwa *ibid.*, p. 94.
[30] Vgl. *ibid.*, p. 130.
[31] Vgl. *ibid.*, pp. 138, 143.
[32] *Ibid.*, p. 190.
[33] James Boswell, *Life of Johnson*, ed. Hill-Powell, V (Oxford, 1964), 35.
[34] „Aus einem Gedicht an den Herrn M**", *Gesammelte Werke*, ed. Paul Rilla, I (Berlin, 1954), 189 f.

Vokabel verwendbar, mit der das Produktive und das Kreative im Dichter bezeichnet werden sollte. So rückte 'invention' bei den frühen Theoretikern der Genielehre ins Zentrum der Terminologie. Nach der einen Seite, so offenbart sich bei Duff, assoziierte sich der Begriff 'discovery', nach der anderen der Begriff 'creation'. Die Zusammenfassung beider in 'invention' war jedoch eine ‚Begriffsmogelei', die zwar aus der Not geboren wurde, aber nichtsdestoweniger unzulässig blieb, weil die 'inventio' der Naturwissenschaftler mit der 'inventio' der Rhetoriker nichts gemeinsam hatte.

Dieser Prozeß, der sich bei Duff nur rekonstruieren läßt, liegt in Gerards *Essay on Genius* offen zutage. Gerard definierte am Beginn seines Traktates: "Genius is properly the faculty of *invention*." Und sofort differenzierte er auch — "by means of which a man is qualified for making new discoveries in science, or for producing original works of art."[35] Dies ist die umfassendste und präziseste Bestimmung in der englischen Genieliteratur und zugleich die Definition, die die Affiliation des Geniebegriffs mit dem Leitbild des Naturwissenschaftlers am deutlichsten hervortreten läßt. Das Dilemma des Begriffs 'invention' ist sorgfältig verborgen. Er wird nirgendwo so geklärt, daß eine eindeutige Zuordnung möglich wäre. Gelegentlich schillert er rhetorisch, aber vornehmlich hinterläßt er den Eindruck, naturwissenschaftlichen Ursprungs zu sein. Gerard war sich wohl der prekären Begriffsbildung bewußt, aber wenn es bei einer umfassenden Geniekonzeption bleiben sollte, hatte er keine andere Möglichkeit, als die beiden Bereiche so zu differenzieren, wie er es vorschlug. Zumindest konnte er damit dem künstlerischen Genie eine eigene, ‚originale' Wirksamkeit zuerkennen.

Gerards Aberdeener Studenten, denen er bereits 1758/59 die Grundzüge seiner erst 1774 veröffentlichten Genielehre vortrug,[36] erfuhren etwas über die gedankliche Regie, die für das Zustandekommen der Definition verantwortlich war. Bei der systematischen Aufteilung des Lehrstoffes erschien das Genie an zwei Stellen: in der Psychologie, weil Gerard, wie auch andere Theoretiker, die Imagination für die fundamentale Geisteskraft des Genies hielt; und überdies in der Logik, weil hier die ‚Findungslehre' ihren natürlichen Platz hatte. Auf allerlei Spekulationen über eine Geschichte des Genies — ein Problem, das Gerard über lange Zeit fesselte[37] — folgte eine philosophi-

---

[35] *An Essay on Genius* (London, 1774), p. 8.

[36] Das Buch selbst ist aus Vorträgen (ab 1758) vor der damals neu gegründeten Aberdeen Philosophical Society hervorgegangen. Die Entstehung läßt sich ziemlich genau anhand der Sitzungsprotokolle verfolgen (Aberdeen University Library, MS. 539 und 539 [2]). Einige Überlegungen finden sich auch in Gerards *Essay on Taste* (1759), der 1756 als Preisschrift vorlag. Damit ist der *Essay on Genius* trotz seines späten Erscheinungsjahres die früheste englische Genielehre. Vgl. die Einleitung zur Faksimile-Ausgabe (München, 1966).

[37] Im Jahre 1769 schlug Gerard folgende Frage zur Diskussion in der Aberdeen Philosophical Society vor: "Whether any account can be given of the causes, why great Geniuses have arisen at the periods which have been most remarkable for them, and why they have frequently arisen in clusters?" (MS. 539).

sche Systematik, die die zur Auffindung der Wahrheit notwendigen „Methoden und Instrumente" behandelte ("y^{se} methods & Instruments q^e assist in y^e
discovery of Truth"). Hier steht dann die Unterscheidung, die für den
Historiker der Genielehre unentbehrlich ist:

> Invention has been generally considered by Logicians as of two kinds, vizt: The
> Invention of Arguments & y^t of Sciences: ye former is not so properly Invention,
> as the recollecting what was formerly known & so far as it implies Invention, it
> belongs most properly to that kind of Genius which regards the Arts. The
> method by which Logicians have ordinarily attempted to assist the mind in this,
> has been by their Topics .... The Second kind of Invention is ye Invention of
> Sciences, or New Truths, & y^s tho' of ye greatest importance, has generally
> been very little considered in Logic.[38]

Die rhetorische 'inventio' war also uneigentliche Erfindung; sie vermochte die
Konzeption des Neuen und Originalen, die sich mit dem Geniebegriff verband, nur bedingt wiederzugeben und konnte insofern zur Bezeichnung des
produktiven Vermögens in der Kunst nur dann dienen, wenn man dem Begriff mehr abverlangte, als er von sich aus hergab. Dagegen war die wissenschaftliche Entdeckung Erfindung *par excellence*.

Dies enthüllt den Kompromißcharakter von Gerards Geniedefinition. So
ausgewogen seine Formulierung auf den ersten Blick erscheint, so spannungs-
reich war sie in Wirklichkeit. Wer ein angemessenes Verständnis des künstlerischen und vor allem des literarischen Genies anstrebte (und darauf
konzentrierten sich die Bemühungen zunehmend), mußte den Begriff 'inventio'
aufgeben, und damit entfiel die bestechende Möglichkeit, das künstlerische
und das naturwissenschaftliche Genie unter einem und demselben Begriff zu
subsumieren. Gerards *Essay on Genius* bezeichnet in der englischen Genieliteratur den Punkt höchster Einheit: divergierende Tendenzen sind hier zu
einer Synthese zusammengefaßt, die davor und danach nicht anzutreffen ist.
Zugleich bezeichnet das Buch den Kulminationspunkt der naturwissenschaftlichen Geniekonzeption.

Das Ende des Naturwissenschaftlers als Originalgenie ist schnell berichtet.
Es steht in den Erläuterungen und Erklärungen, die Kant in der *Kritik der
Urteilskraft* vom Genie gab. Kant hatte den *Essay on Genius* in Christian
Garves Übersetzung genau gelesen,[39] und seine Auseinandersetzung mit
Gerard ist in den Reflexionen zur Anthropologie niedergelegt.[40] Die *Anthro-*

---

[38] Kollegnachschrift von Robert Morgan, datiert 1758/1759 und aufbewahrt als
MS. Dc. 5. 61 in der Edinburgh University Library. Zitat fol. 570—571.

[39] *Ein Versuch über das Genie* (Leipzig, 1776).

[40] Vgl. *Gesammelte Schriften*, Akademieausgabe (Berlin, 1913), XV, i, insbesondere Reflexionen 899, 942, 949 und 977 sowie *Immanuel Kant's Menschenkunde
oder philosophische Anthropologie*: Nach handschriftlichen Vorlesungen herausgegeben von Fr. Ch. Starke (Leipzig, 1831), pp. 107 f., 233, und Otto Schlapp,
Kant's Lehre vom Genie und die Entstehung der ,Kritik der Urteilskraft' (Göttingen, 1901).

pologie in pragmatischer Hinsicht zeigt genügend Reminiszenzen an Gerards Buch, doch die *Kritik der Urteilskraft* rückte von Gerard ab. Genie sei, so wußte sich Kant mit den Engländern einig, „dem Nachahmungsgeiste gänzlich entgegenzusetzen." Darüber hinaus ging er jedoch seinen eigenen Weg:

> Wenn man aber auch selbst denkt oder dichtet, und nicht bloß, was andere gedacht haben, auffaßt, ja sogar für Kunst und Wissenschaft manches erfindet, so ist doch dieses auch noch nicht der rechte Grund, um einen solchen (oftmals großen) Kopf (im Gegensatze mit dem der, welcher niemals etwas mehr als bloß lernen und nachahmen kann, ein Pinsel heißt), ein Genie zu nennen; weil eben das auch hätte können gelernt werden, also doch auf dem natürlichen Wege des Forschens und Nachdenkens nach Regeln liegt und von dem, was durch Fleiß vermittelst der Nachahmung erworben werden kann, nicht spezifisch unterschieden ist. So kann man alles, was Newton in seinem unsterblichen Werke der Prinzipien der Naturphilosophie, so ein großer Kopf auch erforderlich war, dergleichen zu erfinden, vorgetragen hat, gar wohl lernen; aber man kann nicht geistreich dichten lernen, so ausführlich auch alle Vorschriften für die Dichtkunst und so vortrefflich auch die Muster derselben sein mögen. Die Ursache ist, daß Newton alle seine Schritte, die er von den ersten Elementen der Geometrie an bis zu seinen großen und tiefen Erfindungen zu tun hatte, nicht allein sich selbst, sondern jedem anderen ganz anschaulich und zur Nachfolge bestimmt vormachen könnte; kein Homer aber oder Wieland anzeigen kann, wie sich seine phantasiereichen und doch zugleich gedankenvollen Ideen in seinem Kopfe hervor und zusammen finden, darum weil er es selbst nicht weiß, und es also auch keinen anderen lehren kann. Im Wissenschaftlichen also ist der größte Erfinder vom mühseligsten Nachahmer und Lehrlinge nur dem Grade nach, dagegen von dem, welchen die Natur für die schöne Kunst begabt hat, spezifisch unterschieden.[41]

Mit anderen Worten: hinfort konnte nur der Dichter und der Künstler auf die Bezeichnung Genie Anspruch erheben.

III

Die Einwirkung, die das Leitbild des Naturwissenschaftlers auf die Geniekonzeption im achtzehnten Jahrhundert gehabt hat, erstreckte sich nicht nur auf den quasi-logischen Bereich der Definition des Genies. Jeder Versuch einer Definition setzte eine vorgängige Übereinkunft über das Genie als einen spezifischen Typus mit eigenen, nicht reduzierbaren Merkmalen voraus, und diese Gedankenbildungen gehörten in einen Bereich, den man im achtzehnten Jahrhundert als anthropologische Charakteristik bezeichnen konnte. Hier präfigurierte der Naturwissenschaftler für das Originalgenie eine Reihe von Eigenschaften, die in dieser Kombination bei keinem anderen Leitbild vorgegeben waren.

---

[41] *Kritik der Urteilskraft*, § 47, ed. Karl Vorländer (Leipzig, 1924), pp. 161 f. Man beachte jedoch die weiteren Ausführungen Kants: „Indes liegt hierin keine Herabsetzung jener großen Männer ..."

Wie ihn das siebzehnte Jahrhundert sah, zeichnete sich der Naturwissenschaftler durch eine außergewöhnliche Leistung aus. Vermöge besonderer
geistiger Gaben war es ihm gegeben, neue Erkenntnisse über das Wesen der
physischen Natur zu gewinnen. Er gelangte zu diesen Erkenntnissen nicht
durch die Übernahme tradierter Lehrmeinungen, sondern durch präzise
Beobachtung, durch unabhängige Prüfung und durch selbständige Reflexion.
Wie er über ursprüngliche Kräfte des Geistes verfügte, so hatte er ein
ursprüngliches Verhältnis zu den Dingen. Er suchte und forschte unablässig
an den Grenzen des Wißbaren und nahm dadurch Risiko und Gefahr auf sich.
Er bewahrte auch unter schwierigen Umständen Vertrauen in die Kraft des
Geistes, und er war erfüllt von der Überzeugung, nicht für die eigene Wiß-
begier, sondern zum Nutzen aller zu wirken. Als Wohltäter der Menschheit
war er der Bahnbrecher des Fortschritts in eine freiere und bessere Zukunft.

Am besten läßt sich der Naturwissenschaftler als eine charismatische Gestalt mit heroischen Zügen und einer anti-autoritären Haltung charakterisie-
ren. Diese Eigenschaften treten in der eingangs zitierten Vorrede zu Sprats
History of the Royal Society deutlich hervor, wobei sich Sprat wahrscheinlich
an Bacon angeschlossen hat. Das *Advancement of Learning* enthält den ersten
idealtypischen Entwurf des ‚neuen' Philosophen, und die Grundzüge des Leit-
bildes sind hier bereits ausgeprägt. Im Hinblick auf die Wirkungsgeschichte
dieser Stelle sollte man ihren Platz in Bacons Argument nicht übersehen. Sie
steht in jenem Teil, der von der ‚Dignität' des Wissens handelt und seinerseits die Erörterung der Hinderungsgründe für den Fortschritt der Wissenschaften zur Voraussetzung hat. Zunächst bringt Bacon die christlichen
Beweisgründe vor (Bibel und Kirchenväter), dann die säkularen, die "humana
testimonia et argumenta". Hier steht an erster Stelle eine Bemerkung über
die Verteilung der göttlichen Ehren in der Antike:

> Itaque (ut cœpimus dicere) apud ethnicos ille quem Græci *Apotheosin*, Latini
> *Relationem inter Divos* vocarunt, supremus honor fuit, qui homini ab homine
> tribui posset; præsertim ubi non ex decreto aut edicto aliquo imperii (ut
> Cæsaribus apud Romanos), sed ex opinione hominum et fide interna ultro
> deferretur. Cujus honoris tam excelsi gradus quidam erat, et terminus medius.
> Quippe supra humanos honores, heroici numerabantur et divini; in quorum
> distributione hunc ordinem tenuere veteres. Rerumpublicarum conditores,
> legislatores, tyrannicidæ, patres patriæ, quique in rebus civilibus optime
> meruerunt, insigniti sunt titulo Heroum tantum, aut Semideorum; quales
> fuere Theseus, Minos, Romulus, ceterique. Ex altera parte inventores et
> authores novarum artium, quique vitam humanam novis commodis et acces-
> sionibus dotarunt, semper consecrati sunt inter Deos ipsos Majores; quod
> Cereri, Baccho, Mercurio, Apollini, et aliis contigit. Quod certe jure et sano
> cum judicio factum est. Nam priorum benemerita intra unius ætatis aut
> nationis limites fere coërcentur; ... posteriorum vero beneficia, ut ipsius solis
> et cœlestium munera, temporibus perpetua, locis infinita sunt.[42]

---

[42] "De Augmentis", *Works*, I, 470. Wenngleich diese Stelle von der Restauration
her gesehen am Anfang steht, hat sie doch auch ihrerseits eine Vorgeschichte in
der Auffassung, die sich während der Renaissance über den Erfinder und Ent-

Nachdem der Naturwissenschaftler als "inventor et author novarum artium"
auf solche Weise von Bacon zum Nachfolger antiker Gottheiten designiert
war, gehörte es zu den fast selbstverständlichen Manifestationen des Sen-
dungsbewußtseins der Wissenschaftsbewegung im siebzehnten Jahrhundert,
daß man die Apotheose als angemessene Form der Anerkennung für die
originale geistige Leistung erwartete. Mehr als einmal wurden nach der
Jahrhundertmitte epochale Erkenntnisse mit dem Hinweis ins rechte Licht
gerückt, daß ein Forscher, hätte er in der Antike gelebt, deifiziert worden
wäre. Dies widerfuhr Boyle[43] und vor allem Isaac Newton, von dem
Fontenelle in seiner Lobrede vor der Académie française sagte, der Tod hätte
ihm keine neuen Ehrungen bringen können — "il a vu son apothéose".[44]
Joseph Glanvill machte sich sogar Gedanken darüber, welcher Platz den
Wissenschaftlern insgesamt in der Hierarchie des Seienden gebühre. Als
Bacon-Verehrer schlug er vor, daß die Virtuosi, da sie in einer höheren
Region verharrten als die übrigen Sterblichen, einen Rang zwischen den
platonischen θεοί und der gewöhnlichen Menschheit einnehmen sollten. Zu
solchen ausgezeichneten Wesen zählten Descartes, Gassendi, Galilei, Tycho
Brahe, Harvey, More und Digby, also nicht nur die größten Geister der Epoche,
sondern auch Wissenschaftler der zweiten oder gar dritten Kategorie.[45]

Interessanterweise blieb dieses antike Bezugssystem, auf dem Bacon aus
religiösen Gründen bestanden hatte (einem Christen seien göttliche Ehren
verboten: "tanquam fructus vetitus"[46]), nicht durchgängig gewahrt. Bei
Glanvill sind die Wissenschaftler zwar in getreulicher Ausführung von Bacons
Anspielung noch "Mercurial souls", die von einer höheren Macht den Erd-
bewohnern ,überlassen' werden, aber schon hier klingt ein Vergleich mit
Engeln an. Weitere Entwicklungen solcher Vorstellungen zeigen dann auf
Grund der Verbindung, die die Wissenschaftsbewegung mit der neuen
Orthodoxie der Restauration einging, einen eindeutig christlichen Einschlag.
Nicht nur war das Experiment ein gottgefälliges Werk, weil es, wie Boyle
behauptete, nächst der Theologie nichts Wichtigeres für den Menschen gab

---

decker ausbildete. Die beste, obwohl nur teilweise befriedigende Darstellung
dieses Komplexes gibt Edgar Zilsel, *Die Entstehung des Geniebegriffs* (Tübingen, 1926), pp. 111 ff. Man vergleiche auch, um ein vollständiges Bild von
Bacons Vorstellungen zu gewinnen, seine *Nova Atlantis*. — Die einzige Studie
zu Bacons Konzeption des Naturwissenschaftlers ist Moody E. Prior, "Bacon's
Man of Science", in: *Roots of Scientific Thought: A Cultural Perspective*, ed.
Philip P. Wiener and Aaron Noland (New York, 1957), pp. 382—389.

[43] Glanvill, *Plus Ultra*, pp. 92 f.; vgl. überdies *ibid.*, p. 33 und Walter Charleton,
The Immortality of the Human Soul, Demonstrated by the Light of Nature
(London, 1657), pp. 43 f.

[44] "Éloge de M. Newton", *Œuvres de Monsieur de Fontenelle* (ed. Paris, 1766),
VI, 306.

[45] *The Vanity of Dogmatizing*, pp. 239 f.

[46] *Op. cit.*, I, 469 f.

als die Naturphilosophie[47]: sondern der Wissenschaftler fühlte sich auch selbst oftmals aus der gleichen Quelle inspiriert wie der Prophet des Alten Testaments.[48] Wissenschaftliche Erkenntnis war Erwählung durch Gott, wie im achtzehnten Jahrhundert offenbar wurde, als Pope mit seinem brillanten Zweizeiler

> NATURE and Nature's Laws lay hid in Night,
> God said, *Let Newton be!* and All was Light[49]

die eingängigste Ritualformel für den über Jahrzehnte währenden Newtonkult gefunden hatte,[50] und James Thomson Newton wie einen zweiten Messias feierte, der von Gott den Menschen gesandt war, um Zeugnis abzulegen von der Größe des Allmächtigen —

> ... Newton, pure intelligence, whom God
> To mortals lent to trace his boundless works
> From laws sublimely simple.[51]

Es wäre überflüssig, für diese Auffassung von der im Genie verkörperten ‚höheren' Seinsform Parallelen aus der Blütezeit des Geniekults beizubringen. Aber es ist vielleicht nicht unangebracht, auf Entsprechungen in den Auffassungen früher Genietheoretiker aufmerksam zu machen. Addison, den Young bei seinem tastenden Definitionsversuch ausschrieb, bezeichnete die Genies in Naturwissenschaft und Kunst als "Prodigies of Mankind" — ein starker Ausdruck, dessen Herkunft in die gleiche Richtung weist wie Bacons Vorstellungsmodell.[52] ('Prodigy' übernimmt im Englischen erst in der zweiten Hälfte des siebzehnten Jahrhunderts die hier intendierte positive Bedeutung "anything that causes wonder, astonishment, or surprise" und "a person endowed with some quality which excites wonder".[53]) Noch deutlicher sollte dann Young schreiben: "Genius has ever been supposed to partake of something divine",[54] aber diese Göttlichkeit wollte er, genau wie Bacon, in

---

[47] "Of the Usefulness of Natural Philosophy, Part II", *Works* (London, 1744), I, 463.

[48] Vgl. Ernest Lee Tuveson, *Millenium and Utopia: A Study in the Background of the Idea of Progress* (Berkeley and Los Angeles, 1949), Chapter III, besonders pp. 110—111.

[49] *Minor Poems*, ed. Norman Ault and John Butt (London, 1954), p. 317.

[50] Zum Newtonbild des achtzehnten Jahrhunderts vgl. Gerd Buchdahl, *The Image of Newton and Locke in the Age of Reason* (London-New York, 1961); Henry Guerlac, "Newton's Changing Reputation in the Eighteenth Century", in: *Carl Becker's Heavenly City Revisited*, ed. Raymond O. Rockwood (Ithaca, N. Y., 1958), pp. 3—26, und das Vorwort zu Thomsons Newton-Gedicht in: *James Thomson: The Castle of Indolence and Other Poems*, ed. Alan Dugald McKillop (Lawrence, 1961).

[51] "The Seasons: Summer", Z. 1560—1562, *Complete Poetical Works*, ed. J. Logie Robertson (ed. Oxford, 1951), p. 110.

[52] *Spectator* 160, ed. Donald F. Bond (Oxford, 1965), II, 126.

[53] *Oxford English Dictionary*, s. v. 'prodigy'.

[54] *Conjectures*, p. 27.

heidnisch-antiker Weise verstanden wissen, warnte er doch ausdrücklich vor einer ‚christlichen' Selbstüberschätzung jenes Genies, das seine Weisheit über die göttliche Wahrheit stellen wolle.[55] Wer nach Youngs Zitaten aus Cicero und Seneca eine unmittelbare Herkunft seiner Geniekonzeption aus antiken Vorstellungen ansetzen möchte, sieht sich mit der Tatsache konfrontiert, daß Glanvill den Prozeß dieser Gedankenbildung durch einen Verweis auf die „hermetische Philosophie" und durch ein Plotin-Zitat ein Jahrhundert früher für den Naturwissenschaftler vorwegnahm.[56]

Abweichend von der durch Bacon suggerierten 'relatio inter divos' begnügten sich die Wortführer der Wissenschaftsbewegung nicht selten damit, den Naturwissenschaftler nur als Heros zu proklamieren. Nicht daß man ihn herabsetzen oder mit einem geringeren Nimbus ausstatten wollte. Die Identifikation mit dem traditionellen heroischen Leitbild sollte vielmehr eine Reihe von Assoziationen auslösen, die gewisse Gegebenheiten der Situation besser der Aufmerksamkeit anempfahlen. Bacon hatte zur Unterwerfung der Natur aufgerufen, und der Naturwissenschaftler war in der Folge die Gestalt, in der sich die Herrschaft des Menschen über die Natur symbolisierte. Bekanntlich zersetzte sich, vor allem in England, das heroische Leitbild traditioneller Art in der zweiten Hälfte des siebzehnten Jahrhunderts. Der Niedergang des Epos, die kurze Blüte des *heroic play*, die Übernahme heroischer Motive in die neu aufkommende Oper, die Ausbildung der komisch-heroischen Burleske zu einer vollgültigen literarischen Form und andere Erscheinungen lassen erkennen, wie stark der traditionelle Held in historische Perspektive und ironische Distanz rückte.[57] Das Heldenideal ging jedoch nicht unter, sondern machte eine Metamorphose durch, aus der es durch die Übertragung auf den Naturwissenschaftler ‚vergeistigt' hervorging. Konsequent setzte Boyle eine neue Art geistiger Macht gegen die herkömmliche politische Macht ab. Die Macht oder Souveränität des Wissenschaftlers, die sich in der Beherrschung der Natur bekundete, war nach seiner Auffassung eine Macht, die „dem Menschen als Menschen" zukam.[58]

Das beste Bild des heldischen Naturwissenschaftlers vermittelt wiederum Thomas Sprat in seiner Geschichte der Royal Society:

Invention is an *Heroic* thing, and plac'd above the reach of a low, and vulgar *Genius*. It requires an *active*, a bold, a nimble, a restless *mind*: a thousand difficulties must be contemn'd, with which a mean heart would be broken: many *attempts* must be made to no purpose: much *Treasure* must sometimes

---

[55] Ich übersehe dabei nicht, daß die entsprechende Stelle (*op. cit.*, p. 37) auf Anraten von Samuel Richardson interpoliert wurde; vgl. Alan Dugald McKillop, "Richardson, Young, and the *Conjectures*", *Modern Philology*, XXII (1925), 393 f.

[56] *The Vanity of Dogmatizing*, pp. 241 f.

[57] Die „Ideale der Restaurationszeit" werden kurz skizziert von Ludwig Borinski, *Festschrift für Walther Fischer* (Heidelberg, 1959), pp. 49—64.

[58] "Of the Usefulness of Natural Philosophy. Part I", *Works*, I, 429.

be scatter'd without any return: much violence, and vigour of thoughts must attend it: some irregularities and excesses must be granted it, that would hardly be pardon'd by the severe *Rules of Prudence*. All which may persuade us, that a large, and an unbounded mind is likely to be the *Author* of greater *Productions*, than the calm, obscure, and fetter'd indeavors of the *Mechanics* themselves.[59]

An kaum einer anderen Stelle in der wissenschaftlichen Literatur des siebzehnten Jahrhunderts wird das Originalgenie des achtzehnten so konsequent vorweggenommen. Was Addison, Young und Gerard später ausführlich beschrieben — von der höheren Seinsform des Genies bis zur Rastlosigkeit des genialen Geistes, von der Radikalität des Neuen bis zum Ungestüm des Enthusiasmus — ist hier bereits angedeutet.

Auf einen Charakterzug kommt es besonders an: auf den Mut dieses geistigen Heros als anthropologisches Korrelat zu jener Forderung nach Unabhängigkeit und Selbständigkeit, die konstitutiv für den Geniebegriff gewesen ist.[60] Im siebzehnten Jahrhundert kollidierte die Freiheit des Experiments mit der Autorität der Tradition, und aus der *Querelle* ergab sich die Auffassung des Naturwissenschaftlers nicht nur als eines ‚Entdeckers', sondern vor allem auch als eines heroischen Bahnbrechers neuer Erkenntnisse, der leicht zu einem Streiter wider die Versklavung des Geistes,[61] wenn nicht sogar zu einem Vorkämpfer für die Würde des Menschen werden konnte.[62] Die Originalität verwandelte sich hier ins geistige Wagnis.

Im Hinblick auf dieses heroische Genie scheint das gedankliche Substrat, das Bacon mit seinem 'testimonium' für die Wissenschaftsbewegung geschaffen hatte, von einem zweiten Entwurf ebenfalls antiker Provenienz überlagert worden zu sein: von dem Epikur-Bild, das Lukrez in seinem philoso-

---

[59] *History of the Royal Society*, p. 392. Die Weiterentwicklung dieses Gedankens läßt sich am besten in Voltaires *Lettres Philosophiques* ablesen: "Il n'y a pas longtemps que l'on agitait, dans une compagnie célèbre, cette question usée et frivole, quel était le plus grand homme, de César, d'Alexandre, de Tamerlan, de Cromwell, etc.
Quelqu'un répondit que c'était sans contredit Isaac Newton. Cet homme avait raison; car si la vraie grandeur consiste à avoir reçu du Ciel un puissant génie, et à s'en être servi pour s'éclairer soi-même et les autres, un homme comme Monsieur Newton, tel qu'il s'en trouve à peine en dix siècles, est véritablement le grand homme ; et ces Politiques et ces Conquérants, dont aucun siècle n'a manqué, ne sont d'ordinaire que d'illustres méchants. C'est à celui qui domine sur les esprits par la force de la vérité, non à ceux qui font des esclaves par la violence, c'est à celui qui connaît l'Univers, non à ceux qui le défigurent, que nous devons nos respects." Die Stelle steht am Beginn des zwölften Briefes "Sur le Chancelier Bacon"; ed. Raymond Naves (Paris, 1956), p. 54.

[60] Vgl. hier besonders R. F. Jones' Abhandlung (Anm. 16).

[61] Vgl. etwa Joseph Glanvill, *Essays on Several Important Subjects in Philosophy and Religion* (London, 1676), Essay 7, p. 11.

[62] Als Beispiel diene Richard Blackmore, *Essays upon Several Subjects* (London, 1716), p. 10.

phischen Gedicht entworfen hatte.[63] Lukrez war die große philosophische und literarische Entdeckung der Restauration. *De Rerum Natura* bildete eine Hauptquelle für die Atomtheorie, deren Hypothesen sich der Neuen Philosophie mit innerer Logik aufzwangen. Gegen das Buch als Manifest des Atheismus führte die theologisch fundierte Naturphilosophie der Epoche einen heiligen Krieg, in dem Lukrez als teuflischer Gegenspieler der neuen Orthodoxie philosophisch überwunden werden sollte.[64] Die einzigartige Faszination seines Werkes bestand jedoch darin, daß Lukrez Epikurs Erkenntnisse als geistigen Triumph episch verklärte. Epikur war jener 'rerum inventor', der zum Wohle der Menschheit der Natur ihr Geheimnis entriß:

> primum Graius homo mortalis tollere contra
> est oculos ausus primusque obsistere contra,
> quem neque fama deum nec fulmina nec minitanti
> murmure compressit caelum, sed eo magis acrem
> irritat animi virtutem, effringere ut arta
> naturae primus portarum claustra cupiret.
> ergo vivida vis animi pervicit, et extra
> processit longe flammantia moenia mundi
> atque omne immensum peragravit mente animoque,
> unde refert nobis victor quid possit oriri,
> quid nequeat, finita potestas denique cuique
> quanam sit ratione atque alte terminus haerens.[65]

Diese bezwingende Vision einer unvergleichlichen Tat, die den Kosmos zum Schauplatz hatte, stand nach der Restauration vor den Augen derer, die ihren Zeitgenossen das Bild des Naturwissenschaftlers einprägten. Seit Thomas Brownes Ehrenrettung in der *Pseudodoxia Epidemica*[66] hatte sich der traditionelle Epikur allmählich in den Helden eines Epos verwandelt, das seit Denis Lambin zum unerreichten Vorbild der ,wissenschaftlichen' Dichter geworden war.[67]

Nach der englischen Übersetzung von Lukrez durch Thomas Creech (1682) drang Lukrezens literarische Manier, für die Würdigung der geistigen Leistung Heldentaten aus Sage und Geschichte als Folie zu benutzen, in die panegyrischen Gedichte ein, die über einzelne Wissenschaftler geschrieben wurden. Schon 1685 ahmte Robert Grove, Bischof von Chichester, Passagen des Atheisten in einem Gedicht über die ,Entdeckung' des Blutkreislaufs durch

---

[63] Die Frage bleibt offen, ob nicht bereits Bacon durch Lukrez angeregt wurde.

[64] Kardinal Polignacs *Anti-Lucretius* hat in England bereits 1712 ein Gegenstück in Richard Blackmores *Creation*.

[65] I, 66—77 (Text nach Cyril Bailey).

[66] Vgl. *Works*, ed. Geoffrey Keynes (ed. London, 1964), II, 539.

[67] "In epicis porrò non eos tantùm numerandus esse duco, qui res fortiter, & præclarè gestas, belláque cecinerunt ... verùm etiam, multóque adeò magis eos, qui rerum causas occultas, átque à natura inuolutas longis versibus explicarunt, vt Empedocles, & Lucretius." Vorwort zur Lukrezausgabe (Paris, 1563), sig. a2v.

William Harvey nach.[68] Zwei Jahre später vollzog sich der Prozeß der Apotheose des naturwissenschaftlichen Genies in klassischer Form. Der bekannte
Astronom Edmond Halley stellte Newtons *Principia Mathematica* ein Gedicht voran, in dem die Entdeckung des Gravitationsgesetzes als unsterbliche
Tat gefeiert wird.[69] Als heroischer Sieger ("Intima panduntur victi penetralia
cæli") erringt Newton zum Wohle der Menschheit eine Erkenntnis, deren
Wert als "commodum vitæ" ihn über Städtegründer und Gesetzgeber stellt,
ja sogar über Ceres und Bacchus erhebt. Bacon und Lukrez sind hier in einer
Synthese vereinigt.[70]

Die extreme Ausprägung, die das Leitbild des heroischen Naturwissenschaftlers durch eine solche fast kultische Verherrlichung erfuhr, erschließt
zwei der wichtigsten Aspekte für das Verständnis des Originalgenies. Einmal
erscheint die Entwicklung der Genievorstellung im achtzehnten Jahrhundert
nicht mehr als etwas Singuläres. Im Naturwissenschaftler verfügte das späte
siebzehnte Jahrhundert bereits über einen idealtypischen Entwurf, der wie
das Originalgenie auf das Grundkriterium der geistigen Leistung und der
damit verbundenen Voraussetzungen abgestellt war und in der Hierarchie
der Leitbilder an oberster Stelle stand. Das Originalgenie läßt sich damit nicht
mehr als ‚originales' Phänomen betrachten. Vielleicht ist es nicht nötig, die
Konzeption als bloße Wiederholung von etwas Früherem abzutun. Aber es
ist wohl unumgänglich, die Ausbildung des Geniebegriffs als zweite Phase
eines umfassenderen Prozesses zu betrachten.

Zum anderen ist die Bereitschaft zum geistigen Wagnis als bedeutsamstes
anthropologisches Charakteristikum vom Naturwissenschaftler auf das
Originalgenie übergegangen. Ursprünglich manifestierte sich diese Bereitschaft im Protest gegen eine Bevormundung durch die Tradition, und es ist
üblich, den Originalitätsanspruch sowohl des siebzehnten wie des achtzehnten Jahrhunderts vornehmlich in einem solchen negativen Zusammenhang zu
sehen. Für die Frühzeit der Wissenschaftsbewegung hat dies zweifellos seine
Berechtigung. Aber wie schon das Bild des ‚heroischen' Naturwissenschaftlers

---

[68] *Carmen de sanguinis circuitu, a Gulielmo Harvæo Anglo, primum invento* (London, 1685). Die Lukrez-Imitation wird etwa an folgender Stelle deutlich (p. 2):
    Harvæus monstrator erat, primusque latentis
    Expediit causas, priscisque incognita seclis
    Eruit è tenebris, piceamque abscedere nubem
    Jussit, & obscuris accendit lumina rebus.

[69] "In Viri Præstantissimi D. Isaaci Newtoni Opus Hocce Mathematico-Physicum
Sæculi Gentisque nostræ Decus egregium", in: *Philosophiæ Naturalis Principia
Mathematica* (London, 1687), sig. A4r–v.

[70] "Commodum vitæ" zeigt eine Anlehnung an Bacon ("novis commodis et acces-
sionibus"). In der zweiten Auflage wurde das Gedicht von Richard Bentley, der
eine Lukrez-Ausgabe vorbereitete, überarbeitet (vgl. Eugene Fairfield McPike,
Correspondence and Papers of Edmond Halley [Oxford, 1932], pp. 203–204).
Unter den Veränderungen am Text verdient die Ersetzung von "commoda vitæ"
durch "solamina vitæ" (ed. 1726, sig. a3v) Beachtung. "Solamen" findet sich bei
Lukrez in den *laudes Epicuri*.

bei Sprat deutlich macht, resultiert dessen Leistung nicht aus dem Zwang zur Abkehr, sondern aus dem Entschluß zum Aufbruch. Die Sezession von Aristoteles stand am Anfang, aber nachdem sich die Wissenschaftsbewegung ihrer Aufgabe und ihrer Erfolge bewußt war, verwandelte sich die Entdeckung des ‚Neuen‘ in einen Akt der Freiheit in jener ‚offenen‘ geistigen Welt, die Bacon jenseits der Säulen des Herkules verheißen hatte. Diese ‚positive‘ Seite der Originalität tritt deutlich in einer Skizze hervor, die der Sekretär der Royal Society sozusagen in amtlicher Eigenschaft für den zeitgenössischen Betrachter der wissenschaftlichen Szene verfertigte:

> It will be a divertizing Entertainment, to take notice of the Yearly Growth of Philosophy, and of Philosophical Aids, in substance and in extent, with fresh supplies continually; to observe, that the Ingenuous do hold on in a Real Progress; and to remark, how, where, and by whom all Novel Inventions have their Rise, and by what Steps and Expedients they are promoted: Which is the best of Human helps, to excite, encourage and enable for other beneficial Inventions: And 'tis an ingenuous delight, to see the Virtuous advance with good Speed. The Philosophical Poet *Lucretius* said in his Rapture;
>
> lib. 2. *Suave, mari magno, turbantibus æquora ventis,*
> *E Terra magnum alterius spectare laborem!*
>
> The Poet esteems it a deep pleasure, to behold (as from a safe harbour on firm land) the deviations and collisions of profound and industrious Philosophers in all former Ages. And certainly it must be a more Natural and a more agreeable pleasure, and far greater happiness, to behold the fervent and sedulous Emulations of the most Civil and most Accomplished Nations (and of the acutest, the deepest, and the most learned amongst them,) contending with all their strength and skill, who shall excel the other in the most beneficial obligings of Mankind.[71]

Diese Zeilen wurden ein Jahr vor der Apotheose Newtons geschrieben, und das Lukrez-Zitat erinnert daran, daß für den Wissenschaftler des siebzehnten Jahrhunderts die Nachahmung Epikurs einer der stärksten Antriebe zur Originalität war.[72]

In der Genielehre des achtzehnten Jahrhunderts findet sich diese Auffassung der Originalität unverfälscht bei Young wieder. Man tut gut daran, seine *Conjectures,* die im Vergleich zu Duff und Gerard die ausführlichste anthropologische Charakteristik des Originalgenies bieten, von dem Schema der üblichen Betrachtung zu befreien. Young plädierte weniger für eine Ab-

---

[71] *Philosophical Transactions: Giving some Accompt of the Present Undertakings, Studies and Labours of the Ingenious in many Considerable Parts of the World,* XI (1676—7), p. 549.

[72] Die Prägung des Newton-Bildes durch das Epikur-Bild sollte auch im Hinblick auf Fragen der Physikgeschichte nicht übersehen werden; vgl. Henry Guerlac, *Newton et Epicure,* Conférence donnée au Palais de la Découverte le 2 Mars 1963 (Paris, 1963). Überdies gibt es am Beginn des achtzehnten Jahrhunderts in der Wissenschaftsgeschichte Kontinuitätsbetrachtungen, die Newton als Vollender antiker, auch epikureisch-lukrezischer Lehren darstellen; vgl. etwa David Gregory, *Astronomiæ Physicæ & Geometriæ Elementa* (Oxford, 1702), Præfatio.

kehr von den literarischen Modellen der Antike denn für die Originalität als
geistiges Wagnis. Nicht zufällig erscheinen Bacon, Boyle, Newton, Shakespeare und Milton als die Vorbilder für den originalen Geist der Zukunft.
Nicht zufällig stehen drei Naturwissenschaftler an erster Stelle. Und nicht
zufällig folgt eine Frage, die ganz aus dem Geist des siebzehnten Jahrhunderts gestellt ist: "Why should not their posterity embark in the same bold
bottom of new enterprize, and hope the same success?"[73]

---

[73] *Op. cit.*, p. 77. Daß Newton eine nicht noch größere Rolle in der Ausbildung der
Geniekonzeption spielte, liegt daran, daß in der Mitte des achtzehnten Jahrhunderts die Physik ihre Vorrangstellung unter den Naturwissenschaften einbüßt
(vgl. dazu Guerlac, Anm. 50). Damit rückt Bacon gegenüber Newton an die
erste Stelle, und zwar nicht nur bei Young, sondern auch bei Duff und Gerard.
Duff sah in Bacon das einzige wirkliche Universalgenie (p. 115), und Gerard
betonte nachdrücklich den Vorrang Bacons (p. 18). Im frühen achtzehnten Jahrhundert wäre dies unmöglich gewesen. —
Diese Studie ist im Zusammenhang mit anderen Arbeiten entstanden, die die
Deutsche Forschungsgemeinschaft zur Zeit fördert. Ich möchte auch an dieser
Stelle für die Unterstützung danken.

JEAN FABRE

ALLÉGORIE ET SYMBOLISME DANS *JACQUES LE FATALISTE*

A M. Jacques Smietanski, qui me demandait de préfacer son mémoire sur
« Le réalisme dans *Jacques le Fataliste* »,[1] j'objectais aussitôt que son étude
devait être compensée par une réflexion de signe contraire sur le symbolisme
de ce captivant mais énigmatique chef-d'œuvre. Ce symbolisme éclate aux
yeux « ex abrupto », dès les premières lignes du roman et, quelques pages
plus loin, Diderot en avertit malicieusement son lecteur, lorsqu'il lui propose
une assez facile devinette : celle du « château immense », qui signifie l'univers
où chacun est appelé à vivre et le monde tel qu'il va. Un pas de plus et l'on
tombe dans l'allégorie, « la ressource ordinaire des esprits stériles ».

Mais ce pas, Diderot se garde bien de le franchir. S'il se moque de tous les
romans ce n'est pas pour faire concurrence au *Roman de la Rose* ; s'il philosophe plus ardemment que jamais, ce n'est plus comme au temps de la
Promenade du Sceptique : au lieu de préposer Ariste, son double idéal, à une
excursion tout abstraite dans les rectilignes allées des systèmes, Denis
Diderot, qui sait désormais que la philosophie ne se raisonne pas mais
s'expérimente, lance deux personnages d'apparence tout imaginaire ou livres-
que, mais nés au plus profond de lui-même et trempés dans le réel, sur les
grands chemins de l'aventure et de la vie. Au lieu d'allégories, il faudra
parler de symboles : l'intention philosophique ne s'énonce pas, mais elle se
découvre peu à peu, se révèle au lecteur et peut-être à elle-même, à mesure
que se développe capricieusement le jeu sur la fiction romanesque, quintes-
sence ironique de l'expérience vécue. Mais cette intention n'en reste pas
moins essentielle, incluse dans l'invention et la présentation du couple qui
donne son titre au roman : *Jacques le Fataliste et son maître.*

Les voici séparés, et le bon plaisir du romancier, inventeur et
démiurge, décide de laisser un moment son lecteur en la seule compagnie du
maître, ainsi que le veulent les préséances. « Vous serez poli », lui dit-il,
« mais très ennuyé : vous ne connaissez pas cette espèce-là. Il a peu d'idées
dans la tête ; s'il lui arrive de dire quelque chose de sensé, s'est de réminis-
cence ou d'inspiration. Il a des yeux comme vous et moi ; mais on ne sait la
plupart du temps s'il regarde. Il ne dort pas, il ne veille pas non plus ; il se
laisse exister : c'est sa fonction habituelle ... » Inutile de prolonger la citation : de l'allègre caricature en forme de dessin animé, un lecteur tant soit
peu averti n'aura aucune peine à extraire « la substantifique mœlle. ». Ce
qu'incarne le maître, c'est la raison cartésienne réduite à elle-même, c'est-à-dire

---

[1] Paris, Nizet 1965.

à ses idées innées. Les détails les plus saugrenus prennent alors un sens, à commencer par les attributs qui sont attachés à cet original : la montre (il ne fait rien que « par compas » !) ; la tabatière (puisqu'il n'est que pensée pure, le matérialiste Diderot le réduit plaisamment au cerveau et lui trouve, avec le tabac, le seul excitant approprié) ; Jacques surtout, sans lequel il n'est jamais qu'un esprit ou une âme en peine.

Car Jacques, face à cette raison pure, incarne — mais avec quelle verdeur ! — ce que la philosophie appelera bientôt, « la raison pratique » ; non pas la pensée, mais le cœur, non pas le voῦς, mais plutôt le Θυμός ; non certes « l'homme-machine » (par un plaisant renversement, c'est le maître qui est « l'automate »), mais l'homme qui se détermine, se transforme et se réalise en agissant ; l'homme non des idées innées, mais du sensualisme et de l'expérience ; non celui des essences, mais de l'existence, en sa contingence mais en ses infinies virtualités. Toute une autre symbolique découle de là : le chapeau que Jacques renfonce sur sa tête, pour empêcher les idées de s'éventer ; la gourde, forme portative et rustique de « la dive bouteille », et surtout le vin qu'elle contient, chef-d'œuvre de l'amitié de l'homme avec la terre, le vin qui réjouit le cœur.

Plus importante, certes, et plus transparente est une autre symbolique, sociale celle-là. Le maître est noble par définition et par essence, et cela suffit, car il n'a pas même de nom. Jacques non plus n'a pas de nom, seulement un prénom (mais quel prénom !) : un paysan, « un Jacques ». Par ses origines, ses manières, ses souvenirs, il plonge aussi profondément ses racines dans le peuple que la vigne dans son terroir. Il en a le langage, mais aussi la sagesse pratique. Nouveau Garo, il répéterait volontiers « Dieu fait bien ce qu'il fait », s'il ne tenait à se désolidariser expressément sur ce point de La Fontaine et de Garo et s'il n'avait substitué à Dieu son « grand rouleau ». C'est que son acceptation de l'inévitable n'est rien moins que résignation et que son humeur s'est teintée de certaine philosophie, que de plus savants que lui trouveront analogue à celle de Zénon ou à celle de Spinoza, à l'école non certes de son maître, mais de ce fameux « capitaine » dont il se réclame sans cesse et qui a précédé son maître dans sa vie, comme l'expérience précède la raison raisonnante. Mais il s'est accommodé de ce maître, au point d'en être pratiquement inséparable : le maître ne peut se passer de lui, mais Jacques se persuade facilement que le voyage, la conversation et la vie manqueraient de saveur sans le merveilleux interlocuteur qu'il a trouvé en son maître. Puisque Diderot a fondé sa science de l'homme sur la relation, quelle relation pouvait-il découvrir plus fondamentale, plus diverse, plus excitante à suivre en ses caprices que celle de la raison pure et de la raison pratique, que celle de Jacques et de son maître ?

Leur coexistence ne va pas naturellement sans orages et la gaillarde hôtesse qui apaise leur querelle ne sait pas que c'est « la centième de la même espèce ». Mais celle-là sera décisive, puisqu'il en sort un traité en bonne et due forme. Il est donc arrêté, puisque « tout cela fut scellé là-haut au moment où la nature fit Jacques et son maître », que le maître gardera « les titres », mais que Jacques aura « la chose ». A ce compte, rétorque le maître en sa logique, « je n'ai plus qu'à prendre ta place et te mettre à la mienne ». Mais Jacques n'en demande pas tant. « Restons, propose-t-il, comme nous le sommes, nous sommes fort bien tous deux ; et que le reste de notre vie soit employé à faire un proverbe : Jacques mène son maître ». N'est-ce pas, après tout, la loi de nature ? A la dernière objection du maître, purement formelle : « Et que fait notre consentement à une loi nécessaire ? », Jacques répond : « Beaucoup. Croyez-vous qu'il soit inutile de savoir une bonne fois, nettement, clairement, à quoi s'en tenir ? Toutes nos querelles ne sont venues jusqu'à présent que parce que nous ne nous étions pas encore bien dit, vous que vous vous appelleriez mon maître et que c'est moi qui serais le vôtre. Mais voilà qui est entendu ; et nous n'avons plus qu'à cheminer en conséquence ».

Ici encore, l'allégorie paraît transparente. L'heure a sonné de la grande relève : du *cogito* par le *sentio*, de la logique par l'expérience. Mais selon Diderot, comme selon Jacques, il n'en doit résulter aucune révolution, pas même une passation de pouvoirs. Humilier formellement la raison serait faire paradoxalement la part trop belle à la manie ratiocinante. Après tout, il s'agit non pas de codifier, mais de cheminer, non de philosopher mais de vivre. Le Diderot qui écrit *Jacques le Fataliste* ne songe pas à y ménager un triomphe d'Ariste. Sa philosophie ne s'exerce plus dans le champ clos des systèmes et des idées ; rien ne lui est plus étranger désormais que cette parade philosophique à laquelle il avait naguère tant sacrifié. Au lieu de s'épanouir en quelque manifeste, le traité dont il vient d'être question se dissimule presque au cœur du roman, au moment où l'histoire du marquis des Arcis et de Madame de la Pommeraye aurait fait presque oublier Jacques et son maître, transformés en auditeurs, si le lecteur était capable d'oublier qu'ils sont toujours là et prêts à repartir.

Jamais peut-être aucun romancier n'aura réussi de plus convaincant tour de force non pour illustrer son art, mais pour exprimer sa philosophie : partir de deux idées, qu'on aurait pu croire abstraites et, au lieu de les faire débattre par des porte-voix ou des fantoches, leur donner assez de consistance et de relief pour animer deux personnages sur lesquels on s'interrogera sans fin, mais dont l'imagination éprouvera d'abord l'existence, comme une sorte d'évidence poétique. A moins que ce ne soit l'inverse et qu'en rêvant sur *Don Quichotte* ou en pastichant *Tristram Shandy*, Diderot n'ait si bien repensé et vivifié le couple picaresque fondamental du valet et son maître qu'il l'ait chargé d'une signification symbolique qu'il ignorait lui-même au départ. La polyvalence du symbole suffit à préserver le récit de toute raideur allégorique : du moment que Jacques et son maître existent non comme deux êtres de pensée, mais de chair, la relève sans révolution, dont il était question tout à l'heure, peut s'entendre aussi sur le plan social et se projeter dans l'actualité historique, aussi bien que dans une perspective idéologique. La création littéraire et l'intention philosophique interfèrent ainsi sans cesse, sans qu'il soit possible de décider à laquelle des deux appartient la dominante.

Diderot qui, tout au long de *Jacques le Fataliste*, se divertit si visiblement, tire de cette indécision même le plus entraînant de ses jeux. Ce n'était pas en vain qu'il s'était fait une sorte de spécialité littéraire de la « mystification » : *Jacques le Fataliste* lui donne une occasion capitale d'exercer ce talent à cœur joie. Impossible de mettre en système l'idée première de ce qu'il faut bien appeler un roman, sans s'exposer aussitôt au plus plaisant démenti. Polypier de symboles, mais d'abord de souvenirs vécus, d'anecdotes piquantes, d'histoires véritables, de contes faits à plaisir, de joyeux devis, de parodies et de polémiques, *Jacques le Fataliste* n'est un roman si décisivement philosophique qu'à condition de se moquer de la philosophie, au moins autant que de la littérature.

On ne peut manquer alors de songer, comme Diderot l'a fait lui-même, à un éclatant précédent : celui de *Candide,* mais c'est pour prendre aussitôt la mesure de son originalité. Conte philosophique, *Candide* ne peut être, à ce titre, qu'un roman—ou anti-roman—à thèse. Qu'on la mette sous le patronage de Leibniz ou de Wolf, la thèse, telle que la simplifie Voltaire, est que tout est bien dans le meilleur des mondes possibles. En sa fantaisie apparente, le roman est conçu et conduit comme une démonstration pour illustrer la proposition par l'absurde et l'anéantir par le ridicule. Comme le veut le sous-titre goguenard, l'optimisme, mis en question, ne résiste pas à l'épreuve, sans que l'anti-thèse, celle du pessimisme, soit vérifiée pour autant : entre ses deux philosophes, un Docteur Tant-Pis et un Docteur Tant-Mieux, Martin le désabusé et Panglos l'impénitent, Candide finit par trouver non une solution, mais une voie moyenne : non la résignation, l'abstention, le silence (la leçon du derviche n'est ni une leçon suffisante, ni la leçon finale), mais la limitation des désirs, le travail et aussi la solidarité : au lieu de se référer à l'on ne sait quel absolu, on s'établit dans le relatif, on cultive son jardin et on fait son travail — pourrait-on dire son salut ? — tous ensemble, au coude à coude. Seuls les fanatiques étant irrécupérables, le baron seul est exclu de la communauté, mais Panglos aussi bien que Martin y ont leur place et, au crépuscule d'un jour de travail, Candide les écoute volontiers disserter interminablement des effets et des causes, car s'il n'est pas prouvé que l'homme soit un animal raisonnable, il est avéré que c'est un animal raisonneur et que ce serait anéantir toute conversation que de ne pas le laisser s'exercer en tant que tel.

Un peu d'enthousiasme en plus et de ferveur, et cette leçon finale ne saurait déplaire à Diderot. S'il faut un dénouement à *Jacques le Fataliste,* pourquoi ne serait-ce pas celui-là ? Tout le monde se trouve rassemblé finalement au château de Desglands, où Jacques épouse Denise et tient la place de concierge. Mais c'est un dénouement postiche, dont se moque Diderot comme de tout le reste et qu'il propose ironiquement au choix du lecteur, entre plusieurs autres. Son roman ne finit pas plus qu'il n'a commencé. En va-t-il autrement de la vie ? Si toute vie personnelle s'inscrit inéluctablement entre ces deux termes : la naissance et la mort, la conscience qui en est la marque et le privilège ne s'épanouit qu'un moment à la surface du perpétuel et universel devenir. Le repos est donc interdit à l'homme : il ne peut être question pour lui de s'abstraire, ni de s'établir, mais seulement, comme le dit Jacques, de « cheminer ».

Tant pis s'il ne sait pas d'où il vient, ni où il va : il lui appartient du moins de ne pas marcher en aveugle, de réfléchir sur le trajet qu'il parcourt, et qui sait ? de tracer lui-même son chemin. C'est pourquoi *Jacques le Fataliste* est tout le contraire d'un roman à thèse : bien plutôt une quête, non de quelque trésor perdu ou de quelque félicité promise, mais seulement de l'orientation et du sens qu'il est possible ou impossible de donner à cette merveilleuse aventure que propose à l'homme non pas la vie, mais sa vie.

La première réponse, celle dont Jacques fait parade, est celle que lui a apprise non pas son maître, mais son capitaine : « tout ce qui nous arrive de bien et de mal ici-bas est écrit là-haut ». Mais le fatalisme qui en résulte n'est jamais mis en question en tant que doctrine : envisagé de la sorte, il ne peut manquer d'apparaître aussi arbitraire ou chimérique que tout autre système. Surtout, la logique du maître, alors à son affaire, n'a aucune peine à saisir Jacques en flagrant délit d'inconséquence et à montrer que ses actes, du fait même qu'ils sont des actes, réfléchis ou non, contredisent ses principes. Aussi bien, le roman ne s'intitule pas « Jacques ou le fatalisme » mais *Jacques le Fataliste*, ce qui suffit à le situer dans un tout autre ordre que *Candide*. Nullement spéculative, une telle philosophie est affaire de tempérament, d'humeur, d'expérience ; elle fait corps avec un homme et lui tient lieu de sagesse, du *Nihil admirari* qui est sans doute la plus vieille leçon de toute sagesse. Invoquer « le grand rouleau » et s'en remettre à une cause première dispense de s'arrêter au foisonnement des causes secondes.

Si, dans toute hypothèse concrète, le fatalisme se fragmente nécessairement en déterminisme, dans le comportement de l'être humain, ce déterminisme se révèle d'une complexité telle qu'il semble défier l'analyse et se résoudre en indécision. Si bien que philosophes et théologiens à l'envi ont prétendu reconnaître à l'homme l'apanage de la liberté. Mais Diderot ne songe nullement à remettre en question ce qu'il a admis une fois pour toutes : pris en lui-même, ce grand mot de liberté est « vide de sens » ; il sait qu'en principe Helvétius a raison contre Rousseau, bien que pratiquement Rousseau paraisse souvent avoir raison contre Helvétius. Mais à quoi bon relancer cette querelle d'école, le stérile débat entre le déterminisme et le libre arbitre ? Mieux vaut considérer expérimentalement comment l'homme si complexement déterminé prend part à ce déterminisme et se détermine à son tour, en présence des sollicitations de la vie. Le roman de Jacques, en accumulant à plaisir les rencontres et les hasards, recommence sans cesse et varie capricieusement cette expérience. Une distinction s'impose alors : le dépit qui pousse Jacques à s'enroler, cause ou effet, relève d'un mouvement qui lui est propre ; la balle qui vient le frapper à Fontenoy est guidée par ce qu'il appelle le destin. « Dieu sait les bonnes et les mauvaises aventures amenées par ce coup de feu » : le romancier qui se donne le divertissement d'être « Dieu » peut combiner à son gré ces aventures, mais c'est au fond le comportement de Jacques qui l'intéresse. Rejoignons-le en présence de la bonne femme et de sa cruche d'huile cassée : tout le monde la plaint, mais Jacques est seul à se dépouiller pour elle des « deux gros écus » qui font toute sa fortune. Cet acte que le maître appelle une « belle chose » et Jacques une « sottise », aura, lui aussi, les conséquences les plus imprévisibles, ou plutôt les plus malicieusement ménagées par le conteur démiurge. Mais ce qui importe en cet acte est sa spontanéité : il résulte non certes d'un choix délibéré, mais d'une impulsion immédiate, élémentaire et comme viscérale. Or, cette impulsion, qui révèle Jacques et qui l'engage, aura pour nom générosité, sacrifice, oubli de soi. Tout cela est inscrit peut-être sur « le grand rouleau », mais d'une façon immédiate au cœur de l'homme. Et une telle évidence est suffisante et suffisamment exaltante pour qu'on puisse fonder sur elle non pas une politique, mais une sagesse, peut-être une morale où, à défaut d'une liberté illusoire, la responsabilité de chaque homme, en tant qu'homme, se trouvera décisivement engagée.

Ce n'est pas le lieu de détailler ni d'examiner cette morale : il y faudrait une autre étude, complémentaire. Rappelons seulement que la réflexion morale répond à une préoccupation constante de Diderot, mais qu'au moment où il écrit *Jacques le Fataliste* cette préoccupation se précise en lui et s'avive, dans l'assurance que le matérialisme poussé à sa plus scientifique rigueur doit être finalement un humanisme, ou, mieux encore, que cet humanisme, à la fois traditionnel et nouveau, ne trouve que dans le matérialisme son garant. Un texte décisif en témoigne. Premier auditeur et premier témoin d'un chef-d'œuvre dont il ne pouvait apercevoir la portée, Meister père écrit à Bodmer, le 12 septembre 1771 : « Diderot n'a pas encore commencé son traité *De vita bona et beata*, mais il a fait un conte charmant, *Jacques le Fataliste*...»[2] — En fait, c'est le conte qui a pris la place du traité. Tandis que Diderot commence à rassembler les *Eléments de Physiologie* qui serviront de fondement à sa science de l'homme, son imagination prend les devants et, sous le couvert d'une fantaisie romanesque qui est une dérision du roman, avec « la gaieté d'un homme qui s'amuse et qui a résolu d'écrire tant que cela l'amusera »,[3] il expérimente *in vivo* l'exigence morale qu'il porte en lui et qui constitue l'autre « bout de la chaine » : le nécessaire débouché, mais le couronnement décisif de cette science de l'homme.

---

[2] Cette lettre, non pas inédite, mais jusqu'ici communément négligée, a été mise en sa juste lumière par M. Paul Vernière, dans un article : « Diderot et l'invention littéraire, à propos de *Jacques le Fataliste* ». (*R. H. L. F.* avril-juin 1959), qui constitue comme le préalable à toute interprétation critique du roman.

[3] Diderot à Grimm, 12 novembre 1769. Le propos se rapporte à ce que Diderot appelle « ma vieille robe de chambre », mais définit à merveille l'humeur qui donnera le ton à *Jacques le Fataliste*.

Une troisième étude serait ici nécessaire afin de montrer comment une problématique, ou pseudo-problématique littéraire sert, en l'occurrence, de prétexte et de truchement à ce qu'il convient d'appeler, avec M. Lester C. Crocker une « expérience morale ». Mais à quiconque sympathise avec Diderot une évidence s'impose : *Jacques le Fataliste* ne serait guère plus qu'une curiosité littéraire, un jeu d'abord amusant mais vite assez fastidieux et futile en son insistance, si l'auteur ne l'avait écrit que pour railler les conventions et disloquer les structures du roman. Sans doute est-il tentant et d'ailleurs légitime d'apprécier ce jeu en fonction de la littérature et de chercher en Diderot le précurseur de la plus moderne. Mais qu'entend-on par là ? Voici quelque trente ans déjà (Modern Language Review, 1936), M. Jean-Jacques Mayoux consacrait un très bel article à *Jacques le Fataliste*, rapproché de ce qu'on aurait pu appeler à l'époque le « nouveau roman » : celui de Joyce, de Faulkner, les *Faux Monnayeurs* de Gide. Il serait amusant d'actualiser et de prolonger la parallèle jusqu'à notre « nouveau roman », celui qui se fabrique aujourd'hui en série et qui, de ce fait, paraîtra bientôt aussi démodé que les romans de style 1900. Tel est le sort réservé à toute littérature qui n'est que littérature.

Jacques le Fataliste, qui se moque de tous les romans passés, présents et à venir, gardera au contraire sa jeunesse et sa perpétuelle nouveauté. En son pouvoir poétique, sa richesse de signification et, surtout, sa charge d'humanité, il échappe aux modes, aux écoles, aux théories littéraires, à l'évolution ou à la mort des genres. La technique y est inséparable de l'idée, et l'idée de la vie. Il ne se situe que secondairement et paradoxalement dans l'histoire du roman, mais essentiellement sur « le chemin de Diderot ». C'est sur ce chemin, à la suite du découvreur Herbert Dieckmann, que la réflexion sur *Jacques le Fataliste* peut aujourd'hui s'engager.

Hugo Friedrich

STRUKTURALISMUS UND STRUKTUR
IN LITERATURWISSENSCHAFTLICHER HINSICHT
Eine Skizze

Vorausgeschickt sei eine ausgewählte Bibliographie. Die Quellen der in der Skizze angeführten Zitate werden mittels kursiv gedruckter römischer Ziffern angegeben, die sich mit der Bezifferung der folgenden Titel decken. — I. Baldinger, K., *Traditionelle Sprachwissenschaft und historische Phonologie* (in: ZRPH., 1963, S. 530 ff.) — II. Bastide, R. (Herausgeber und Verfasser des ersten Aufsatzes *Introduction à l'étude du mot 'structure'*), *Sens et usages du terme 'Structure' dans les sciences humaines et sociales*, 'S-Gravenhage, 1962. — III. Gadamer, H.-G., *Wahrheit und Methode. Grundzüge einer philosophischen Hermeneutik*, Tübingen, ²1965. — IV. Hartmann, P., *Begriff und Vorkommen von Struktur in der Sprache* (in: Festschrift für Jost Trier, Meisenheim, 1964). — V. Heger, Kl., Besprechung von A. Martinet, *Eléments de linguistique générale* (in: ZRPH., 1963, S. 194 ff.). — VI. Heger, Kl., *Zu den Methoden einer quantitativen Linguistik* (in: ZRPH., 1964, S. 327 ff.). — VI. Kreuzer, H. und Gunzenhäuser, R. (Herausgeber), *Mathematik und Dichtung*, München 1965. — VII. Lohmann, J., *Panlinguistik* (in: Studia Linguistica, Lund, 1962). — VIII. Martinet, A., *Eléments de linguistique générale*, Paris, ²1961. — IX. F. Martínez Bonati, *La estructura de la obra literaria*, Chile, 1960. — X. Pilch, H., *Sprachtheoretische Grundlagen der maschinellen Übersetzung. Ein Beitrag zur Diskussion um den Strukturalismus* (in: Archiv f. d. Studium der Neueren Sprachen und Literaturen, 1963, S. 13 ff.) — XI. Saussure, F. de, *Cours de linguistique générale*, Paris-Lausanne, 1916. — XII. Segre, Cesare (Herausgeber), *Inchiesta su strutturalismo e critica* (in: Catalogo Generale della Casa Editrice Il Saggiatore, Milano 1965). — XIII. Stender-Petersen, A., *Esquisse d'une théorie structurale de la littérature* (in: Travaux du cercle linguistique de Copenhague, V, Kopenhagen, 1949). — XIV. *Structural Studies on Spanish Themes* (ed. H. Kahane and A. Pietrangeli), Salamanca, 1959. — XV. Tesnières, L., *Eléments de syntaxe structurale*, Paris, 1959. — XVI. Trubetzkoy, N., *Grundzüge der Phonologie*, Prag 1939. — XVII. Weinrich, H., *Phonologische Studien zur romanischen Sprachgeschichte*, Münster, 1959. — XVIII. Weizsäcker, C. Fr. von, *Sprache als Information* (in: Vortragsreihe Die Sprache, Darmstadt, 1959). — XIX. Wellek, R. und Warren, A., *Theorie der Literatur*, deutsch von M. Lohner, Bad Homburg, 1959. — XX. Whorf, B. L., *Language, Thought and Reality*, 1956 (Dt.: *Sprache, Denken, Wirklichkeit*, übersetzt von P. Krausser, Hamburg, 1963). — Nachtrag: Cohen, J., *Structure du langage poétique*, Paris 1966.

Kann der sprachwissenschaftliche Strukturalismus auf die Literaturwissenschaft übertragen werden, oder gibt es zum mindesten einige Berührungen zwischen den beiden Disziplinen, derart, daß sie sich gegenseitig zu för-

dern vermöchten? Die Frage ist in den vergangenen Jahren mehrfach gestellt, einigemale auch bejaht worden. Sie deutet auf ein Verlangen, Sprach-
und Literaturwissenschaft wieder soweit wie möglich einander anzu-
nähern, nachdem sie sich in den ersten Dezennien unseres Jahrhunderts
methodisch voneinander wegentwickelt hatten und diese Entwicklung selbst
von großen Forschern, die beide Disziplinen noch einmal in Personalunion
beherrschten, nicht aufgehalten werden konnte. Nach gewissen Äußerungen, ja Unternehmungen sieht es heute so aus, als ob zwischen den
genannten Disziplinen nicht nur grundsätzlich eine methodische Anpassung stattfinden soll, sondern daß diese unter Führung des linguistischen
Strukturalismus geschehen müsse. 1949 schrieb A. Stender-Petersen, daß
man aus dem Vorhandensein einer wohlbegründeten sprachwissenschaftlichen Strukturalistik das Recht zu einer solchen der Literaturwissenschaft
ableiten könne, weil Literatur ja auch Sprache sei (*XIII*, S. 279). L. Doležel
äußerte sich 1965: „Die strukturelle Linguistik in ihren am besten ausgearbeiteten Systemen umfaßt die Theorie der Dichtersprache", die er kurz
danach „die komplizierteste sprachliche Erscheinung" nennt (*VI*, S. 275).

Hier muß der Literarhistoriker Bedenken anmelden. Zwar beruht die
Bezeichnung „Strukturalismus" auf dem gleichen Terminus „Struktur",
dessen sich auch die Literaturwissenschaft in zunehmendem Maße bedient.
Doch hat dieser Terminus, je nach Disziplin, eine andere Bedeutung und
Anwendbarkeit. Daher darf er nicht die Täuschung erwecken, als ob
Sprach- und Literaturwissenschaft auf gleichem Boden in gleicher Richtung
wirkten. Ebenso hat man es mit zwei verschiedenen Funktionsweisen der
Sprache zu tun.

Der von F. de Saussure herkommende — obwohl von ihm noch nicht so
benannte — Strukturalismus ist aus dem Widerstand gegen die rein historische Auffassung der Sprache, sowie gegen ihre Zerlegung in isolierte
Elemente entstanden (*XI*, passim). Zwar hat sich seine antihistorische
Denkweise wieder gemildert, ja es wurde möglich, beispielsweise den Laut-
wandel einer Sprache aus dem phonetischen Gesamtsystem der Sprache,
also sprachintern zu erklären (Weinrich, *XVII*, insbes. S. 5; vgl. Baldinger,
I, S. 534—541). Dennoch ist das führende Prinzip nicht ein historisches,
sondern ein formalistisches, das den synchronischen Gesichtspunkten sehr
viel näher steht als den diachronischen. Für den Strukturalismus ist eine
Sprache ein determiniertes System von Einheiten und deren Relationen sowie Kombinationen. Die Einheiten (Phoneme, Morpheme, Lexeme, Syn-
tagmata . . .) sind erkennbar, ihre Relationen und Kombinationen trotz
ihrer hohen Anzahl begrenzt, daher berechenbar, und ebenso berechenbar
sind diejenigen Relationen und Kombinationen, die in einer Sprache nicht
eintreten können oder noch nicht eingetreten sind. „Die Sprachrealität
bekommt gegenüber ihrer Struktur die Rolle einer belegten Variante"
(P. Hartmann, *IV*, S. 4). Die einzelnen Tatsachen einer Sprache erscheinen
als Sonderfälle einer übergeordneten Ganzheit, die ihrerseits nicht aus der

Summe von nebeneinander liegenden Teilen besteht, sondern eine Entelechie ist, die ihre Glieder von vorneherein in gegenseitige Beziehung setzt.

Bei alledem wird eine Sprache aufgefaßt als ein zur Verfügung stehendes Instrument mit bloßer Übermittlungsfunktion, aber auch mit der Geschlossenheit eines Modells, das keine Zufälligkeiten kennt. Daher ist es das Ziel der Strukturalisten, die sprachlichen Erscheinungen in ihrer notwendigen Zusammengehörigkeit zu erkennen, die in der Form gegenseitiger Abhängigkeit der Erscheinungen auftritt. Während den phonologischen, morphematischen, syntagmatischen Verhältnissen einer Sprache große Aufmerksamkeit gewidmet wird, tritt ihr semantischer Reichtum nur begrenzt in das Blickfeld, dort nämlich, wo semantische Verhältnisse als Folge oder als Ursache bedeutungsdifferenzierender Elemente verstanden werden können. So gut wie vollständig bleibt der Bedeutungswandel außer Betracht, sowie alles das, was seit W. v. Humboldt „innere Form" heißt. Die Tatsache, daß die Geschichte einer Sprache stets auch die Geschichte einer Weltauslegung ist, berührt den Strukturalismus nicht, da sie mit dessen Zielsetzungen und Methoden nicht faßbar ist. Mit der im ganzen ahistorischen Betrachtungsweise des Strukturalismus hängt es schließlich zusammen, daß er gegen alles mißtrauisch bleibt, was nicht formal in der Sprache vorgegeben, ihr also nicht immanent ist. Daher der vor nicht langer Zeit zu hörende Spott gegen seinen „Immanenz-Komplex" (Heger, V, S. 212).

Zu den unleugbaren Erfolgen des Strukturalismus gehört die neuartige formale Typologie der einzelnen Sprachen, sowie die Einsicht in den autonomen, das Individuum übersteigenden, es jedoch lenkenden Charakter der Sprache als eines Systems von bedeutungsunterscheidenden Zeichen. Freilich sind diese Erfolge — wenigstens jetzt noch — mit einer enormen terminologischen Überfrachtung erkauft, diesem so häufigen Symptom einer Wissenschaft, der es nicht durchweg bekömmlich ist, Mode geworden zu sein. Man vergleiche das terminologische Register bei A. Martinet (VIII, S. 221 ff.). Auch will es manchmal scheinen, daß in der Masse der Termini eine Apparatur zusammengesetzt wurde, die sich in Gang bringen möchte und nach geeigneten Objekten sucht, solcher Art, die, wie sich P. Hartmann ausdrückt, „strukturierbar" sind (IV, insbesonder S. 18). Ein Satz des amerikanischen Experten für das Informationswesen, M. Taube, ist nachdenkenswert: „Die Tatsache, daß man das Ergebnis einer Abstraktion aus einem konkreten Prozeß als alleinige Realität gelten läßt, ist der grundlegende Irrtum des Formalismus und eine der weitverbreitetsten modernen wissenschaftlichen Irrlehren" (Der Mythos der Denkmaschine. Kritische Betrachtungen zur Kybernetik, Hamburg, 1966, S. 112).

Der Unterschied zwischen Strukturalismus und Literaturwissenschaft zeigt sich sofort im jeweiligen Verhalten zu einem Text. Für den Strukturalisten ist ein Text lediglich soweit interessant, als er Sprache ist, d. h. ein System, das in möglichst scharfen, möglichst mathematischen Formeln dar-

gestellt werden kann. Das Interesse des Literarhistorikers hingegen richtet
sich auf den Text, insofern er ein komponiertes und einmaliges Sinngebilde
ist, das es zu verstehen gilt. Literarische Texte gestatten nur teilweise die
einem Strukturalisten willkommene Formalisierbarkeit. Denn das Zentrum
solcher Texte ist inhaltlicher Natur, und die Bewegungsabläufe ihrer
Inhalte wie ihrer Sprachdynamik sind variabel. „Bei den Sinngebilden
aber ist die Komplikation der Formen keine mechanisch-summierende,
sondern sie ist vielmehr begründet in der Hierarchie der Funktionen, die
Husserl als ‚Fundierung' bezeichnete". (Lohmann, *VII*, S. 125). Die literarische Sprache wird nicht daraufhin betrachtet, was sie mit der Allgemeinsprache verbindet, sondern auf das hin, was sie über die letztere
hinaushebt. Denn Literatur, mit ihrer höchsten Erscheinung, der Poesie,
kann, nach einem Wort Schellings, nur entstehen durch „Absonderung der
Rede von der Totalität der Sprache" (*Philosophie der Kunst*, Neuausgabe
Darmstadt 1960, S. 279). Die künstlerische Qualität des Textes, gleich zu
Beginn oder erst im Laufe der literaturwissenschaftlichen Analyse erkannt,
begründet den Intensitätsgrad der Analyse — es sei denn, daß der Text als
bloßer Beleg für einen die hohe Qualität vorbereitenden Stoff- und Ideen-
austausch benötigt wird.

Typus und Stärke der Absonderung der literarischen von der zweckhaft
kommunikativen Sprache ist jeweils individuell, oder, wie man auch sagen
kann, der literarische Text individualisiert die in der Sprachkunst und
ihren Gattungen ohnehin erwartete Absonderung. Der das Allgemeine und
Anonyme meinende Strukturalismus vermag diese individuelle Verdichtung
nicht zu erreichen. Er kann sie bestenfalls benennen: „okkasionelle Indi-
vidualstruktur" (so P. Hartmann, *IV*, S. 3). Gewiß läßt sich eine Erkenntnis über den fundamentalen Unterschied zwischen der Literatur und der
Allgemeinsprache gewinnen. Das Auffinden dieses vielfachen Unterschie-
des, an den sich auch ein solcher gegenüber anderen Sprachen des Geistes
(in den Künsten, in den Wissenschaften usw.) anschließt, ist sogar eine
der Hauptaufgaben der Literaturwissenschaft. Doch wird man dabei ohne
ein systematisierendes, nach Determinationen fragendes Verfahren auskom-
men. Es ist gesagt worden, daß in der Literatur das Einmalige überwiegt, jedoch stets kombiniert mit „rekurrenten Motiven und Topoi" (P. Hartmann,
IV, S. 3). Aber auch die „rekurrenten Motive und Topoi" sind, selbst
wenn sie Jahrhunderte hindurch wiederkehren, keine absoluten Konstanten; sie erhalten vielmehr, je nach Epoche und je nach Kontext, einen sinn-
verändernden Stellenwert und machen somit eine systematisch-generelle,
ahistorisch gemeinte Aussage über Literatur unmöglich. Deren Wesens-
merkmale sind an den Einzelerscheinungen mit erheblich größerer Sicherheit abzulesen als etwa an einem konstruierten Modell, zumal das Verhältnis zwischen Einmaligem und Konstantem von Fall zu Fall verschieden ist.

Wesensbestimmungen dessen, was Literatur ist, scheinen sich zwar anzubieten. Man könnte eine solche an dem Musterbeispiel von der Nachtigall diskutieren: die Verhaltensforscher haben erkannt, daß der schluchzende Gesang der Nachtigall nichts weiter ist als Revierabgrenzung; dem steht gegenüber, daß für Lyriker, auch für heutige, das Nachtigallenlied eine seelische Dimension öffnet oder — traditioneller — sich einem Liebesschmerz tröstend beigesellt; so wäre also das Spezificum der Literatur, hier der Lyrik, daß sie von nüchternen Tatbeständen absieht und an einer archaischen Stufe der Naturbeziehung festhält. Nun war das aber schon in ornithologisch unaufgeklärteren Zeiten vielfach anders: Lieder auf die Nachtigall konnten zum Zweck epideiktischer Übung entstehen. So tritt also jedesmal, ob bei dem seelenvollen Lyriker oder bei dem Stilvirtuosen, ein nur singuläres, nicht allgültiges und ahistorisches Merkmal dichterischen Verhaltens zutage (Nachtigall ornithologisch: Aldous Huxley, *Literature and Science*, London, 1963; dtsch. von H. E. Herlitschka, München, 1964, S. 125 ff. Nachtigall epideiktisch: E. R. Curtius, *Europäische Literatur und lateinisches Mittelalter*, Bern, 1948, S. 165 f.).

Wie Sprache nie als die Sprache schlechthin existiert, sondern immer nur in Nationalsprachen, so gibt es die Literatur ebenfalls nur als jeweilige Nationalliteratur oder, wie in der übernationalen nachantiken Latinität, als Sonderliteratur. In beiden Fällen bildet sie keine strukturierte Totalität, sondern eine geschichtliche, gattungs- und stilverschiedene Vielheit, die sich in Autoren, nicht in einem anonymen Kollektiv realisiert. Oder, mit den bekannten Begriffen Saussures ausgedrückt: Literatur als solche ist nicht langue, sondern parole. Ein Schema oder System, das alle Erscheinungen der Literatur als begrenzte interne Relationen und Kombinationen auffassen wollte, kann es nicht geben. Wohl hängen die poetischen Funde, ähnlich der Begriffsbildung, mit „Vorleistungen der Sprache" (Gadamer, *III*, passim) zusammen. Indessen handelt es sich bei den letzteren um keine Automatismen, die zwingend zu bestimmten poetischen Funden führen müßten. Vielmehr ist die Literatur offen für immer neue Möglichkeiten im Verwandlungs- und Erfindungstrieb des Geistes. Dem gegenüber würde eine strukturalistische Berechnung ebenso versagen, wie früher die bloße Stoffgeschichte versagt hat. Zum Grundmerkmal der Literatur gehört ihr Vermögen, sich von den jeweiligen externen Bedingungen, ohne die das einzelne Werk nicht hätte entstehen können, eben durch dieses Werk auch wieder frei zu machen. Die literarische Transformation eines Vorkommnisses, einer gesellschaftlichen Lage, ja einer vorhandenen literarischen Überlieferung ist schon etwas anderes als das Transformierte selber, ohne daß etwa eine Gesamtstruktur die Richtung wiese, in der die Transformation hätte erfolgen müssen.

In der Literatur sind die Selektionen aus der Allgemeinsprache — wir nennen sie Stil — beträchtlich stärker, aber auch freier als in der Allgemeinsprache selber. Freiheit und Individualität spielen in der Literatur (auch der „gebundenen" Epochen) eine so große Rolle, daß sie sich den statischen und statistischen Modellvorstellungen des sprachwissenschaftlichen Strukturalismus entziehen. Sofern angesichts der Literatur überhaupt von Gesetzen geredet werden kann, handelt es sich um gattungsbestimmte, in ihrer Verbindlichkeit je nach Jahrhunderten schwankende Normen, oder um singuläre Ordnungen einzelner Autoren, welch letztere sich wiederum von Werk zu Werk verschiedenartig verhalten können. Was im literarischen Werk bedeutsam ist, kann linguistisch belanglos sein, — und umgekehrt. Wir stehen bei der Poesie, als der subtilsten Weise der Literatur, vor einer Erscheinung, die man mittels linguistischer oder gar strukturalistischer Erklärung nicht erschöpfen kann: vor der Erscheinung nämlich, daß die Poesie weniger die Einlinigkeit als die Vielstrahligkeit oder auch die Verschiebung der Wortbedeutungen anstrebt, weshalb eine Dichtung mehrfachen Sinnzuwachs derjenigen Sprache bewirkt, in der sie geschrieben ist. Die größten Beispiele dafür sind Dante, Góngora, Racine, der alte Goethe: Dichter, deren Sprache so anspielungsreich sein kann, daß sie ganze Komplexe in einer normalerweise einfachen und durchsichtigen Wortgruppe zusammenziehen. Eine solche Sprache kann man nicht mehr als determiniertes Relationssystem betrachten oder gar — wie geschehen ist — als ein Phänomen von „Pseudosätzen", d. h. von Sätzen, deren „Struktur" darin läge, nicht auf den Moment beziehbar zu sein, in welchem sie geschrieben wurden (Martínez Bonati, *IX*, S. 98 f.).

Seit Dilthey hat sich, wie man weiß, der Terminus „Struktur" in der Geisteswissenschaft, und somit auch in der Literaturwissenschaft eingebürgert. Aber seine Bedeutung ist eine verhältnismäßig einfache: er meint ein Gefüge, bei dem jeder Teil vom Ganzen her, das Ganze wiederum vom Zusammenstimmen seiner Teile aus sinnvoll wird. Am häufigsten spricht man von der Struktur eines einzelnen literarischen Werkes, und dies mit Recht, da ja ein solches Werk kein bloßes Aggregat ist. Seine Struktur zeigt sich in seiner Selbstgesetzlichkeit, nämlich seiner ihm spezifischen Ordnung, die seine äußeren und inneren Merkmale in diejenige gegenseitige Übereinstimmung bringt, die man auch Gestalt zu nennen pflegt, und an deren Gelingen die Qualität des Werkes aufgewiesen werden kann (ich weiß mich hierin einig mit Wolfgang Clemen, *Spensers Epithalamion*, München, 1964, insbesondere S. 37 ff.).

Man kann beispielsweise an den Romanen Voltaires jedes Merkmal als Entsprechung eines anderen erkennen: sie bewegen sich ironisch im Märchenmilieu, daher verfahren sie bei der Personenzeichnung nicht charakterisierend, sondern typisierend und in Schwarz-Weißkontrasten, wie das Märchen; Voltaire parodiert zugleich den Abenteuerroman, indem er ein Übermaß an Vorgängen in schnellem Handlungsablauf zusammendrängt; dazu paßt sein Kurzstil und die häufige Verwendung des Enthymema; seiner Lust, ideell die Absurdität der Meinungen, ja des Menschenlebens aufzudecken, entspricht die stilistische Technik der Reduktion,

— und vieles mehr. Alle diese Eigentümlichkeiten bilden folgerichtige, sich gegenseitig stützende Momente eines geschlossenen Sinnganzen, das Struktur heißen darf. Eine Untersuchung dieser Art ist vorwiegend descriptiv. Sie beschreibt die Stilkräfte, die Grundideen mit ihren Schlüsselwörtern, die Symbole, die aus ihnen hervorgehen, schließlich die Behandlung von Raum und Zeit. Man mag dabei von Vorgegebenheiten in der künstlerischen Anlage des Autors sprechen, die seine Romane in der eben angedeuteten Weise wie aus einem Zentrum heraus steuern. Doch handelt es sich nicht um die dem linguistischen Strukturalisten geläufige Vorgegebenheit, die sowohl Erwartbares wie nicht Erwartbares in einem Sprachsystem berechenbar macht. Der Faktor der Freiheit trennt beide Vorgegebenheiten. Dem Autor steht es offen, auch andere Wege einzuschlagen, einer anderen Vorgegebenheit seiner künstlerischen Natur zu folgen. Wollte jemand am Gesamtwerk Goethes eine als Systemzwang aufgefaßte Struktur sehen?

Für die Literaturwissenschaft kann „Struktur" auch das Stilgefüge einer ganzen Epoche bezeichnen. Gemeint ist dann die über mehrere Autoren sich erstreckende gleiche Kohärenz gleicher Stilmerkmale. Hier mag es denn auch wohl sein, daß die Literaturwissenschaft am ehesten der Strukturalistik nahekommt, nämlich deren Vorstellungen eines die Autoren lenkenden Organismus mit fester gegenseitiger Beziehung seiner Glieder. Zudem gelangt man bei der Beschreibung solcher Epochenstile und Stiltypen an die Grenze des historischen Erklärens, vor allem darum, weil Epochenstile und Stiltypen über große Zeiträume hinweg wiederkehren, ohne daß dies notwendigerweise die Folge von Einflüssen ist.

Schließlich die literarischen Gattungen. Mit dem Sprachmodell teilen sie — mindestens bis zum endenden 18. Jahrhundert — die Eigenschaft, daß auch sie Modelle sind, die zwar, in geschichtlichen Augenblicken entstanden, sich als paradigmatische Determinierungen auswirken, denen gegenüber die im Zeitlauf ihrer Anwendung auftretenden Varianten von geringerer Bedeutung sind als eben jene Determinierungen. Indessen ist das Verhältnis zu ihnen komplizierter als dasjenige zu einem Sprachmodell. Denn wieder meldet sich der Faktor der Freiheit. Nehmen wir die Sonette Petrarcas: als Sonette sind sie gattungsgeschichtlich in ihrem Formenbau festgelegt, und ihre Varianten (in den Reimen) sind begrenzt. Dennoch läßt sich nicht ermitteln, ob die Wahl des Sonetts durch Petrarca eine unvermeidbare war, zwingend wie etwa das phonologische System des Italienischen, oder ob er eine freie Wahl getroffen hat; allerdings mußte er auch dann der formalen und stilistischen Determination folgen, so nämlich, daß seine Lyrik sich dieser Gattungsform anpaßte und aus ihr, wiederum die verbleibende Freiheit wahrnehmend, verschiedene Sonett-Typen entwickelte.

Bei allen fundamentalen Unterschieden zwischen Allgemeinsprache und Literatursprache ergeben sich zuweilen einige kurze Berührungen der

Literaturwissenschaft mit der Strukturalistik. Dennoch können die Methoden beider Disziplinen sich niemals decken. Das zeigt sich beispielsweise dort, wo eine mathematisch erfaßbare strukturierte Gesetzmäßigkeit des literarischen Werks gesucht wird, und zwar in der Annahme, daß Strukturiertheit ein quantitatives Moment ist. So kann man zahlenmäßig feststellen, in welchem Umfang der vorhandene Wortschatz eines Zeitalters von einem jeweiligen Autor aktualisiert und bedeutungsverändernd gebraucht wird. Auch auf dem Gebiet der Lautfrequenz läßt sich derartiges unternehmen. Die dabei gewonnenen Ergebnisse werden indessen jedesmal dort belanglos, wo die Texte aus den statistisch zugänglichen Zonen in ihr Bedeutungsgefüge und in ihre stilistische Einzigartigkeit übergehen. Man mag verschiedene Gedichte eines Lyrikers unterscheiden nach dem jeweiligen zahlenmäßigen Verhältnis der Adjektive zu den Substantiven, nach der jeweiligen Verteilung der Wortlängen und der Satzlängen: doch derartige Meßbarkeiten sind abhängige Funktionen, sind mehr oder minder notwendige Begleiterscheinungen, nicht aber das Sinnzentrum, das sich als Sprachgehalt und Sprachtönung äußert, und nicht als Zahl. Datentabellierungen auf diesem Gebiet ergeben nichts weiter als eben — tabellierte Daten. (Auf die ganz anders gelagerten Verhältnisse der Zahlensymbolik und der planmäßigen Zahlenkomposition in der Dichtung braucht hier nicht eingegangen zu werden.)

Textstatistik kann das Verstehen eines Textes gelegentlich unterstützen, aber niemals ersetzen. Das gilt auch für die ebenfalls von den Strukturalisten verwendete Informationstheorie. Diese versteht unter Information die knappste, weder inhaltlich noch formal wiederholte Mitteilung eines absolut Neuen; der Gegensatz ist die Redundanz (zuweilen mit der Rekurrenz gleichgesetzt), der „Überfluß" aus wie auch immer gearteter Wiederholung und Variation. Gemäß der Informationstheorie, die ihren Ursprung in der auf äußerste Kürze angewiesenen Nachrichtentechnik hat, ist der obere Wert die Information selber, der untere die Redundanz (vgl. von Weizsäcker, XVIII, und A. Martinet, VIII, S. 186 ff.). Bei der Anwendung auf die Literatur wird jedoch eine solche Wertstufung, fragwürdig. Informationstheoretische Definitionen des Dichters, wie diese: „nichtstationäre Informationsquelle" (Doležel in VI, S. 288), könnten die Literaturwissenschaft dazu veranlassen, von der Informationstheorie weiterhin keine Notiz zu nehmen. Dennoch vermag sie als Mittel erster Feststellungen ihren Dienst zu tun, indem sie hilft, die Texte nach dem Grad der Dichtigkeit ihrer Aussagen zu unterscheiden. Das hat man denn auch getan (Louise H. Allen in XIV, S. 345 ff.: *A structural analysis of the epic style of the Cid*). So wie aber die Umgangssprache verkümmern müßte, wenn man ihre Redundanzen beschneiden wollte, so noch viel mehr die Literatur. Einzelne Kurzgedichte können in Anspruch nehmen, ein Minimum an Redundanzen aufzuweisen. Doch das literarische Leben in seiner Vielfalt hat keinen solchen Ehrgeiz. Man braucht da nicht einmal an Autoren zu denken, deren extreme Stilart die variierenden Wiederholungen und die nur langsam wogenden Übergänge zu Neuem sind (Péguy, Claudel, Saint-John Perse). Der für die Dichtung charakteristische Wille der Sprache zu sich selbst, das Verweilen des Erzählens bei Reflexionen oder Beschreibungen, das Umkreisen einer dargestellten Person aus mehreren Perspektiven: was soll bei diesen überall anzutreffenden Formen literarischen Verhaltens die Frage nach den Informationen und die prozentuale Bemessung der Redundanzen? Was würde damit bei einem Rabelais, einem Balzac herauskommen? Ein ebenso bekanntes wie mageres Ergebnis: es sind redundante Schriftsteller. Aber zu diesem Ergebnis gelangt man auf alten Wegen weniger umständlich und sogar mit besserem Gewahrwerden der Fülle dieser Schriftsteller.

Daß in der Literatur die Redundanz nicht das Überflüssige, sondern das Notwendige ist (und daher anders heißen müßte), ja daß überhaupt in der Literatur nur beiläufig nach Information und Redundanz unterschieden werden kann, entnimmt man der Lyrik. Zu den Hauptmerkmalen eines Gedichts gehört sein Anspruch, wiederholt zu werden, und gehört unser Verlangen, es zu wiederholen. Je öfter wir schon erfahren haben, was es sagt und wie es dies sagt, je geringer für uns daher seine Informationswerte sind, desto mehr entfaltet es seine lyrische Magie.

Es gibt einen auf die Sprachgeschichte angewandten Strukturalismus, wonach jene eine merkwürdige Ähnlichkeit mit dem Prinzip der Rationalisierung bekommt, wie man es in der modernen Wirtschaft kennt. So will A. Martinet die sprachgeschichtlichen Wandlungen aus der stets wirkenden Antinomie zwischen den Mitteilungsbedürfnissen des Menschen und seinem Verlangen nach dem geringsten Energieaufwand erklären (*VIII*, S. 182 ff.). Impliziert ist dabei auch der Gedanke des Fortschritts. Es leuchtet ein, daß eine Literatur in ihrer Geschichte so nicht beurteilt werden kann. Denn sie verhält sich zur Sprache wie zur literarischen Überlieferung nicht nach dem Gesetz der Ökonomie, sondern der Ausweitung. Ihre Geschichte ist nicht eine solche des Fortschritts (der eine der Literatur völlig unangemessene Kategorie ist), sondern ist eine Geschichte von Metamorphosen innerhalb eines Feldes, das wohl Vorgegebenheiten enthält, aber mit seinen Faktoren der Freiheit und des Singulären die Vorstellung eines aus internen Relationen und Ökonomien bestehenden Modells sprengt.

Ist die Literaturwissenschaft unstreng, weil sie an ihren Gegenständen mehr sieht als Meßbarkeiten? Der Untertitel jener Aufsatzsammlung *Mathematik und Dichtung (VI)* lautet: *Versuche zur Frage einer exakten Literaturwissenschaft*. Das ist bescheiden formuliert und dennoch naiv. Vor mehr als einem halben Jahrhundert schon war der wesensmäßige Unterschied zwischen Naturwissenschaften und Geisteswissenschaften sowie zwischen deren jeweiliger Art von Exaktheit philosophisch legitimiert worden. Es gibt nun einmal nicht nur die abstrakte Exaktheit des Quantitativen, sondern auch die anschaubare oder vorstellbare des Qualitativen, zusammen mit der Exaktheit des darauf bezogenen Wortes. Auf solche — und weitere — Exaktheiten der Literatur muß sich die ihr gewidmete Wissenschaft richten und dabei die angemessenen Begriffe finden. Weil die literarisch-dichterische Sprache von der Allgemeinsprache und deren Mitteln wissenschaftlicher Begriffsbildung abweicht, kann der Kern des literarischen Werkes wissenschaftlich in nur approximative Begriffe übersetzt werden. Doch bedeutet das keine Unstrenge und Beliebigkeit, kein Verweilen in der puren Impression. Ein Methodenhochmut, der die Exaktheit nur im Bereich des Quantitativen gelten lassen will, ist unangebracht. Auch die approximativen, ihrem Gegenstand so weit wie möglich angemessenen Begriffe der Literaturwissenschaft haben ihre Objektivität. Sie können sich freilich ändern. Doch nicht wegen etwaiger Subjektivismen. Vielmehr sind sie, als Zeichen des Verstehens, an den eigentümlichen Prozeß des Verstehens gebunden. Das Verstehen aber ist ein vom literarischen Gebilde selber benötigter Akt der immer weiter ausholenden, daher die Begriffe ändernden Sinnöffnung seiner selbst.

Auf dieser Stufe des Verstehens sind Literaturwissenschaft und Strukturalismus denkbar weit voneinander entfernt. Mag man auch in der Literaturwissenschaft zuweilen berechtigt sein, von Strukturen zu sprechen, so bedient man sich, wie oben schon gesagt wurde, eines in der Bedeutung von der Sprachwissenschaft abweichenden Terminus. Und dort, wo sich dieser Terminus anbietet, könnte man vielfach ebenso gut „Aufbau", „Anlage", „Beschaffenheit", „Gefüge" sagen. Dann wäre man jedenfalls davor geschützt, von einer „Struktur des Aufbaus" zu reden, wie das sogar einem Latinisten jüngst an sichtbarer Stelle unterlaufen ist.

Wolfgang Iser

WIRKLICHKEIT UND FORM IN SMOLLETTS *HUMPHRY CLINKER*

Smolletts letzter Roman *Humphry Clinker* (1771)[1] markiert im 18. Jahrhundert ein vorläufiges Ende jener Form erzählender Prosa, die reichlich 50 Jahre zuvor in Defoes *Robinson Crusoe* (1719) ihre ersten sichtbaren Umrisse gewonnen hatte. Die hier auslaufende Tradition des moralisch-realistischen Romans, die von Defoe, Richardson und Fielding ausgebildet worden war, darf jedoch nicht als Erschöpfung ihrer Möglichkeiten mißverstanden werden; vielmehr erfahren die überlieferten und im 18. Jahrhundert entwickelten Darstellungsformen des Romans in Smolletts letztem Werk eine beachtenswerte Verwandlung, die den Zusammenhang mit der voraufgegangenen Romantradition wie auch ihre Umorientierung erkennen läßt. Erwin Wolff bezeichnete daher *Humphry Clinker* als „einen der ‚Brückenköpfe', von denen aus nach etwa zwei Jahrzehnten epigonalen Reichtums und vielfältiger Nachahmungen neue Entwicklungen ausgehen konnten".[2] Wenn man ferner bedenkt, daß ein paar Jahre vor der Veröffentlichung des *Humphry Clinker* mit dem *Castle of Otranto* (1764) der erste Schauerroman erschien, den Walpole bewußt als Überbietung des moralisch-realistischen Romans der ersten Jahrhunderthälfte verstand,[3] so steht *Humphry Clinker* im Scheitelpunkt sich ablösender Tendenzen, die die Form des Romans im 18. Jahrhundert kennzeichnen.

Der erste bedeutende Roman der englischen Aufklärung, *Robinson Crusoe*, wirft sogleich ein Problem auf, das in der Romanliteratur des 18. Jahrhunderts immer neue Antworten gefunden hat: die Frage nach der Wahrheit des Erzählten und seiner Vermittlung. Defoe hat sich im dritten Teil seines Romans unter dem Titel *Serious Reflections during the Life and Surprising Adventures of Robinson Crusoe, with his Vision of the Angelic World* damit auseinandergesetzt. Hier entwickelt der Ich-Erzähler seine Gedanken, die eine Verbürgung der Wahrheit seiner Geschichte sichern, aber auch gleichzeitig die Gemeinsamkeit zwischen seinen individuellen Erlebnissen und dem Leser garantieren sollen. Zunächst bekräftigt Robinson den Wahrheitsgehalt seiner Abenteuer:

---

[1] Tobias Smollett, *The Works* XI u. XII. *The Expedition of Humphry Clinker* I u. II. Ed. by G. H. Maynadier, New York 1902. (Nach dieser Ausgabe werden auch die anderen Romane Smolletts zitiert.)

[2] Erwin Wolff, *Der englische Roman im 18. Jahrhundert. Wesen und Form* (Kleine Vandenhoeck — Reihe 195—197), Göttingen 1964, p. 122.

[3] Vgl. Horace Walpole, *The Castle of Otranto and the Mysterious Mother*. Ed. by Montague Summers, London 1924, p. 13 f.

> Thus the fright and fancies which succeeded the story of the print of a
> man's foot, and surprise of the old goat, and the thing rolling on my bed,
> and my jumping out in a fright, are all histories and real stories; as are like-
> wise the dream of being taken by messengers, being arrested by officers, the
> manner of being driven on shore by the surge of the sea, the ship on
> fire, the description of starving, the story of my man Friday, and many
> more most material passages observed here, and on which any religious reflec-
> tions are made, are all historical and true in fact.[4]

Die Bekräftigung der Wahrheit durch die persönliche Erfahrung hat ihre
Wurzeln im kalvinistischen Dissent, so daß ein solcher Wahrheitsbeweis auf
eine gewisse Zustimmung rechnen durfte. Doch damit ist Defoe noch nicht
der Schwierigkeit enthoben, die sich aus der Erzählung individueller Abenteuer seines Helden ergibt. Der Wahrheitsbeweis des Selbsterlebten bezog
sich im kalvinistischen Horizont auf die Heilsvergewisserung und unterstand
damit ziemlich genau definierten Bedingungen, wie sie durch die Form der
Conduct Books ausgewiesen sind. Eine solche Bedeutung kam den von Robinson erzählten Begebenheiten aus seinem Leben nicht mehr zu; demzufolge
reicht die bloße Beteuerung, das Erlebte sei wahr, nicht mehr aus, um den
Leser zu interessieren. Wie stark Defoe sich dieses Moments bewußt war,
zeigt sich in einer zunächst seltsam anmutenden Bemerkung, die Robinson
seiner Wahrheitsbeteuerung folgen läßt:

> In a word, there is not a circumstance in the imaginary story but has its just
> allusion to a real story, and chimes part for part and step for step with the
> inimitable Life of Robinson Crusoe. In like manner, when in these reflections
> I speak of the times and circumstances of particular actions done, or incidents
> which happened, in my solitude and island-life, an impartial reader will be so
> just to take it as it is, viz., that it is spoken or intended of that part of the real
> story which the island-life is a just allusion to.[5]

Die hier getroffene Unterscheidung zwischen einer *imaginary story* und einer
real story scheint insofern einen Widerspruch in sich zu bergen, als Robinson
kurz zuvor noch versicherte, daß seine Erzählung auf Selbsterlebtem beruhe.
Ein solcher Wahrheitsanspruch aber bedürfte eigentlich keiner *imaginary
story*, deren Erfundensein sich zumindest dem Verdacht der Lüge aussetzt.
Für Defoe indes stehen *real* und *imaginary story* in einem unaufhebbaren
Korrespondenzverhältnis; die von Robinson erzählte *imaginary story* läßt
sich daher nur als eine aus seiner wahren Lebensgeschichte getroffene Auswahl begreifen, die damit nichts von ihrem Wahrheitsanspruch verliert,
gleichzeitig aber doch auf ein Selektionsprinzip verweist, das nicht unbedingt
durch die Lebensgeschichte selbst mitgegeben sein muß. Die *imaginary story*
wird demzufolge andere Akzente tragen als die *real story*, da erst durch sie
die wahren Begebenheiten ihren Sinn finden können. *Real story* und *imaginary story* sind also bei aller faktischen Gemeinsamkeit unterschiedlich

---

[4] Daniel Defoe, *The Works* III. Ed. by G. H. Maynadier, New York 1905, p. X f.
[5] Ibid., p. XI f.

orientiert: die eine an der Wahrheit des Selbsterlebten, die andere an der Bedeutung dieser Begebenheiten. Die von Robinson erzählte *imaginary story* vermittelt daher den höchst individuellen Charakter seiner wahren Insel- und Seeabenteuer mit einer Bedeutung, die auch der Leser wenn nicht zu teilen, so doch mindestens abzuschätzen vermag. Robinsons Ich-Erzählung erweist sich als eine Form der Vermittlung, die die Fülle als wahr verbürgter Fakten nach einem vorgegebenen Auswahlprinzip ordnet und dadurch dem Leser erst den Sinn der Inselabenteuer erschließt. Diese Ich-Form ist dann allerdings nicht mehr mit der *real story* als solcher identisch. Indem sie aus- wählt, fügt sie den kontingenten Einzelheiten von Robinsons Leben etwas hinzu; was Robinson erzählt, ist daher — in seiner eigenen Terminologie — *allegoric history*.[6] Allein die Tatsache, daß sich Robinson genötigt sieht, be- stimmte Ereignisse seines Lebens unterschiedlich zu bewerten, indem er sie entweder schildert oder wegläßt, zeigt an, daß das von ihm erzählte Leben schon unter vorentschiedenen Bedingungen steht, die offenbar nicht nur für ihn, sondern auch für den Leser gelten. Ziel der *allegoric history* ist *moral and religious improvement*,[7] die umso größere Überzeugungskraft gewinnt, wenn sich ihre Wirkungen in der Alltagserfahrung des Menschen nachweisen lassen. Damit wird die als wahr beglaubigte *real story* wieder notwendig, die nicht nur aus kontingenten Erfahrungen besteht, sondern die auch den in diesen Erfahrungen interpolierten Sinn noch einmal als wirklich bekräftigen muß. Wie sehr Defoe bereits die Leserreaktionen kalkuliert hat, sei durch eine abschließende Bemerkung zu *Robinson* belegt.

> Had the common way of writing a man's private history been taken, and I had given you the conduct or life of a man you knew, and whose misfortunes and infirmities perhaps you had sometimes unjustly triumphed over, all I could have said would have yielded no diversion, and perhaps scarce have obtained a reading, or at best no attention ... Facts that are formed to touch the mind must be done a great way off, and by somebody never heard of.[8]

Damit gewinnt die Wahrheit des Selbsterlebten eine weitere Funktion. Sie soll ein Ereignis als wahr bezeugen, das sich zwar der empirischen Nachprüf- barkeit entzieht, aber dennoch stattgefunden hat. Solche 'Tatsachen' erregen die Phantasie des Lesers, der sich das ferne Geschehen nun mit gesteigerter Eindringlichkeit vorstellen möchte. So bekräftigt die *real story* eine Folge außergewöhnlicher Erfahrungen, deren von der *imaginary story* entfalteter Sinn dann umso bereitwilliger aufgenommen werden wird. Die Ich-Form des Romans transkribiert daher nicht das Leben Robinson Crusoes, sondern ver- körpert ein Vermittlungsprinzip, das dem Leser ein der Darstellung des Romans vorausliegendes Ideal so bieten soll, als ob es aus der kontingenten Erfahrung des Lebens gewonnen worden und durch sie beglaubigt sei.

---

[6] Ibid., p. XII.
[7] Ibid.
[8] Ibid., p. XIII.

So bestimmt sich die Ich-Form im ersten bedeutenden Roman des 18. Jahrhunderts durch die von ihr zu leistende Funktion. Der letzte große Roman
der englischen Aufklärung, Sternes *Tristram Shandy* (1760–1767), wird
ebenfalls aus der Ich-Perspektive erzählt, ohne sich mit der von Defoe entwickelten Auffassung zu berühren. Der Ich-Erzähler Tristram unterscheidet
sich von Robinson vor allem dadurch, daß er die Aufzeichnung seines Lebens
wörtlich nimmt. Für ihn gibt es nur die *real story*, die unter Verzicht auf jedes
erkennbare Auswahlprinzip wiedergegeben wird. Tristram bemerkt daher
gleich zu Anfang:

> As my life and opinions are likely to make some noise in the world, and, if I
> conjecture right, will take in all ranks, professions, and denominations of men
> whatever, . . . I find it necessary to consult every one a little in his turn; and
> therefore must beg pardon for going on a little farther in the same way: For
> which cause, right glad I am, that I have begun the history of myself in the
> way I have done; and that I am able to go on, tracing everything in it, as Horace
> says, ab Ovo.[9]

Wenn das von Tristram erzählte Leben nicht unter vorentschiedenen Bedingungen steht, so muß jedes Ereignis auf seine Ursprünge zurückgeführt werden. Dies hat zur Folge, daß seine Erzählung rückwärts läuft; das erste Buch
endet 23 Jahre, und das letzte 5 Jahre vor der Geburt des Helden, wenngleich
zwischendurch die erzählte Lebensgeschichte auch vorwärts schreitet bis zu
jener Reise, die der junge Tristram nach Frankreich unternimmt. Die Vor-
wärts- und Rückwärtsbewegungen greifen als wechselseitiges Bedingungsverhältnis ineinander und bilden so die Basis der von Tristram erzählten
Geschichte. Was immer er von seinem Leben erwähnt, kann überhaupt nur
verstanden werden, wenn er das Bedingungsverhältnis aufdeckt, durch das
ein bestimmtes Ereignis erst möglich wurde.[10] So erweist sich jedes Phänomen in diesem Roman als das Endprodukt vielfältiger, in ihrer verwirrenden
Verkettung oftmals kaum durchschaubarer Voraussetzungen. Tristram bemüht sich daher, in seiner Geschichte das Zusammenspiel der verschiedensten
Momente aufzuspüren, die zur Bildung eines Faktums beigetragen haben,
denn erst das Zerlegen des wirklichen Geschehens in seine Vorbedingungen
eröffnet ihm die Möglichkeit des Verstehens. So ist alles Wirkliche nur das
vielfältig Bedingte:

> . . . when a man sits down to write a history, . . . he knows no more than his
> heels what lets and confounded hindrances he is to meet with in his way, . . . if
> he is a man of the least spirit, he will have fifty deviations from a straight line
> to make with this or that party as he goes along, which he can no ways avoid.[11]

---

[9] Laurence Sterne, *The Life and Opinions of Tristram Shandy, Gent.* (Everyman's
Library) Ed. by George Saintsbury, London 1956, p. 5 f.

[10] Vgl. dazu Sternes verschiedene Äußerungen über die Digressionen, ibid., p. 28 f.
u. 53 f.

[11] Ibid., p. 28.

Tristrams Geschichte ist daher nicht mehr wie diejenige Robinsons durch Ideale zentriert, die eine Auswahl aus der Fülle der Ereignisse ermöglichen würden; der Ich-Erzähler transkribiert vielmehr sein Leben, dessen Schilderung durch den Verzicht auf eine normative Orientierung sich immer mehr auszuweiten beginnt. Sterne baut die Bedeutungen ab, die Defoe noch zur Verdeutlichung der paradigmatischen Vorstellungen in Robinsons Leben in die Ich-Form eingesetzt hatte. Sternes Gründe dafür können für den vorliegenden Zusammenhang außer acht bleiben,[12] es gilt jedoch festzuhalten, daß die beim Wort genommene Ich-Form des *Tristram Shandy* nicht durch eine bloß parodistische oder gar destruktive Absicht allein zu erklären ist. Vielmehr zeigt die von Defoe und Sterne jeweils verschieden aufgefaßte Ich-Form, daß durch sie eine ebenso unterschiedlich konturierte Welt sichtbar gemacht werden kann. Indem Sterne die Ich-Form nicht mehr als die Fiktion einer gesetzten Bedeutung versteht, sondern im wörtlichen Sinn als Wiedergabe von Ereignissen, wird Tristrams Lebensgeschichte zum Prisma für die Beobachtung einer sich aus höchst bizarren Vorbedingungen aufbauenden Wirklichkeit.

Defoe und Sterne markieren Extrempositionen in der Behandlung einer bestimmten Erzählkonvention. Soll die Ich-Form die aufklärerischen Ideale des Individuums als Ertrag einer Lebenserfahrung vermitteln, so erscheint die Wirklichkeit als eine diese Erfahrung verbürgende Instanz und ist nur insoweit von Belang. Wird die Ich-Form als faktische Wiedergabe des eigenen Lebens verstanden, so ist durch diese Form das Leben gar nicht einzuholen; weil alles von gleicher Wichtigkeit ist, entsteht die sonderbare Lage, daß sich das eigene Leben der Beschreibung durch den Ich-Erzähler entzieht. Die in ihrem Gegensatz extremen Möglichkeiten des Ich-Romans besitzen trotz allem eine unverkennbare Gemeinsamkeit: Die Ich-Form erweist sich für Defoe wie auch für Sterne als die entscheidende Vorbedingung aller Darstellung, denn es gibt kein unmittelbares Erfassen der Wirklichkeit, auch nicht ein solches der eigenen Lebensgeschichte. Die Ich-Form ist in *Robinson Crusoe* genauso eine Grundbedingung des Sehens wie in *Tristram Shandy*. Denn wie sollte eine dem Ich fremde Welt überhaupt wahrgenommen werden, wenn nicht unter der für das Ich geltenden Modalität der Betrachtung? Der Unterschied liegt dann nur in der jeweiligen Auffassung dieser Modalität begründet. In diesem Sinne ist auch die von Tristram versuchte Wiedergabe seiner Lebensgeschichte ein Vermittlungsprinzip. Indem er die Ich-Erzählung wörtlich nimmt, dehnt sich seine Geschichte über die Grenzen möglicher Darstellung aus und vermittelt so den Eindruck eines defekten Erkenntnis-

---

[12] Zur Diskussion dieser Aspekte vgl. neuerdings Rainer Warning, *Illusion und Wirklichkeit in Tristram Shandy und Jacques Le Fataliste* (Theorie und Geschichte der Literatur und der schönen Künste 4), München 1965, p. 60 ff; ferner John Traugott, *Tristram Shandy's World. Sterne's Philosophical Rhetoric*, Berkeley and Los Angeles 1954, p. 3 ff.

vermögens des Menschen bzw. die Vorstellung von einer Wirklichkeit, die
sich dann immer endgültig entzieht, wenn man sie genau fassen will.

Angesichts der in der Form liegenden Entscheidung darüber, was überhaupt dargestellt werden kann bzw. ausgeblendet bleiben muß, verdient
Smolletts letzter Roman eine gesteigerte Beachtung. In *Humphry Clinker* ist
der Briefroman mit dem Reisebericht und dem Abenteuerroman verquickt,
die als beliebte und gängige Romanformen im 18. Jahrhundert eifrig gepflegt
worden sind. Ihre Überlagerung bei Smollett zeigt an, daß sich die Darstellung auf verschiedenartigste Publikumserwartungen bezieht, die jeweils mit
dem Briefroman, dem Reisebericht und dem Abenteuerroman gegeben waren.
In dieser Hinsicht berührt sich Smollett mit Sterne, der sich in der Ich-Form
des *Tristram Shandy* ebenfalls auf die mit einer solchen Erzählperspektive
gesetzten Erwartungen bezog, allerdings mit dem Ziel, diese so radikal zu
verkehren, daß dadurch eine ganz andere Welt sichtbar wurde. Smollett teilt
diesen 'ästhetischen Radikalismus' Sternes nicht; dennoch beginnen sich die
in *Humphry Clinker* miteinander kombinierten Romanformen wechselseitig
zu beeinträchtigen, so daß sich daraus Veränderungen überlieferter Erwartungen ergeben. Zu ihrer Beurteilung erscheint es als notwendig, sie zunächst
einmal getrennt voneinander zu betrachten.

Humphry Clinker besteht aus 82 Briefen, die auf 5 Korrespondenten verteilt sind. Zwei Drittel aller Briefe werden von Matthew Bramble, dem Haupt
einer walisischen Familie, und seinem Neffen Jerry Melford, der soeben seine
Studien in Oxford beendet hat, geschrieben. 11 Briefe fallen auf Jerrys
Schwester Lydia, 6 auf Brambles Schwester Tabitha und 10 auf das Dienstmädchen Winifred Jenkins. In den Korrespondenten spiegelt sich die reprä-
sentative Stufenordnung gesellschaftlicher Wirklichkeit im 18. Jahrhundert.
Die einzelnen Briefe sind jeweils an verschiedene Adressaten gerichtet,
ohne daß eine Antwort der Empfänger im Roman abgedruckt wird. Diese
einseitige Korrespondenz unterscheidet *Humphry Clinker* vom Briefwechsel-
Roman, der in Richardsons *Clarissa* seine imposanteste Form gefunden
hat.[13] Die Familie Bramble ist auf Reisen und berichtet in ihren Briefen
von den Eindrücken und den mannigfaltigsten Ereignissen, die auf der
Tour von Wales über Bath nach London und Schottland passierten. Briefroman und Reisebericht gehen fugenlos ineinander über, so daß Maynadier
in seiner Einleitung zu *Humphry Clinker* feststellen konnte: "There is no
doubt, then, that Humphry Clinker is a novel in the shape of a book of
travels, or travels in the shape of a novel, whichever way you choose to put

---

[13] Zu der damit verbundenen Komplizierung der Darstellung vgl. Dorothy van
Ghent, *The English Novel. Form and Function* (Harper Torchbook), New York
1961, p. 46 f.; Ian Watt, *The Rise of the Novel*, London 1957, p. 208 ff. u. A. D.
McKillop, *Epistolary Technique in Richardson's Novels:* Rice Institute Pamphlet 37 (1951), p. 36 ff.

it".[14] Man muß sich jedoch daran erinnern, daß dieser bruchlose Übergang zweier Darstellungsformen im 18. Jahrhundert nicht die Norm war. Seit Defoes *Journal of the Plague Year* gibt es eine in Briefen verfaßte Form des Reiseberichts, aber die Briefe sind nur von einem einzigen Korrespondenten — meistens dem Autor — geschrieben und vermitteln nur dessen Ansicht.[15] Ferner zeigt dieser Typ der Reiseliteratur nur insoweit die Kompositionsmerkmale des Briefes, als Anrede, Schluß und die gelegentliche Verwendung der 1. Person Singularis die Darstellungsform als Brief ausweisen. Smollett selbst hat 1766 seine *Travels through France and Italy* als eine Folge von Briefen herausgebracht, diese aber sind "almost void of the intimate remarks which one expects in personal correspondance".[16] Martz hat nachgewiesen, daß Smolletts *Travels* vielfach nur Kompilationen sind: "In fact, it may well be said that without the preceding thirteen years of compilation, Smollett's Travels would never have appeared".[17] Die Briefform ist hier, ähnlich wie anderwärts in der Reiseliteratur, dem zusammengestellten Material aufgesetzt, ohne dieses zu durchdringen.

Humphry Clinker aber unterscheidet sich nicht nur von dieser Art des Reiseberichts, sondern auch vom Briefroman, wie ihn Richardson entwickelt hat. Die aus dem Horizont der puritanischen Erbauungsliteratur heraus gewachsenen Romane Richardsons thematisieren das Innenleben der Figuren. Der Brief bot sich als Form, um die von Richardson geforderte Selbstbeobachtung aufzufangen. Im Vorwort zu *Clarissa* schrieb er über seine Figuren:

> ... it will be found, in the progress of the Work, that they very often make such reflections upon each other, and each upon himself and his own actions, as reasonable beings must make, who disbelieve not a Future State of Rewards and Punishments, and who one day propose to reform ...[18]

Dieser Selbstprüfung entspricht die Briefform insofern, als sie die Objektivierung innerer Regungen ermöglicht. Richardson fährt daher im Preface zu *Clarissa* fort:

> All the Letters are written while the hearts of the writers must be supposed to be wholly engaged in their subjects (The events at the time generally dubious): So that they abound not only with critical Situations, but with what may be

---

[14] H. G. Maynadier, *Introduction, Humphry Clinker* I, p. X.

[15] Vgl. hierzu Natascha Würzbach, *Die Struktur des Briefromans und seine Entstehung in England.* Diss. München 1964, p. 40 f.

[16] Louis L. Martz, *The Later Career of Tobias Smollett* (Yale Studies in English 97), New Haven 1942, p. 71.

[17] Ibid., p. 88; vgl. auch die Einleitung von Osbert Sitwell zu Tobias Smollett, *Travels through France and Italy* (Chiltern Library), London 1949, p. V ff.

[18] Samuel Richardson, *The Novels* (The Shakespeare Head Edition), Oxford 1930—1931. *Clarissa or, The History of a Young Lady Comprehending the most Important Concerns of Private Life* I, p. XII. (Nach dieser Ausgabe werden auch die anderen Romane Richardsons zitiert.)

called instantaneous Descriptions and Reflections (proper to be brought home
to the breast of the youthful Reader) . . .[19]

Dieses Schreiben, *as it were, to the Moment*,[20] schafft im Briefroman eine
außerordentlich enge Verquickung zwischen den Ereignissen und den dadurch
in den Figuren ausgelösten Reaktionen. Der Briefschreiber verfügt niemals
über ein distanziertes Verhältnis zu den Vorgängen oder zu sich selbst und
bringt somit die mangelnde Abgeschlossenheit seiner Situation zur Geltung,[21]
wie es sich auch in der Verwendung des Präsens bezeugt.[22] Dadurch wird die
seelische Selbstbeobachtung so geboten, als ob es sich um ein reales Geschehen handele. Richardson hatte für seine Form der Darstellung nicht nur
den Anspruch der *novelty*[23] erhoben, sondern auch den der Lebenswahrheit
(*a Story designed to represent real Life*).[24] Die Fiktion der Lebenswahrheit
sollte dem Leser der Richardsonschen Romane die Selbsterfahrung des Menschen als das Prinzip seines Lebens vermitteln. Die seelische Selbstprüfung
drängt zwangsläufig nach Ausweitung empirisch gegebener Situationen, wie es
sich am schwellenden Umfang der Romane Richardson seit *Pamela* erkennen
läßt; immer aber bleibt ein moralischer Kodex der unabdingbare Maßstab,
um die wachsende Vielfalt menschlicher Handlungen beurteilen zu können.

Sieht man *Humphry Clinker* auf diesem Hintergrund, so gleicht die in den
verschiedenen Korrespondenten wahrnehmbare Intimisierung der Beobachtung der von Richardson entwickelten Form. Die individuelle Kontur des
Briefschreibers ist in allem gegenwärtig, was er festhält. Indes, die Beobachtungen beziehen sich nicht mehr auf Selbstbeurteilung und Selbsterfahrung,
sondern gelten den wechselnden Situationen der Reise durch Städte und
Landschaften, so daß die gesamte Außenwelt der Figuren individueller, über-
raschender und neuartiger erscheint. Galt für Richardson der Brief als eine
Form der Selbstenthüllung,[25] die durch die verschiedensten Lebenslagen ausgelöst werden konnte, so schwindet bei Smollett diese für die Geschehnisse
des Briefromans wichtige 'Zentralorientierung'. War für Richardson die einzelne Situation im Leben seiner Heldinnen nur insoweit von Belang, als sie
zum Anstoß der Selbstbeobachtung und der daraus entspringenden Folgen
wurde, so wird bei Smollett die Situation selbst thematisch. Diente bei
Richardson dargestellte Wirklichkeit vorwiegend dazu, das moralische Verhalten seiner Heldinnen zu profilieren, so wird sie bei Smollett aus dieser

---

[19] Ibid., p. XIV.

[20] Samuel Richardson, *The History of Sir Charles Grandison* I, p. IX.

[21] Vgl. hierzu die von Würzbach, p. 24 ff., in die Diskussion der Briefform einge-
      führte Unterscheidung; ferner Bertil Romberg, *Studies in the Narrative Tech-
      nique of the First-Person Novel*, Stockholm 1962, p. 95 ff.

[22] Zur Funktion des Präsens vgl. Harald Weinrich, *Tempus. Besprochene und er-
      zählte Welt*, Stuttgart 1964, p. 44 ff.

[23] Richardson, *Clarissa* VII, p. 325.

[24] Ibid., p. 328.

[25] Vgl. hierzu u. a. F. G. Black, *The Epistolary Novel in the Late Eighteenth
      Century*, Oregon 1940; Romberg, p. 220 ff.

Funktion entlassen und wirkt gerade deshalb vielfältiger und nuancenreicher, weil sie durch den Filter einer persönlich eingefärbten Beobachtung hindurch gesehen wird. Brambles und Melfords Briefe sind daher längst nicht mehr so einheitlich motiviert, wie das Richardson mit der Darstellung von ... *the fair Writer's most secret Thoughts* und *undisguised Inclinations*[26] verlangte. Viele der Aufzeichnungen von Bramble und Melford springen unvermittelt zu neuen Themen und anderen Wahrnehmungen, da beide ja nicht über ihre innere moralische Bedrängnis räsonieren, sondern die sich ihnen bietende Umwelt wiedergeben wollen. Das gilt selbst dort, wo die Briefschreiber von ihren Gefühlen sprechen.

Bramble berichtet Dr. Lewis, wie er ganz unerwartet eine Reihe alter Freunde wieder trifft, die er über 40 Jahre nicht gesehen hatte. Bramble schwelgt in den Möglichkeiten der Freundschaft und zeichnet ein Bild von der ausgelassenen Geselligkeit der Freunde. Er vergißt aber nicht, die konkreten Details festzuhalten, die sich bei diesen unverhofften Wiedersehen ereignen. Als er sich einem Freund zu erkennen gibt, heißt es:

> The moment I told him who I was, he exclaimed, "Ha! Matt, my old fellow-cruiser, still afloat!" and, starting up, hugged me in his arms. His transport, however, boded me no good; for, in saluting me, he thrust the spring of his spectacles into my eye, and, at the same time, set his wooden stump upon my gouty toe; an attack that made me shed tears in sad earnest.[27]

Der Überschwang der Gefühle wird unterlaufen durch die prosaische Beschreibung des unverhofften Schmerzes in Auge und Fußzehe, doch unversehens springt der Schmerz wieder in Heiterkeit um, bis schließlich die Freude des Wiedersehens verklingt und jeder des Kummers der zurückliegenden Jahre gedenkt. Bramble hält nur fest, was sich in dieser Runde ereignet; selbst die Wiedergabe einer gefühlsgeladenen Situation entbehrt einer einheitlichen Stilisierung. Schmerz und Freude, Melancholie und Leiden sind die unvermittelt zueinander gestellten Momente dieser Situation. Das Oszillieren der Wahrnehmung zeigt an, daß der Brief selbst dort, wo persönliche Empfindungen des Schreibers zur Sprache kommen, nur auf eine Transkription der Beobachtung gerichtet ist. Der Schreiber orientiert sich an den in seiner Umwelt geschehenden Dingen, die so erfaßt werden, wie sie ihm erscheinen.

Damit ist die Differenz offenkundig, die zwischen der von Richardson entwickelten Briefform und ihrer Verwendung durch Smollett besteht. In *Humphry Clinker* schwindet die Selbstbeobachtung und die damit verbundene moralische Prüfung als 'Zentralorientierung' des Geschehens. Dadurch wird die Briefform zum Schema für eine verstärkte Beobachtung der Außenwelt, denn die Vielfalt der wechselnden Situationen ist nicht mehr auf eine einheitliche Bedeutung bezogen. Ja, Smolletts Verzicht darauf, die Umwelt seiner Figuren durch die Optik einer moralischen Norm zu sehen, läßt die

---

[26] Samuel Richardson, *Pamela or, Virtue Rewarded* I, p. III.
[27] *Humphry Clinker* I, p. 82.

beobachtbare Wirklichkeit ungleich reicher erscheinen. Gewiß geschieht dies
um den Preis der Koordination, die bei Richardson von der moralischen
Orientierung geleistet wurde; doch der Zusammenhang wird, wie noch zu
zeigen sein wird, bei Smollett in einer anderen Form ermöglicht. So übernimmt Smollett die in *Clarissa* zur Vollendung gebrachte Briefform, zieht
allerdings die moralische Bedeutung ab und macht die Form zu einem Modell
perspektivischer Betrachtung der menschlichen Umwelt.[28]

Diese wird nun durch den Reisebericht ausgebreitet, der ein detailliertes
Bild der verschiedensten, von der Familie Bramble besuchten Lokalitäten entrollt. *The Expedition of Humphry Clinker* lautet der volle Titel des Romans;
die Form des Reiseberichts und die des Briefes sind seine integrierenden
Bestandteile, die sich gerade durch ihre Überlagerung wechselseitig verändern.

Die in *Humphry Clinker* dargestellte Reise weicht merklich von jener
Struktur des Reiseberichts ab, die Smollett selbst in seinem umfangreichen
Compendium of Voyages[29] durchgängig einhält. Dieses Sammelwerk ver-
sucht aus aller erreichbaren Reiseliteratur eine möglichst umfassende Information über *Customs, Manners, Religion, Government, Commerce, and
Natural History of most Nations in the Known World*[30] zu liefern, wie es der
Untertitel des Werkes ankündigt; das Sammeln von Informationen und die
Mitteilung des Wißbaren bilden seine 'Zentralorientierung'. Dies gilt nicht
nur für das von Smollett zusammengestellte *Compendium*, sondern weitgehend
für die Reiseliteratur überhaupt. Erzählende Passagen sind von untergeord-
netem Rang und dienen allenfalls dazu, den Zusammenhang nachzuzeichnen,
der die berichteten Ereignisse miteinander verbindet.[31] "This neglect of
individual experiences is manifested consistently throughout such voyages as

---

[28] In *Humphry Clinker* finden sich einige Stellen, die Smolletts kritische Distanz
zum moralistischen Roman ganz deutlich machen. Dabei ist die gelegentliche
Anspielung auf Richardson unverkennbar: "Tim had made shift to live many
years by writing novels, at the rate of five pounds a volume; but that branch
of business is now engrossed by female authors, who publish merely for the
propagation of virtue, with so much ease, and spirit, and delicacy, and
knowledge of the human heart, and all in the serene tranquillity of high life,
that the reader is not only enchanted by their genius, but reformed by their
morality." (p. 193) " 'My family is much obliged to your ladyship,' cried Tabby,
with a kind of hysterical giggle, 'but we have no right to the good offices of
such an honourable go-between.' — 'But for all that, good Mrs. Tabitha
Bramble,' resumed the other, 'I shall be content with the reflection, that virtue
is its own reward; and it shall not be my fault if you continue to make
yourself ridiculous.' " (p. 217 f.)

[29] Vgl. dazu Martz, p. 23 ff.

[30] Vgl. ibid., p. 44.

[31] Dies gilt bereits für die Art, in der etwa Defoe die Reiseliteratur für seine
Romane verwendet. A. W. Secord, *Studies in the Narrative Method of Defoe*,
New York 1963 (Nachdruck der Ausgabe v. 1924), p. 111, hebt dieses Moment
als charakteristisch für das Kompositionsprinzip von *Robinson Crusoe* heraus:
" 'Robinson Crusoe', finally, is not so much a fictitious autobiography (as Pro-

those of Rogers, Gemelli, Baldaeus, and Nieuhoff, in which the traveller himself is not a great figure, whereas his historical observations are of prime significance... Preference for description over adventure is particularly obvious in cruising voyages."[32] Aus diesem nur von spärlicher persönlicher Erfahrung durchsetztem Material wählt Smollett in seinem *Compendium* noch einmal aus, wobei der Informationswert den Vorrang vor der Wiedergabe individueller Eindrücke besitzt.[33] Damit verstärkt Smollett aber nur die Grundtendenz, die ohnehin in der Reiseliteratur befolgt worden ist. Martz charakterisiert seine Kompilation als den Versuch einer groß angelegten Synthese: "To meet the trend of the times, with its increasing insistence on classification and synthesis, these scattered facts must now be marshalled into order ... Thus in the segregation of narrative and descriptive details the process of systematization takes another step forward."[34]

In *Humphry Clinker* wird diese Form des Reiseberichts nicht durchgehalten. Zwar liefert die Darstellung auch hier viele Informationen über einzelne Lokalitäten, doch die Mitteilung eines solchen Wissens ist nicht mehr Selbstzweck. Diese Tatsache wird immer dann offenkundig, wenn der gleiche Ort in der Brechung zweier oder gar mehrerer Blickpunkte erscheint. Ein anschauliches Beispiel dafür liefern die Eindrücke, die Bramble und Lydia jeweils von Ranelagh in ihren Briefen festhalten. Bramble schreibt:

> The diversions of the times are not ill suited to the genius of this incongruous monster, called the public. Give it noise, confusion, glare, and glitter, it has no idea of elegance and propriety. What are the amusements at Ranelagh? One half of the company are following one another's tails, in an eternal circle, like so many blind asses in an olive mill, where they can neither discourse, distinguish, nor be distinguished; while the other half are drinking hot water, under the denomination of tea, till nine or ten o'clock at night, to keep them awake for the rest of the evening. As for the orchestra, the vocal music especially, it is well for the performers that they cannot be heard distinctly.[35]

Den gleichen Ort beschreibt Lydia wie folgt:

> Ranelagh looks like the enchanted palace of a genius, adorned with the most exquisite performances of painting, carving, and gilding, enlightened with a thousand golden lamps, that emulate the noonday sun; crowded with the great, the rich, the gay, the happy, and the fair; glittering with cloth of gold and silver, lace, embroidery, and precious stones. While these exulting sons

---

fessor Cross suggests) as it is a fictitious book of travel, the courses and geographical matters of which are based upon more or less authentic relations, but the details of which are largely invented by Defoe from suggestions contained in these relations. Defoe shifts the emphasis from matters of interest only to seamen to others which are of more general human concern, and from mere incident to characterization."

[32] Martz, p. 44 f.
[33] Vgl. ibid., p. 45 ff.
[34] Ibid., p. 48 u. 50.
[35] *Humphry Clinker* I, p. 134.

and daughters of felicity tread this round of pleasure, or regale in different parties, and separate lodges, with fine imperial tea and other delicious refreshments, their ears are entertained with the most ravishing delights of music, both instrumental and vocal. There I heard the famous Tenducci, a thing from Italy — it looks for all the world like a man, though they say it is not. The voice, to be sure, is neither man's nor woman's; but it is more melodious than either; and it warbled so divinely, that, while I listened I really thought myself in paradise.[36]

Die perspektivische Zerlegung identischer Realitäten bildet ein Grundmoment des ganzen Romans und bewirkt eine weitgehende Abwandlung der für den Reisebericht geltenden Motivationen. Selbst dort, wo dem Reisebericht die Briefform aufgesetzt ist, wie in Smolletts *Travels through France and Italy*, bleibt das Berichtete eindeutig, weil es nur von einem einzigen Reisenden wiedergegeben wird.[37] Die Möglichkeit einer unterschiedlichen Spiegelung setzt die Tendenz des Reiseberichts, Wissen von fremden Lokalitäten zu vermitteln, außer Kurs. In dem zitierten Beispiel kommt es nicht mehr darauf an, eine Information über den berühmten Londoner Vergnügungspalast zu liefern; vielmehr lenken die stark differierenden Eindrücke die Aufmerksamkeit darauf, wie verschieden das Gleiche gesehen werden kann. So bilden in der von Smollett gegebenen Darstellung nicht die materialen Erfahrungen den eigentlichen Inhalt des Reiseberichts, sondern das Wie des Erfahrens selbst. Dadurch gewinnen die erzählten Ereignisse einen Doppelaspekt: Sie kehren einmal die temperamentsbedingte Einfärbung der individuellen Wahrnehmung heraus, wie es sich in Brambles und Lydias Reaktionen auf Ranelagh erkennen läßt; zum anderen erzeugen die perspektivisch ausgespiegelten Situationen selbst ein gesteigertes Interesse, das sich auf die verschiedenen Möglichkeiten richtet, die jeweils von den einzelnen Personen entdeckt werden. Was die eine Figur sieht, vermag die andere nicht wahrzunehmen, und dennoch scheinen beide etwas für die Situation Charakteristisches festzustellen. Das Entdecken bezieht sich hier nicht mehr auf die faktische Information, sondern auf den Reichtum an Beobachtungsmöglichkeiten, der selbst in trivialen Situationen enthalten ist und jedem Betrachter anders erscheinen kann. Bildete im überlieferten Reisebericht die jeweils von einer Lokalität gegebene Beschreibung eine Information, die zusammen

---

[36] Ibid., p. 139. Lydia bemerkt in dem gleichen Brief, daß offenbar ihr Onkel die Vergnügungsstätten anders sieht als sie und Laetitia Willis, die Adressatin ihres Briefes: "People of experience and infirmity, my dear Letty, see with very different eyes from those that such as you and I make use of." (p. 141)

[37] A. D. McKillop, *The Early Masters of English Fiction*², Lawrence 1962, p. 172, hat diese mangelnde Verbindung von Briefform und Kompilation schon herausgestellt: "The travel episode becomes brief and specifically localized; the style becomes more simple and precise. At the same time, it should be noted, compilation as such cannot center or color the story. How interesting after all are the details from guidebooks which Smollett gathers in the 'Travels'? There is a gap between mere appropriation of material and the expression of an individual's attitude or humor."

mit anderen sich zum Wissen über den betreffenden Ort bzw. das betreffende
Land rundete, so sind in Smolletts Roman die über Landschaft und Städte
getroffenen Bemerkungen aus dieser Funktion entlassen. Wenn dadurch ihre
Darstellung zum Selbstzweck wird, so müssen sie in sich interessant genug
sein; demzufolge werden sie in ihre perspektivischen Möglichkeiten zerlegt
und fordern damit zu einer Koordination heraus, die zwangsläufig zu einer
Belebung der Leserphantasie führen muß. Indem Smollett die Vermittlung
von Wissen als die 'Zentralorientierung' des Reiseberichts preisgibt, schafft er
durch die perspektivische Spiegelung der einzelnen Situationen die Voraussetzung für eine gesteigerte Anschaulichkeit der auf der Reise berührten
Städte und Landschaften. Gleichzeitig liefern die einzelnen Episoden vielfältige Ansätze zur Profilierung der Charaktere, die allererst durch ihr
temperamentsbedingtes Sehen die Aufsplitterung einzelner Situationen in
ihre Aspekte bewirken.

Humphry Clinker läßt neben den bisher präparierten Formen zumindest
noch Rudimente einer dritten erkennen, der des pikaresken Romans. Über
das Schwinden der pikaresken Züge in Smolletts Spätwerk ist sich die Kritik
weitgehend einig;[38] dennoch sollte man die noch erkennbaren Spuren dieser
Tradition nicht übersehen. Smolletts frühe Romane stehen ganz im Banne
Le Sages; im Vorwort zu *Roderick Random* beschreibt er die Intention seiner
Satire:

> The same method has been practised by other Spanish and French authors, and
> by none more successfully than by Monsieur Le Sage, who, in his Adventures
> of Gil Blas, has described the knavery and foibles of life, with infinite humour
> and sagacity. The following sheets I have modelled on his plan, taking the
> liberty, however, to differ from him in the execution, where I thought his
> particular situations were uncommon, extravagant, or peculiar to the country
> in which the scene is laid.[39]

Kurz nach der Veröffentlichung von *Roderick Random* (1748) übersetzte
Smollett *Gil Blas*. Obwohl Reisebericht und Briefroman die beherrschenden
Darstellungsformen in *Humphry Clinker* bilden, lassen sich weder der Titelheld noch einige Abenteuer der Familie Bramble aus den genannten Formen
ableiten. Zunächst dürfte es schwierig sein, die verschiedensten Ereignisse der
Reise danach zu sondern, ob sie dem Reisebericht oder dem Abenteuerroman
entstammen. Selbst wenn man geltend machen wollte, daß die erzählerisch
stärker ausgearbeiteten Episoden — wie die Rettung des nackten Bramble aus

---

[38] Vgl. dazu u. a. Wolff, p. 120; Martz, p. 88; das Verhältnis von Smollett zu
Lesage resumiert Alexandre Lawrence, *L'Influence de Lesage sur Smollett:*
Revue de Littérature Comparée 12 (1932), p. 533—545. Es werden jedoch hier
nur die Parallelen zwischen *Gil Blas* und *Roderick Random* verzeichnet. Ob
Smollett auch an der Übersetzung von *Le Diable Boiteux* beteiligt war, ist
zweifelhaft. Vgl. dazu L. M. Knapp, *Smollett and Le Sage's The Devil upon
Crutches:* MLN 47 (1932), p. 91 ff.

[39] Tobias Smollett, *The Adventures of Roderick Random* I, p. XXXII.

der See durch Clinker, der seinen keineswegs gefährdeten Herrn schmerzvoll
am Ohr aus dem Wasser zieht[40] — eher auf die Episodenstruktur des Abenteuerromans als auf den Reisebericht verweisen, so besitzen sie doch für den
Roman die gleiche Funktion wie die Schilderung von Ranelagh und anderer
topographischer Einzelheiten. Da sie keiner geographischen Lokalisierung
bedürfen, dienen sie genauso der Spiegelung des Reaktionsvermögens einzelner Figuren, wie dies für deren Betrachtung von Bath, London und Schottland gilt. Doch gerade die Gleichstellung der Abenteuer mit den topographischen Beschreibungen zeigt an, daß die auf den Schelmenroman verweisenden
Relikte hier eine andere Funktion zu erfüllen haben.

Die wechselnde Folge immer neuer Ereignisse, die im Schelmenroman
allenfalls durch zufallsbedingte Assoziationen miteinander verknüpft waren,
verlieh der Erzählung ein realistisches Gepräge. Nun aber zeigt die Geschichte
dieses Romantyps bis hin zu Smolletts *Roderick Random*, daß die Fülle der
erzählten Situationen niemals um ihrer selbst willen geboten wurde; vielmehr bildete ein solches Schema die Basis für Parodie und Satire.[41] Der
realistisch erscheinende Abenteuerroman war stets mit bestimmten Bedeutungen aufgeladen, die als Satire auf die Zeitverhältnisse begriffen worden
sind. In *Humphry Clinker* jedoch verlieren die in den Reisebericht eingestreuten spärlichen Abenteuer weitgehend ihre satirische Intention und lenken
damit das Interesse auf die Episoden selbst. Wie die topographische Schilderung, so muß nun auch das einzelne Abenteuer in eine perspektivische Brechung zerlegt werden, um zu zeigen, daß auch solche Ereignisse in erster Linie
auf die Wahrnehmung der Figuren bezogen sind und daß erst durch die Verschiebung der einzelnen Sichtwinkel das in ihnen Enthaltene zum Vorschein
kommen kann. Damit aber verliert der Picaro, der im Schelmenroman durch
den Ichbericht die heterogensten Abenteuer koordinierte, seine eigentliche
Aufgabe.

In *Humphry Clinker* ist der Picaro zwar noch der Titelheld, doch nur als
Schatten seiner selbst: Er schreibt keinen einzigen Brief und ist nur in der
jeweils temperamentsgebundenen Sicht einzelner Figuren gegenwärtig; er
wird als zerlumpter Diener während der Reise aufgelesen und bleibt der
schwankenden Gunst der Familie Bramble ausgesetzt. Seine Einführung in
das Romangeschehen darf als Hinweis auf seine Funktion verstanden werden, denn ehe Melford in einem Brief den Namen des Titelhelden nennt,
wird Humphry Clinker in einer für ihn nicht gerade glücklichen Lage so ge-

---

[40] Vgl. *Humphry Clinker* II, p. 7 ff.

[41] Vgl. hierzu u. a. die einleitenden Bemerkungen über den europäischen Schelmenroman in der Arbeit von Jurij Striedter, *Der Schelmenroman in Rußland*,
Berlin 1961, p. 7 ff. Über die Anfänge des Schelmenromans und seine paro-
distisch-satirische Tendenz vgl. H. R. Jauss, *Ursprung und Bedeutung der Ich-
Form im Lazarillo de Tormes:* Romanistisches Jahrbuch 8 (1957), p. 290 ff.
Wenngleich veraltet, so bietet die Darstellung von F. W. Chandler, *The Literature of Roguery* 2 vols, London 1907, immer noch das umfangreichste Material.

schildert, wie er Bramble und Tabitha erscheint, die wegen seiner mangelnden Bekleidung verwundert bzw. tief entsetzt sind.[42] Diese Doppelperspektive, gelegentlich um weitere Blickpunkte ergänzt, wird fast bis zum Schluß des Romans durchgehalten. Dabei ist das Verhältnis der einzelnen Familienmitglieder zu Clinker durch seltsame Umkehrungen der zeitweiligen Beziehungen gekennzeichnet; ganz einig sind sie sich jedoch in ihrer Beurteilung Clinkers nie, und wo sich die Einmütigkeit schließlich abzeichnet, ist das Romanende in Sicht.

Smollett hat seinen Roman nicht *The Expedition of Matthew Bramble* genannt, wie dies dem tatsächlichen Verlauf des Geschehens durchaus angemessen wäre, doch erfüllt auch andererseits der Titelheld seine Funktion als Picaro nicht mehr. Er gleicht ihm noch im Habitus, ist aber keinesfalls mehr der listenreiche Schelm, der die Welt aus dem Blickwinkel des Außenstehenden sieht und die schwankhaften Ereignisse durch den von ihm gegebenen Bericht koordiniert.[43] Hatte der Picaro im überlieferten Schelmenroman die Funktion, durch seine Lebensbeichte ein satirisches Bild der Welt zu vermitteln, so wird diese Funktion durch Smollett anders besetzt. Statt vom Memoirenstandpunkt der Posteriorität über sein Leben zu berichten, läßt sich Humphry Clinker nur fassen, sofern er von den anderen Romanfiguren gesehen wird. Er verliert damit zwangsläufig die Überlegenheit, die der verschlagene Picaro im Schelmenroman bei aller ihm widerfahrenden Unbill noch besaß. Als Clinker den Kutschbock als Postillion besteigt, "showing his posteriors"[43a], weiß niemand, wer er eigentlich ist. Nur das Dienstmädchen Winifred Jenkins bemerkt, "that he had a skin as fair as alabaster."[43b] "No eighteenth-century reader would miss this impudent burlesque of romance. Fielding's Andrews and Jones both disclose remarkably white skin before we learn the full extent of their excellence. On a person of unknown origin, alabaster skin is the unmistakable mark of nobility, and Smollett puts that mark on the most ignoble part of misspelt Sir Humphry, the blacksmith and peasant horseman with 'sickly yellow' complexion (whose last name may literally mean 'an excrement')"[43c]. So bleibt Clinkers wahre Natur während der Reise weitgehend verborgen, da das Merkmal seiner vornehmen Abkunft in einem schockierenden Anblick erscheint, gegen den allenfalls das Dienstmädchen gefeit ist. Sie wird Clinker auch später heiraten. Sonst aber sind Clinkers Beziehungen zu den anderen Figuren oftmals großen Schwankungen unterworfen, so daß Zufälle und Nebensächlichkeiten die mitmenschliche Verbindung stärker beherrschen als die wahre Natur des Menschen. Wenn Smollett den Hinweis auf die wahre Natur mit einem für die Schick-

---

[42] Vgl. *Humphry Clinker* I, p. 121 ff.

[43] Vgl. Chandler I, p. 5.

[43a] *Humphry Clinker* I, p. 122.

[43b] Ibid.

[43c] Sheridan Baker, *Humphry Clinker as Comic Romance: Essays on the Eighteenth-Century Novel*. Ed. by Robert Donald Spector, Bloomington 1965, p. 162.

lichkeit tabuierten Körperteil verbindet — "revealing man's false front by
the backside"[43d] — so enthüllt diese seltsame Verquickung, wie sich hier die
im Roman der Aufklärung stets mit ideellen Attributen ausgestattete Natur
des Menschen einer eindeutigen Bestimmung entzieht. Deshalb können sich
die Romanfiguren nur noch so sehen, wie sie einander erscheinen. Da aber
gleichzeitig solche Eindrücke für den wirklichen Charakter der Person gehalten werden, entstehen die komischen Wirkungen im mitmenschlichen Verhältnis. Der Titelheld spiegelt diese insofern, als er in den jeweiligen Briefen
immer ein wenig anders erscheint.

Nach dieser Betrachtung der pikaresken Züge in *Humphry Clinker* läßt
sich ein erstes Zwischenergebnis der bisherigen Ausführungen formulieren.
Humphry Clinker zeigt in seiner Makrostruktur drei Romanmodelle, die
beinahe fugenlos ineinandergebildet sind. Erst der Blick auf die historischen
Voraussetzungen und auf die sich von der Romantradition deutlich ab-
hebende Thematik des *Humphry Clinker* bringt die hier erfolgte Kombination zum Bewußtsein. Dabei zeigt es sich, daß die Überlagerung der drei
Romanmodelle — wenn man den Reisebericht hier einmal als Romanmodell
bezeichnen darf — das neue Thema des *Humphry Clinker* schafft. Die Ver-
fugung der drei Formen wurde jedoch erst durch die Preisgabe ihrer jeweiligen 'Zentralorientierung' möglich. Smollett übernimmt nur die von Richardson ausgebildete komplizierte Briefform mehrerer Korrespondenten, nicht
aber die durch den Briefroman zur Anschauung kommende Bedeutung der
Selbstbeobachtung als Voraussetzung moralischer Prüfung. Ferner übernimmt er den Reisebericht als Panorama wechselnder Lokalitäten, versteht
diese aber nicht mehr als Kompendium topographischer Informationen.
Schließlich knüpft er an den pikaresken Roman an, baut aber die satirische
Intention der Abenteuerfolge und des Picaro weitgehend ab.

Alle drei Formen sind in ihrer jeweiligen Selbständigkeit dadurch charakterisiert, daß sie empirische Wirklichkeit mit einer Bedeutung verklammern.
Der Briefroman Richardsonscher Prägung nimmt empirische Welt deshalb
auf, weil sich an ihr und durch sie die moralische Standfestigkeit der Figuren
erproben läßt. Der Reisebericht bedarf der Fülle empirischer Details, da erst
durch sie die Synthese des Wißbaren möglich wird, und der pikareske Roman
braucht empirische Welt insofern, als diese satirisch durchleuchtet werden
soll. In diesen Formen wird empirische Realität durch die jeweilige Intention
gebunden; ihre Kombination in Smolletts Roman hebt die jeweilige 'Zentralorientierung' der Form auf und setzt die gebundene Realität frei.

Zunächst läßt sich sagen, daß diese Wirklichkeit nichts mehr zu bezeugen
oder gar zu beglaubigen hat. Die in der Überlagerung zum Verschwinden
gebrachte Bedeutung der jeweiligen Form läßt diese als eine Hülle zurück,
die ursprünglich der Bedeutungsvermittlung gedient hatte. Wird die Bedeu-

---

[43d] Ibid., p. 160.

tung preisgegeben, so bleibt die Form als eine Möglichkeit der Anschauung übrig. Dies hat zur Folge, daß die von Smollett dargestellte Wirklichkeit nicht chaotisch erscheint, aber auch nicht mehr als Bestätigungsinstanz einer gesetzten Bedeutung dient. Die Überlagerung der drei Formen wandelt diese zu Kategorien der Anschauung um, durch die empirische Realität gesehen wird. Eine Wahrnehmung empirischer Welt ist nur möglich, wenn diese gegliedert werden kann, und eine solche Funktion vermögen die auf ihre Veranschaulichungstendenz reduzierten Formen des Briefes, des Reiseberichts und des Abenteuerromans zu leisten. Gleichzeitig wird durch die Kombination der Formen eine Potenzierung der Anschaulichkeit erreicht. Der Brief bietet Realität als intimisierte Beobachtung, der Reisebericht entrollt das Panorama immer wechselnder Bilder, und die nachweisbaren Formelemente des pikaresken Romans spiegeln die Vielfalt menschlicher Beziehungen durch Kontraste und perspektivische Überschneidungen.

Der Bedeutungsverlust der einzelnen Formen wird damit durch eine aus der Kombination der Modelle gewonnene Potenzierung der Anschaulichkeit mehr als nur ausgeglichen. Die Überlagerung zielt folglich nicht nur auf den Wegfall der 'Zentralorientierung' ab, sie nützt zugleich das Potential der in den Formen enthaltenen Anschauung aus. Eine solche Umschichtung ist notwendig, wenn empirische Realität nicht mehr als Beglaubigung einer ihr vorausliegenden Vorstellung zu fungieren hat, sondern selbst gesehen werden soll. Ja, es läßt sich sagen, daß die empirische Wirklichkeit desto differenzierter erscheint, je mehr Modelle zu ihrer Betrachtung miteinander kombiniert werden. Der Roman des 19. Jahrhunderts wird sich auf dieser Linie entfalten. In jedem Falle aber zeigt die von Smollett praktizierte Technik, daß es eine unvermittelte Wiedergabe des Wirklichen nicht gibt. Will man empirische Realität möglichst als das sehen, was sie ist, so müssen die Formen des Sehens weitgehend von aller vorentschiedenen Bedeutung entlastet werden; besser noch, man begreift die Formen des Beobachtens nur als Modelle, die durch ihre wechselseitige Kombination variable Relationen des Sehens erlauben. In dieser Hinsicht schlägt die schottische Ausprägung des Empirismus in Smolletts Roman durch.[44]

Das aus den drei Formen erstellte Vermittlungsmodell gliedert die empirische Realität für die Anschauung und wird damit zur Vorbedingung für die vom Roman gezeigte Wirklichkeitserfahrung der Figuren, denn erst sie machen die Spielarten des Beobachtens konkret. Zunächst konfrontiert die Brief-

---

[44] Vgl. dazu die Darstellung von M. A. Goldberg, *Smollett and the Scottish School. Studies in Eighteenth Century Thought*, Albuquerque 1959. Goldberg interpretiert das Romanwerk Smolletts aus den Voraussetzungen der schottischen Common-Sense School, die um einen Ausgleich der großen Gegensätze im 18. Jahrhundert bemüht war. Smolletts Romane werden als Überlagerung von Reason and Passion (*Roderick Random*), Imagination and Judgement (*Peregrine Pickle*), Art and Nature (*Ferdinand Count Fathom*), Social- and Self-Love (*Sir Launcelot Greaves*) und Primitivism and Progress (*Humphry Clinker*) interpretiert.

form den Leser direkt mit den Figuren, und da keiner der angeschriebenen
Adressaten antwortet, tritt der Leser an seine Stelle. Ihm wird die Koordination des Geschehens nicht vorgeführt, er muß die aus den Briefen ersichtlichen
Zusammenhänge selbst in Beziehung zueinander setzen. Ein solches Verhältnis zwischen Buch und Leser entspricht der vom Roman verfolgten
Absicht, die sich in einem Dreitakt realisiert: Zunächst ordnet die Makrostruktur des Romans die empirische Wirklichkeit, dann wird diese in die
wechselnden Blickpunkte der Figuren aufgesplittert, und schließlich muß die
Vielfalt konkreter, aber begrenzter Aspekte in der Einbildungskraft des
Lesers 'koaleszieren', wenn man einen Terminus der Assoziationspsychologie
des 18. Jahrhunderts für diesen Vorgang gebrauchen darf.[45]

In dieser Form wird die empirische Wirklichkeit für die Anschauung ausgebreitet und in das Vorstellungsvermögen des Lesers übersetzt. Die Verschiedenheit der Adressaten und der von Smollett geübte Verzicht darauf,
ihre Stellungnahme zu den Briefen der Familie Bramble abzudrucken, wirkt
als verstärkter Anreiz auf die Einbildungskraft des Lesers. Würden die Brief-
partner antworten, wie das in Richardsons *Clarissa* geschieht, so müßten sie
sich in einer bestimmten Weise zu den Geschehnissen äußern. Die Reaktions-
möglichkeiten des Lesers blieben dann auf das Abwägen der jeweils entwickelten Gedanken beschränkt. Tritt aber der Leser selbst an die Stelle der
Adressaten, die in diesem Roman als in ihrem Temperament voneinander
unterschiedene Personen gedacht sind, so wird ihm eine Pluralität von Einstellungen zur gesamten Korrespondenz suggeriert. Er verfügt über ein
Wissen, das dem der einzelnen Figuren überlegen ist, und da sich der Autor
des Romans weitgehend aus dem Geschehen zurückgezogen hat und dieses
nicht mehr kommentiert, wird der Leser zur Instanz, in der alles zusammen-
läuft. Er kann sich in jeden Adressaten hineinversetzen und wird gerade
durch sein höheres Wissen die Briefe der einzelnen Figuren nicht nur als
Quelle von Mitteilungen, sondern immer zugleich auch als Selbstvergegen-
ständlichung der Charaktere verstehen. Daraus entspringt die intime Verbindung, in die der Leser zu den Figuren gerät. Statt zu registrieren, wird er
immer urteilen, und so erschließt sich ihm allererst die durch die Figuren ver-
mittelte Anschauung empirischer Welt. In manchen Briefen des Romans ist
diese Tendenz eigens ausgesprochen. Als Melford wieder eine seiner vielen
Charakterskizzen von den Menschen aus der Umgebung seines Onkels gelie-
fert hat, beschließt er den Brief wie folgt:

> Having given you this sketch of Squire Paunceford, I need not make any
> comment on his character, but leave it at the mercy of your own reflection.[46]

---

[45] Zu diesem Begriff und seiner Bedeutung für die Assoziationspsychologie des
18. Jahrhunderts und den ihr verwandten ästhetischen Theorien vgl. W. J. Bate,
From Classic to Romantic. Premises of Taste in Eighteenth Century England
(Harper Torchbooks), New York 1961, p. 118 ff.

[46] *Humphry Clinker* I, p. 105.

Um diese *reflection* im Leser nicht nur zu befördern, sondern auch zu lenken, bedarf es einer bestimmten Komposition der Charaktere, denn erst durch sie kommt die aus der Überblendung der drei Romanformen sichtbar werdende Tendenz zur vollen Entfaltung.

In einem Brief Matthew Brambles steht der aufschlußreiche Satz:

> With respect to the characters of mankind, my curiosity is quite satisfied; I have done with the science of men, and must now endeavour to amuse myself with the novelty of *things*.[47]

Damit wird ein zentrales Thema des aufklärerischen Romans preisgegeben, das reichlich 20 Jahre vor dem Erscheinen des *Humphry Clinker* im Vorwort zu Fieldings *Tom Jones* seine nahezu klassische Formulierung gefunden hatte:

> The provision, then, which we have here made is no other than *Human Nature*. Nor do I fear that my sensible reader, though most luxurious in his taste, will start, cavil, or be offended, because I have named but one article ... nor can the learned reader be ignorant, that in human nature, though here collected under one general name, is such prodigious variety, that a cook will have sooner gone through all the several species of animal and vegetable food in the world, than an author will be able to exhaust so extensive a subject.[48]

Für Smolletts Zentralfigur jedoch wie auch für die anderen Charaktere in *Humphry Clinker* ist dieser Gegenstand erschöpft, da sich ihr Interesse nicht mehr auf die Beschaffenheit der *human nature*, sondern auf die erfahrbare Umwelt richtet. Es ist daher nur folgerichtig, wenn sich aus dem Zusammenspiel der Figuren keine Fabel bildet; wo sie in Ansätzen sichtbar wird, dient sie der Motivierung des Romanendes. Diese Funktion ist für den Leser eigens durchsichtig gemacht, denn als die verschiedenen Paare schließlich heiraten, wird durch die latente Komik der Symbolwert eines solchen Schlusses gedämpft.[49] Die Hochzeit ist nicht mehr ausschließlich als Indiz der Vollkommenheit des mitmenschlichen Verhältnisses begriffen, sondern eher als eine obligate Technik, ein verschlungenes Geschehen zu beschließen.[50] Melford kleidet daher seinen Bericht über diese Vorgänge in eine Schauspielmetapher:

> The fatal knots are now tied. The comedy is near a close, and the curtain is ready to drop; but the latter scenes of this act I shall recapitulate in order.[51]

---

[47] Ibid., p. 162.

[48] Henry Fielding, *The Works* III. Ed. by E. Gosse, Westminster and New York 1898, p. 4 f.

[49] Vgl. dazu bes. *Humphry Clinker* II, p. 259 ff.

[50] Dies gilt auch noch für den historischen Roman Scotts. Vgl. dazu Sir Walter Scott, *Waverley* (The Nelson Classics), p. 540 ff. Smolletts Vorstellung von der Ehe steht ganz in der Tradition des 18. Jahrhunderts; vgl. dazu E. C. Mack, *Pamela's Stepdaughters The Heroines of Smollett and Fielding:* College English 8 (1947), p. 295.

[51] *Humphry Clinker* II, p. 259.

Die schicksalhaften Beziehungen der Figuren sind nur ein Schauspiel, denn ihre Wirklichkeit — so dürfen wir ergänzen — baut sich durch die Art der Beobachtung auf, in der sich die Welt in ihrer Vorstellung spiegelt. Um dies zu ermöglichen, dürfen die Figuren keine wie immer geartete Idealität der menschlichen Natur verkörpern und müssen dennoch mit gewissen Eigenschaften ausgestattet sein, die die kontingenten Details der empirischen Umwelt zu ordnen vermögen. Die *novelty of things* erschließt sich erst, wenn sie in das Blickfeld einer bestimmten Charakterdisposition gerät.

Die wichtigsten Figuren in *Humphry Clinker* sind *humours* und werden, wie Bramble, Lismahago und Tabitha, wiederholt als solche bezeichnet.[52] So schwankend die Bewertung des *humour* in der Literatur des 17. und des beginnenden 18. Jahrhunderts auch gewesen ist,[53] im Verlauf des 18. Jahrhunderts erfährt er eine auffallende Nobilitierung, deren Ursprünge schon in den *humour*-Definitionen des 17. Jahrhunderts angelegt waren. In einer von Congreve gegebenen Beschreibung werden die beiden im 18. Jahrhundert herausragenden Qualitäten des *humour* bereits benannt: "Humour is from Nature" and "shows us as we are".[54] Ferner dokumentiert sich im *humour*

> A singular and unavoidable manner of doing, or saying any thing, Peculiar and Natural to one Man only; by which his Speech and Actions are distinguished from those of other Men.[55]

In der unverwechselbaren Singularität des *humour* prägt sich die Natur des Menschen aus. Dies hat zur Folge, daß selbst noch die bizarrsten Eigenheiten der einzelnen *humours* verstanden werden können, da sie der Natur entstammen und folglich nur eine Spezies der alle Menschen umfassenden Gemeinsamkeit sind. Diese Doppeldeutigkeit des *humours*, als höchst individuelle Schrulle zugleich Ausdruck des Allgemeinsten zu sein, erscheint in nahezu allen über dieses Phänomen angestellten Betrachtungen. Sie wird in dem für die Bestimmung des Komischen im 18. Jahrhundert so wichtigen Essay von Corbyn Morris ausdrücklich bestätigt und in die Formel zusammengezogen: "humor is nature unembellished".[56] Dies aber heißt, daß sich im *humour* eine Disposition des menschlichen Charakters zeigt, die weder als ideelle Bestimmung noch als Produkt seiner Gewohnheiten und Verhaltensweisen gefaßt werden kann. Der *humour* repräsentiert nichts, es sei denn nur sich selbst in seiner naturbedingten Gegebenheit. "The humorists have an individua-

---

[52] Vgl. u. a. ibid., p. 7 u. 159; zur Auffassung der *humours* in Smolletts Romanen vgl. ferner W. B. Piper, *The Large Diffused Picture of Life in Smollett's Early Novels:* Studies in Philology 60 (1963), p. 45 ff. u. Herbert Read, *Reason and Romanticism. Essays in Literary Criticism,* New York 1963, p. 198 ff.

[53] Vgl. dazu Stuart M. Tave, *The Amiable Humorist. A Study in the Comic Theory and Criticism of the 18th and Early 19th Centuries,* Chicago 1960.

[54] William Congreve, *The Works* III, Ed. by Montague Summers. London 1923, p. 163.

[55] Ibid., p. 165.

[56] Zitiert nach Tave, p. 119.

lity as detailed and strikingly vivid as their creators can fashion. Their claim
to universal significance rests less and less, in the later eighteenth century,
on their being representatives of a species, manner types, and more on their
uniqueness. The smallest details of their existence are recorded because it is
there that reality resides. It is the 'little occurrences of life', the 'nonsensical
minutiae', Sterne said, that best exhibit the truth of character".[57] In dieser
von Tave skizzierten Auffassung des *humour* steckt der Ansatz der Smollett-
schen Figuren. Tave hebt die zunehmende Formalisierung des *humour* heraus, durch die das Schrullige seiner ursprünglich inhaltlichen Besetzung ent-
leert wird. Wenn nur eine skurrile Individualität als Kennzeichen des
humour zurückbleibt, so kann die Kontur des Charakters nur durch die Art
konkret werden, in der er seine Umwelt erfährt.

Die Reduktion des *humour* auf eine formale *uniqueness* fordert die Wirk-
lichkeitsbeobachtung als notwendige Ergänzung, da erst in diesem Zusammenspiel der Charakter anschaulich wird. Charakter und Realität geraten
dadurch in ein sehr enges Wechselverhältnis. Die Figur wird durch die Art
ihrer Wahrnehmung genauso profiliert, wie die kontingenten Details des
Wirklichen erst dann eine Situation bilden, wenn sie von der Eigenart des
Charakters zu einer solchen zusammengesetzt werden. So erweisen sich die
zunehmende Verbildlichung der Figur und die Individualisierung des Wirklichen als simultane Vorgänge, durch die sich die Romanwirklichkeit auf-
baut. *Humphry Clinker* läßt deutlich erkennen, daß diese Romanwirklichkeit
ein Produkt variabler Überlagerung ist, die aus der Kombination des *humour*
mit der topographischen Realität entsteht. Das aber heißt, daß der Roman
weder eine Darstellung des *humour* noch das Ausbreiten der auf der Reise
registrierten Details zum eigentlichen Thema hat. Der *humour* wird hier
nicht mehr wegen seiner Verschrobenheit durch die Welt bestraft, und die
Welt ist nicht mehr als die Arena verstanden, in der sich die moralische
Selbstbehauptung des Charakters zu erweisen hat.

Diese dialektische Verspannung von Figur und Wirklichkeit ist in
Humphry Clinker durch eine wechselseitige Spiegelung ersetzt, die auf eine
Ausprägung des Charakters durch die Form seines Sehens und auf eine Veranschaulichung topographischer Lokalitäten durch ihr Wahrgenommenwerden abzielt. *Humour* und Realität verlieren damit ihre in der Romantradition
des 18. Jahrhunderts nachweisbare Funktion, eine außerhalb ihrer selbst
liegende Bedeutung zu bezeugen und diese durch die Entfaltung des Geschehens zu vermitteln. Wird aber die Konfrontation von Charakter und
Welt aufgehoben, wie es in *Humphry Clinker* auf weiten Strecken zu
beobachten ist, so wandelt sich gleichzeitig die Auffassung dieser beiden für
den Roman so wichtigen Elemente. Der Charakter wird formalisiert, und die
Welt bietet sich als Fülle nuancierter topographischer, ja bisweilen schon
historischer Einzelheiten. Die daraus aufgebaute Romanwirklichkeit entsteht

---

Tave, p. 167.

aus der Transzendierung ihrer Elemente. Der Charakter prägt sich erst im
Medium einer kontingenten Welt aus, und diese gewinnt die zu ihrer An-
schauung notwendige Konsistenz erst dann, wenn sie durch den Filter der
menschlichen Beobachtung hindurch gegangen ist. Diese *interaction* bildet die
Romanwirklichkeit, die weder mit dem Charakter noch mit der gezeigten
Welt als solcher identisch ist. Als wechselseitige Spiegelung sind Welt und
Mensch nur in den Formen ihrer Erscheinung gegenwärtig und werden erst
durch diese für den Leser lebendig.

Damit entspricht der Smollettsche Roman einer von Lord Kames in seinen
Elements of Criticism (1762) formulierten Grundregel über das Vergnügen
an schöner Literatur: "A third rule or observation is, That where the subject
is intended for entertainment solely, not for instruction, a thing ought to be
described as it appears, not as it is in reality".[58] Um ein solches Vergnügen
zu gewährleisten, muß die im Aspekt ihrer Erscheinung gezeigte Welt entsprechend differenziert werden. Dafür bietet die Schrulligkeit des *humour*
ideale Ansatzpunkte, die im folgenden kurz angedeutet seien.

Als Bramble die Kathedrale von York beschreibt, beklagt er sich nicht nur
über die verfehlte Architektur des Baues, sondern auch über die Kälte und
die muffige Luft im Kircheninnern. Es scheint ihm — so meint er — als ob
solche Gebäude nahezu ausschließlich "for the benefit of the medical
faculty"[59] errichtet worden seien. Nun, Bramble leidet unter Gicht und
Rheuma, die ihn zur Kur nach Bath und damit auf seine Reise trieben. Er hat
das von ihm geliebte Landleben aus diesem Grunde aufgeben müssen, so daß
nun alle seine Eindrücke unter einer Reihe von Vorbedingungen stehen, die
über die in seiner Wahrnehmung festgehaltenen Aspekte seiner Umwelt
entscheiden. Er sieht die Kirche so, wie es der Skurrilität seines Temperaments entspricht. Wie sollte er sie auch anders sehen? Dadurch aber erscheint
die empirische Realität in einer ungewohnten Beleuchtung; die Exzentrizität
des *humour* deckt unerwartete Aspekte an der äußeren Welt auf und aktualisiert gerade durch die extreme Ansicht die potentielle Vielfalt, die in der
Betrachtung des Wirklichen liegt. Es kennzeichnet den *humour*, daß er nicht
von sich selbst zu abstrahieren vermag; er bezieht alles auf seine *oddity*, die
sich in dem Maße verwirklicht, in dem die durch seine Beobachtung registrierten Dinge plötzlich in einer bizarren Zuordnung erscheinen.

Damit setzt die Singularität des *humour* höchst individuelle, wenngleich
einsehbare Beziehungen in der von ihm beobachteten Realität frei und zeigt
an, daß die äußere Welt erst dann zu einer gewissen Erscheinungsdichte gebracht werden kann, wenn sie sich in möglichst vielen solcher skurrilen Tem-
peramente gebrochen hat; so zieht der *humour* das Feld möglicher Wahr-

---

[58] Henry Home of Kames, *Elements of Criticism*[9] II, Edinburgh 1817, p. 290. Als
Bramble nach Edinburgh kommt, wo auch Lord Kames wirkte, heißt es in
einem Brief an Dr. Lewis: "Edinburgh is a hot-bed of genius." *Humphry
Clinker* II, p. 84.

[59] *Humphry Clinker* II, p. 2.

nehmung durch seine extremen Reaktionen ständig auseinander. Diese Erweiterung indes fordert ihren Preis, da der Eigensinn des Temperaments ebenso bestimmte Beobachtungen ausschließt, wie er andere erst ermöglicht. Der *humour* entdeckt und verdeckt zugleich. Von diesen Auswirkungen ihrer Eigenheit wissen die Figuren jedoch vergleichsweise wenig. Sie ist nur dem Leser offenkundig, der die gesamte Brieffolge überblickt und daher die temperamentsbedingte Begrenzung der einzelnen Charaktere kennt. Nahezu jeder Brief schildert eine Situation, die von der Figur durch ihr Urteil oder eine sie charakterisierende Motivation in einem bestimmten Augenblick arretiert und somit zu einer individuellen Ansicht verkürzt wird. Meistens enthalten die darauf folgenden Briefe eine Korrektur dieser Perspektive, indem sie das einseitige Bild ergänzen oder in Frage stellen — allerdings um den Preis einer im Grunde genauso begrenzten Vorstellung der weitgehend identischen Situation.

Für den Leser zieht sich die Brieffolge zu einer Teleskopierung solcher Situationen zusammen, in denen die Charaktere sich selbst und ihre Umwelt paradoxerweise dadurch verdeutlichen, daß sie alles aus einer perspektivischen Verkürzung sehen. Damit wächst dem Leser die Aufgabe der Koordination zu; er allein verfügt über die vollkommenste Information, die ihm allerdings nicht direkt geboten wird, denn er gewärtigt nur die verschiedenen Blickpunkte der Beobachtung, die sich in seiner Vorstellung überlagern. Sorgt die Einseitigkeit der Blickpunkte für eine scharfe Kontur der registrierten Umwelt, so geschieht in ihrer Überblendung eine ständige Relativierung des perspektivisch gebundenen Sehens. Diese Wechselbeziehung von Arretierung und Entgrenzung setzt sowohl die Eigenart der Figuren als auch das Erfahren von Wirklichkeit in den Nachvollzug des Lesers um.

In dieser Hinsicht muten die knapp ein Jahrzehnt vor dem Erscheinen von Smolletts Roman entwickelten Gedanken von Lord Kames über *Narration and Description* fast wie ein Kommentar zu *Humphry Clinke*r an: "In narration as well as in description, objects ought to be painted so accurately as to form in the mind of the reader distinct and lively images. ... The force of language consists in raising complete images; which have the effect to transport the reader as by magic into the very place of the important action, and to convert him as it were into a spectator, beholding every thing that passes. ... Writers of genius, sensible that the eye is the best avenue to the heart, represent every thing as passing in our sight; and, from readers or hearers, transform us as it were into spectators: a skilful writer conceals himself, and presents his personages: in a word, every thing becomes dramatic as much as possible".[60] Diese Verwandlung des Lesers in den Zuschauer —

---

[60] Henry Home of Kames, *Elements* II, p. 291 f. u. 312. E. L. Tuveson, *The Imagination as a Means of Grace. Locke and the Aesthetics of Romanticism*, Berkeley and Los Angeles 1960, p. 153, sagt von den *Elements*, dieses Werk "was to be the textbook of aesthetic theory for some time." In diesem Zusammenhang ist auch Scotts Urteil über Smolletts Kunst beachtenswert: "It is, however, chiefly

von Kames als höchste Qualität der erzählenden und beschreibenden Literatur benannt — wird in *Humphry Clinker* durch das Zusammenwirken der verschiedensten Formen geleistet: Vom fugenlosen Kombinieren der drei Romanmodelle über die wechselseitige Durchdringung von Figur und Welt bis hin zur Teleskopierung der perspektivisch arretierten Beobachtung in den einzelnen Briefen zeigt *Humphry Clinker* eine differenziert gegliederte Anschaulichkeit des menschlichen Verhaltens sowie der Erscheinung der Welt. Je weniger die Darstellung des Menschen und seiner Umwelt im Roman ideell besetzt ist, desto vielfältiger müssen die Formen und die Art ihres Zusammenspiels sein, damit das Weltverhältnis des Menschen in seinen Bedingungen und in seiner Bedingtheit anschaulich werden kann. Smollett arbeitet in *Humphry Clinker* nur noch mit Minimalvoraussetzungen, wenn er seine wichtigsten Charaktere als *humours* konzipiert und sie allenfalls noch mit Figuren umstellt, die durch ihren sozialen Status bestimmt sind. Sonst aber bleibt es eine beherrschende Tendenz dieses Romans, alle aus dem Arsenal der Formen aufklärerischer Prosa gegriffenen Modelle von ihrer jeweiligen Bedeutung zu entlasten, um sie der auf verstärkte Anschaulichkeit gerichteten Intention dienstbar zu machen.

So entsteht aus der Formenkombination eine neue imaginative Einheit, die in ihrer unauflösbaren Doppelsinnigkeit ihre ästhetische Qualität besitzt. *Humphry Clinker* ist weder als eine Darstellung menschlicher Charaktere noch als eine solche topographischer und historischer Wirklichkeit des 18. Jahrhunderts ausschließlich zu lesen; denn der Charakter wird nur deutlich durch die Art, in der ihm die Wirklichkeit erscheint, und diese wiederum gewinnt nur Umriß im subjektiven Reflex der Figur. Wenn Charakter und Wirklichkeit sich in ihrer spiegelbildlichen Bedingtheit ergänzen, wodurch die Figur ihr unverwechselbares Profil erhält und die Realität in ihrem Wahrgenommenwerden sich zu einer Folge von Situationen ordnet, so ist

---

in his profusion, which amounts almost to prodigality, that we recognise the superior richness of Smollett's fancy. He never shows the least desire to make the most either of a character, or a situation, or an adventure, but throws them together with a carelessness which argues unlimited confidence in his own powers. Fielding pauses to explain the principles of his art, and to congratulate himself and his readers on the felicity with which he constructs his narrative, or makes his characters evolve themselves in its progress. These appeals to the reader's judgment, admirable as they are, have sometimes the fault of being diffuse, and always the great disadvantage, that they remind us we are perusing a work of fiction; and that the beings with whom we have been conversant during the perusal, are but a set of evanescent phantoms, conjured up by a magician for our amusement. Smollett seldom holds communication with his readers in his own person. He manages his delightful puppet-show without thrusting his head beyond the curtain, like Gines de Passamont, to explain what he is doing; and hence, besides that our attention to the story remains unbroken, we are sure that the author, fully confident in the abundance of his materials, has no occasion to eke them out with extrinsic matter." Sir Walter Scott. *The Miscellaneous Prose Works* III, Paris 1837, p. 94 f.

damit angezeigt, daß weder Charakter noch Wirklichkeit einem gesetzten Prinzip gehorchen, das sie zu illustrieren hätten. Doch gerade deshalb stellt sich die Frage nach der Art der Beziehung, die das Zusammenspiel von Figur und Welt interpretiert. Die Antwort darauf gründet in der humoristischen Behandlung der Situationen.

Obwohl die Erzählung die Welt nur in den Brechungen subjektiver Reflexe vermittelt, ist die Beziehung von Welt und Figur nicht als ein Widerspruchsverhältnis begriffen. Im Gegenteil: Erst die wechselseitige Ausprägung des einen im anderen evoziert die Vorstellung einer Ganzheit. Doch gerade angesichts dieser unaufhebbaren Verbindung wird deutlich, daß das Medium der wechselseitigen Ausprägung keineswegs ideal ist. Der in seinen *humour* eingeschlossene Charakter hat gerade dieses Eingeschlossensein zur Voraussetzung seiner Wahrnehmung, ja sogar seiner Erkenntnis; die so gesehene Wirklichkeit muß daher zwangsläufig als eine Binnenwelt erscheinen. Gleichzeitig aber sind alle Äußerungen des Charakters durch die Welt bedingt, auf die er wenig Einfluß hat.

Dieser Sachverhalt wird im Roman besonders dort greifbar, wo der Charakter moralisch handeln möchte. Humphry Clinkers spontaner Entschluß, seinen vermeintlich ertrinkenden Herrn zu retten, führt durch die Umstände dazu, daß Bramble fast ein Ohrenleiden davonträgt, in jedem Falle aber zum Gespött der Leute wird, die sich über das nackte, am Ohr ans Land gezogene 'Ungeheuer' mokieren.[61] So kommen die Motive der Charaktere niemals rein zur Auswirkung, genauso wenig wie die ausschnittartige Verkürzung des Wirklichen mit dessen Ganzheit identisch ist. Der Charakter ist potentiell mehr, als er zu zeigen vermag, und das Wirkliche ist umfassender als seine binnenweltliche Erscheinung. Dieser Eindruck indes entsteht für den Leser erst im Kontinuum der dargestellten Situationen, durch das ihm die toten Winkel perspektivisch zersplitterter Ereignisse und die von der Empirie verdrängten Motive der einzelnen Figuren erschlossen werden.

Eine solche Einsicht bleibt nicht ohne Rückwirkung auf die einzelnen Situationen. Gerade weil der gesamte Erzählvorgang die abgeschirmten Aspekte der Vorstellung des Lesers vermittelt, gewinnen die vielen einseitigen Urteile der Figuren vor allem wegen ihrer unbefragten Entschiedenheit ein phantastisches Moment. Das Kontinuum der Situationen bildet als Spur des Autors im Geschehen einen unübersehbaren Kontrast zu jedem einzelnen Brief, der auf diesem Hintergrund jeweils erkennen läßt, was durch die getroffenen Feststellungen verdeckt wird und wo die Einseitigkeit der individuellen Sehgewohnheiten phantastisch zu werden beginnt. Eine solche Verklammerung jedes einzelnen Ereignisses mit dem Kontinuum der Situationen wird zur Basis des Humors, da die gesamte Korrespondenz jeden einzelnen Brief als doppeldeutig erscheinen läßt. Die in der perspektivischen Sicht verdeckten Aspekte der Ereignisse werden insoweit angezeigt, als die einseitige

---

[61] Vgl. *Humphry Clinker* II, p. 7 ff.

Wiedergabe der Beobachtung eine Beimischung des Phantastischen enthält. Dadurch sind im Brief das Gesehene und das Abgeschirmte gleichermaßen gegenwärtig, so daß die Brieffolge den Gegensatz zum Verschwinden bringt, der zwischen der nicht abschätzbaren Vielfalt des gelebten Lebens und der zwangsläufig begrenzten Form seiner Darstellung besteht.

So bezeugt sich in der humoristischen Tendenz des Romans, daß das von Smollett entworfene Geschehen nicht eine ideell orientierte Wirklichkeit abbildet, sondern eine Vorstellung der menschlichen Erfahrungswirklichkeit suggeriert. Der Text bietet die gezeigte Wirklichkeit als vielfältig perspektivierte Überlagerung von Romanformen, Charakteren und Situationen. Diese Überblendung deutet verschiedene Beziehungen der gebotenen Ausschnitte an, die allerdings nicht ausformuliert sind und sich erst in der Vorstellung des Lesers zu einem Gesamtbild runden können. Es ist daher nur folgerichtig, wenn die einzelnen Formen und Elemente, die hier miteinander kombiniert sind — Brief, Reisebericht, Abenteuerroman, *humour* und topographische Lokalitäten — eine Minderung ihrer ursprünglich in der Romantradition des 18. Jahrhunderts erkennbaren Bedeutung erfahren, weil sie erst dadurch für neue Möglichkeiten der Beziehung frei werden. Diese Verlagerung von der *representation* zur *suggestion* zeigt an, daß die Romanwirklichkeit des *Humphry Clinker* nicht mehr als Darstellung einer gesetzten Bedeutung zu verstehen ist; vielmehr soll durch das Zusammenspiel der Formen und Elemente dem Leser eine Vorstellung von der menschlichen Erfahrungswirklichkeit suggeriert werden. Die Kompositionstechnik des Romans läßt sich als Anweisung für die Vorstellung von Realität begreifen, und es ist sicherlich nicht zufällig, daß *Humphry Clinker* und *Tristram Shandy*,[62] die am Ende der aufklärerischen Romantradition stehen, durch ihre differenzierte Kompositionstechnik den Leser zu einer verstärkten Mitwirkung am Vollzug des Romangeschehens nötigen.

Die Verschiebung des Interesses von der *representation* zur *suggestion* besitzt in der ästhetischen Diskussion des späten 18. Jahrhunderts eine historische Parallele,[63] und auch das Zusammenwirken der Formen in *Humphry Clinker* erinnert zumindest an den von der Assoziationspsychologie des 18. Jahrhunderts beschriebenen Wahrnehmungsmodus. Bate hat ihn einmal wie folgt charakterisiert: "The associative capacity, interrelating as it does all functions and faculties of thought, is also aware of whatever added character its object assumes from any relationships or analogies it may have

---

[62] Vgl. hierzu V. Lange, *Erzählformen im Roman des Achtzehnten Jahrhunderts*: Anglia 76 (1958), p. 130 ff.

[63] Vgl. hierzu Bate, p. 119 f; Dugald Stewart, *Elements of the Philosophy of the Human Mind*[5] I, London 1814, p. 504, schreibt: "But to be understood, is not the sole object of the poet: his primary object, is to please; and the pleasure which he conveys will, in general, be found to be proportioned to the beauty and liveliness of the images which he suggests."

with other specific phenomena: it comprehends, in other words, that perti-
nent arrangement, interconnection, or mutual influence of various particulars
which, in the aesthetic realm, comprises fitness, design, pattern, or, in a larger
sense, form."[64] Eine solche Form aber erfüllt sich erst, wenn sie die Einbildungskraft anstößt, diese in bestimmte vorbedachte Richtungen lenkt und
ihr dabei doch einen gewissen Spielraum gewährt, in dem die suggerierten
Impulse eine jeweils individuelle Gestalt gewinnen können,[65] denn erst dadurch kommt die suggerierte Realität zur vollen Verwirklichung. Genau
diesen Vorgang beschreibt Dugald Stewart in seiner Analyse der *Imagination*,
die er in den 1792 veröffentlichten *Elements of the Philosophy of the Human
Mind* gegeben hat. Sie bildet den Kulminationspunkt der traditionellen
Theorie über die Einbildungskraft im 18. Jahrhundert.[66] Stewart entstammt
der schottischen Common-Sense School, die in Smolletts Werk viele Spuren
hinterlassen hat.[67] In den *Elements* heißt es: "When the history or the
landscape Painter indulges his genius, in forming new combinations of his
own, he vies with the Poet in the noblest exertion of the poetical art: and he
avails himself of his professional skill, as the Poet avails himself of language,
only to convey the ideas in his mind. To deceive the eye by accurate repre-
sentations of particular forms, is no longer his aim; but, by the touches of an
expressive pencil, to speak to the imaginations of others. Imitation, therefore,
is not the end which he proposes to himself, but the means which he employs
in order to accomplish it: nay, if the imitation be carried so far as to preclude
all exercise of the spectator's imagination, it will disappoint, in a great
measure, the purpose of the artist.

In Poetry, and in every other species of composition, in which one person
attempts, by means of language, to present to the mind of another, the
objects of his own imagination; this power is necessary, though not in the
same degree, to the author and to the reader. When we peruse a description,
we naturally feel a disposition to form, in our own minds, a distinct picture
of what is described; and in proportion to the attention and interest which

---

[64] Bate, p. 122.

[65] In diesem Zusammenhang ist die von Hume in seinem Essay *Of the Standard
of Taste* getroffene Feststellung beachtenswert: "Among a thousand different
opinions which different men may entertain of the same subject, there is one,
and but one, that is just and true; and the only difficulty is to fix and ascertain
it. On the contrary, a thousand different sentiments, excited by the same
object, are all right: Because no sentiment represents what is really in the
object. It only marks a certain conformity or relation between the object and
the organs or faculties of the mind; and if that conformity did not really exist,
the sentiment could never possibly have being. Beauty is no quality in things
themselves: It exists merely in the mind which contemplates them; and each
mind perceives a different beauty." David Hume, *The Philosophical Works*
III. Ed. by T. H. Green and T. H. Grose, London 1882, p. 268.

[66] So Tuveson, p. 180; vgl. dazu ferner M. H. Abrams, *The Mirror and the Lamp*
(Norton Library), New York 1958, p. 161.

[67] Vgl. dazu Goldberg, bes. p. 1 ff.

the subject excites, the picture becomes steady and determinate. It is scarcely possible for us to hear much of a particular town, without forming some notion of its figure and size and situation; and in reading history and poetry, I believe it seldom happens, that we do not annex imaginary appearances to the names of our favourite characters. It is, at the same time, almost certain, that the imaginations of no two men coincide upon such occasions; and, therefore, though both may be pleased, the agreeable impressions which they feel, may be widely different from each other, according as the pictures by which they are produced are more or less happily imagined".[68] Damit die variablen Vorstellungsmöglichkeiten der Einbildungskraft freigesetzt werden können, darf die *imitation* nur noch als eine Illusionswirkung, nicht aber als das Ziel der Dichtung begriffen werden. Die *new combinations* fordern die Mitwirkung des Lesers, die in Smolletts Roman insoweit einkalkuliert ist, als die einzelnen Formen auf spezifische Lesererwartungen bezogen sind. Der Brief, der Reisebericht, der pikareske Roman und die *humours* als Elementarbestände des Romans im 18. Jahrhundert knüpfen die Verbindung zu den Lesergewohnheiten. Durch ihr Zusammenspiel gewärtigt der Leser Bekanntes in neuer Zuordnung, die eine differenzierte Vorstellung der menschlichen Erfahrungswirklichkeit bewirkt.

Humphry Clinker zeigt damit bereits deutliche Umrisse des im realistischen Roman des 19. Jahrhunderts zur vollen Entfaltung gebrachten Vermittlungsmodells, mit dem Unterschied allerdings, daß die von Smollett für die Kombination verwendeten Formen noch eine stärkere inhaltliche Füllung besitzen, als dies für die wesentlich technischer verstandenen Vermittlungsformen im Roman des 19. Jahrhunderts zutrifft. Das zunehmende Raffinement der Erzähltechnik als Möglichkeit, die Vorstellung des Lesers zu beeinflussen, ist dafür nur ein Beispiel. Solche Verschiedenheiten indes berühren nicht die angedeutete Gemeinsamkeit, denn der in *Humphry Clinker* erkennbare Grundriß des Vermittlungsmodells, bestimmte Lesererwartungen durch Formen zu antizipieren, um dann in ihrer Überlagerung eine vielfältig perspektivierte Sicht des Wirklichen zu entwerfen, kehrt im realistischen Roman

---

[68] Stewart, *Elements* I, p. 492 f. Übrigens hat Stewart auch Lord Kames' *Elements of Criticism* gut gekannt und die Bedeutung dieses Buches entsprechend gewürdigt: "The active and adventurous spirit of Lord Kames, here, as in many other instances, led the way to his countrymen (d. h. den schottischen Philosophen und Kritikern); and, due allowances being made for the novelty and magnitude of his undertaking, with a success far greater than could have been reasonably anticipated. The *Elements of Criticism*, considered as the first systematical attempt to investigate the metaphysical principles of the fine arts, possesses, in spite of its numerous defects both in point of taste and of philosophy, infinite merits, and will ever be regarded as a literary wonder by those who know how small a portion of his time it was possible for the author to allot to the composition of it, amidst the imperious and multifarious duties of a most active and useful life." Dugald Stewart, *Collected Works* I. Ed. by Sir William Hamilton, Edinburgh 1877, p. 463.

des 19. Jahrhunderts wieder. Dieser Sachverhalt birgt eine wichtige ästhetische Implikation, die im hier beschriebenen Vermittlungsmodell zwar
enthalten, jedoch nicht aktualisiert ist. Deshalb sei abschließend nur auf sie
hingewiesen.

Die Betrachtung hat gezeigt, daß die Überlagerung der Formen aus den
genannten Gründen mehr oder minder fugenlos geschieht; eine mangelnde
Verklammerung läßt daher eher ein Mißlingen der gesuchten Verbindung
als eine ausgesprochene Absicht erkennen. Es ist aber nun der Fall denkbar,
daß die Formen bewußt in ein Interferenzverhältnis gebracht werden. Dann
wird sich die Darstellungsintention des Romans radikal ändern, da die Interferenz der Formen gerade die sonst aus ihrem Zusammenspiel aufgebaute
Illusionswirkung vernichten wird. Statt eine perspektivierte Vorstellung von
Wirklichkeit zu evozieren, wird die Interferenz der Formen eine eigene
semantische Realität aufbauen, die sich dem Leser allenfalls durch Interpretation erschließt. Doch das ist ein Problem des modernen Romans.

Hans Robert Jauss

FR. SCHLEGELS UND FR. SCHILLERS REPLIK AUF DIE
« QUERELLE DES ANCIENS ET DES MODERNES »

Das 19. Jahrhundert hat uns in mancher Hinsicht ein problematisches Erbe hinterlassen. Dazu gehören seine aufklärungsfeindlichen Tendenzen und nationalistischen Vorurteile, die abzutragen eine Forschungsaufgabe unserer Zeit ist. Sie hatten zur Folge, daß man sich daran gewöhnte, die Klassik der europäischen Literaturen unter autochthonen Voraussetzungen der National-geschichte zu betrachten. Die Philologie sah seit der Romantik die literarische Tradition in Analogie zum politischen Prozeß der nationalen Einigung und fand ihr höchstes Ziel darin, das Idealbild einer nationalen Klassik zu errich-ten, die vor dem fernen Vorbild der klassischen Antike bestehen konnte und ihre Bildung in einem Geist erneuern sollte, der das Humane und das Nationale fraglos ineinander aufgehen ließ. Das gilt in besonderem Maße für die Kanonisierung der Weimarer Klassik durch den deutschen Neuhumanis-mus, wie Leo Spitzer in seinem 1945 geschriebenen Widerruf an die bis-herige Geistesgeschichte gezeigt hat: „Da die klassische Antike nun mal vor-bildlich war, so fand man eine frevle Freude darin, die Deutschen als geistige Nachfahren der Griechen zu präsentieren, mit Ausschluß anderer Völker: Wilamowitz war überzeugt, daß Griechisches nur deutschem Geist sich er-schließe".[1] In dem Versuch, die deutsche Klassik als eine neue Renaissance in die geistige Nachfolge der Griechen zu stellen, wurde insbesondere der historische Faden zwischen europäischer Aufklärung und deutscher Klassik durchschnitten und durch die Pseudo-Epoche der Präromantik ('Sturm und Drang') ein Neueinsatz postuliert, der als anti-aufklärerische Vorstufe die Klassik Wielands, Goethes und Schillers einleiten sollte, während umgekehrt die romantische Bewegung als Abfall von den klassischen Idealen in eine sekundäre Rolle verwiesen wurde.

Demgegenüber soll in dem folgenden Beitrag an einem historisch gegebe-nen, durch die nationale Literaturbetrachtung aber verdeckten Zusammen-hang gezeigt werden, wie gerade auch die deutsche Entwicklung am Wende-punkt zwischen Weimarer Klassik und beginnender Romantik von Voraus-setzungen und Fragestellungen jenes allgemeineren Prozesses der Aufklä-rung bedingt ist, in dem sich während des 18. Jahrhunderts ein neues Bewußtsein der Modernität vom Kanon der antiken Kunst und Bildung als ihrer vorbildhaften, schon historisch gesehenen und damit nicht mehr zurück-

---

[1] *Das Eigene und das Fremde: Über Philologie und Nationalismus*, in *Die Wand-lung* 1 (1945/46) 576—94, bes. 591.

holbaren Vergangenheit abgelöst hat. Im Mittelpunkt der Untersuchung
stehen zwei fast gleichzeitig (1795/96) entstandene, als Analysen der gegenwärtigen und Prognosen der zukünftigen Literatur berühmte Programm-
schriften: *Über das Studium der griechischen Poesie* von Friedrich Schlegel
und *Über naive und sentimentalische Dichtung* von Friedrich Schiller.[2] Sie
bezeichnen für die Tradition der deutschen Literatur insofern eine Wende,
als sie in unausgesprochener Beziehung zu dem welthistorischen Ereignis der
französischen Revolution von der nahen Zukunft nun auch eine „ästhetische
Revolution" erwarten. Schlegel und Schiller haben diese Erwartung ästhetisch
und geschichtsphilosophisch in einer Weise begründet, die man als Antwort
auf neugestellte Fragen der achtzig Jahre zuvor in Frankreich zu Ende gegan-
genen *Querelle des anciens et des modernes* verstehen und in das Licht einer
weiteren historischen Bedeutung rücken kann.[3]

Schlegel und Schiller haben nicht nur implizit die in Frankreich schon ver-
jährte Diskussion zwischen den « Anciens » und den « Modernes » weiter-
geführt, sondern ausdrücklich darauf Bezug genommen. Schlegels Aufsatz
hat in seiner strengen Antithetik noch ganz die durch Perrault und die
Querelle beliebt gewordene literarische Form einer ‚Parallele'; aber auch
Schillers Abhandlung erscheint auf langen Strecken noch als eine „Vergleichung zwischen alten und modernen Dichtern" (437). Schlegel bezeichnet
seine Abhandlung in der Vorrede als einen

> Versuch, den langen Streit der einseitigen Freunde der alten und der neuen
> Dichter zu schlichten, und im Gebiet des Schönen durch eine scharfe Grenz-
> bestimmung die Eintracht zwischen der natürlichen und der künstlichen Bil-
> dung wieder herzustellen (203).

Er knüpft an die alten Positionen des Streites an und hebt ihre Einseitigkeit
hervor: die „Anmaßung der Korrektheit" (161), mit der „ältere französische
und englische Kritiker" (gemeint sind die « Modernes ») innere Widersprüche
an antiken Kunstwerken „herausrechnen" (161) oder die Simplizität der
griechischen Sitten vom Standpunkt der höheren Sittlichkeit eines verfeiner-
ten Jahrhunderts abkanzeln wollten (144). Er tadelt aber auch das Vorurteil

---

[2] Fr. Schlegels Schrift, die wir nach der Erstfassung, hrsg. von Paul Hankammer
(Godesberg, 1947), zitieren, ist 1795/96 entstanden und 1797 in Neustrelitz er-
schienen; Schillers Abhandlung (*Schillers Werke. Nationalausgabe*, Bd. 20,
Weimar, 1962), Ende 1795 entstanden, im 11. und 12. sowie im 1. Stück der
Horen von 1776 erschienen, wurde Schlegel erst nachträglich bekannt, so daß
er sich veranlaßt sah, in seiner 1797 unmittelbar vor dem Druck geschriebenen
Vorrede noch dazu Stellung zu nehmen (vgl. dazu Hans Eichner, *Germanic
Review* 30, 1955, 260—64).

[3] Zur *Querelle* siehe Vf.: *Ästhetische Normen und geschichtliche Reflexion in der
'Querelle des Anciens et des Modernes'*, Einl. zum Facsimiledruck der *Parallèle* ...
von Charles Perrault (München, 1964). Der vorliegende Beitrag setzt diese
Darstellung historisch fort und korrigiert der Formulierung, nicht der Sache
nach meine These, daß sich das eigentliche Dilemma der *Querelle*: der Widerspruch zwischen der Vorbildlichkeit der Antike und der Fortschrittlichkeit der

der «Anciens», die glauben, daß die schöne Kunst nur einmal, in der griechischen Frühzeit, blühte, so daß der prosaischen späteren Zeit nur die Nachahmung der Antike übrig bleibe (86-7). Er glaubt, den „Sinn der bisherigen Kunstgeschichte" neu erfaßt und eine Aussicht für die künftige gefunden zu haben, durch die „der Streit der antiken und modernen ästhetischen Bildung" überhaupt wegfalle (185).

Desgleichen will Schiller die „Verschiedenheit des Weges (...) zeigen, auf welchem alte und moderne, naive und sentimentalische Dichter zu dem nehmlichen Ziele gehen" (458). Auch er setzt seine „Vergleichung" kritisch gegen frühere Parallelen ab: „Denn freylich, wenn man den Gattungsbegriff der Poesie zuvor einseitig aus den alten Poeten abstrahirt hat, so ist nichts leichter, aber auch nichts trivialer, als die modernen gegen sie herabzusetzen" (439). Damit ist nicht allein das Verfahren der «Anciens», sondern indirekt auch das der «Modernes» getroffen, hatte die Gegenseite doch in uneingestandener Abhängigkeit vom gleichen Kanon des klassizistischen Geschmacks die Überlegenheit der modernen über die alten Dichter daran erweisen wollen, daß die alten Dichter häufiger gegen die Normen der «doctrine classique» verstießen als die modernen. Wie Schlegel setzt auch Schiller die Ergebnisse der *Querelle* als ein nicht mehr rückgängig zu machendes historisches Fazit voraus, wie an der Übernahme einzelner Ergebnisse und allgemeiner Erkenntnisse sichtbar wird, die mit dem Ausgang der *Querelle* als noch offene oder nunmehr entschiedene Streitpunkte von der Ästhetik des 18. Jahrhunderts weitergetragen wurden. Dazu gehört das von Schiller angeführte Argument der Überlegenheit moderner Dichter in den „Schilderungen der weiblichen Natur, des Verhältnisses zwischen beyden Geschlechtern und der Liebe",[4] das Schlegel in der umgekehrten Absicht aufgreift, seine „einzigen gültigen objektiven Prinzipien des ästhetischen Tadels" (145) zu entwickeln und einer neuen Apologie der griechischen Poesie zugrunde zu legen (151). Dazu gehört auch der „hohe Vorzug, den die bildende Kunst des Alterthums über die der neueren Zeiten behauptet", während es sich in anderen Kunstarten verschieden verhält, Malerei und Musik im Gang ihrer Entwicklung „schon freyeres Feld" haben (Schlegel, 128) und der modernen Dichtung als einer „Kunst des Unendlichen" keine Grenze des

---

mündig gewordenen Moderne, mit der Einsicht in die historische Verschiedenheit der antiken und der modernen Welt gelöst, mithin der säkulare Streit in Frankreich sein geschichtliches Ende gefunden habe (ib. p. 8—9). Denn dieses Fazit der französischen *Querelle* war auch mit der neuen Aneignung der Antike durch Winckelmann und die Weimarer Klassik nicht mehr rückgängig zu machen, wie gerade die beiden Schriften Schlegels und Schillers hervorkehren: hier wird nicht einfach der alte Streit fortgesetzt, sondern ein neues Dilemma entfaltet und zu lösen versucht, das die aus der *Querelle* hervorgegangene historische Betrachtung des Antiken und des Modernen für die Philosophie der Kunst nach sich zog.

[4] Op. cit. p. 478; vgl. Perrault, *Parallèle...*, II 29—38, 128—137.

Erreichbaren festgesetzt werden kann.[5] Dem liegt die den « Anciens » und
« Modernes » gemeinsame Erkenntnis voraus, daß den einzelnen Kunstarten
ein verschieden langer Weg zur Vollkommenheit eigen ist und daß die
Schönen Künste unter einem anderen Gesetz der Entwicklung stehen als der
Fortschritt der Wissenschaften.[6] Hinter diesen und anderen, noch zu behan-
delnden Anknüpfungspunkten tritt in beiden Abhandlungen vor allem aber
die Einsicht in die historische Verschiedenheit, ja Unvergleichbarkeit der
griechischen (denn für die deutsche Aneignung der Antike ist Hellas an die
Stelle Roms getreten) und der modernen Kunst als Endergebnis der französi-
schen *Querelle* heraus. Diese Grunderkenntnis erscheint bei Schiller wie bei
Schlegel unter dem neuen Vorzeichen einer Entzweiung von natürlicher und
künstlicher Bildung,[7] das ihr Ungenügen an der Lösung der *Querelle* noch
verschärfen mußte und einen neuen Versuch herausforderte, „den langen
Streit der einseitigen Freunde der alten und der neuen Dichter zu schlichten".
Daß diese Absicht Schlegels von Schiller geteilt wurde, auch wenn in seiner
Schrift das Interesse an einer typologischen Theorie der Dichtarten die historische Problematik immer wieder überdeckt, spricht er selbst einmal in der
Frage aus, „ob sich also ... eine Koalition des alten Dichtercharakters mit dem
modernen gedenken lasse, welche, wenn sie wirklich stattfände, als der
höchste Gipfel aller Kunst zu betrachten sein würde".[8] In dieser „Koalition"
lag Schillers Lösung des alten Streites indes nicht. Seine Antwort auf die
neugefaßten Fragen der *Querelle* stellte vielmehr die Lösung Schlegels von
vornherein in Frage. Schiller, von dem Schlegel sagte, er scheine als Künstler „durch seinen ursprünglichen Haß aller Schranken vom klassischen
Altertum am weitesten entfernt" (196), zog in seiner Lösung Konsequenzen,
die sich aus der Sicht eines « Moderne » ergaben, während Schlegel als Schüler Winckelmanns zunächst den Standpunkt eines « Ancien » vertrat und
weiterentwickelte. So kehrt unter veränderten historischen Vorzeichen der
Gegensatz der französischen *Querelle* in neuer Position und Gegenposition
wieder, bei Schlegel wie bei Schiller mit dem Anspruch, ein Dilemma gelöst
zu haben,[9] das daraus entsprang, daß man im Wettstreit mit den „Franzosen"

---

[5] Schiller, p. 440, und Schlegel, p. 128.

[6] Vgl. Perrault, Einl. p. 43—47.

[7] Der Gegensatz von natürlicher und künstlicher Bildung hat insofern auch
   eine historische Wurzel in der *Querelle*, als dort das Prinzip der *Inventio* auf
   der planmäßigen Künstlichkeit technischer Fortschritte der Neuzeit begründet
   und über die *Imitatio Naturae*, d. h. die bloß die Natur nachahmenden oder ihr
   Werk vollendenden Hervorbringungen der antiken Künste gestellt wird. Vgl.
   Perrault, Einl. p. 49.

[8] Zitiert aus einer Anmerkung der Erstfassung, die später gestrichen und be-
   fremdlicherweise auch nicht in die Nationalausgabe aufgenommen wurde (vgl.
   Gesammelte Werke, Aufbau-Verlag, Berlin, 1955, Bd. VIII, p. 645).

[9] Das gleiche Dilemma zeichnet sich während dieser Jahre bei Friedrich August
   Wolf, dem Begründer der klassischen Philologie in Deutschland, im Konflikt
   zwischen dem Griechenglauben des Weimarer Klassizismus und den Forderungen des neuen geschichtlichen Denkens ab, wie Manfred Fuhrmann in seinem

die deutsche Literatur noch auf dem Weg einer „Annäherung zum Antiken"
zur nationalen Klassik führen zu können glaubte (Schlegel, p. 196), obwohl
man seit der französischen *Querelle* die klassische Antike mit Winckelmann
schon historisch, in der „absoluten Verschiedenheit des Antiken und des
Modernen" zu sehen begann.[10] Hier tritt eine fundamentale Verschiedenheit
in der Konstituierung der deutschen und der französischen Klassik zu Tage:
während die Klassik des *Siècle de Louis XIV* unter der fraglosen Geltung des
Prinzips der *imitation des anciens* begann und in einer *Querelle* endete, die
den Übergang von der normativen zur historischen Betrachtung der Antike
vollzog, begann die Weimarer Klassik mit dem gegen die Aufklärung geführ-
ten Versuch, aus dem historischen Gegenbild der Antike wieder ein nachahm-
bares Vorbild zu machen. Die gleichzeitigen Abhandlungen Schlegels und
Schillers bringen die Aporie dieses Versuchs ans Licht und versuchen auf
verschiedene Weise, aber beide in der Konsequenz des geschichtlichen Denkens der Aufklärung, den deutschen Klassizismus aus seinem inneren Widerspruch herauszuführen.

Wenn wir das historische Verhältnis zwischen der *Querelle* am Scheitelpunkt der französischen Klassik und dem neuen Streit der « Anciens » und der
« Modernes » an der Schwelle zwischen deutscher Klassik und Romantik in
eine Beziehung von Frage und Antwort brachten, liegt darin eine methodische
Vorentscheidung und notwendige Abgrenzung für die folgende Untersuchung. Sie muß davon absehen, historische Filiationen aufzuweisen, in
denen die Ergebnisse der *Querelle* — ihre neue Sicht auf die Antike, ihre
Unterscheidung zwischen dem zeitlos und dem zeithaft Schönen, ihre Einsicht
in die qualitative Verschiedenheit geschichtlicher Epochen, ihr neues System
der fünf schönen Künste, ihr differenzierter Begriff vom Fortschritt der
Menschheitsgeschichte, ihre Ansätze zur Genieästhetik und zu einer Kanon-
bildung der modernen Literatur und Kunst — aus Frankreich nach Deutschland gelangt sind. Da diese Filiationen vielfach noch durch Konventionen und
Vorurteile der nationalen Literaturhistorie verdeckt sind, wären dafür ein-
gehendere Untersuchungen erforderlich. Hier sei nur an einige Lücken
der Forschung erinnert, die zwischen den scheinbar autochthonen Entwicklungen der französischen und der deutschen Literatur klaffen: zwischen Lessing und Diderot, wenn man an die Umdeutung der aristotelischen Poetik
oder an die französischen Diskussionen über die *imitatio naturae* seit Du Bos
und Batteux denkt, die in der deutschen Rezeption bis Kant und Hegel zum

---

Gedächtnisartikel (DVJs 33, 1959, 187—236) zeigte. Wolfs *Prolegomena ad
Homerum* von 1795 „zeigen den Trieb nach Erforschung der geschichtlichen
Wahrheit in offenem Konflikt mit den Bedürfnissen unbedingt normativen
Wertens" (ib. 206/7); in seiner *Darstellung der Altertumswissenschaft von 1807*
sind beide Tendenzen zu einem gewissen Ausgleich oder Schwebezustand gelangt, „der schon durch die nächste auf Wolf folgende Forschergeneration aufgehoben werden sollte" (ib. 231).

[10] Vgl. die Würdigung Winckelmanns in Fr. Schlegels *Athenäumfragmenten*, in
Kritische Schriften, hrsg. von W. Rasch, München, 1956, p. 9.

vollen Gegensatz von Natur und Kunst weitergebildet wurden; zwischen
Herder und Montesquieu, der die Erkenntnis der *Querelle*, daß jede Zeit und
jede Nation ihren eigenen Geist und ihr individuelles Gepräge habe, schon
50 Jahre vor den deutschen Wegbereitern des Historismus in seinem *Esprit
des lois* entwickelte; zwischen Winckelmann und der französischen Ästhetik
des frühen 18. Jahrhunderts, die den Hintergrund bildet, vor dem — wie un-
längst Peter Szondi zeigte[11] — die *Gedanken über die Nachahmung der griechischen Werke in der Malerei und Bildhauerkunst* (1755) entstanden sind.

Diese für die Bildungsgeschichte der deutschen Klassik so entscheidende
Schrift ist in der Tat auch ein wichtiges Bindeglied zwischen der französischen
und der deutschen *Querelle* und als Zeugnis für die deutsche Rezeption der
Diskussion über Antike und Moderne neu zu würdigen, die in Frankreich
von Perrault und Bayle, Madame Dacier, Du Bos und anderen (von Winckelmann exzerpierten!) Autoren geführt wurde.[12] Die Einsicht in die historisch-
geographische Einmaligkeit der griechischen Kunst, die Winckelmann aus
dieser Rezeption gewann, war an sich mit dem klassischen Prinzip der
imitation des anciens nicht mehr zu vereinen. Daß Winckelmann gleichwohl
an seiner Überzeugung festhielt, die Nachahmung der Alten sei „der einzige
Weg für uns, groß, ja, wenn es möglich ist, unnachahmlich zu werden",[13]
macht den inneren Widerspruch seiner klassizistischen Position aus, der vor
allem in seinem zwiespältigen Verhältnis zur Kunst der Moderne deutlich

---

[11] *Antike und Moderne bei Winckelmann*, Vortrag im Hessischen Rundfunk,
I. Programm, vom 21. Sept. 1965. Das dort Mitgeteilte sind Ergebnisse noch
nicht abgeschlossener Forschungen. Ich bin Herrn Kollegen Peter Szondi darum
zu besonderem Dank verpflichtet, daß er mir sein Manuskript zugänglich
machte und ermöglicht hat, daß ich mich im folgenden Absatz auf diese Ergebnisse stützen kann.

[12] Die erwähnten Exzerpte Winckelmanns sind in den Jahren 1749—1754 in Dresden entstanden und gehören zu den sog. „Pariser Manuskripten". Ihr Inventar
ist verzeichnet bei A. Tibal: *Inventaire des manuscrits de Winckelmann déposés
à la Bibliothèque Nationale*, Paris, 1911. Dort findet sich für unseren Zusammenhang: *Parallèle des Anciens et des Modernes*, par M. Perrault (vol. LXII,
26 v°; vol LXXII, 171 v°) — Batteux: *Les Beaux-Arts réduits à un même
principe* (ib., 46 v°) — Montesquieu: *L'esprit des loix* (vol. LXIX, 39 à 40 v°) —
Préface de Mme Dacier à sa traduction d'Homère (vol. LXXII, 82 v°) — Vitruve
de Perrault (ib., 98) — Lettre de M. Huet (ib., 147) — Dictionnaire de Bayle
(ib., 176 à 191) — Du Bos: *Réflexions critiques sur la poésie et la peinture*
(ib., 192). Siehe dazu Gottfried Baumecker: *Winckelmann in seinen Dresdner
Schriften*, Berlin, 1933. Diese stattliche Liste spricht für sich selbst und stellt
außer Frage, daß sich Winckelmann in den Jahren vor seinen *Gedanken zur
Nachahmung* ... mit den Argumenten und Ergebnissen der *Querelle* vertraut
gemacht hat. Perrault ist dort übrigens selbst angeführt, siehe Johann Joachim
Winckelmann: *Kunsttheoretische Schriften*, Baden-Baden/Strasbourg, 1962
(*Studien zur deutschen Kunstgeschichte*, Bd. 330), I 60: „Mich wundert, daß
Perrault nicht auch aus geschnittenen Steinen Beweise zur Behauptung der
Vorzüge der neueren Künstler über die Alten genommen hat."

[13] Op. cit., p. 3.

hervortritt. Doch hat gerade sein negatives Urteil, daß der antiken Kunst das „Ganze, das Vollkommene in der Natur" gegeben war, während sich die moderne Kunst mit dem „Getheilten in unserer Natur" begnügen müsse, eine Unterscheidung vorbereitet, die späteren Bestimmungen der Eigenart des Modernen zugrundeliegen, in Schlegels Begriff des 'Chemischen', Zergliederten, 'Interessanten' wiederkehren und mit Schillers Begriff des 'Sentimentalischen' erstmals positive Bedeutung erlangen wird.[14]

Die Wahrnehmung des Widerspruchs, mit dem Winckelmanns Kunstauffassung behaftet war und über den die nächste Generation in ihrer Griechenbegeisterung zunächst hinweggetragen wurde, ist der latente Ausgangspunkt der Versuche Schillers und Schlegels, das Verhältnis von Antike und Moderne neu zu bestimmen. Ihre Schriften rücken damit wieder in den Horizont der Fragen und Lösungen, die 100 Jahre zuvor in der *Querelle* gestellt und gefunden wurden; liest man sie in dieser Sicht, so wird an ihnen eine Kontinuität sichtbar, die über faktisch aufweisbare literarhistorische Filiationen hinausreicht, weil sie in der Schicht der Probleme liegt, die sich in den Zeugnissen von 1795/97 gleichermaßen geltend machen wie in denen der Jahre 1687 bis 1697. Angesichts der strukturellen Analogie und Vollständigkeit, in der diese Probleme hier wie dort erscheinen, kann historische Erkenntnis auch von einem Verfahren erwartet werden, das durch funktionale Interpretation zweier Schnittpunkte einen geschichtlichen Sinnwandel zu erfassen sucht, den die genetische Interpretation am Leitfaden der historischen Filiationen festzustellen pflegt. Der doppelte Schnitt durch den Anfangs- und Endpunkt einer Problemgeschichte muß die diachronische Veränderung der ereignishaften Kontinuität auch im historischen Ergebnis ablesbar machen, sofern der immanente Begründungszusammenhang im synchronischen System aufgedeckt, die 'umbesetzten Stellen' erkannt und die veränderten Bedingungen der historischen Situation berücksichtigt werden, die zur Wahrnehmung unerledigter Probleme führten, das Ungenügen an vorhandenen Lösungen motiviert und zur neuen Artikulation der Fragen und Antworten getrieben haben.[15]

Bei diesem Ansatz einer neuen Interpretation müssen wir — auch aus Gründen der fachlichen Kompetenz — davon absehen, daß die beiden Schriften Schillers und Schlegels in Absicht und Anlage primär aus der Situation der deutschen Literatur von 1795 heraus entstanden sind, von der Ästhetik und Philosophie des deutschen Idealismus beeinflußt waren und schließlich

---

[14] Op. cit., p. 14. Nicht allein die Einführung des 'Geteilten' als Begriff der modernen Natur, sondern auch die Behandlung von Problemen wie Mannigfaltigkeit, Karikatur, Farbe kennzeichnen im *Sendschreiben* nach P. Szondi (s. Anm. 10) erste Ansätze einer antiklassizistischen Ästhetik, mit denen Winckelmann die Grenzen seines Kunstideals selbst überschritt.

[15] Ich schließe mich hier der Auffassung von Problemgeschichte und von funktionaler Interpretation an, wie sie Hans Blumenberg in *Epochenschwelle und Rezeption*, *Philosophische Rundschau* 6 (1958) 101 sq., entwickelt hat.

auch von dem persönlichen Entwicklungsgang der beiden Autoren Zeugnis
ablegen. Was in dieser Hinsicht im Vordergrund ihrer Aktualität stand, liegt
in einer anderen Schicht historischer Bedeutung, die nicht in der geschichtlichen Perspektive des hier untersuchten Problems aufgehen muß, vielmehr
von ihr durchschnitten wird. Dabei kann — wie wir hoffen — ein anderes
Licht auf die 'Spaltung der deutschen Bewegung' fallen und vielleicht einen
Anstoß geben, nach weiteren Zusammenhängen zwischen europäischer Aufklärung und deutscher Frühromantik zu suchen. Die merkwürdige Affinität
der gleichzeitig und doch unabhängig voneinander entstandenen Schriften
jedenfalls läßt sich aus dem fernen, hinter der deutschen Aktualität von
1795/97 verborgenen Fragehorizont der französischen *Querelle* einfacher
erklären als durch eine Symbolik des gleichen 'prägenden Moments'.[16] Dementsprechend wäre der Ausgangspunkt der deutschen, von Schiller und

---

[16] An diese Erklärung ist — soweit ich sehe — von germanistischer Seite offenbar
noch nicht gedacht worden. Doch sind in den letzten Jahren einige Arbeiten
erschienen, die Schillers Denken wieder näher an die Frühromantik heranrücken
und an diesem Punkt unser Ergebnis aus anderen Blickrichtungen bestätigen
können: Richard Brinkmann, *Romantische Dichtungstheorie in Friedrich Schlegels Frühschriften und Schillers Begriffe des Naiven und Sentimentalischen*
(DVJs 32, 1958, 344—371), Wolfdietrich Rasch, *Schein, Spiel und Kunst in der
Anschauung Schillers (Wirkendes Wort 10, 1960)*, Alfred Doppler, *Schiller und
die Frühromantik (Jb. des Wiener Goethe-Vereins 64, 1960, 71—91)*; siehe dazu
auch Wolfgang Paulsen, *Friedrich Schiller 1955—1959 (Jb. der Dt. Schillergesell-
schaft 6, 1962, 446 f.)*. Doppler geht davon aus, daß Schiller und der Schlegelkreis sich „nicht zufällig in fast gleicher Weise mit dem Genie Goethes auseinandergesetzt haben" (73), zeigt das 'Romantische' in Schillers klassischer
Periode und kann sich dabei auf Zeugnisse Goethes stützen, der Schiller für
einen 'Romantiker' gehalten habe, weil er wie Schlegel und Novalis in der
Kunst „transzendierte" (80). Rasch geht von den Grundbegriffen des Scheins
und Spiels aus, die bei Schlegel wie bei Schiller die notwendige Voraussetzung
der Kultur seien, und zeigt, wie Schiller in den *Ästhetischen Briefen* die Grenze
der klassischen Ästhetik zur Romantik damit überschritten habe, daß er die
Freisetzung der Phantasie von der Bindung an die Gegenständlichkeit der
Naturform forderte (7, 12). Paulsen führt die Affinität der beiden Schriften
Schillers und Schlegels auf das gemeinsame Erbe der Aufklärung (Theorie der
Perfektibilität) zurück. Brinkmann findet, „daß ohne Schiller die Ausbildung
der romantischen Dichtungstheorie gar nicht denkbar ist" (344), worauf wir
noch zurückkommen (siehe Anm. 29), und führt die Affinität der beiden
Schriften auf den bedingenden Moment eines Epochenwandels zurück (370).
— Immer noch unüberholt erscheinen mir diesen Einzelansätzen gegenüber die
beiden Aufsätze, in denen Arthur O. Lovejoy schon 1916 und 1920 die Affini-
täten von Fr. Schlegels und Schillers Dichtungstheorien der Jahre 1790—1797
genetisch klargestellt hat (*The meaning of 'romantic' in early German Romanticism* und *Schiller and the Genesis of German Romanticism*, jetzt in *Essais in
the History of Ideas*, Baltimore, 1948, 183—227). L. wies nach, daß Schlegels
Begriff der 'romantischen Dichtung' als Nebenprodukt seines Versuchs entstand, antike und moderne Kunst zu scheiden: was Schlegel vor 1797 als das
„eigentümlich Moderne" oder „Interessante" negativ bewertete, wurde nach
1797 die romantische Poesie. Nach L. war das Hauptmotiv dieses Umschlags
bei Schlegel das Erscheinen von Schillers Schrift *Über naive und sentimen-*

Schlegel wieder aufgenommenen *Querelle* etwa mit den folgenden, neu artikulierten Fragen zu umgrenzen:

Wie ist die Verschiedenartigkeit antiker und moderner Dichtung zu bestimmen, wenn man beide Epochen nach ihrem eigenen Recht beurteilen, d. h. sie — mit Schiller zu sprechen — nicht unter einem „einseitig abstrahirten Gattungsbegriff der Poesie" gegeneinander herabsetzen will? Wenn derart aber „entgegengesetzte Dinge in gleicher Dignität stehen, gleiche Rechte haben sollen",[17] gibt es dann statt der hinfällig gewordenen klassischen Norm zeitloser Vollkommenheit noch einen „gemeinschaftlichen höhern Begriff" (Schiller, 439), ein transzendentales Prinzip der „objektiven Philosophie der Kunst" (Schlegel, 153), die es gestatten, die individuelle Vollkommenheit antiker und moderner Kunst aus ihrer Sonderung wieder in die Einheit einer höheren Anschauung zu bringen? Und wie läßt sich das neugefaßte Verhältnis von Antike und Moderne in das Geschichtsbild der Aufklärung einfügen, das historische Eigenrecht der beiden Kunstepochen mit der Theorie der Perfektibilität vereinen, d. h. mit dem „Satz der Vernunft von der notwendigen unendlichen Vervollkommnung der Menschheit", auf den sich Schlegel (94) beruft und der gleichermaßen Schillers geschichtsphilosophische Grundüberzeugung enthält?

*

„Das Schöne ist also nicht das Ideal der modernen Poesie und von dem Interessanten wesentlich verschieden" (208): in diesem lapidaren Satz faßt Schlegel das Ergebnis seines Versuches zusammen, antike und moderne Poesie jenseits der einseitigen Standpunkte von « Anciens» und « Modernes» in ihrer „absoluten Verschiedenheit"[18] zu erfassen. Hält man sich allein an das so formulierte Ergebnis, so scheint es, daß Schlegel mit seiner „scharfen Grenzbestimmung" (203) zwischen der natürlichen und der künstlichen Bildung den Bruch mit der antiken Tradition vollendet und im Grunde schon jene ästhetische Revolution vollzogen hat, die er erst von der Zukunft erwartete. Denn seine verschiedenen Prinzipien der antiken und der modernen Poesie: das Schöne und das Interessante, führen in der Tat einen großen

---

talische *Dichtung:* „What Schiller did for Schlegel ... was not so much to suggest him new arguments as to give him, by example, the courage to follow through, even to a revolutionary conclusion, an argument which had already been suggested to him by an analogy from the ethics of Kant and the metaphysics of Fichte. That conclusion consisted in the thesis which may be defined as the generating and generic element in the Romantic doctrine — the thesis, namely of the intrinsic superiority of a *Kunst des Unendlichen* over a *Kunst der Begrenzung*" (p. 220).

[17] In dieser Formulierung erscheint das Dilemma etwas später bei A. W. Schlegel: *Vorlesungen über schöne Literatur und Kunst* (1801/2), zit. nach *Meisterwerke deutscher Literaturkritik*, hrsg. von H. Mayer, Berlin, [2]1956, I 623.

[18] Siehe dazu Anm. 10.

Schritt über die neuen Positionen der *Querelle* hinaus, wie sie in Deutschland
Winckelmann und Lessing oder Herder in ihrer verschiedenen Einstellung
zum Klassischen der Antike vertraten. Die *Querelle* der französischen Klassik
war bei den « Anciens » wie bei den « Modernes », bei Perrault wie bei Boileau, noch von einer gemeinsamen Norm des zeitlos und naturhaft Schönen
(*beauté universelle et absolue*) ausgegangen. Der Streit über das Prinzip der
imitation des anciens hatte dann aber dazu geführt, an der antiken Literatur
das zeitlos Schöne (*beau universel*) vom zeitbedingt Schönen (*beau relatif*) zu
unterscheiden: man erkannte in der Kritik und Apologie Homers, daß die
archaischen Sitten des antiken Epos nicht den klassizistischen Normen der
bienséance unterliegen konnten, sondern einem anderen Geschmack entsprä-
chen, also auch auf andere Weise als schön gelten müßten.[19] Die gemeinsame
Entdeckung, daß es ein doppeltes Maß des Schönen gibt, löste den anfänglichen Streitpunkt auf und leitete die historische Erkenntnis der antiken wie
der modernen Kunst ein. Auf dem damit beschrittenen Weg ist Winckelmann
zu seiner *Geschichte der Kunst des Altertums* gelangt und hat andererseits
Herder, der hier auch an Forschungen französischer Aufklärer anknüpfen
konnte,[20] die christliche Literatur des Mittelalters in ihrer individuellen Vollkommenheit zu beschreiben begonnen. Ordnet man Fr. Schlegel in diese Entwicklung ein, so zeigt seine Programmschrift den entscheidenden Schritt, daß
nun die moderne Dichtung zum ersten Mal überhaupt vom antiken Kanon
des Schönen abgelöst wird, an den sie selbst für die fortschrittlichsten, doch
immer noch im klassizistischen Geschmack befangenen « Modernes » nach
wie vor gebunden war.

Schlegels Versuch, die verlorene Einheit des ästhetischen Urteils gegen das
doppelte Maß des Schönen wieder herzustellen, setzt die „Trennung des
Objektiven und des Lokalen in der griechischen Poesie" voraus (165, 172).
Mit dem 'Lokalen' ist sowohl die „nationale Subjektivität" (165) wie auch
das Archaische der Sitten und ihr späterer Verfall, mithin das *beau relatif*
gemeint, das als ein unangemessenes, „modernisierendes" Verständnis der
Antike ganz aus der Betrachtung auszuschließen sei. Andererseits wird das
Prinzip der modernen Dichtung im absoluten Gegensatz zur reinen Schön-
heit, d. h. zum 'Objektiven' der griechischen Poesie entwickelt, mithin durch
den völligen Ausschluß des zeitlos und naturhaft Schönen (*beau universel*)
definiert. Vom Ausgang der *Querelle* her gesehen erscheinen Schlegels neue
Bestimmungen des Antiken und des Modernen zunächst als eine grandiose
Vereinfachung der Antinomie des zeitlos und des zeithaft Schönen: das
Objektive als Prinzip der griechischen Poesie nimmt die *beauté universelle
et absolue* auf und spricht sie allein der antiken Kunst zu; das *Interessante*

---

[19] Vgl. Perrault, Einl. pp. 54—60.
[20] Besonders an De la Curne de Sainte-Palaye, siehe dazu Vf. *Literarische Tradition und gegenwärtiges Bewußtsein der Modernität — Wortgeschichtliche
Betrachtungen*, in *Aspekte der Modernität*, hrsg. von H. Steffen, Göttingen,
1965, pp. 173 sq., 178.

als Prinzip der neueren Dichtung knüpft an die *beauté particulière et relative* an und bestimmt danach den verschiedenen Charakter der modernen Kunst. Verfolgt man aber im Gang der Argumentation, wie weit es Schlegel mit seiner Trennung des Interessanten vom Schönen gelungen ist, antike und moderne Kunst in ihrer „absoluten Verschiedenheit" zu beschreiben, so zeigt sich, daß der im Folgeverhältnis von natürlicher und künstlicher Bildung aufgehobene Widerspruch zwischen dem *beau universel* und dem *beau relatif* in den Analysen und Urteilen seiner neuen 'Parallele' auf andere Weise wiederkehrt. Das Interessante büßt in Schlegels Darstellung der modernen Poesie seinen Charakter als ein selbständiges Prinzip mehr und mehr ein, um sich am Ende als ein defizienter, übergänglicher, die Rückwendung vorbereitender Modus des Schönen zu erweisen, während andererseits das in die vollendete Vergangenheit verwiesene Schöne der griechischen Poesie schließlich schon gar nicht mehr als reine, vom Lokalen abgelöste Schönheit, sondern als das Objektive einer vollständigen „Naturgeschichte der Kunst und des Geschmacks" erscheint, die in dieser Vollständigkeit auch die „Unvollkommenheit der früheren und die Entartung der späteren Stufen" (153) mit einschließen soll.

Schlegels Prinzip des *Interessanten*, die erste Rechtfertigung der modernen Poesie durch ein selbständiges Ideal, ist einer impliziten Kritik der Modernität, nicht dem geschichtlichen Selbstbewußtsein und Fortschrittsdenken der Aufklärung entsprungen. Die neue Kategorie des ästhetischen Urteils tritt allmählich aus der Analyse dessen heraus, „was der Poesie unseres Zeitalters fehlt" (45). Deren Bild ersteht aus Stichworten wie „unbefriedigte Sehnsucht" (45), „zerrissenes Gemüt" (45), „Gesetzlosigkeit des Ganzen" (53), richtet sich gegen das „totale Übergewicht des Charakteristischen, Individuellen und Interessanten" (58) und findet erst in der Erklärung ihres Ursprungs und letzten Ziels den Ansatz, die Kritik in positive Aspekte der modernen, d. h. „künstlichen Bildung" umzukehren. Hier ergeben sich die wesentlichen Einsichten in die Eigenart der modernen Poesie: ihr Ursprung in einer „künstlichen universellen Religion" (66), ihre spätere Entwicklung unter „dirigierenden Begriffen", d. h. unter dem Primat der Theorie (Renaissance, französische Klassik), ihr Gipfel in Shakespeare, dessen Größe erst an den „Gesetzen der charakteristischen Poesie und philosophischen Kunst" ganz zu ermessen sei (80). Dieselben Bestimmungen, die den berühmten Versuch einer ersten Theorie des Häßlichen nach sich ziehen (80,146ff.), die die Grenzen des Schönen durch die „darstellende", „idealische" Kunst erweitern (72) und Phänomene wie das Neue, Piquante und Frappante, schließlich sogar das „Choquante (sey es abentheuerlich, ekelhaft oder gräßlich)" diskussionswürdig machen (84), erhalten mit dem Prinzip des Interessanten dann aber einen gemeinsamen Nenner, der es erlaubt, die „durchgängige Richtung der modernen Poesie" doch wieder dem griechischen Urbild ästhetischer Vollendung botmäßig zu machen (84). Zwar weist die Bestimmung des Interessanten als einer „subjektiven ästhetischen Kraft" (204) schon auf eine Ästhetik der Subjektivität vor und scheint der Begriff des originellen Individuums, „welches ein größeres Quantum von intellektuellem Gehalt und ästhetischer Energie enthält" (82), der Ästhetik der Naturnachahmung bereits die Produktion des Kunstwerks als einen Akt der Freiheit (89) entgegenzusetzen. Doch Schlegel nimmt diesen Schritt mit dem Argument wieder zurück, daß das Interessante ja nur einen Komparativ, nicht den Superlativ eines „höchst Interessanten" (82) kenne und deshalb eine vollständige Befriedigung fordere, die außerhalb seiner gelegen sei, d. h. einem interesselosen Wohlgefallen entspringen müsse: „Nur das Allgemeingültige, Beharrliche und Nothwendige — das Objektive kann diese große Lücke ausfüllen; nur das Schöne kann diese heiße Sehnsucht stillen" (83).

So ist Fr. Schlegel bei seiner Explikation des Interessanten als Prinzip der Kunst der Moderne auf halbem Weg wieder zum Kunstideal des Klassizismus zurückgekehrt. Dabei rückte ihm aber das höchste Schöne, zu dem die Kunst der Moderne durch eine „vollkommne ästhetische Gesetzgebung" wieder zurückkehren soll, und sein griechisches Urbild immer weiter auseinander. Denn Schlegels Explikation des *O b j e k t i v e n* führt Schritt für Schritt den Prozeß zu Ende, in welchem die Kunst der Antike während der Aufklärung vom nachahmbaren Vorbild in das vollkommene Gegenbild einer anderen, historisch fernen Vergangenheit umgewandelt wurde. Das hier entstehende Bild der griechischen Poesie ist durch eine Preisgabe all der Züge gewonnen, die dem 18. Jahrhundert die Kunst der Antike „interessant" machten.

Der Reduktion auf jenes Schöne, das allein Gegenstand eines interesselosen Wohlgefallens sein kann, fiel mit dem „Lokalen" — wie schon bemerkt — die nationale Subjektivität, aber auch das „Individuelle" der einzelnen Dichter und die ganze griechische Kunsttheorie anheim (165). Zum „Lokalen", nur historisch Interessanten, gehörten für Schlegel aber auch ganze Dichtarten wie die didaktischen Gedichte (165f.) oder die Idylle (173) und sogar das griechische Epos: „Diese unreife Dichtart ist nur in dem Zeitalter an ihrer Stelle, wo es noch keine gebildete Geschichte und kein vollkommenes Drama gibt" (166). Schon in den anfänglichen Ausführungen über Homer korrigierte Schlegel die Homerbewunderung seiner Zeitgenossen, indem er ihr die folgenden Züge als uneigentliche Ruhmestitel absprach: „Die treue Wahrheit, die ursprüngliche Kraft, die einfache Anmuth, die reizende Natürlichkeit sind Vorzüge, welche der Griechische Barde vielleicht mit einem oder dem anderen seiner Indischen oder Celtischen Brüder theilt" (111). Dieser Katalog spiegelt den ganzen Prozeß, in dem von der *Querelle* bis zu Winckelmann das Archaische der homerischen Welt entdeckt und in immer wieder neuen Stilisationen der *simplicité und naïveté* ausgelegt worden war. Schlegel setzt diesem Verständnis der Antike — und damit in gewisser Hinsicht auch Winckelmanns Kanon der „edlen Einfalt und stillen Größe", in dem der genannte, begriffsgeschichtlich noch nicht zureichend beschriebene Prozeß gipfelte — außer Kraft und stellt ihm die „Vollständigkeit seiner Ansicht der ganzen menschlichen Natur", das „glücklichste Ebenmaß" und „vollkommene Gleichgewicht" als wahrhaft griechische Züge der Poesie Homers gegenüber (111). Seine Kritik enthüllt das Antikebild des Klassizismus seines Jahrhunderts als eine unbemerkt gebliebene Modernisation oder Übertragung des Interessanten (154), die den Kontrast zu der eigenen Welt, nicht das objektiv Schöne suche und genieße:

> ... ein unzufriedener Bürger unseres Jahrhunderts kann leicht in der Griechischen Ansicht jener reizenden Einfalt, Freyheit und Innigkeit alles zu finden glauben, was er entbehren muß. Eine solche Werthersche Ansicht des ehrwürdigen Dichters ist kein reiner Genuß des Schönen, keine reine Würdigung der Kunst (176).

Ist aber Fr. Schlegel mit dieser Kritik, die das Antike-Bild aus allem Gegenwartsbezug herauslösen will, nicht selbst in einer „Wertherschen Ansicht", d. h. in dem Zirkel verblieben, den er an anderer Stelle auf die Formel brachte: „Jeder hat noch in den Alten gefunden, was er brauchte oder wünschte, vorzüglich sich selbst"?[21] Sieht man auf die Züge, die Schlegel als die höchste Gestalt der griechischen Dichtung rühmt: „Hier ist auch nicht die leiseste Erinnrung an Arbeit, Kunst und Bedürfnis" (133), so scheint es, als ob sein Bild der „reinen Griechheit" (177) letztlich doch wieder dem Kontrast zur künstlichen Bildung der Moderne entsprungen sei. Denn konnte die vollkommene Objektivität und reine Schönheit der Antike nicht überhaupt erst von der interessierten Subjektivität der Moderne, als ein Postulat der Ästhetik des interesselosen Wohlgefallens, entdeckt werden?

Schlegel fand indes einen Ausweg, der aus diesem Zirkel herausführte und ihm auch ermöglichte, die erst ausgeschlossenen Formen des „Lokalen" wieder in die Vollkommenheit des griechischen Urbilds zurückzubringen. Wie im Homerischen Epos erst die „Vollständigkeit" und Darstellung der „ganzen menschlichen Natur" jene charakteristischen Züge ausmachen, „welche dem Griechen allein eigen sind" (111), so erreicht nach Schlegel auch die griechische Poesie im allgemeinen den Gipfel der Idealität nicht schon durch die Vollkommenheit einzelner Dichter und Dichtarten, sondern erst durch die „Objektivität der ganzen Masse" (165), durch den „Geist des Ganzen" (177). Insofern sie im „vollständigen Stufengang des Geschmacks" ihre Stelle haben (143), erlangen auch die lokalen Formen der noch „unreifen Dichtart" Epos und die künstlichen oder virtuosen Hervorbringungen der Spätzeit das Exemplarische des höchsten Vorbilds:

> Denn eine vollständige Naturgeschichte der Kunst und des Geschmacks umfaßt im vollendeten Kreislauf der allmählichen Entwicklung auch die Unvollkommenheit der früheren und die Entartung der späteren Stufen, in deren steten und nothwendigen Kette kein Glied übersprungen werden kann. (153).

---

[21] *Athenäum-Fragmente*, in *Kritische Schriften*, hrsg. von W. Rasch, München, 1956, p. 44.

Damit hat Fr. Schlegel die durch den Ausgang der *Querelle* gesetzte Antinomie zwischen dem zeitlos und dem zeithaft Schönen aufgehoben und für die
postulierte objektive ästhetische Theorie das einzigartige Beispiel einer „vollkommenen Anschauung" (105) zurückgewonnen! Doch geschah dies um den
Preis, daß nunmehr die Vollkommenheit von einer Bestimmung der reinen
Schönheit antiker *Kunst* zu dem spezifischen Charakter der vollendeten *Geschichte* dieser Kunst wurde. Nicht mehr als Inbegriff zeitlos vollkommener,
jederzeit nachahmbarer Kunst, sondern als ein einmaliges Beispiel und
„gesetzgebende Anschauung" (153) einer in sich vollkommenen Geschichte
ist die Antike hinfort das höchste ästhetische Urbild!

Die damit erreichte Position, die in ihrer noch nicht gesehenen Konsequenz
letztlich schon auf den berühmten Satz der Hegel'schen Ästhetik vorweist,
daß „die Kunst nach der Seite ihrer höchsten Bestimmung für uns ein Ver-
gangenes ist und bleibt",[22] steht nun aber offensichtlich im Widerspruch zu
Schlegels Absicht, die Nachahmung der Griechen als das „einzige Mittel" zu
erweisen, „echte schöne Dichtkunst wiederherzustellen" (164). Die Erfüllung
dieser Absicht erforderte nach solchen Prämissen eine geschichtsphilosophische Konzeption, die notwendigermaßen hätte zyklisch werden müssen und
damit Schlegels mehrfach geäußerten Überzeugungen von der „nothwen-
digen unendlichen Vervollkommnung der Menschheit" (94,100ff.) wider-
sprach. Dieser Widerspruch tritt in der Abhandlung verschiedentlich zutage
und erklärt, warum Schlegel das Verhältnis der natürlichen zur künstlichen
Bildung nicht bruchlos zu einem neuen Geschichtsbild zusammenfügen
konnte.

Seine Darstellung vom „Gang der ästhetischen Kultur" (185) gerät dort in
Schwierigkeiten, wo sie die Übergänge von der antiken zur modernen Kultur
und von dieser zu dem erwarteten 'dritten Zeitalter' historisch begreifen will.
Wenn nach Schlegel die Praxis immer schon der Theorie voranging, nur auf
die Natur die Kunst folgen kann (62), läge nichts näher, als den Übergang
von der natürlichen zur künstlichen Bildung im Sinne des Fortschreitens zu
einer nächsten Stufe zu erklären. Gerade dies sucht Schlegel aber zu vermeiden, um der Antike die Dignität einer vollständigen, nicht weiter zu vervoll-
kommnenden Bildung zu wahren. Darum sieht er sich genötigt, den Übergang zur Moderne durch ein merkwürdiges, historisch nicht erläutertes
Argument zu erklären: „Die Natur wird das lenkende Prinzip der Bildung
bleiben, bis sie dies Recht verloren hat, und wahrscheinlich wird nur ein un-
glücklicher Mißbrauch ihrer Macht den Menschen dahin vermögen, sie ihres
Amtes zu entsetzen"(62). Hier muß man noch annehmen, daß die Menschheit
auf dem Wege der Natur immer hätte weiterschreiten können, wenn sie nicht
der Moment einer „verunglückten natürlichen Bildung", mithin ein zufälliges

---

[22] Ed. Bassenge, Berlin, 1955, p. 57; dazu W. Oelmüller: *Hegels Satz vom Ende
der Kunst und das Problem der Philosophie der Kunst nach Hegel*, in *Philosophisches Jahrbuch* 73 (1965) 75—94.

Ereignis in dieser Entwicklung gestört hätte. Das Ende der natürlichen Bildung in einem solchen Mißgeschick bringt ein Moment der Diskontinuität in den Geschichtsablauf, das es andererseits ermöglicht, die moderne Bildung wieder aus einem eigenen, „künstlichen Ursprung" (63) hervorgehen zu lassen. Doch diese Hilfskonstruktion paßt offensichtlich nicht mehr zu der später entwickelten Anschauung, die griechische Bildung sei als ein „in sich vollendetes Ganzes" zu sehen, „welches durch bloß innre Entwicklung einen höchsten Gipfel erreichte, und in einem völligen Kreislauf auch wieder in sich selbst zurücksank" (138). Jetzt soll die natürliche Bildung der Antike nicht mehr durch ein bloßes Mißgeschick aufgehört, sondern ihr natürliches Ende gefunden haben. Also müßte man nun auch annehmen, daß der weitere Gang der ästhetischen Kultur unter demselben Gesetz eines zyklischen Geschichtsverlaufes steht. Doch das Prinzip, auf dem Schlegel die Vollkommenheit der antiken Bildung begründet, will er gerade für die moderne Bildung nicht gelten lassen: „diese Voraussetzung beruht auf einem bloßen Mißverständnis, auf dessen tiefliegenden Quell wir in der Folge stoßen werden" (100/1). Die Folge ist aber nur, daß die Uhren der Antike und der Neuzeit bei Schlegel offensichtlich verschieden gehen: sein Prinzip der alten Geschichte ist der natürliche Kreislauf, sein Prinzip der neuen eine — man weiß nicht wie — eingetretene Progression, die unumkehrbar ins Unendliche fortschreitet.[23]

Daß diese Lösung der Frage, wie die Verschiedenheit des Antiken und des Modernen auf entgegengesetzten Prinzipien von gleicher Dignität zu begründen sei, um den Preis der Einheit des Geschichtsprozesses erkauft war, kommt in den Schwierigkeiten zum Vorschein, in die sich Schlegel bei der Wende zum zukünftigen dritten Zeitalter der Poesie gebracht sieht. Die künstliche Bildung der Moderne kann die natürliche Bildung der Antike nicht fortsetzen oder wiederholen, weil sie unter dem anderen Prinzip des steten Fortschreitens ihren Anfang und Verlauf nahm. Wie soll sie dann aber „nach dem Beispiel der klassischen Poesie zum Objektiven und Schönen gelangen" (209)? Die postulierte Rückkehr zum höchsten, von den Griechen verwirklichten Ideal widerspricht der „erhabnen Bestimmung der modernen Poesie": der „endlosen Annäherung" an ihr höchstes Ziel (85). Wenn sie aber nicht in den Kreislauf zurückfallen darf, in dem sich die natürliche Bildung vollendet hat, wie soll sie dann aus ihrer bisherigen Progression heraustreten, um die geforderte „Rückkehr von entarteter Kunst zur echten" (85) zu vollziehen? An dieser Stelle hilft sich Schlegel wiederum mit dem Moment eines kontingenten Übergangs: der „günstigen Katastrophe" einer ästhetischen Revolution (85), sieht nun aber selbst ein, daß er sich in innere Widersprüche

---

[23] Zur Genesis dieses Widerspruchs siehe Lovejoy, der zeigt, wie Schlegel hier Kants Philosophie weiterentwickelt hat, insofern in der Erklärung der Geschichte das System des Kreislauf mehr den Forderungen der theoretischen Vernunft, das System der unendlichen Fortschreitung hingegen mehr den Forderungen der praktischen Vernunft genüge, welche letzteren Schlegel (wie auch Schiller) aus der Ethik in die Ästhetik übertragen habe (a. a. O. p. 211—12).

verstrickt habe, die ihre Möglichkeit zweifelhaft machen.[24] Das Geständnis:
„Mag die Hoffnung noch so gering, die Auflösung noch so schwer sein: der
Versuch ist notwendig!" (86) besiegelt die Aporie seiner Konzeption, die
den Streit der antiken und der modernen ästhetischen Bildung nur gegen den
Gang der bisherigen Geschichte zu lösen, den gesuchten „Standpunkt der
absoluten Identität des Antiken und Modernen" nur in einem zukünftigen
Konvergenzpunkt natürlicher und künstlicher Bildung zu postulieren weiß.

Sieht man von dieser utopischen Lösung ab, so bleibt als Ergebnis von
Schlegels neuer 'Parallele', daß sie antike und moderne Kunst zwar zum
ersten Mal in ihrem eigenen Recht nach den Prinzipien des Objektiven und
des Interessanten bestimmen kann, dabei aber die natürliche Bildung der
Antike weiter als je von der künstlichen Bildung der Moderne in die Vergangenheit abgerückt hat. Denn die Vollkommenheit, die Schlegel an der Kunst
der Antike entdeckte, ist die vollendete Vergangenheit des „klassischen
Altertums", das nunmehr als „vollkommene Geschichte" exemplarisch wird,
während die Kunst der Moderne, dem entgegengesetzten Prinzip der Perfektibilität folgend, nicht mehr — wie die natürliche Bildung — „in sich
selbst zurücksinken kann" (93), sondern ihre höchste Bestimmung in einer
unvollendbaren Progression in die Zukunft finden soll. Der Widerspruch, in
dem Schlegel als « Ancien » befangen blieb, war indes nicht unlösbar, wie die
Abhandlung Schillers zeigt, die gleichfalls von der Perfektion der Antike und
der Perfektibilität der Moderne ausging, die so begründete Verschiedenheit
vom Standpunkt eines « Moderne » aus aber in einem „gemeinschaftlichen
höhern Begriff" zu versöhnen wußte.

*

„Keinem Vernünftigen kann es einfallen, in demjenigen, worin Homer
groß ist, irgend einen Neuern ihm an die Seite stellen zu wollen (. . . .). Eben
so wenig aber wird irgend ein alter Dichter und am wenigsten Homer in demjenigen, was den modernen Dichter charakteristisch auszeichnet, die Vergleichung mit demselben aushalten können" (439/40). Wie Schlegel geht auch
Schiller — das Ergebnis der *Querelle* aufnehmend — davon aus, daß antike
und moderne Dichtung, jede in ihrer Art, als vollkommen anzusehen und

---

[24] „Das äußerste, was die strebende Kraft vermag, ist: sich diesem unerreichbaren
Ziele immer mehr zu nähern. Und auch diese endlose Annäherung scheint nicht
ohne innere Widersprüche zu seyn, die ihre Möglichkeit zweifelhaft machen.
Die Rückkehr von entarteter Kunst zur echten, vom verderbten Geschmack zum
richtigen scheint nur ein plötzlicher Sprung seyn zu können, der sich mit dem
steten Fortschreiten, durch welches sich jede Fertigkeit zu entwickeln pflegt,
nicht wohl vereinigen läßt. Denn das Objektive ist unveränderlich und beharr-
lich: sollte also die Kunst und der Geschmack je Objektivität erreichen, so
müßte die ästhetische Bildung gleichsam fixiert werden. Ein absoluter Stillstand
der ästhetischen Bildung läßt sich gar nicht denken. Die moderne Poesie wird
sich also immer verändern" (85).

darin unvergleichbar sei. Da das Beispiel der einen gegen die andere „nichts beweisen kann", wie Schiller an anderer Stelle noch schärfer formuliert (478, Anm.), folgt daraus auch für ihn die neue, von Winckelmann und Herder noch nicht gestellte Frage nach einem gemeinschaftlichen höheren Begriff, der die verlorene ästhetische und historische Einheit des Antiken und des Modernen wiederherstellen konnte. Schlegel suchte die Einheit des ästhetischen Urteils auf dem Begriff des Schönen als Gegenstand des interesselosen Wohlgefallens zu begründen, dem er das Interessante am Ende als „Vorbereitung des Schönen" wieder unterordnen wollte. Von Schillers Standpunkt aus gesehen hatte diese Lösung den Makel, daß der Gegensatz des Antiken und des Modernen zwar im objektiv Schönen formal aufgehoben war, die inhaltlichen Bestimmungen aber noch verrieten, daß auch Schlegel „den Gattungsbegriff der Poesie zuvor einseitig aus den alten Poeten abstrahiert" (439) und darum dem Interessanten als dem Prinzip der neueren Dichter letztlich doch nicht die gleiche Dignität zuerkannt hatte. Schiller, der die Verschiedenheit des Antiken und des Modernen wie Schlegel unter der Antinomie von Natur und Kunst begreift, gibt diesem Verhältnis mit seinem Begriffspaar des *Naiven* und des *Sentimentalischen* nun aber eine Auslegung, die den Gegensatz der natürlichen und der künstlichen Bildung nicht mehr erst in einem utopischen Konvergenzpunkt der Zukunft, sondern schon im Gang der geschichtlichen Entwicklung der Menschheit vermitteln konnte.

Die moderne Poesie setzt hier nicht — wie bei Schlegel — durch einen historischen Zufall an einem Punkt außerhalb des vollkommenen Kreislaufs der antiken Poesie ein, sie hat vielmehr in der Vollendung der natürlichen Bildung die notwendige Bedingung ihres Ursprungs. Mehr noch: die „natürliche und die künstliche ästhetische Bildung greifen ineinander",[25] denn die inhaltlichen Bestimmungen der letzteren sind allesamt von dem Bewußtsein geprägt, daß die Vollkommenheit der naiven Dichter der Antike für die sentimentalischen Dichter der Moderne für immer verloren ist, aber auch nicht mehr ihr erstrebenswertes Ziel sein kann. Für ihr Verhältnis zur Antike gilt, was auch unser Verhältnis zu Gegenständen der einfachen Natur, zu Denkmälern der alten Zeiten oder zum Naiven der Kindheit bestimmt: „Was ihren Charakter ausmacht, ist gerade das, was dem unsrigen zu seiner Vollendung mangelt; was uns von ihnen unterscheidet, ist gerade das, was ihnen selbst zur Göttlichkeit fehlt. Wir sind frei, und sie sind nothwendig; wir wechseln, sie bleiben eins" (415). Antike und Moderne, natürliche und künstliche Bildung, die für das ästhetische Urteil gleichermaßen vollkommen und unvergleichbar erscheinen, treten in dieser Auslegung Schillers aus ihrem unvermittelten Gegensatz heraus. Sein neues Begriffspaar setzt sie in ein Bedingungsverhältnis, das die Wahrnehmung der verlorenen Naivität zum Seinsgrund des Bewußtseins der Modernität, den Verlust der antiken Natür-

---

[25] Das Zitat ist der Ausführung entnommen, in der Fr. Schlegel (204/5) selbst zusammenfaßt, worin Schiller über seine Position hinausgelangt sei.

lichkeit zum Ursprung der Künstlichkeit moderner Bildung macht. Nicht das
objektiv Schöne der griechischen Dichtung an sich selbst, vielmehr daß ihre
naturhafte Vollkommenheit für uns unwiederbringlich verloren ist, begründet das, was sie uns zum Ideal werden läßt. Arkadien als Inbegriff dieser
vollkommen natürlichen Welt ist für Schiller erst im Aspekt des Nicht-Mehr,
der für immer verlorenen „Simplizität" (418, Anm.) das Urbild des Naiven,
und die eigene Epoche findet gerade am Naiven, d. h. in der Empfindung,
„daß die Natur mit der Kunst im Kontraste stehe und sie beschäme" (413),
und der daraus folgenden Erkenntnis eines nicht zu behebenden Mangels, das
sentimentalische Bewußtsein ihrer geschichtlichen Mündigkeit. So kann unter
den Bestimmungen des Naiven und des Sentimentalischen die antike und die
moderne Bildung in gleicher Dignität stehen, ihre Entgegensetzung aber auch
als ein historisches Folgeverhältnis gesehen und unter einen gemeinsamen,
höheren Begriff subsumiert werden. Dieser Begriff, der es Schiller ermöglicht,
den Gegensatz des Antiken und des Modernen aus Schlegels Aporie zwischen
dem vollendeten Kreislauf der antiken und der unvollendbaren Progression
der modernen Bildung herauszuführen, ist die Philosophie der Geschichte:

> Dieser Weg, den die neueren Dichter gehen, ist übrigens derselbe, den der
> Mensch überhaupt sowohl im Einzelnen als im Ganzen einschlagen muß. Die
> Natur macht ihn mit sich Eins, die Kunst trennt und entzweyet ihn, durch das
> Ideal kehrt er zur Einheit zurück. Weil aber das Ideal ein unendliches ist, das
> er niemals erreicht, so kann der kultivirte Mensch in *seiner* Art niemals voll-
> kommen werden, wie doch der natürliche Mensch es in der seinigen zu werden
> vermag. Er müßte also dem letzteren an Vollkommenheit unendlich nachstehen,
> wenn bloß auf das Verhältnis, in welchem beide zu ihrer Art und zu ihrem
> Maximum stehen, geachtet wird. Vergleicht man hingegen die Arten selbst mit
> einander, so zeigt sich, daß das Ziel, zu welchem der Mensch durch Kultur
> *strebt*, demjenigen, welches er durch Natur *erreicht*, unendlich vorzuziehen
> ist (438).

Schillers Begriffspaar hat vor dem Schlegels den Vorzug, daß es den Gegensatz des Antiken und des Modernen geschichtsphilosophisch versöhnt,
insofern es dem Naiven und dem Sentimentalischen in Ansehung ihrer
Eigenart gleiche Rechte zugesteht, in Rücksicht auf das „letzte Ziel der
Menschheit" (438), aber dem Sentimentalischen als dem Prinzip der Moderne
den Vorrang einräumen kann. Erweist sich darin ihre geschichtsphilosophische Legitimität, so ist nun zu fragen, ob Schillers Begriffe in gleichem Maße
wie Schlegels ästhetische Kategorien dazu geeignet sind, die Eigenart und
Leistung der antiken und der modernen Kunst zu bestimmen. Gerade an
diesem Punkt hat Schlegel in seiner nachträglichen Vorrede gegen Schillers
Darlegungen Bedenken erhoben. Während er einerseits freimütig zugibt,
Schillers Schrift habe ihm über die Grenzen der klassischen und der interessanten Poesie und insbesondere über den historischen Ursprung der modernen Poesie „ein neues Licht gegeben", setzt er andererseits an Schillers Begriff
des Sentimentalischen aus, daß „nicht jede poetische Äußerung des Strebens
nach dem Unendlichen sentimental", aber auch nicht schon jede sentimenta-

lische Stimmung poetisch sei („Nur durch das Charakteristische, d. h. die Darstellung des Individuellen wird die sentimentalische Stimmung zur Poesie", (207/8). Diese Einwände laufen letztlich darauf hinaus, daß Schillers Begriffe ein moralisches Interesse an der Realität des Idealen voraussetzen, ursprünglich also keine rein ästhetischen Kategorien seien und darum von sich aus auch kein spezifisches Merkmal des Schönen beibringen könnten. In der Tat stellt Schiller gleich eingangs fest, daß die Empfindung des Naiven „kein ästhetisches, sondern ein moralisches Wohlgefallen (an der Natur) ist; denn es wird durch eine Idee vermittelt, nicht unmittelbar durch Betrachtung erzeugt; auch richtet es sich ganz und gar nicht nach der Schönheit der Formen" (414). Daraus ergibt sich zunächst einmal, daß auch Schiller in seiner 'Parallele' das Prinzip der modernen Kunst vom klassischen Kanon des Schönen abgesetzt hat. In dieser Hinsicht bezeichnet das Sentimentalische bei Schiller und das Interessante bei Schlegel gemeinsam und gleichzeitig die neue Position der schon eingetretenen „ästhetischen Revolution". Daraus die Prinzipien einer „poetischen Gesetzgebung" zu entwickeln wurde Schlegel durch die Rückbindung des Interessanten an das Maß des objektiv Schönen erleichtert, während hier die Schwierigkeiten Schillers begannen. Wie sollte ein neuer Kanon der modernen Dichtkunst ohne das klassische Richtmaß des Schönen begründet, von der Empfindungsweise des Sentimentalischen aus entwickelt und in Dichtungsarten gegliedert werden? Und wie konnte andererseits mit dem Begriff des Naiven Eigenart und Grenzen der antiken Dichtkunst bestimmt werden, wo doch die Wahrnehmung des Naiven der antiken Dichter schon ein sentimentalisches Interesse an ihnen voraussetzt? Drohte Schillers Bild der naiven Dichter nicht unvermeidlich in jene „Werthersche Ansicht" Homers zurückzufallen, die Schlegel als unangemessene Modernisierung enthüllt hatte?

Schiller war sich dieser Gefahr durchaus bewußt, wie vor allem sein Versuch zeigt, das von ihm beschriebene sentimentalische Interesse am Naiven der Natur und der alten Dichter von dem nur affektierten „sentimentalischen Geschmack zu unsern Zeiten" (415), andererseits aber auch von dem verschiedenen Gefühl der Natur, das die Alten selbst hatten, zu unterscheiden. Die erste Abgrenzung richtet sich an den „empfindsamen Freund der Natur" und zielt schon hier auf Rousseau, über dem später noch eigens der Stab gebrochen wird[26]: „Jene Natur, die du dem Vernunftlosen beneidest, ist keiner Achtung, keiner Sehnsucht wert. Sie liegt hinter dir, sie muß ewig hinter dir liegen" (428). Schillers Absage an den Rousseauismus seines Jahrhunderts, der „die Kunst lieber gar nicht anfangen lassen, als ihre Vollendung erwarten will" (452), setzt zugleich dem idyllischen Bild der antiken Simplizität ein nicht weniger deutliches Ende, als es Schlegel tat. Denn mit der

---

[26] Die explizite Kritik Schillers an Rousseau findet sich in der Behandlung der Elegie (451/2); weitere Abschnitte in der Kritik der sentimentalischen Idylle (468, 472) könnten auch auf ihn gemünzt sein.

naiven Schönheit, Ruhe und Einfalt, die unsere moderne Empfindsamkeit in der Natur sucht und bei den Alten zu finden glaubt, haben wir das, was uns von ihnen trennt, nur scheinbar aufgehoben:

> Das Gefühl, von dem hier die Rede ist, ist also nicht das, was die Alten hatten; es ist vielmehr einerlei mit demjenigen, welches wir für die Alten haben. Sie empfanden natürlich; wir empfinden das Natürliche (431).

Schiller bringt dafür das gleiche Beispiel wie Schlegel: den jungen Werther, der Zuflucht bei Homer suchte und den die gelesene Szene zweifellos mit einem ganz anderen Gefühl erfüllt habe als Homer, der sie schuf. Was aber mag das Naive der Alten nun wohl abgesehen von uns und jenseits der „Wertherschen Ansicht" gewesen sein? Worauf gründet sich überhaupt die Erwartung, das „ganz andere Gefühl" Homers oder auch Schlegels „reine Griechheit" lasse sich im Abstand der Zeit noch ergründen?

Dieser letzten Frage, die in die Aporie des Historismus führen würde, ist Schiller — wie schon Schlegel — offensichtlich ausgewichen. Schillers Explikation der antiken Dichtung behält den Begriff des Naiven bei, obschon es in der Konsequenz seiner Abgrenzung gelegen hätte, vom Naiven nur noch als derjenigen Ansicht des Gegenstandes zu sprechen, die sich für die sentimentalische Einstellung ergibt. Aus der Kritik an der falschen Empfindsamkeit seines Jahrhunderts, die nach der Glückseligkeit der einfachen Natur zurückverlange, statt über den Verlust ihrer Vollkommenheit zu trauern (428), geht ein neues Antikebild hervor, das in seiner Strenge dem Schlegels recht nahe kommt, ja als Ergänzung der Bestimmung des Objektiven aus der Perspektive des produzierenden Künstlers gelesen werden kann. Der antike Dichter lehre uns die Natur „aus der ersten Hand zu verstehen" (433). Seine wahre Vollkommenheit, die ihn vor dem neueren Dichter auszeichnet, beruhe auf seiner „Liebe für das Objekt" (429), das er im höchsten Grade genau und treu zu beschreiben wisse, weil es „ihn gänzlich besitzt" (433). Was uns in naiver Dichtung zunächst befremdet, nämlich „daß der Poet sich hier gar nirgends fassen läßt" (433), erweist sich gerade als Vorzug der antiken Dichter, die uns durch „sinnliche Wahrheit" und „lebendige Gegenwart" zu rühren vermögen (438), die noch Natur sind, wo wir die verlorene suchen (432).

Das Prinzip der „absoluten Darstellung" (470), das den Vorrang der Griechen auf ihrem eigenen Felde, der naiven Dichtung, begründet, zeigt andererseits aber auch die Grenze ihres Vermögens und gibt den Grund an, der sie nach Schiller im Gang der ästhetischen Kultur „auf einer niedrigeren Stufe festhielt" (478, Anm.). Da der naive Dichter von seinem Objekt abhängt, kann ihm die „gemeine Natur" gefährlich werden und sind die Dichtungen der Alten nur schön, „soweit die Natur in ihnen und außer ihnen schön ist" (ib.). Schiller führt dafür als Beispiel die Schilderungen der weiblichen Natur und des Verhältnisses zwischen den beiden Geschlechtern an, bei denen es sich zeige, daß das Werk der alten Dichter „mit der äußern Empfindung geendigt" war, weil sie es nicht verstanden, „durch eine sentimentalische Operation aus einem beschränkten Objekt ein unendliches zu machen" (ib.). Dieses Argument steht am Ende der langen Diskussion, die seit der *Querelle d'Homère* über die Mängel der griechischen Poesie geführt wurde. Noch Fr. Schlegel hatte im gleichen Zusammenhang die „kindliche Sinnlichkeit des epischen Zeitalters", die „nicht selten bittre und gräßliche Härte der älteren Tragödie", die „üppige Ausschweifung gegen das Ende des lyrischen Zeitalters" als Unvollkommenheiten, ja „wirkliche Fehler" der griechischen Poesie angesehen (151); auch wenn er diese Mängel dann wieder durch seine „vollständige Naturgeschichte der Kunst und des Geschmacks" historisch rechtfertigte, fanden die archaische und die hellenistische Phase der griechischen Dichtkunst damit doch noch keine ästhetische Würdigung. Schiller war als «Moderne» in dieser Hinsicht dem «Ancien» Schlegel voraus und brachte die *Querelle d'Homère* auf eine neue Stufe der ästhetischen Reflexion, als er das Unvollkommene der antiken Dichter nicht mehr auf die frühe Stufe und andere Welt ihrer Sitten, sondern allein noch auf die Grenze zurückführte, die dem naiven Dichter durch seine Beschränkung auf die Nachahmung der Natur gezogen sei. Somit verdankt auch die Dichtkunst der Modernen ihre Überlegenheit in Themen wie dem der Liebe nicht eigentlich der „günstigen Veranlassung" ihrer höheren Zivilisation und Bildungsgeschichte (so Schlegel, 154), sondern der Freiheit des sentimentalischen Dichters, „über die Natur hinaus in das Idealische" zu gehen (478, Anm.). Während das naive Genie in Abhängigkeit von der Erfahrung steht, seine Stärke in der „absoluten Darstellung" seines Gegenstandes hat, aber über diesen Gegenstand nicht hinausgelangt, fängt das sentimentalische Genie „seine Operation erst da an, wo jenes die seinige beschließt; seine Stärke besteht darin, einen mangelhaften Gegenstand aus sich selbst heraus zu ergänzen, und sich durch eigene Macht aus einem begrenzten Zustand in einen Zustand der Freyheit zu versetzen" (476). Die Nachahmung der Natur ist das Maß, aber auch die Grenze der Vollkommenheit antiker Kunst; der Vorrang moderner Kunst beginnt dort, wo sie am Mangel ihrer historischen Wirklichkeit die eigene Möglichkeit begreift, die Beschränkung auf die schöne Natur zu durchbrechen und den mangelhaften, an sich selbst sogar gleichgültigen (470) Gegenstand durch Behandlung poetisch zu machen.

Schillers Grenzziehung zwischen natürlicher und künstlicher Bildung führt an diesem Punkt unzweifelhaft über die moralischen Implikationen des Sentimentalischen hinaus und gelangt zum Ansatz einer „poetischen Gesetzgebung" (467, Anm.), die Eigenart und Leistung der — vom Jahre 1797 aus gesehen — zukünftigen modernen Kunst unter einem Aspekt vorzeichnet, der in Schlegels Bestimmungen der interessanten Poesie fehlte. Die Bedeutung des Sentimentalischen erschöpft sich keineswegs im Typischen der drei Dichtungsarten Satire, Elegie und Idylle, deren Beschreibung Schillers Abhandlung so viel Raum gibt. Nicht als drei „Gedichtarten", wie sie unter diesen Namen, aber unter anderen Bedingungen auch schon in der Antike gepflegt wurden, [27] sollen hier Satire, Elegie und Idylle verstanden werden, sondern als eine „dreyfache Empfindungsweise und Dichtungsweise", die „außerhalb der Grenzen naiver Dichtung" liege und demnach eine Grenzüberschreitung voraussetzt, die Schiller „für eine ächte Art (nicht bloß Abart) und für eine Erweiterung der wahren Dichtkunst zu halten geneigt ist" (466, Anm.). Die sentimentalische Poesie erweitert die wahre, d. h. klassische Dichtkunst, indem sie die Naturnachahmung aufgibt, sich aus der naiven Bindung an das Objekt löst, und wird eben dadurch zum Prinzip der modernen Dichtkunst. Die drei sentimentalischen Dichtungsarten setzten voraus, daß der moderne Dichter — im Unterschied zum antiken — zu seinem Gegenstand „nicht nur ein einziges Verhältnis haben kann", sondern selbst die Wahl der Behandlung trifft (440). Die Rührung, in die er uns versetzt, ist nicht auf seinen Gegenstand, sondern nur auf die Reflexion über den Eindruck gegründet, „den die Gegenstände auf ihn machen" (441). Er kann, indem er die Natur durch die Idee ergänzt, „durch eine sentimentalische Operation aus einem beschränkten Objekt ein unendliches machen", und er kann schließlich, wie Schiller an Klopstock zeigt, es der Tonkunst nachtun, die „bloß einen bestimmten Zustand des Gemüths hervorbringt, ohne dazu eines bestimmten Gegenstandes nöthig zu haben" (456, Anm.).

Gewiß sehen wir diese äußerste Position der Reflexionen Schillers heute, nachdem wir gelernt haben, die Kunst der Moderne mit Kategorien der Abstraktion, Reflexion und Verdinglichung zu begreifen, in einem schärferen Licht, und wir laufen Gefahr, der Modernität der letzten Sätze mehr Bedeutung zu geben, als ihnen im Horizont der idealistischen Philosophie und Dichtungstheorie Schillers zukam.[28] Doch selbst wenn man in diesem Hori-

---

[27] Zwar sagt Schiller zunächst über Horaz, man könne ihn „als den wahren Stifter dieser sentimentalischen Dichtungsart nennen" (432), doch dieses Urteil wird später wieder eingeschränkt: „soviel lehrt doch die Erfahrung, daß unter den Händen sentimentalischer Dichter (auch der vorzüglichsten) keine einzige Gedichtart ganz das geblieben ist, was sie bey den alten gewesen, und daß unter den alten Namen öfters sehr neue Gattungen sind ausgeführt worden" (467, Anm.). Die historische Zuordnung des Naiven zur Antike, des Sentimentalischen zur Moderne setzt sich immer wieder durch, vgl. auch p. 435: „Dichter von dieser naiven Gattung sind in einem künstlichen Weltalter nicht so recht mehr an ihrer Stelle."

[28] Siehe dazu Dieter Henrich, *Der Begriff der Schönheit in Schillers Ästhetik* (Zs. für philos. Forschung 11, 1957, 527—47), der zeigt, wie sich Schiller mit seinem neuen Begriff des Schönen als „Freiheit in der Erscheinung" zwar von Kants *Kritik der Urteilskraft* löst, indem er das Ästhetische mit dem Sittlichen verbindet, dabei aber in Schwierigkeiten gerät („Schiller versucht, die im Kantischen System nicht einbezogene Vergegenständlichung der Subjektivität mit Hilfe der Begriffe von Kants Subjektivitätstheorie zu erfassen", 539) und davor Halt macht, die beiden Phänomene des Schönen und des Erhabenen in eines zusammenzudenken. — Die Grenze zur Modernität zeigt in der Schrift *Über naive und sentimentalische Dichtung* vor allem die widersprüchliche Stellung des Ideals an, das der sentimentalische Mensch immer nur erstreben, aber nie erreichen kann (438) und das dann die idealisch-zukünftige Idylle vom Elysium

zont verbleibt und berücksichtigt, daß 'Entgegenständlichung' in Schillers
Theorie der modernen Kunst an das Ideal, bzw. an die „Darstellung des Absoluten" gebunden war, weist seine Beschreibung der „Kunst des Unendlichen" noch genügend Merkmale auf, die sein Prinzip des Sentimentalischen
auf kaum unterscheidbare Weise dem 'Romantischen' nahekommen lassen.[29]
In der geschichtlichen Konsequenz der *Querelle des anciens et des modernes*
gesehen, als ein neuer Versuch, „den langen Streit der einseitigen Freunde
der alten und der neuen Dichter zu schlichten", erscheint Schillers Schrift
Über naive und sentimentalische Dichtung bereits als ein erster Akt jener
„ästhetischen Revolution", die von der ersten Generation der Romantiker,
von Friedrich Schlegel und Novalis, unmittelbar danach vollzogen wurde.

doch noch erfüllen soll. Siehe dazu Marianne Schütz, *Die problematische Seite
des Sentimentalischen bei Schiller* (Diss. Freiburg, 1954, 10—16) und Roland
Marleyn, *The poetic ideal in Schiller's 'Über naive und sentimentalische Dichtung'* (German life and letters, N. S. 1955/56, 237—45), der auch auf die unge-
löste Zuordnung des Sentimentalischen zum Erhabenen und des Naiven zum
Schönen aufmerksam macht.

[29] Das 'Sentimentalische' in Schillers Prägung des Begriffs hat mit dem 'Romantischen' die doppelte Bestimmung gemein, sowohl ein Verhältnis zur Natur (als
Empfindung des verlorenen Einklangs mit dem Ganzen der Welt), als auch ein
Verhältnis zum zeitlich Fernen (als Sehnsucht nach der Simplizität der Kindheit
oder der Antike) zu bedeuten; als ein neues Moment kommt in der romantischen Dichtungslehre dann hinzu, daß hier das christliche Mittelalter an die
Stelle gesetzt wird, die bei Schiller wie bei Schlegel die Antike einnahm (vgl.
dazu die Anm. 20 angeführte Abhandlung, pp. 174—79). Die Aufwertung des
'Interessanten' zu einer positiven Bestimmung in Schlegels romantischer Dichtungstheorie hat R. Brinkmann (s. Anm. 16) durch den Nachweis, daß diese
Wendung schon in Ansätzen der Frühschriften präformiert sei, in eine
entwicklungsgeschichtliche Konsequenz zu stellen versucht (in Ergänzung
älterer Thesen von A. O. Lovejoy, vgl. p. 348). Die Parallelität der Denk-
richtung Schillers mit dem Schlegelkreis kommt dabei zu kurz, weil B. in
dem Bestreben, Schlegel die Priorität in der Konzeption einer Dichtungstheorie
der Moderne zuzuschreiben, Schillers Kategorien gleich typologisch auffaßt,
sie in die „Zeitlosigkeit der Klassik" zurückstellt (361) und damit der Ge-
schichtsphilosophie Schillers so wenig gerecht wird wie seiner Rechtfertigung
der modernen Poesie durch den Begriff des Sentimentalischen. So richtig es ist,
daß Schlegel sich nicht von heute auf morgen vom Gräkomanen zum Romantiker bekehrt hat, bleibt doch in Brinkmanns Darstellung unerklärt, wie die im
Studium-Aufsatz noch negativen Bestimmungen des Interessanten ohne eine
innere Wendung Schlegels in positive Bestimmungen der romantischen Kunst
oder progressiven Universalpoesie umgesetzt werden konnten. Wenn aber der
wesentliche Anstoß zu dieser Wendung — wie Lovejoy wahrscheinlich machte,
dessen These an diesem Punkt aus unserer problemgeschichtlichen Perspektive
nur bestätigt werden kann — die Provokation durch Schillers Schrift gewesen
ist, muß man bezweifeln, daß Schlegel im Studium-Aufsatz „viel mehr Ge-
schichtsphilosoph als Schiller" war (so Brinkmann, 361). Er ist es vermutlich
erst geworden, nachdem ihm Schillers Abhandlung — wie er selbst gesteht —
über die Grenzen des Gebiets der klassischen Poesie wie über den Ursprung
und die ursprüngliche Künstlichkeit der modernen Poesie „ein neues Licht
gegeben" hatte (204/5).

Insofern muß es dem Romanisten am Schluß seiner vorwitzigen Grenzüberschreitung als ein Paradoxon der deutschen Literaturgeschichte erscheinen,
daß die große historische Wende zur Romantik gerade von der Position eines
« Ancien » aus, der im Interessanten als seinem Prinzip der modernen Literatur nurmehr eine „vorübergehende Krise des Geschmacks" sah und an eine
Annäherung an die Antike als die „große Bestimmung der Deutschen Dichtkunst" glaubte (197), von Friedrich Schlegel eingeleitet wurde, während
andererseits Friedrich Schiller, der die Antimonie zwischen der natürlichen
Bildung der Antike und der künstlichen Bildung der Moderne von der
Position eines « Moderne » aus progressiv im Geiste der Aufklärung löste, in
den Parnaß des rückwärtsgewandten Weimarer Klassizismus eingegangen ist.

Erich Loos

CASANOVA UND VOLTAIRE
ZUM LITERARISCHEN GESCHMACK IM 18. JAHRHUNDERT

Es ist eine eigentümliche Tatsache, daß die seit 1963 endlich vorliegende, dem Originalmanuskript ohne Korrekturen folgende Ausgabe der Lebensgeschichte Casanovas, obwohl seit Jahrzehnten immer drängender gefordert, bei weitem nicht die weltweite Resonanz gefunden hat, die ihr verdienterweise hätte gelten müssen.[1] Erst die Übersetzungen in andere Sprachen, wie die bereits abgeschlossene italienische[2] oder die zur Zeit erscheinende deutsche und die geplante englische,[3] scheinen, nicht zuletzt durch Aufmachung und Ankündigung, dem Original den Rang abzulaufen. Das Französische ist nicht mehr, wie zu Zeiten Casanovas, selbstverständlicher Besitz der *gens du monde*, und so greift man eher zu einer in der eigenen Sprache leichter zugänglichen Ausgabe.

Aber selbst die Forschung scheint sich nur vorsichtig an dieses vielbändige Opus zu wagen, dem immer noch der Geruch des Nur-Lizenziösen anhaftet. In der Tageskritik, die das Entstehen der deutschen Übersetzung aufmerksam verfolgt, erhebt sich oft die Frage, ob diese von allen willkürlichen Änderungen des vorigen Jahrhunderts befreite Ausgabe tatsächlich geeignet sei, das Bild von Casanova — man könnte fast von einer Casanovalegende sprechen — von Grund auf zu ändern. Gewiß, so stellt man fest, die Begegnung mit der Urfassung sei wohl dazu angetan, die Vorstellung von Casanova als Schriftsteller zu korrigieren, nicht aber das Bild von dem großen Libertin im Bereich des Erotischen. Es wäre unsinnig, leugnen zu wollen, die Liebeserfahrungen seien nicht ein Zentralthema der Memoiren des entwaffnend egozentrischen Autobiographen, der sich selbst recht gut kennt, sich aber zweifellos auch in ehrlicher Überzeugung für einen exemplarischen Altruisten hält. Für den Leser unserer Zeit, der im literarischen Bezirk an ganz andere Zerstörungen erotischer Tabus gewöhnt ist, wird aber im Laufe der Lektüre zweifellos in stets wachsendem Maße das kultur- und literarhistorische Element des Werkes in den Vordergrund rücken.

---

[1] Jacques Casanova de Seingalt Vénitien, *Histoire de ma vie, édition intégrale*, 12 Bde. in 6, Wiesbaden, F. A. Brockhaus und Paris, Plon, 1960—62. Nach dieser Ausgabe wird im Folgenden zitiert.

[2] Giacomo Casanova, *Storia della mia vita, edizione integrale tradotta dal manoscritto Brockhaus*, ed. P. Chiara, 12 Bde. in 6 und ein Ergänzungsband, Milano, Mondadori, 1965.

[3] Giacomo Casanova Chevalier de Seingalt, *Geschichte meines Lebens*, hg. v. E. Loos, Berlin, Propyläenverlag, 1964 ff. (bisher 8 Bde.). Eine englischsprachige Ausgabe wird in New York vorbereitet.

Wenn man bedenkt, daß dieses Memoirenwerk erst am Ende eines an Erfahrungen, Erlebnissen und Begegnungen überreichen Lebens niedergeschrieben worden ist — Casanova beginnt mit der Redaktion nicht vor 1790, also als Fünfundsechzigjähriger —, so verblüfft beim Überschauen dieses wohl ausführlichsten Lebensberichtes die Tatsache, daß trotz der durch die Entstehungszeit gegebenen Homogeneität des Stils, ja der Sichtweise des Autors, eine klare Entwicklung der Persönlichkeit erkennbar wird. Wir wissen, daß Casanova trotz seines erstaunlichen Gedächtnisses eine solche Leistung des Erinnerungsvermögens nur durch seine früh einsetzende Neigung vollbringen konnte, alle ihm des Merkens würdig erscheinenden Dinge in seinen sogenannten *capitulaires* mehr oder weniger ausführlich einzutragen, alle Briefe aufzubewahren und von eigenen Kopien anzufertigen.[4] Casanova muß sich offenbar verhältnismäßig eng an diese Erinnerungsstützen gehalten haben, denn die dargestellten Details geben den Memoiren nicht den Charakter eines aus rückschauender Altersweisheit entstandenen Berichtes, sondern verleihen ihnen fast die Eigenart eines Tagebuches, das unter dem frischen Eindruck von Erlebnissen *au jour le jour* niedergeschrieben wurde. So wird einem nicht nur bewußt, daß trotz des Vorherrschens der genießenden Beschwörung erlebter Liebesfreuden auch andere, sein Interesse erregende Dinge Platz gewinnen, sondern mehr noch, daß geradezu eine Art Verlagern der Akzente feststellbar ist. Gewiß, um die Frauen kreist die Lebensgeschichte ständig; aber das lustvolle Ausmalen von Liebesfesten, das in den Szenen mit der Nonne M. M. ihren Höhepunkt erreicht, nimmt in der Folge, bis auf wenige Ausnahmen, deutlich ab. Einmal wird es Casanova bewußt — und er betont das sogar dem Leser gegenüber —, daß sich solche Freuden nicht mitteilen lassen; zum anderen tritt das amouröse Element tatsächlich im Laufe des Werkes zurück, nicht in der Zahl der Liaisons, sondern in dem Raum, den Casanova ihnen in seiner Selbstdarstellung einräumt. Allenfalls die Vorgeschichte der Eroberungen ist breiter ausgesponnen; das Gewinnen der Gunst und deren Vollzug werden in den späteren Bänden oft mit wenigen Sätzen abgetan. Zweifellos spürte der Autor während des Niederschreibens den Routinecharakter beim Schildern von Liebesszenen und kürzte sie immer stärker. Auffällig ist ohnehin, daß sich das Vokabular des wahrlich an Ausdrucksvarianten nicht armen Casanova gerade im Bericht über intimste Begegnungen in ermüdender Weise wiederholt und fast stets mit einem geradezu stereotypen, ihm aus der Tradition der erotischen Literatur zufließenden Wortschatz und stumpf gewordenen Metaphern auskommt.

Daß Casanovas Memoiren eines der lebendigsten Quellenwerke für die Kulturgeschichte der zweiten Hälfte des 18. Jahrhunderts sind, ist heute unbestritten. Der Autor zeigt immer von neuem, daß er ein im Rahmen des

---

[4] Alle Notizen und fast alles dokumentarische Material, dessen er sich für seine Memoiren bedient hat, ist offenbar von Casanova vernichtet worden, um jede Identifizierung der von ihm mit fiktiven Namen vorgestellten Personen zu verhindern.

Möglichen unvoreingenommener Beobachter war, dessen Neugier von höchster Wachheit zeugt. Auch die Zuverlässigkeit Casanovas, die jahrzehntelang von vielen angezweifelt wurde, kann inzwischen als gesichert gelten. Eine Fülle von biographischer Kleinarbeit hat die Geschichtlichkeit der in den Memoiren berichteten Geschehnisse eindeutig bewiesen.[5]

Aber Casanovas Werk ist desgleichen eine hervorragende Quelle für die Literaturgeschichte der Zeit.[6] Der Autor ist in seinem Wanderleben zahlreichen *gens de lettres* begegnet, ja hat das Gespräch mit ihnen gesucht. Allerdings hat, wie so vieles an ihm, auch sein Verhältnis zur Literatur etwas Schillerndes. Er vereinigt in sich viele scheinbare Gegensätze, er nennt sich oft und gern *philosophe* und ist es auch in dem weiten Sinn, den das Zeitalter der Aufklärung dem Begriff gab; mit kritischem Verstand und in der Sicherheit des Besitzes einer gut entwickelten Vernunft setzt er sich mit Fragen des religiösen Glaubens und der Haltung zum Leben auseinander, er beobachtet und beurteilt alle Phänomene ohne Vorurteile. Allerdings ist er weit entfernt von reformatorischen Ideen im politischen oder sozialen Bereich; ihn erfüllt auch keineswegs die Überzeugung, man könne die Menschen durch Wissen bessern und ihnen zu Einsichten verhelfen, die dem allgemeinen Wohl zugute kommen würden. Im Gegenteil, er ist der Gesellschaftsordnung des *Ancien Régime* eng verbunden, verachtet die Menge, die er stets abwertend als *peuple* bezeichnet, und die man in der Unwissenheit lassen müsse, um sie regieren zu können. Seine hin und wieder eingestreuten Polemiken gegen die Menschen, die er verachtend *le peuple* nennt, mögen durch die Ereignisse der großen Revolution mitbestimmt worden sein, die ja die Niederschrift der Memoiren überschatteten. So finden wir in dem Autor der *Histoire de ma vie* ein eigentümliches Gemisch von Konservatismus und aufklärerischen Impulsen. Er bewundert Fontenelle und versucht seinerseits, einer Geliebten die Grundlagen der physikalischen Erkenntnisse zu vermitteln, spürt aber nur dann den Drang in sich, Wissen mitzuteilen, wenn er einem, fast immer weiblichen, Wesen begegnet, dessen vorhandene, aber unentwickelte Intelligenz einer solchen Belehrung würdig ist.

Eines ist sicher, für ihn wie für uns, er war ein *homme de lettres*, auch das im weiten Sinn der Aufklärungszeit. Seine Memoiren allein beweisen, daß er nicht nur ein Autor des *second rayon* ist. Darüber hinaus hat er eine Fülle von Schriften verfaßt, die von der Invektive und der Polemik bis zur weit-

[5] Die bisher vollständigste und reiche, auf eigenen Forschungen beruhendes Material bringende Bibliographie ist die von J. Rives Childs: *Casanoviana. An Annotated World Bibliography of J. Casanova de Seingalt and of works concerning him*, Wien, Nebehay, 1956; sie führt nicht weniger als 1037 Arbeiten, allerdings auch Zeitungsaufsätze, an, die sehr oft als regional oder lokal bedingte Beiträge wie ein Mosaik den Lebensweg des Autors aus der Fülle einzelner, überprüfter Episoden zusammensetzen.

[6] M. Rat nennt sie in seinem Aufsatz *Aux 'Délices' quand Voltaire fit la conquête de Casanova* (Figaro Littéraire vom 31. 1. 1953) eine der zwei oder drei kostbarsten Quellen für die Literaturgeschichte des 18. Jhdts.

läufigen historischen Abhandlung, ja bis zu Arbeiten über mathematisch-naturwissenschaftliche Probleme reichen. Zugleich war er ein überaus fruchtbarer Dichter — was ihm die Aufnahme in die *Accademia dell' Arcadia* unter dem Namen Eupolemo Pantaxeno eintrug —, Verfasser eines fünfbändigen utopischen Romans und mehrerer Theaterstücke. So fühlt er sich durchaus als Mitglied der *république des lettres* und betont es mehrfach und mit Stolz in den Memoiren. Literatur im weitesten Sinne ist für ihn nicht nur Zeitvertreib zwischen zwei Liebschaften, sondern eine Art Lebensnahrung. Seine Leidenschaft für das Theater, die oft allerdings weniger literarische als gesellig-amouröse Gründe hat, führt ihn zu Bekanntschaften mit den heute zum Teil vergessenen Autoren der Bühne der Zeit. Es ist gewiß bezeichnend, daß er verhältnismäßig selten von den Stücken spricht, die er gesehen hat, obwohl er überall so oft wie möglich Besucher der Theater ist. Er scheint wie ein Schmetterling von einer Bühnenschönheit zur anderen zu flattern. Dennoch zeugen zahlreiche Stellen der Memoiren von seinem ausgeprägten literarischen Geschmack und verraten oft verblüffend klare und zutreffende, wenn auch offensichtlich spontan gebildete Urteile über kleine und große Autoren des Zeitalters, denen er persönlich begegnet ist; besonders deutlich wird das in den Porträts, die er mit erstaunlicher Sicherheit von Crébillon père, Fontenelle, Helvétius, Rousseau, Metastasio, von Haller und insbesondere von Voltaire entwirft. Schon eine katalogartige Zusammenstellung seiner Urteile über literarische Zeitgenossen, Urteile, die allerdings oft genug nichts anderes als eine Form der Selbstbespiegelung sind, wäre aufschlußreich, würde aber dem Bild, das im Folgenden aus der Begegnung Casanovas mit Voltaire gewonnen werden soll, nichts Wesentliches hinzufügen.

Kaum ein Zeitalter hat im Anschluß an die theoretischen Bemühungen der französischen Klassik so intensiv über das Problem des Geschmacks nachgedacht und geschrieben wie das 18. Jahrhundert. Casanovas literarische Neigungen, Begeisterung wie Antipathie, entspringen nun kaum ästhetisch-theoretischen Überlegungen — abgesehen von einigen Bemerkungen zu eher handwerklichen Problemen des Verseschreibens —, sondern wirken unreflektiert; dennoch nehmen sie, wenn auch wohl unbewußt, an Zeitströmungen teil und bleiben im Rahmen des Zeitgeschmacks. Allerdings scheint ein Wertbegriff, der häufig in seinen Urteilen auftaucht, für ihn eine Art Kriterium zu sein, der der *érudition*; was er darunter versteht, wird im Folgenden, obwohl er selbst keine klare Definition des Bedeutungsinhalts gibt, einigermaßen deutlich werden. Anstelle von *érudit* kann auch das Adjektiv *savant* verwandt werden, Wörter, die für den Autor der Memoiren fast Synonyma zu sein scheinen. Casanova, *homme de lettres* und *bel esprit*, ist gleichsam ein Spiegel, in dem sich in wechselnder Intensität die Geschmacksrichtungen der Epoche ablesen lassen. Auffällig ist in seinen Urteilen, das sei vorweggenommen, ein völlig ahistorisches Werten, das Autoren, gleich welcher Zeit sie angehören, nebeneinander und gleichzeitig sieht. Für ihn hat es nie eine *Querelle des Anciens et des Modernes* gegeben; jedenfalls sind ihm Horaz,

Ariost und Metastasio Dichter, um nur zeitlich extreme Beispiele zu nennen,
die in gleicher Weise und aufgrund der gleichen Kriterien der Bewunderung
würdig sind. Bei seiner Einstellung zu literarischen Schöpfungen darf man
gewiß nicht außer acht lassen, daß er Italiener ist und daß seine Urteile
unbewußt mitgetragen sind von einer Art Verteidigungshaltung, die, den
Primat des Französischen durchaus anerkennend, doch die literarischen Leistungen des eigenen Landes ins rechte Licht setzen möchte.[7] Das wird an
keiner Stelle ausgesprochen, durchzieht aber untergründig Casanovas literarische Bewertungen, obwohl er sich keineswegs scheut, auch mit italienschen
Autoren, insbesondere seiner Epoche, scharf ins Gericht zu gehen.

Um das Verhältnis des Autors zur Literatur kennen zu lernen, bietet sich
seine Begegnung mit Voltaire geradezu an, denn an keiner Stelle der Memoiren ist in gleicher Konzentration von literarischen Fragen die Rede. Allerdings rundet sich das Bild erst ab, wenn man andere aufschlußreiche Text-
stellen der Lebensgeschichte mit heranzieht. Die Anschauungen Voltaires
interessieren hier nicht so sehr wie die seines Gesprächspartners. Die Diskussionen zwischen Voltaire und Casanova, die den wesentlichen Teil des 10. Ka-
pitels des sechsten Bandes ausfüllen, haben verständlicherweise schon manche
Betrachter gefunden. Allerdings sind die vorliegenden Arbeiten, zum Teil
Zeitungsaufsätze, fast ausschließlich biographischen Details und insbesondere dem Problem der Glaubwürdigkeit des Berichtes gewidmet.[8] Noch
G. Desnoiresterres[9] bezeichnet Casanovas Bericht als zweifelhaft. In neuerer
Zeit hat dann E. Maynial[10] in mehreren Arbeiten die Verläßlichkeit des
Autors, auch für den Bericht über die Begegnung mit Voltaire, ausdrücklich
betont. Italienische Aufsätze befassen sich vor allem mit dem scharfen Urteil
Voltaires über Folengo; immerhin erschienen bereits Carducci die Gespräche
als so bedeutsam, daß er sie in seine Abhandlung *L'Ariosto e il Tasso* zum
großen Teil aufnahm.[11]

Nach Casanovas Bericht besuchte er Voltaire an vier Tagen, vom 21. bis
24. August 1760. Zweifler an der Zuverlässigkeit der Schilderung wurden
bestärkt durch die Tatsache, daß in Voltaires Korrespondenz keine klare
Erwähnung der Person Casanovas oder seines Besuches nachzuweisen ist.
Wohl findet man in einem Brief an N. Cl. Thieriot vom 7. 7. 1790 eine An-

---

[7] Sie setzt bereits im 17. Jhdt. ein (vgl. Kl. Friedrich, *Die Polemik Orsi —
Bouhours. Ein Beitrag zur Geschichte der literarischen Beziehungen zwischen
Italien und Frankreich um die Wende des 17. zum 18. Jhdt.*, Diss. FU Berlin,
1959).

[8] Vgl. J. Rives Childs, *Casanoviana* Nr. 114, 178, 277, 305, 370, 636, 645, 664, 824,
829, 846.

[9] G. Desnoiresterres, *Voltaire et la société au 18e siècle*, Paris, Didier, 1875,
Bd. V (*Voltaire aux Délices*), p. 305.

[10] Edouard Maynial, *Casanova et son temps*, Paris, Mercure, 1910; das Kapitel
über Casanova und Voltaire erschien bereits vorher im *Mercure de France*
vom 1. 12. und 16. 12. 1907.

[11] G. Carducci, *Opere*, ed. nazionale, XIV, p. 630—645.

spielung: *Nous avons icy un espèce de plaisant, qui serait très capable de faire une façon de 'Secchia rapita', et de peindre les ennemis de la raison, dans tout l'excez de leur impertinence. Peut être mon plaisant fera t'-il un poëme guai et amusant, sur un sujet qui ne le parait guères.*[12] Das könnte ein Hinweis auf Casanova sein, würde aber bedeuten, daß die Datenangaben des Autors um weit mehr als einen Monat von der tatsächlichen Begegnung abweichen. Mit größerer Wahrscheinlichkeit ist ein Brief Voltaires an den Marchese Albergati Capacelli vom 5. 9. 1760 als Beweis anzusehen.[13] Darin schreibt er u. a.: *Il est vrai que pour de plaisir, vous venez de m'en donner par votre traduction et par votre bonne réponse â ce Ca... Mais je ne vous en donnerai guère...* In einem vorhergehenden, offenbar nicht überlieferten Brief hatte Voltaire wohl von Casanovas ironischen Bemerkungen über Albergatis Werk berichtet, und dieser hatte dem verehrten Freund in Genf die Abschrift seiner Antwort an Casanova zugeschickt. Nimmt man eine andere Bemerkung Casanovas hinzu, so bleibt auch ohne weiteres die Möglichkeit offen, daß eventuelle Briefäußerungen Voltaires über ihn nicht erhalten sind. Voltaire führt seinen Gast in ein Kabinett, in dem etwa hundert gebündelte Pakete liegen, und erklärt ihm: *C'est ma correspondance. Vous voyez à peu près cinquante mille lettres auxquelles j'ai répondu.*[14] Auf Casanovas Frage, ob Voltaire Abschriften seiner Antworten besitze, antwortete dieser: *D'une bonne partie. C'est l'affaire d'un valet que je ne paye que pour ça.* Aber warum sollte Casanovas Besuch auf Voltaire einen so unauslöschlichen Eindruck hinterlassen haben, daß dessen Name unbedingt in der Korrespondenz auftauchen muß? Bei der Fülle der Gäste, die Voltaire aufsuchten, wird Casanova, der damals noch nichts veröffentlicht hatte, dem *Patriarche de Ferney* als ein im Augenblick unterhaltsamer, aber doch unwichtiger Literat erschienen sein. Casanovas Bericht ist bis in die Details der Umwelt so präzise, daß die Gespräche kaum als erfunden angesehen werden können. Er gibt nach dem letzten Treffen mit Voltaire an: *J'ai passé une partie de la nuit et du lendemain à écrire les trois conversations que j'eus avec lui, et qu'actuellement j'ai copiées en abrégé.*[15] Es ist bedauerlich, daß Casanova die Dialoge nur in gekürzter Form in die Memoiren aufgenommen hat, denn innerhalb des Berichtes schreibt er an mehreren Stellen summarisch, sein Gespräch mit Voltaire habe sich weiterhin ausschließlich um literarische Fragen bewegt. Wahrscheinlich würde sich, wären uns alle Einzelheiten überliefert, der Kreis der Autoren, an denen sich Ablehnung oder Zustimmung

---

[12] Brief Nr. 8294, éd. Th. Besterman, Bd. XLII, Genf, 1959.

[13] Brief Nr. 8437, éd. Th. Bestermann, Bd. XLIII, Genf, 1959.

[14] *Histoire de ma vie*, vol. VI, p. 236. (In der Folge werden nur noch Band- und Seitenzahl angegeben.) Die neue Ausgabe der Korrespondenz von Voltaire, hg. von Th. Besterman, umfaßt insgesamt 20 054 Briefe, darunter aber auch zahlreiche, die an Voltaire gerichtet sind.

[15] VI, p. 249.

entzündet hat, sehr vergrößern; aber unerwartet neue Ausblicke oder Einsichten wären wohl nicht zu erwarten.

Casanovas Verhältnis zu Voltaire ist keineswegs stets das gleiche geblieben. Die Bewunderung für den großen Autor, die auch nach den Gesprächen vorerst bestehen blieb, wurde bald darauf zur zornigen Verachtung, ja zum Haß; in den im Alter geschriebenen Memoiren bereut er in klarer Selbsteinsicht sein falsches Urteil und hofft, es durch das späte Zeugnis einigermaßen korrigieren zu können. Er hatte Mitte 1760 in Solothurn, dem damaligen Sitz des französischen Gesandten für die Schweiz, mit Damen und Herren der dortigen Gesellschaft *Le Café ou l'Ecossaise* aufgeführt und selbst die Rolle des Murray übernommen. Ende des gleichen Jahres übersetzte Casanova das Stück ins Italienische, um es in Genua aufführen zu lassen. Seine Übersetzung schickte er Voltaire mit einem höflichen Begleitbrief, mußte dann aber durch einen Dritten erfahren, *qu'il avait trouvé ma traduction mauvaise. Cette nouvelle, et l'impolitesse qu'il m'usa ne répondant pas à ma lettre, me piqua et me déplut tellement que je suis devenu ennemi de ce grand homme. Je l'ai critiqué dans la suite dans tous les ouvrages que j'ai donnés au public croyant de me venger lui faisant du tort. C'est à moi que mes critiques feront du tort, si mes ouvrages iront à la postérité. On me mettra dans le nombre des Zoïles qui osèrent attaquer le grand génie.*[16] Schon in der dreibändigen Polemik[17] gegen Amelot de la Houssaie's Werk *Histoire du Gouvernement de Venise*, die Casanova während eines Gefängnisaufenthaltes in Barcelona 1768 konzipiert hatte — zweifellos um die Gunst der venezianischen Staatsinquisitoren und damit das Recht zur Rückkehr in die Heimatstadt zu erlangen — und die 1769 veröffentlicht wurde, hatte Casanova scharfe Angriffe auch gegen Voltaire gerichtet. Weit erbitterter noch war seine spätere Polemik, dem damaligen Dogen von Venedig gewidmet, *Scrutinio del libro 'Eloges de M. de Voltaire par differens auteurs'*,[18] in der er seinem Zorn freien Lauf ließ. Schon auf der Titelseite läßt er als Motto die Ermahnung des Horaz drucken:

> Qualem commendes etiam atque etiam aspice, ne mox
> Incutiant aliena tibi peccata pudorem.[19]

Erst in den Memoiren also hat er sich zu seinem Irrtum bekannt.

Es ist verständlich, daß sich Casanova in den Gesprächen mit Voltaire bemüht, sich selbst und seine Kenntnisse in das günstigste Licht zu rücken. Zweifellos hat er fast alles gelesen, was jeweils in der Welt der *gens du monde* Mode war; darüber hinaus verfügt er über gründliche Kenntnisse der

---

[16] VII, p. 120—121.

[17] *Confutazione della Storia del Governo Veneto d'Amelot de la Houssaie*, 3 Bde., Amsterdam/Lugano, 1769.

[18] Erschienen 1779 in Venedig bei Modesto Fenzo.

[19] Horaz, *Episteln*, I, 18, Verse 76—77.

antiken Literatur, wenn auch nur wenige Autoren seine Verehrung finden.
Die Tatsache, daß er seinen Memoiren als Motto ein Wort Ciceros voran-
stellt: *Nequicquam sapit qui sibi non sapit,*[20] bedeutet keineswegs, daß er sich
als einen Schüler des römischen Orators empfindet. In den Zitaten klassischer
Autoren, mit denen Casanova, wenn auch mit Maßen, seinen Text schmückt,
taucht Cicero kaum auf. Er neigt zu Wiederholungen allgemeiner Zitat-
Lebensweisheiten oft stoischer Provenienz, die er aber offenbar aus zweiter
Hand besitzt oder die sich als Reminiscenzen an sein Studium in Padua in
seinem Gedächtnis eingegraben haben. Er bewundert die großen antiken
Epiker, und die Welt der Vergil'schen *Aeneis* ist ihm von Grund auf vertraut.
Obwohl er des Griechischen nur in geringem Maße mächtig war, unternahm
er eine Teilübersetzung der Ilias von Homer in *ottava rima,* berichtet in den
Memoiren auch über Vorarbeiten in der Bibliothek von Wolfenbüttel, die er
la troisième bibliothèque de l'Europe nennt,[21] und erwähnt sein Vorhaben
ausführlicher während eines längeren Aufenthalts 1771 in Florenz.[22] Seine
unvollendete Übertragung erschien in Venedig in drei Bänden.[23] Die lateini-
sche Sprache war ihm selbstverständlicher Besitz; er bedient sich ihrer auch
hin und wieder im Gespräch, wenn er mit gebildeten Menschen nördlicher
Länder, insbesondere Deutschlands, zu tun hatte, die das Französische nicht
beherrschten. Casanovas ganze Liebe aber gehört Horaz. Schon aus seiner
kurzen Studienzeit am Somasker-Seminar San Cipriano in Murano 1743
berichtet er von gemeinsamer Lektüre mit einem Gefährten: *Nous parlions
poésie. Les belles odes d'Horace faisaient nos délices. Nous préférions l'Arioste au Tasse, et Pétrarque était l'objet de notre admiration, comme Tassoni
et Muratori qui l'avaient critiqué, l'étaient de notre mépris.*[24] Die Stelle ist
besonders interessant, weil sie zeigt, daß Casanovas Geschmack sehr früh
festgelegt ist und sich in der Folge kaum ändert; die Gespräche mit Voltaire
beweisen es.

Diese vier Gespräche an vier aufeinanderfolgenden Tagen wirken in ihrer
Lebendigkeit und in dem Springen von einer Frage zur anderen wie *pris sur
le vif.* Präludierend sprechen beide von Algarotti, den Voltaire hoch achtet,
den Casanova aber nur mit einem eher nachsichtigen, ja ironischen Urteil
bedenkt: *Il a réussi à mettre les dames en état de pouvoir parler de la
lumière.*[25] Über Horaz, von dem Casanova bekennt: *Horace que je connais
par cœur, est mon itinéraire,*[26] gelangen die beiden zur Poesie und insbesondere zur Form des Sonetts. Voltaires Frage, ob er viele Sonette geschrieben

---

[20] Frei nach Cicero, *Epistolae ad familiares,* VII, 6 (an Trebatius).

[21] X, p. 52.

[22] XII, p. 106.

[23] *Dell'Iliade de Omero tradotta in ottava rima da Giacomo Casanova Viniziano,*
3 Bde., Venedig, M. Fenzo, 1775—1778.

[24] I, p. 216.

[25] VI, p. 226. Anspielung auf Fr. Algarottis *Newtonianismo per le dame* (1737).

[26] VI, p. 227.

habe, beantwortet Casanova recht prahlerisch: *Dix à douze que j'aime, et deux ou trois mille que peut-être je n'ai pas relus.*[27] Voltaire, der die italienische Literatur ausgezeichnet kennt, bemerkt, interessanterweise mit preziösem Vokabular, man habe in Italien wahrlich *la fureur des sonnets.* Casanova verteidigt das Sonett als hohe, weil schwierige Form des poetischen Ausdrucks, während Voltaire es als ein Prokrustesbett bezeichnet und sogar aggressiv behauptet, deshalb gebe es in Italien auch so wenig gute Sonette; für Frankreich stellt er fest — eine der zahlreichen Bestätigungen für die Tatsache, daß dem 18. Jahrhundert die große Dichtung der französischen Renaissance praktisch unbekannt war —: *Nous n'en avons pas un seul, mais la faute est de notre langue.*[28] Ohne näher auf dieses interessante Problem einzugehen, springt das Gespräch mit der Frage Voltaires, welchen italienischen Dichter Casanova als den größten schätze, auf Ariost über und gibt dem Autor der Memoiren die Möglichkeit, vor sich selbst und vor der Gesellschaft zu glänzen. Für Casanova ist Ariost — nicht nur die zahlreichen Zitate im ganzen Werk beweisen es — der größte Dichter überhaupt: *... je ne peux pas dire que je l'aime plus que les autres, car je n'aime que lui* (ib.).

Das Thema Ariost erlaubt Casanova, Voltaire in geschickter Weise dessen Höherschätzung Tassos vorzuwerfen.[29] Um so befriedigter ist er zu hören, daß Voltaires früheres Urteil in einseitiger Weise von italienischen Tasso-Verehrern beeinflußt gewesen sei; nun, da er Ariost wirklich gelesen habe, urteile er anders: *J'adore votre Arioste.*[30] Zum Zeichen seiner 'Bekehrung' rezitiert Voltaire zu Casanovas Staunen mehrere Stanzen aus dem 34. und 35. Gesang, und zwar, wie der Autor ausdrücklich erwähnt, ohne jeden Fehler, schließt sogar Betrachtungen an, die der italienische Gast nicht hoch genug zu loben weiß: *Il m'en releva des beautés avec des réflexions de véritable grand homme* (ib.). Voltaire trägt als noch wirksameres Zeichen seiner Bewunderung die Übersetzung einer Stanze des *Orlando Furioso* vor, mit der er, wie er verspricht, der ganzen Welt beweisen will, daß er seine erste Auffassung völlig revidiert habe.[31]

Auf die Frage, welcher Teil des Ariost'schen Gedichtes der schönste sei, antwortet Casanova sofort, er halte die 36 letzten Stanzen des 23. Gesanges

[27] VI, p. 227. Kennzeichnend für Casanova, da in den Memoiren laufend feststellbar, ist die Tendenz, Zahlenangaben fast nie genau zu machen, sondern zwei eingrenzende Zahlen zu nennen.

[28] VI, p. 228; an einer anderen Stelle nennt Casanova den *Orlando Furioso* hyperbolisch *le chef-d'oeuvre de l'esprit humain* (VIII, p. 246).

[29] Ohne unmittelbar das Werk zu nennen, spielt Casanova zweifellos auf Voltaires *Essai sur la poésie épique* (1726) an; darin wird tatsächlich im 7. Kapitel (*Le Tasse*), allerdings aus gattungsästhetischen Gründen, die *Gerusalemme Liberata* über den *Orlando Furioso* gestellt.

[30] VI, p. 228.

[31] Es handelt sich um die zweite Stanze des 44. Gesanges. Die Übersetzung erscheint in der gleichen Fassung neben anderen Ausschnitten im *Dictionnaire Philosophique* in dem Ariost gewidmeten Abschnitt des Artikels *Epopée*.

für den Höhepunkt, mit der eigenartigen Begründung, die an sein Kriterium der *érudition* denken läßt, sie enthielten das, was bisher noch nie ein Dichter vermocht habe, nämlich *la description mécanique de la façon dont Roland devient fou*.[32] Nur zu gern folgt Casanova der Aufforderung, die Oktaven zu rezitieren: *Ayant lu l'Arioste deux ou trois fois par an depuis l'âge de quinze ans, il s'est placé tout dans ma mémoire, ses généalogies exceptées, et ses tirades historiques qui fatiguent l'esprit sans intéresser le cœur. Le seul Horace m'est resté tout dans l'âme sans rien excepter malgré les vers souvent trop prosaïques des ses Epîtres* (ib.). Sehr anschaulich beschreibt Casanova die Art seines Vortrags: *Je les ai récitées comme si ç'avait été de la prose, les animant du ton, des yeux, et d'une variation de voix nécessaire à l'expression du sentiment*.[33] Während des Rezitierens ist Casanova schließlich selbst tief bewegt: *mes larmes sortirent de mes yeux si impétueusement et si abondantes que chacun de la compagnie en versa* (ib.). Die allgemeine Rührung wird auch von Voltaire geteilt: *Il m'embrassa, il me remercia, il me promit de me réciter le lendemain les mêmes stances, et de pleurer aussi* (!).[34] Es folgen noch einige Plaudereien über die Frage, wie es komme, daß Ariosts Gedicht trotz einer sehr deutlichen Anspielung auf die konstantinische Schenkung und trotz eines klaren Zweifels an der Auferstehung aller Menschen am Jüngsten Tag[35] nicht auf dem Index stehe; aber grundsätzliche dichterisch-ästhetische Fragen werden nicht mehr berührt.

Abgesehen von der gemeinsamen Bewunderung Ariosts weichen nun die Urteile Voltaires und Casanovas stark voneinander ab. Das gilt insbesondere für Voltaires Betrachtungen über die italienische Literatur, die auffälligerweise positiver sind als die Casanovas: *Voltaire commença à déraisonner avec esprit et grande érudition, mais finissant toujours par un faux jugement*.[36] Die Hochschätzung Tassonis und der *Secchia rapita* kann Casanova nicht teilen, einmal, weil Tassoni sich über das kopernikanische System lustig gemacht habe, also kein *savant* sei, dann aber auch, weil er, ebenso wie Muratori, unberechtigte Kritik an Petrarca geübt habe, beides etwas fragwürdige Argumente, die mit dem zu beurteilenden Werk wenig oder gar nichts zu tun haben. Über den Verehrer Voltaires, den Marchese Albergati, findet Casanova nur ironisch-bösartige Worte: *Il écrit bien dans sa langue qu'il sait; mais il ennuie le lecteur, parce qu'il s'écoute et il n'est pas concis.*

---

[32] VI, p. 230.

[33] VI, p. 231.

[34] VI, p. 232. In diesem Zusammenhang ist eine andere Stelle der Memoiren interessant. Vor dem Besuch in Genf war Casanova in Lausanne Damen der dortigen Gesellschaft begegnet, die sich bitter über Voltaires Strenge bei der Aufführung von Theaterstücken beklagten, insbesondere darüber, daß er von ihnen ehrliche Tränen verlangte: *Il voulait qu'on versât des larmes véritables; il soutenait que l'acteur ne pouvait faire pleurer le spectateur que pleurant réellement* (VI, p. 212).

[35] Anspielung auf Ariost XXXIV, 80 Vers 6 und auf XXIV, 6, Vers 4.

[36] VI, p. 234.

Sa tête d'ailleurs est démeublée.[37] Nur über Goldoni, den Casanova den italienischen Molière nennt, scheinen sich beide verständigen zu können. Ein Zitat aus dem *Baldus* von Teofilo Folengo hatte Voltaires Interesse erregt, und Casanova schickte ihm das Werk mit einer Epistel in Blankversen zu, mußte dann aber bei dem Gespräch am nächsten Tag erfahren, daß der große Franzose ihm wohl für die Übersendung des Epos dankt, nicht aber seine Bewunderung für Merlin Cocai zu teilen vermag; er habe vier Stunden verloren *à lire des bêtises.*[38] Casanova beherrscht seinen Unmut und bittet Voltaire, das Werk noch einmal genauer zu lesen, um es schätzen zu lernen; aber Voltaire — *il plut à ce grand homme de se faire trouver ce jour-là railleur, goguenard et caustique* (ib.) — lehnt dieses Ansinnen ab: *Je l'ai mis à côté de la Pucelle de Chapelain* (ib.). Casanova verteidigt nun auch Chapelain, beruft sich dieserhalb auf die Autorität von Crébillon père und spielt sogar dem verärgerten Voltaire gegenüber auf dessen eigene *Pucelle* an. Das Gespräch wird von beiden Seiten aggressiver, und als Voltaire Horaz als den großen Gesetzgeber des Theaters feiert, übt Casanova offene Kritik an Voltaire; er bestätigt ihm wohl, daß er alle Forderungen des Horaz in seinen Bühnenstücken erfüllt habe, daß er aber die eine außer acht ließe, *contentus paucis lectoribus.*[39]

Damit wechselt das Gespräch, das letzte zwischen beiden, auf einen Bereich über, der vorher nur einmal kurz berührt wurde, auf den politischen im weitesten Sinne und auf die Aufgaben des Schriftstellers vor der Gesellschaft. Voltaire verteidigt sein Bedürfnis nach einem möglichst großen Publikum mit der Mission, gegen den Aberglauben, und das heißt gegen die Vorurteile kämpfen zu müssen. Hier scheiden sich die Geister völlig. Casanovas Meinung: *Un peuple sans superstition serait philosophe, et les philosophes ne veulent jamais obéir. Le peuple ne peut être heureux qu'écrasé, foulé et tenu à la chaîne.*[40] Voltaire verteidigt seinen Kampf gegen die *superstition.* Seine zweifellos beredten Argumente werden von Casanova nur in sehr farbloser und verkürzter Weise referiert, denn er, dem solches Denken fern liegt und der außerdem vor allem seine Meinung kundtun will, nimmt sogar die ihm selbst gegenüber geübte scheinbare Willkür der venezianischen Regierung in Schutz und schließt mit einer letzten harten Replik: *Votre première passion est l'amour de l'humanité. Est ubi peccas. Cet amour vous aveugle. Aimez l'humanité; mais vous ne sauriez l'aimer que telle qu'elle est … Laissez-lui la bête qui la dévore; cette bête lui est chère* (ib.). Zur Unterstützung seiner hier geradezu menschenverachtenden und ganz anti-aufklärerischen Haltung beruft sich Casanova auf die Erfahrungen Don Quijotes mit den von ihm befreiten Galeerensträflingen.

Einen geistreich-bösartigen Abschluß findet das Gespräch durch einen letzten Themenwechsel, höflich-konventionell von Voltaire mit der Frage begon-

---

[37] VI, p. 240.
[38] VI, p. 244.
[39] Horaz, *De arte poetica*, V. 74.
[40] VI, p. 247.

nen, wo Casanova vor seiner Ankunft in Genf gewesen sei. Dessen Antwort,
er habe von Haller besucht, veranlaßt Voltaire zu einer kühl wirkenden
laudatio: Il faut se mettre à genoux devant ce grand homme. Geradezu bos-
haft bestätigt Casanova dieses Lob, um fortzufahren: *vous lui rendez justice,
et je le plains de ce qu'il n'est aussi équitable envers vous.*[41] Voltaires Antwort, die das Gespräch beschließt, ist gewiß Geist von seinem Geiste: *Ah, ah!
Il est très possible que nous nous trompions tous les deux.*[42]

Casanovas Bemerkung nach diesem letzten Gespräch zeugt von seinem
Bedürfnis, mit Voltaire von gleich zu gleich gesprochen zu haben: *Je suis
parti assez content d'avoir dans ce dernier jour mis cet athlète(!) à la raison.*[43]
Drei Jahre später erwähnt Casanova das Gespräch mit Voltaire noch einmal,
das sich rückschauend für ihn offenbar nur noch auf das Verhältnis zu Ariost
zu reduzieren scheint. Das gerechteste Urteil über den großen Dichter habe
Voltaire im Alter von sechzig Jahren abgegeben; ohne dieses späte Lob hätte
die Nachwelt Voltaire den Zugang zum Tempel der Unsterblichkeit versagt.
*Je le lui ai dit, il y a trente-six ans, et le grand génie m'a cru, eut peur, et rien
ne pourra empêcher son apothéose.*[44] Diese naive Feststellung klingt so, als
habe erst Casanova Voltaire zu einer gerechteren Würdigung Ariosts bekehrt
und damit den Weltruhm des großen Franzosen gesichert.

Casanovas Memoiren sind gewiß kein Tagebuch der literarischen Erscheinungen einer Epoche; aber Dichtung ist ihm ein Lebensbedürfnis. Sein Geschmack im literarischen Bereich wird vor allem dort erkennbar, wo er, seine
eigene Rolle gewiß oft überhöhend, einen gebildeten Partner findet, mit dem
er literarische Urteile, Begeisterung oder Ablehnung, austauschen kann. In
den Gesprächen mit Voltaire wird eine Divergenz in ästhetischen Kategorien
sichtbar, wie sie sonst in dem Memoirenwerk selten erscheint. Casanova
urteilt als Italiener, aber doch nicht nur als jemand, der die Literatur seines
Landes gegen die Autoren eines anderen verteidigen will. Außer der antiken
Literatur ist ihm nur die italienische und die französische vertraut. Er kennt
und verehrt auch Autoren anderer Länder, die ihm aber offenbar nur durch
Übersetzungen bekannt sind, so zum Beispiel die *Lusiaden* von Camôes, die
er in einer lateinischen Version gelesen hat. Es ist verblüffend, wie oft, gleichsam am Rande, Autoren genannt werden, deren Werk Casanova gekannt
haben muß. Er brüstet sich nicht damit, und die Art, wie er sie nur in einem
Nebensatz charakterisiert, läßt erkennen, daß er ihren Namen nicht als
ornatus einfügt, sondern daß sie ihm in einem bestimmten Augenblick seines
unsteten Lebens präsent werden. Dante, Boccaccio, Pico della Mirandola,

---

[41] Casanova denkt an die Worte, die von Haller bei ihrer Begegnung für Voltaire
   fand: *Il me répondit sans la moindre aigreur que c'était un homme que j'avais
   raison de vouloir connaître, mais que plusieurs ont trouvé, malgré la loi de
   physique, plus grand de loin que de près* (VI, p. 207).

[42] VI, p. 248. Vgl. G. Desnoiresterres, op. c., Bd. V. p. 315.

[43] VI, p. 249.

[44] VIII, p. 246.

Montaigne, Camôes, Shakespeare, La Bruyère, Montesquieu, Lamettrie, Regnard, Destouches, Crébillon fils, Milton sind Autoren, die für Casanova keine
zentrale Bedeutung haben, die er aber kennt.

Oft genug interessiert ihn am literarischen Leben nur das Anekdotische,
eine geistreiche Geschichte oder Formulierung, so, wenn er von den streit-
baren Literaten, dem Marchese Maffei, dem Abate Conti und Pietro Jacopo
Martelli berichtet, die zur gleichen Zeit in Paris weilen und sich durch literarische Invektiven bekämpfen, nur weil sie als Nebenbuhler um die Gunst der
Elena Riccoboni werben: *Ils devinrent ennemis à cause, dit-on, de la préférence que chacun d'eux prétendait dans les bonnes grâces de cette actrice, et
en qualité de savants ils se battirent à la plume.*[45] Oder wenn er von der
Zensorentätigkeit des älteren Crébillon erzählt, bei der ihm die Haushälterin
behilflich ist; sie gibt den Autoren, die ihr Manuskript abholen wollen, die
stereotype Antwort: *Venez la semaine prochaine, car nous n'avons pas
encore eu le temps d'examiner votre ouvrage.*[46] Oder wenn er Fontenelles
Oper *Thétis et Pélée* lobt und dieser ihm antwortet, *que c'était une tête
pelée.*[47] Ob er bewundernd von d'Alembert spricht, weil er gewagt habe, das
fehlerhafte Latein Friedrichs des Großen zu korrigieren;[48] ob er ein Spott-
gedicht politisch-aktuellen Inhalts von Crébillon fils zitiert;[49] ob er sich von
Winckelmann, dem er in Rom häufig begegnete und dessen Antikenkennt-
nisse er bewunderte, nach einer verfänglichen Situation, bei der er ihn er-
tappte, erzählen läßt, seine leidenschaftliche Begeisterung für die griechische
Welt habe ihn dazu geführt, trotz seiner Vorliebe für die Frauen auch einmal
die Freuden der Päderastie, allerdings erfolglos, an sich selbst zu erfahren;[50]
ob er von Madame Geoffrins triumphalem Empfang in Warschau berichtet,[51]
immer und überall wird seine Neugier für das Ungewöhnliche, das Aktuelle
im Bereich des literarischen Klatsches sichtbar. Aber das ist nur eine Rand-
erscheinung seiner dem Literarischen stets eng verbundenen Existenz.
Manche Tatsachenberichte zeigen, welche unerwarteten Einblicke er in das
literarische Leben der Zeit zu geben vermag. So berichtet er aus Petersburg
1765, Voltaire habe der Zarin seine *Philosophie de l'Histoire* geschickt. *Un
mois après, une édition entière de 3.000 volumes de ce même ouvrage arriva
par eau et disparut entièrement en huit jours ... Tous les Russes qui savaient
lire français, avaient ce livre dans la poche ... Les lettrés russes, dans ce
temps-là, ne connaissaient, ne lisaient, ne célébraient que Voltaire.*[52] Casanovas Memoiren sind voll von solchen verstreuten Mitteilungen, die kultur-
historisch bedeutsame Blitzlichter aufleuchten lassen.

[45] III, p. 121.
[46] III, p. 132.
[47] III, p. 177.
[48] V, p. 62. Die Wahrheit der Anekdote ist nicht nachzuweisen.
[49] V, p. 220.
[50] VII, p. 197.
[51] X, p. 207.
[52] X, p. 136—137.

Alles das könnte den Eindruck erwecken, als sei Casanova tatsächlich nicht mehr als ein oberflächlicher *bel esprit*, der über Literatur plaudert, weil es zum guten Ton gehört. Die Intensität seiner Verehrung für das Werk einzelner Dichter widerspricht dem aber. Wie durchdrungen er von Horaz und Ariost ist, wurde schon deutlich. Hinzu tritt seine grenzenlose Verehrung für Petrarca, auf dessen Spuren er in Vaucluse wandelt. Der Anblick der Reste des Hauses, in dem der bewunderte Dichter einst gelebt haben soll, rührt ihn zu Tränen. *Je me suis jeté sur ces masures avec mes bras étendus, les baisant et les arrosant de mes larmes*,[53] denn Petrarca ist für ihn — mit hyperbolischem Lob ist er bei den von ihm verehrten Großen nicht geizig — *l'esprit le plus profond que la nature eût pu produire* (ib.). Seine große Liebe gilt auch den Pastoraldramen von Tasso und Guarini, deren Wert er wohl zu unterscheiden weiß, denn den *Aminta* empfindet er als das poetischere, den *Pastor Fido* als das raffinierter geschriebene und verführerischere Werk.[54] Zu den bewunderten Vorbildern gehört noch Metastasio, dem er mehrfach begegnet ist. 1753 sieht er ihn zum ersten Mal in Wien: *Dans une heure d'entretien je l'ai trouvé encore plus grand que ses ouvrages ne l'annoncent pour ce qui regarde l'érudition*.[55] In dieser Bemerkung wird besonders deutlich, welchen Wert er der *érudition* auch im Bezirk des rein Poetischen zuerkennt. Später wird er Metastasio sogar einen *poète immortel* nennen.[56]

Die Memoiren zeigen eindeutig, daß für Casanova trotz großer Einblicke und trotz lebendiger Anteilnahme an der französischen Literatur die italienische Dichtung der eigentliche geistige Lebensraum ist und bleibt. Seine Urteile über französische Autoren sind oft blaß, ja nichtssagend; sie erschöpfen sich manchmal in anekdotischen Details oder werden von anderen übernommen, ohne daß er selbst Stellung nimmt. Sein Verhältnis zur französischen Klassik bleibt eher farblos. Er bewundert Molière, wohl auch Racine, was ihn jedoch nicht daran hindert, dessen *Thébaïde ou les Frères Ennemis* zu einer Komödienparodie für das Hoftheater in Dresden umzuarbeiten.[57] Eigentümlich bleibt seine Beziehung zu Rousseau, den er 1758 in Montmorency aufsucht und vorerst nur als einen skurrilen *philosophe* schildert.[58] Auch später bleiben seine stets kurzen Bemerkungen über ihn bei einer oft hellsichtigen Kritik

---

[53] VII, p. 58.

[54] VIII, p. 248.

[55] III, p. 218.

[56] XI, p. 211.

[57] *La Moluccheide* (weil auf den Molukken-Inseln spielend) *o sia i Gemelli Rivali, Comedia in tre atti di Giacomo Casanova Viniziano*. Das Stück wurde während des Karnevals 1753 in Dresden aufgeführt. Der Text ist nicht erhalten. J. Rives Childs konnte immerhin den Theaterzettel der Aufführung mit Personenverzeichnis und Inhaltsangabe erwerben, aus dem ersichtlich ist, daß Casanova auch Typengestalten der Commedia dell'arte einbezogen hat (vgl. J. R. Childs, op. c., p. 7—11). Casanova berichtet mit Stolz vom Erfolg der Aufführung (III, p. 215).

[58] V, p. 221—222.

stehen: *J'ai fait bien des sottises dans ma vie; je le confesse avec autant de candeur que Rousseau, et j'y mets moins d'amour-propre que ce malheureux grand homme.*[59] Ob Casanovas Eigenliebe geringer war als die des Autors der *Confessions*, bleibe dahingestellt. In jeder Kritik erscheint jedoch ein *epitheton ornans*, in dem sich Ironie und Mitleid, Distanz und Bewunderung zu vermischen scheinen. *Mais l'éloquent Rousseau n'avait ni l'inclination à rire, ni le divin talent de faire rire;*[60] und später, 1765, in Rußland: *Rousseau, le grand J.-J. Rousseau prononça au hasard que la langue russe est un jargon de la grecque. Une pareille bévue ne semble pas convenir à un si rare génie.*[61] Auch alle anderen Stellen der Memoiren, in denen Rousseau erwähnt wird, hinterlassen beim Leser einen zwielichtigen Eindruck. Das vernichtende Urteil von Hallers über den Roman *La Nouvelle Héloïse*, den dieser als *le plus mauvais de tous les romans* bezeichnet, weil er der redseligste sei,[62] scheint Casanova zu seinem eigenen zu machen, da er nicht widerspricht, obwohl er das Werk, wie seine vorhergehenden Bemerkungen schließen lassen, gelesen hat. Allerdings lassen sich menschlich wie geistig kaum größere Gegensätze als Rousseau und Casanova vorstellen. Ob und in welchem Umfang der Autor der Memoiren die kulturkritischen Werke Rousseaus gekannt hat, ist nicht festzustellen. Die Wahrscheinlichkeit einer intensiveren Beschäftigung mit ihnen ist gering, denn der im Grunde so konservative Casanova hätte kaum einen Zugang zu Ideen gefunden, die er als bedrohlich für die bestehende Ordnung empfinden mußte.

Die italienische Dichtung also ist das Element, in dem Casanova sich vor allem und mit Begeisterung bewegt. Für ihn ist der Weg von Horaz über Petrarca, Ariost, Tasso und die Pastoraldichtung bis hin zu Metastasio und zur Arcadia eine ununterbrochene Kontinuität; es ist für ihn nicht einmal ein Weg, sondern eine Art Gleichzeitigkeit. Seine eigene Lyrik, soweit sie erhalten ist, verrät als reine Gelegenheitsdichtung nicht mehr als handwerklich geschicktes, aber spätes und fades Petrarkisieren. Er, der Italiener, weiß wenig oder nichts von den großen literaturtheoretischen und ästhetischen Bemühungen der Franzosen seit dem 16. Jahrhundert um eine normative Klassik; so vermag er auch ohne weiteres, eine so eigenwillige Schöpfung wie den *Baldus* des Merlin Cocai in seine Begeisterung für Literatur einzubeziehen, ohne verstehen zu können, daß einem Voltaire der Zugang zu diesem genialischen Werk verschlossen bleiben mußte.

In Casanovas Rezeption der französischen Literatur zeigt sich, wenn auch oberflächlicher, jenes eigenartige Phänomen, das in Italien in der zweiten Hälfte des 18. Jahrhunderts besonders auffällig ist, nämlich die fast gleichzeitige Begegnung mit der französischen Klassik und mit den Ideen der Aufklärung. Casanova, der sich nicht nur als *homme de lettres*, sondern aus-

---

[59] VIII, p. 21—22.
[60] VIII, p. 245.
[61] X, p. 139.
[62] VI, p. 208.

drücklich als *philosophe* bezeichnet, nimmt aufklärerisches Gedankengut nur
als mögliche, aber mehr oder weniger vorsichtige Kritik im religiösen Bereich
auf, vor allem aber in seiner Neigung zu naturwissenschaftlichen Erkenntnissen. Er verehrt den Fontenelle der *Entretiens sur la pluralité des mondes*,
er bewundert d'Alembert, er studiert Hobbes, Locke und Wolff, ja er verfaßt
selbst Arbeiten über mathematisch-geometrische Probleme.[63] Aber von
Diderot, von dem gewaltigen Unternehmen der *Encyclopédie*, von den Aus-
einandersetzungen zwischen dem Lager der *philosophes* und ihrer Gegner ist
in den Memoiren mit keinem Satz die Rede. Aufklärerische Gedanken übernimmt Casanova, so paradox es klingen mag, nur im Rahmen seines politischen Konservativismus. Kennzeichnend ist sein Urteil über das Werk *De
l'esprit* von Helvétius, das er als Reiselektüre mit in seine Kutsche nimmt:
*Après l'avoir lu je fus plus encore surpris du bruit qu'il avait fait, que du
Parlement qui l'avait condamné, et fait tout ce qu'il fallait pour ruiner
l'auteur qui était un très aimable homme, et qui avait beaucoup plus d'esprit
que son livre. Je n'y ai rien trouvé de nouveau ni dans la partie historique à
l'égard des mœurs des nations où j'ai trouvé des contes, ni dans la morale
dépendante du raisonnement. C'étaient des choses dites et redites, et Blaise
Pascal avait dit beaucoup plus quoique avec plus de ménagements.*[64] Das
Urteil zeugt gewiß von einer kühlen Distanz, aber auch von dem mangelnden
Vermögen Casanovas, in die Zukunft drängende Impulse zu erfassen oder
den Glauben an die Erziehbarkeit des Menschen zu teilen. Weit schärfer noch
ist sein Urteil über den Italiener Giuseppe Baretti, der nicht zuletzt mit seiner
Frusta letteraria als Vermittler aufklärerischer Ideen für Italien angesehen
werden kann: *J'ai eu un dispute littéraire avec Baretti, le même qui mourut
encore à Londres. C'est un homme qui écrivait en pure langue italienne, et
qui n'intéressait que par les traits mordants dont tout ce qu'il écrivait était
farci, dénué de toute érudition et de science de la bonne critique.*[65]

Casanovas literarischer Geschmack, geformt durch Horaz, Vergil, Petrarca
und Ariost, bleibt rückwärts gewandt und löst sich im Poetischen nicht von
dem jahrhundertealten ästhetischen Ideal, das in Italien Pietro Bembo sanktioniert hatte. An den von Frankreich ausgelösten aufklärerischen Tendenzen
und deren Resonanz in Italien nimmt er nicht teil; im Gegenteil, wo sie sichtbar werden, verurteilt er sie. Die französische Literatur des 18. Jahrhunderts
schätzt er vor allem dann, wenn sie, wie bei Crébillon père, bei Voisenon und
anderen Dichtern, die zu lesen zur Mode gehörte, in einer ihm vertrauten
Tradition steht. Nur im naturwissenschaftlich-philosophischen Bereich nimmt
er Anregungen der französischen Aufklärung auf, wenn seine Wißbegierde
sich auch mit einer überschaubaren Menge von Erkenntnissen zufrieden gibt,

---

[63] So eine *Solution du problème déliaque*, Dresden 1790, eine unzureichende
   Lösung des Problems der Kubus-Verdopplung, sowie ein *Corollaire de la dupli-
   cation de l'hexaèdre*, ib. 1790.

[64] V, p. 261—262.

[65] XI, p. 195.

die letztlich seine eigene Anschauung von der Welt und vom Leben in ihr nur bestätigen sollen. Casanovas Verhältnis zur Literatur ist weit weniger reflektiert, als er selbst glaubt; als ausgesprochener Sinnenmensch läßt er sich auch in seinen ästhetischen Kriterien vor allem von dem sinnlichen Reiz der Dichtung leiten. Wohl fordert er von ihr, ebenso wie von wissenschaftlichen Werken, die Tugend der *érudition;* denn zur Literatur rechnet er beides, eine gattungsmäßige Trennung vollzieht er nie, legt sogar den gleichen Maßstab an alles Geschriebene, an alles, was im weiten Raum der *république des lettres* entstanden war und noch entstand. Das einseitige Kriterium der *érudition* bleibt deshalb auch bei Casanova ein in vielen Farben schillernder Begriff. Er kann für ihn höchste Beherrschung der poetischen und rhetorischen Formen bedeuten, ebenso eine nach seinen Vorstellungen vollkommene Harmonie zwischen Form und Inhalt, er kann aber auch das Einbeziehen einer möglichst großen Fülle von Wissen und Bildung meinen. Er enthält auf jeden Fall die Forderung nach dem höchsten Grad der Bewußtheit im Einsetzen aller, einem Autor zur Verfügung stehenden Ausdrucksmittel.

So vereinigt Casanova in sich die seltsamen Gegensätze, denen man gerade im 18. Jahrhundert so oft begegnet, kühlen Rationalismus und Empfindsamkeit; seine *sensibilité* bleibt jedoch ganz unromantisch, denn auch in den Augenblicken scheinbar ekstatischer Beteiligtheit bleibt sie stets dem Gesetz der Vernunft, einer allerdings ganz egoistisch orientierten Vernunft, unterworfen. In den Gesprächen mit Voltaire wie in den zahlreichen literarischen Digressionen der Memoiren werden gewiß die Grenzen Casanovas in diesem Bereich sichtbar; aber daß er ein *homme de lettres* im besten Verstande des 18. Jahrhunderts und nicht nur ein Schürzenjäger war, wird dieser Blick auf eine der ungewöhnlichsten Persönlichkeiten jenes Zeitalters, die allerdings auch nur in eben dieser Epoche das ihr gemäße Lebensklima fand, deutlich gemacht haben.

F. H. Mautner

ABSCHIED VOM 18. JAHRHUNDERT:
LICHTENBERGS *REDE DER ZIFFER 8*

Die „Rede der Ziffer 8, am jüngsten Tage des 1798sten Jahres im großen Rat der Ziffern gehalten" ist einer der witzigsten unter den kleineren Aufsätzen Lichtenbergs, und so gut wie unbekannt. Ursprünglich ein Beitrag zum Göttinger Taschenkalender für 1799, wurde er das letzte Mal in den Vermischten Schriften von 1844 abgedruckt.[1] Auf „einfühlender" Vermenschlichung der Ziffern und ihrer Beziehungen zueinander beruhend, ist er meines Wissens mit nichts in der Literatur vergleichbar. Wohlwollende Parodie parlamentarischer Prozedur als Anlaß zur Entfaltung menschlicher Schwächen wie Eitelkeit, Eifersucht und Liebedienerei, mit dem zu Ende gehenden 18. und dem herannahenden 19. Jahrhundert als thematischer Kulisse, wird der Scherz zeitgeschichtlich konkret auch durch Anspielungen auf die Kulturpolitik des Pariser Direktoriums. Markante Tatsachen der politischen und der Wissenschaftsgeschichte des Jahrhunderts projiziert Lichtenberg hier mit leichter Hand als weiterwirkende Züge prophetisch in die Zukunft.

Die „Rede" ist ein graziöses Beispiel für die phantasievolle Lebendigkeit, mit der Lichtenberg abstrakte Begriffe und Operationen sinnlich erlebt und ausspinnt, ohne daß dadurch der begrifflichen Schärfe, Weit- und Hellsichtigkeit Abbruch geschähe. Sein Witz steht hier mit einem Bein in der abstrakten, mit dem andern in der menschlich-emotionalen Sphäre und das macht ihn so amüsant. Des Mathematikers Lichtenberg Hang zu intellektueller Verspieltheit und seine Freude an Kuriositäten kommen dabei ganz auf ihre Rechnung. Er personifiziert die Begriffe und so werden ihre Beziehungen drollig; sein psychologisches Wissen stattet sie mit menschlichen Schwächen aus und so werden sie witzig. Ein Bravourstück wie unsere „Rede" macht es unmittelbar klar, warum Christian Morgenstern, der Dichter des „Zwölefanten" und des traurigen plurallosen „Werwolf" („er hatte ja doch Weib und Kind!!"), Lichtenberg verehrte. Die Rede der Ziffer 8 läßt sich an, als warte sie auf Versifizierung durch Morgenstern. Dazu paßt auch, daß der Witz Lichtenbergs oft mit der metaphorischen Verwendung konkreter Begriffe, und umgekehrt, arbeitet: Schauplatz der Rede ist die öffentliche Sitzung des Großen Rates der Ziffern, und im Untertitel vermerkt das Protokoll «(Die Nulle, wie gewöhnlich, im Präsidenten-Stuhle)».

Hier hält in der letzten Stunde des 31. Dezember 1798 die Ziffer 8 ihre Abschiedsrede an die „allseits, nach angestammter Ungleichheit, höchst zu

---

[1] VI, S. 174—194. Unser Text folgt dieser Ausgabe.

verehrenden Mitschwestern 9, 7, 6, 5" etc., denn sie verläßt auf zehn Jahre
die Bank der Einer im geheimen chronologischen Ausschuß. Ihre Stelle wird
um Mitternacht die Schwester Neune übernehmen. (Erst im Jahr 1800 wird sie
zurückkehren, um ihren Sitz auf der Bank der *Hunderte* einzunehmen.) Sie
bereut, daß sie im Dezember 1789, als sie sich von der Bank der *Zehner*
zurückzog, nicht über den Fall der alten Bastille und der alten Philosophie
gesprochen hatte, der ihr „schwer auf dem Herzen lag . . . Gottlob aber, es
kann mir, als der sicheren Erbin des Vorsitzes der *Hunderte* im nächsten
Jahrhunderte, nicht an Gelegenheit fehlen, nachzuholen, was ich versäumt
habe, nämlich zu erweisen, daß Bastillen und Philosophien geboren werden
und sterben und wieder geboren werden und wieder sterben so wie . . . ihre
Erbauer und Erfinder". (Die Gedankenbücher Lichtenbergs aus den letzten
Neunziger Jahren erweisen, daß er sich trotz aller anfänglichen Sympathie
für die Revolution über die Kämpfe der Parteien zu erheben trachtete und sie
als Stadien in der Naturgeschichte des Menschengeschlechts ansah.)

Als die Reaktion der andern Ziffern auf die anmaßenden Bemerkungen
der 8 „Geräusch" und „Gemurmel" ist, begründet sie ihren Anspruch, mit
Autorität zu sprechen, mit einer Reihe ihr eigener arithmetischer Qualitäten: „ . . . bin viertens . . . zugleich der Würfel [Kubus] der Zahl, deren doppeltes Quadrat ich bin; und diese Zahl ist fünftens die ewige unverwerfliche
Schiedsrichterin über alles Gerade und Ungerade im unermeßlichen Reiche
der Zahlen . . . (Spöttisches Amen! von einigen; tiefe Verbeugung der Schwester Zwei)." Die gütige Natur habe sie „nach ihrer anbetungswürdigen,
ewigen Weisheit im Range der arithmetischen Größe zwischen dich, Quadrat
aller guten Dinge, hochverehrliche Neune, und dich, hochwürdige apokalyptische Sieben, von Ewigkeit" hergestellt. (Eine Fußnote zu *Neune* erinnert an
das Sprichwort „Aller guten Dinge sind Drei".) Als die Verherrlichung
„unserer erhabensten Präsidentin, der Nulle" wegen ihrer Naturgaben Ge-
lächter erzeugt, fragt die Acht höchst morgensternisch: „Ist das eine Aufführung für ganze Zahlen? Oder befinde ich mich vielleicht unter einer Rotte
nichtswerter Dezimalbrüche, wovon man unendliche Reihen wegwirft, und
am Ende den ganzen mächtigen Verlust mit einem paar Pünktchen . . . ersetzt?" Die Nichtachtung der durchlauchtigsten Nulle sollte es der Acht leicht
machen, „euch mit drei Worten zu Jakobinern zu machen". Sie wolle aber
bloß zeigen, daß der Mangel der Schwester-Ziffern gegen die „erhabene
Nulle, Präsidentin unseres Rates" sich auf Ignoranz ihres Wesens gründe.
„Sei sie doch Kreis, Kugel, Bild der Ewigkeit, Schöpferin und Erbe des
Chaos." Wäre Shakespeare ein Deutscher gewesen, so würde er sicherlich
jetzt sein Vaterland ebenfalls damit bezeichnen. „War sie es nicht, die den
großen Gedanken faßte, die 1 zur 10, 100, 1000 etc. zu erheben und dann
durch eine leichte Schwenkung wiederum zu 0.1, 0.01, 0.001 etc. zu ernied-
rigen . . ? Wahrlich das Größeste was je in der Welt . . . durch Schwenkung
ausgerichtet worden ist, und überdies so schwanger an Betrachtungen über
Größe und Hinfälligkeit menschlicher Dinge, deren Wert oft bloß von

Schwenkungen einiger Nullen abhängt." Kurz, Doppelsinn folgt auf Doppelsinn, man muß den Text mit einer Aufmerksamkeit lesen, als wäre er von Nestroy.

Die große Nulle sei sinnliches Bild des unabbildlichen Nichts. „Wo würde ich ein Ende finden, in dir, dem unerschöpflichen Thema von Tausenden ... Warst du es nicht, *Citoyenne*, die seit jeher deutsches Verdienst ... aus deinem unerschöpflichen Vorrate belohntest, den hungerigen Dichter ... mit deinem runden Ambrosiazwieback labtest ..., die allein den Armen nicht verließ und bar übrig blieb ...?"

Erwähnung der Nulle als Schöpferin des Dezimalsystems gewährt Lichtenberg Anlaß, seiner Abneigung gegen die in Frankreich teils schon durchgeführte, teils geplante Ausdehnung des Dezimal- und metrischen Systems auf viele neue Gebiete und gegen andere rational-wissenschaftliche Regelungen des Alltagslebens im Gefolge der französischen Revolution Ausdruck zu geben. Zwei allgemeine Tendenzen Lichtenbergs sind dahinter verborgen: Sein oft und oft geäußertes und begründetes Mißtrauen gegen neue Nomenklaturen als die fruchtlose Weisheit der Flachköpfe und seine tiefverwurzelten Vorurteile gegen die Franzosen, die er zwar in vielen individuellen Fällen, aber nicht im Prinzipiellen aufgab. (Sie waren ihm, auf vielerlei Weisen, zu sehr auf den „Schein" bedacht.) Das Dezimalsystem werde sich alles unterwerfen: „Denn ihr müßt wissen, daß die große Nation, die ihre Freiheit mit 581 Schlachten, wovon 580 auf der Erde, und eine über den Wolken vorgefallen ist,[2] erkauft hat, die Ebnerin der mächtigsten Thronen, die Durchstecherin der Landenge von Suez, die Abgleicherin durch Ungleichheit, und die Käuferin des mit Geld Unerkäuflichen; daß, sage ich, diese Nation dieses Dezimal-System mit der ihr eignen Kraft und Barschaft an Taten unterstützt, und mit dem Feldgeschrei: Friede dem Einmal Eins, und Krieg allen Tafeln, Sonnenuhren und Zifferblättern der ganzen Welt, von Westen nach Osten zieht."

In der Diskussion der geheimen Absichten Bonapartes habe man die hauptsächlichste übersehen: den Berg Sinai zu erobern und von ihm aus das neue Dezimalsystem gedruckt an Stelle des alten Sinaischen (auf steinernen Tafeln) über die ganze Welt zu verbreiten. Die große Nation sei ja jenem Berge eine Art von Satisfaktion schuldig, „da bei ihr, zugleich mit der Einführung der neuen Dezimal-Maße, manche Hauptartikel jenes alten Systems gleichsam aboliert worden waren." Neue Sinus-Tafeln würden auf seinem Gipfel gedruckt und er selbst eine Zeitlang bloß mit *Mons Sin* bezeichnet werden, „das jedes Herz lesen kann, wie es will, *Sinai* oder *Sinuum*". Die Sicht eines Konflikts zwischen der alten Moralität der Bibel und der neuen der Wissenschaft inspiriert also dieses Wortspiel. Lichtenberg sieht die natürliche Vielfalt des Gewordenen durch das künstliche System der Wissenschaft bedroht: „Ein Gerücht, daß zu Paris eine eigene Kommission niedergesetzt sei,

[2] *Genius der Zeit.* Juni 1798. S. 252 [Lichtenbergs Anm.].

die *verba irregularia* abzuschaffen, um der Welt das Konjugieren zu erleichtern, bleibt bis dato unverbürgt."

Prophetische Voraussagen der 8 über das nahende 19. Jahrhundert, in dem sie mit Hunderter-Rang regieren wird, sind im Wesentlichen um nicht viel mehr als ein halbes Jahrhundert hinter der Wirklichkeit zurückgeblieben: Es werde vermutlich die Zahl der Planeten verdoppeln, die der Metalle und Trabanten vervierfachen; die Zahl der Luftschlachten der Völker werde sich zu den Land- und Seeschlachten wie 580 zu 1 verhalten und „die Zeitungsschreiber, von Paris bis Hamburg, sie mit hundertfüßigen Teleskopen aus dem Comtoir selbst bevisieren, bephantasieren und als Augenzeugen beschreiben können; und worin man die hoch vorübersausenden Helden und ihre Sänger wie Raubvögel und Lerchen aus der Luft schießen wird." (In den achtziger Jahren fanden die ersten Flüge der Luft- und Wasserstoffballone statt, Herschel entdeckte 1781 Uranus, den ersten neuen Planeten seit dem Altertum, verfertigte 1789 das 48zöllige Teleskop und wies die Existenz des 6. und 7. Trabanten des Saturn nach — Ereignisse, denen Lichtenberg viele Aufsätze widmete.) Das neue Jahrhundert werde die Ehre haben, „die Früchte einer neuen Wissenschaft, ... der mit großem Geld- und Blutaufwand eröffneten neufränkischen Experimental-Politik, entweder einzuernten oder zum Dünger für etwas minder Utopisches wieder unterzupflügen."

Bis hierher sind die Phantastik der Szene und der Witz der Rede amüsant, aber die nun folgende endlos-scharfsinnige Diskussion der Frage, ob das neue Jahrhundert mit dem Jahre 1800 oder 1801 beginne, zerstört die belustigende Fiktion der parlamentarischen Versammlung und tötet die Lebendigkeit der Rede.

In einer geistvollen, wie so oft bei Lichtenberg antijournalistisch gefärbten, Fußnote erklärt er, wieso die Rede, sogar mit Äußerungen der Zuhörer dabei, im Juli 1798 abgedruckt erscheine, ein halbes Jahr, bevor sie gehalten worden ist, und bringt gleichzeitig sarkastisch sein in anderen Schriften unzählige Male proklamiertes Mißtrauen gegen unkritische zeitgenössische Naturwissenschaft an, die bloße Hypothesen als Fakta ausgebe: Zeitungsleser würden an diesem Bericht über eine noch nicht gehaltene Rede nichts Wunderbares finden, selbst wenn sie als von Menschen gehalten vorausgesetzt würde. „Hier aber sprechen bloße arithmetische Wesen ..., deren Geschichte einer reinen Behandlung a priori, nach ewigen Gesetzen unserer Natur, umso mehr fähig erachtet werden muß, als man sogar diese Methode nicht ohne Glück in unseren Tagen selbst auf unreine, empirische *historica* und *physica* anzuwenden versucht hat."

Eine Nachschrift des „Herausgebers" der Rede kündet an, daß vor ihrem Scheiden von der Bank der Hunderte auch die Sieben, „diese große Aufklärerin oder ... die apokalyptische", einen Rechenschaftsbericht über ihr Jahrhundert ablegen werde. Das kleine Taschenbuch werde nur weniges aus dem weitläufigen Werke bringen können. Aber die Herren würden von der 7 gewiß Erlaubnis erhalten, einiges aus den wichtigsten Rubriken auszuziehen,

z. B. „wie die Karte von Europa zu illuminieren sei; vom neuesten Völker-
recht; über die neueste Bedeutung von *Meum* und *Tuum* oder das politische
Ich und Nicht-Ich" — offenbar eine echt lichtenbergisch witzig-analogische
Anwendung Fichtescher Philosophie auf die revolutionär ökonomische und
politische Praxis. Aber als der Taschenkalender für 1800 erschien, war mit
dem alten, dem „apokalyptischen", Jahrhundert auch Lichtenberg dahinge-
gangen.

DIDEROT, ARTISTE ET PHILOSOPHE DU DÉCOUSU

Les témoignages de l'époque sont tous d'accord pour nous dire que c'était dans le feu de la conversation que la vraie nature du génie de Diderot se révélait le mieux. Les anecdotes sur ce sujet ne se comptent plus. On se souvient en particulier de celles indiquant l'impression faite par l'éblouissant causeur sur des interlocuteurs aussi divers que sa future belle-mère, qui, selon Angélique, lui trouvait « une langue dorée » ; que le vieux chancelier Daguesseau, qui, d'après le témoignage de Malesherbes, « fut enchanté de quelques traits de génie qui éclatèrent dans la conversation » ; ou que la tsarine Catherine de Russie, dont on prétend qu'elle rendit elle-même célèbre, dans une lettre à madame Geoffrin, la table qu'elle interposait entre son visiteur français et sa propre personne pour abriter en particulier ses cuisses impériales des gesticulations intempérantes du philosophe.[1]

L'unanimité de ces témoignages est d'autant plus digne d'attention qu'elle n'existe au même degré sur aucun autre aspect, pourrait-on dire, de la personnalité, de la pensée ni de l'art de Diderot. On est dès lors en droit de soupçonner qu'il doit y avoir là quelque « qualité maîtresse », quelque clef enchantée, dont un serrurier aventureux et adroit devrait un jour s'armer pour lever le mystère qui rend si paradoxalement énigmatique un écrivain dont tout indique qu'il fut le plus expansif, le plus indiscret, le plus exubérant de son temps.

La tâche serait facilitée par quelques-uns des assez nombreux documents que nous ont laissés certains des témoins oculaires — ou, devrait-on peut-être dire, auditifs — de Diderot. Marmontel, par exemple, a écrit sur la conversation de l'encyclopédiste en chef quelques pages célèbres et précieuses, non seulement par ce qu'elles ont d'évocateur, mais aussi par les indications

---

[1] Madame de Vandeul, *Mémoires pour servir à l'histoire de la vie et des ouvrages de Diderot*, édition Assézat et Tourneux des *Œuvres complètes de Diderot* (désignée désormais dans cet article par le sigle A.-T.), t. I, p. xxxviii ; Malesherbes, *Mémoires sur la librairie et sur la liberté de la presse*, Paris, Agasse, 1809, p. 348 ; extrait de d'Escherny comprenant le texte partiel de la prétendue lettre de Catherine II, A.-T., t. XX, p. 138. On trouvera quelques autres témoignages convergents mais moins connus dans l'étude de Roland Mortier, « Diderot et le problème de l'expressivité : de la pensée au dialogue heuristique » *Cahiers de l'Association Internationale des Études Françaises*, No 13 (juin 1961), p. 290. Cette remarquable étude touche à des questions très proches de celles qui nous préoccupent ici. Nous prenons donc plaisir à reconnaître la dette que nous n'avons pu manquer de contracter en la lisant.

qu'elles suggèrent du chemin à suivre pour mieux saisir le sens profond de ce talent de Diderot :

> Qui n'a connu Diderot que dans ses écrits ne l'a point connu. Ses systèmes sur l'art d'écrire altéraient son beau naturel. Lorsqu'en parlant il s'animait et que laissant couler de source l'abondance de ses pensées, il oubliait ses théories et se laissait aller à l'impulsion du moment, c'était alors qu'il était ravissant.[2]

Plusieurs des familiers de Diderot, qui connurent, cette impression de ravissement et qui en perpétuèrent le souvenir dans leurs écrits, semblent indiquer que sa source était moins dans l'enthousiasme contagieux qu'engendrait la conversation du philosophe, que dans la multiplicité stupéfiante des sujets qu'elle abordait tour à tour, en vertu d'un ordre imprévisible qui, sur le moment, semblait aussi indiscutable qu'insolite. Le célèbre procès-verbal que le jeune Dominique-Joseph Garat a laissé dans les amusantes pages du *Mercure* de 1779 de sa première visite au champion du coq-à-l'âne, valent la peine d'être citées une fois de plus. Elles consituent une manière d'enregistrement d'un échantillon exemplaire du « soliloque décousu »[3] tel que Diderot le pratiquait souvent devant ses interlocuteurs :

> Si les liaisons rapides et légères de son discours amènent le mot de lois, il me fait un plan de législation ; si elles amènent le mot théâtre, il me donne à choisir entre cinq ou six plans de drames et de tragédies. A propos des tableaux qu'il est nécessaire de mettre sur le théâtre, où l'on doit voir des scènes et non pas entendre des dialogues, il se rappelle que Tacite est le plus grand peintre de l'antiquité et il me récite ou me traduit les *Annales* et les *Histoires*. Mais combien il est affreux que les barbares aient enseveli sous les ruines des chefs-d'œuvre de l'architecture un si grand nombre de chefs-d'œuvre de Tacite ! Là-dessus il s'attendrit sur la perte de tant de beautés qu'il regrette et qu'il pleure comme s'il les avait connues ; du moins encore si les monuments qu'on a déterrés dans les fouilles d'Herculanum pouvaient dérouler quelques livres des *Histoires* ou des *Annales* ! et cette espérance le transporte de joie. Mais combien de fois des mains ignorantes ont détruit, en les rendant au jour, des chefs-d'œuvre qui se conservaient dans les tombeaux ! Et là-dessus il disserte comme un ingénieur italien sur les moyens de faire des fouilles d'une manière prudente et heureuse. Promenant alors son imagination sur les ruines de l'antique Italie, il se rappelle comment les arts, le goût et la politesse d'Athènes avaient adouci les vertus terribles des conquérants du monde. Il se transporte aux jours heureux des Laelius et des Scipions, où même les nations vaincues assistaient avec plaisir aux triomphes des victoires qu'on avait remportées sur elles. Il me joue une scène entière de Térence ; il chante presque plusieurs

---

[2] Marmontel, *Mémoires*, livre VII. Cité par Marcel Hervier, *Les Écrivains français jugés par leurs contemporains*, t. II : *le Dix-huitième*, Paris, Mellottée, 1931, pp. 235—236. Il est piquant de rapprocher cet éloge célèbre du jugement tout différent que Diderot, à l'occasion de la publication de *Bélisaire*, porte sur son auteur dans une lettre de 1767 adressée à Falconet : « Notre ami Marmontel disserte, disserte sans fin, et il ne sait ce que c'est que causer. » (*Correspondance*, éd. Georges Roth, Paris, Éditions de Minuit, 1957 [désignée désormais dans cet article par l'abréviation *Correspondance*], t. VII, p. 57.)

[3] L'expression est de Roland Mortier, art. cit., p. 290.

chansons d'Horace. Il finit par me chanter réellement une chanson pleine de grâce et d'esprit, qu'il a faite lui-même en impromptu dans un souper et par me réciter une comédie très agréable dont il a fait imprimer un seul exemplaire pour s'épargner la peine de la copier ... [4]

Pour compléter ce tableau rapide, et peut-être le corriger, il convient d'ajouter que cette liberté délicieuse de propos, cet imprévu enchanteur capable de tenir sous son charme tant d'admirateurs de Diderot, pouvait aussi, et dès l'époque, exaspérer certains esprits exigeants d'une plus grande rigueur, épris de suite plus logique dans le cours des idées, et férus d'une méthode plus rationnelle. C'est ainsi, par exemple, que le président de Brosses, au lendemain d'une entrevue avec Diderot, dont il était sorti plus étourdi qu'ébloui, déclarait vers 1754 :

C'est un gentil garçon, bien doux, bien aimable ; grand philosophe, fort raisonneur, mais faiseur de digressions perpétuelles ; il m'en fit bien vingt-cinq hier, depuis neuf heures qu'il resta dans ma chambre, jusqu'à une heure. Oh ! que Buffon est bien plus net que tous ces gens-là.[5]

Mise à part la différence de jugement, due peut-être au fait que Buffon était bourguignon comme de Brosses, alors que Diderot était champenois, ce témoignage confirme l'impression que donnait invariablement la conversation de Diderot d'être faite d'une suite ininterrompue de digressions. Au reste, les lecteurs de tous les temps sont d'accord avec ces interlocuteurs privilégiés d'autrefois pour discerner dans la digression un aspect caractéristique des écrits du philosophe, donc aussi sans doute de sa personnalité et de sa pensée.

Afin de mieux comprendre la signification d'une pareille observation, il conviendrait de distinguer d'abord les digressions qui ne sont apparemment que fortuites et accidentelles, de celles qui, étant de nature plus organique, sont seules sans doute à être vraiment significatives. C'est parmi les premières qu'il faudrait probablement ranger les multiples anecdotes, ou

---

[4] Passage cité dans A.-T., t. I, pp. xxi—xxii. « Les liaisons rapides et légères » qui permettent à Diderot de passer d'un propos à l'autre sont assez visibles ici, d'autant plus que les sujets auxquels il touche sont immédiatement reconnaissables comme représentants certaines de ses marottes. La seule transition peut-être dont l'absence déconcertera certains lecteurs est celle qui permet à Diderot de passer de Laelius et Scipion à Térence. Un simple coup d'œil à son «Éloge de Térence» suppléera le chaînon manquant : il a son origine dans le passage de la *Vita Terentii* dans lequel Suétone indique que, selon la rumeur publique, Laelius et Scipion ne dédaignèrent pas de collaborer à certaines des comédies de Térence.

[5] Cité par M. Hervier (*op. cit.*, pp. 237—238, en note) d'après Théophile Foisset, *le Président de Brosses ; histoire des lettres et des parlements au XVIIIᵉ siècle*, p. 546. Certains des rapports entre Buffon et de Brosses sont évoqués dans un passage célèbre et scabreux du *Salon de 1767* (*Salons*, éd. Jean Seznec et Jean Adhémar, Oxford, Clarendon Press, 1957— [désignée désormais dans cet article par l'abréviation *Salons*], t. III, p. 242.

« contes », comme Diderot aime parfois à les appeler, qu'on rencontre dans les *Salons*. Destinées avant tout à faire diversion, ces digressions ont pour principale fonction de délasser le lecteur et sans doute l'auteur lui-même. Conscientes de leur propre nature, elles se donnent en général pour ce qu'elles sont et Diderot les annonce comme telles ; par exemple, dans le *Salon de 1763* : «Et puis encore une petite digression, s'il vous plaît. Je suis dans mon cabinet, d'où il faut que je voie tous ces tableaux ; cette contention me fatigue, et la digression me repose ; » ou encore, dans le *Salon de 1767* : « Je m'ennuie de faire et vous apparemment de lire des descriptions de tableaux. Par pitié pour vous et pour moi, écoutez un conte. »[6]

Les digressions qui forment l'armature même de la conversation dite à bâtons rompus est évidemment de nature tout autre. A une époque où l'art d'écrire est encore sous la tutelle de la rhétorique classique, selon laquelle une digression n'est justement pas autre chose qu'une digression, c'est-à-dire une anomalie, une sorte d'excroissance, la conversation, elle, semble seule se prêter à ces méandres ou zigzags imprévus dont, pour des raisons qu'il faudrait essayer de préciser, la pensée de Diderot a apparemment un besoin absolu pour s'exprimer. C'est bien là ce que Marmontel a parfaitement senti, lorsqu'il affirmait dans le passage cité plus haut que le « beau naturel » de Diderot était altéré par « ses systèmes sur l'art d'écrire. »

Pour un homme qui, comme Diderot, voit dans le réel d'abord la complexité et la mobilité, que la science de son temps ne cessait de faire mieux connaître, l'avantage de l'expression orale sur l'expression écrite s'impose spontanément. Car si écrire, c'est sans doute exercer sa liberté, c'est aussi l'abolir ; c'est surtout, étant données les limites de la rhétorique et de la langue, se condamner à n'exprimer qu'un aspect, qu'un instant du réel. Parler, au contraire, c'est faire droit à l'inspiration du moment, de chaque moment successif ; c'est faire place à l'improvisation, à la contradiction, à la fantaisie ; c'est accorder à la fugacité des idées, à leur flexibilité, à leur irresponsabilité une fonction expressive à laquelle la rhétorique en cours était foncièrement hostile.

En attendant d'inventer un art d'écrire nouveau capable de prendre la relève de cette rhétorique surannée, Diderot trouve spontanément dans la lettre familière une sorte de moyen terme entre l'expression orale et l'expres-

---

[6] *Salons*, t. I, p. 217 et t. III, p. 210. Pour d'autres exemples, voir encore *ibid.*, t. II, p. 181 ; t. III, p. 69 ; etc. Dans un développement plein d'intérêt consacré à « La digression », Roger Kempf distingue, de son côté, deux sortes de digressions chez Diderot : « Impatiente et opératoire, la digression remplit diverses tâches » (*Diderot et le roman*, Paris, Éditions du Seuil, 1964, p. 44.) De son côté, Maurice Roelens distingue, parmi les digressions figurant dans une œuvre particulière de Diderot, celles qui ont « des motifs esthétiques » et celles qui contribuent plus directement à la « structure particulière » de l'œuvre (« L'art de la digression dans l'*Entretien d'un père avec ses enfants*, » *Europe* (janv.-fév. 1963), pp. 172—182.)

sion écrite. « Mes lettres sont une histoire assez fidèle de la vie, » écrit-il le 14 juillet 1762 à Sophie Volland. Et, mettant bien en lumière cette nature hybride de l'art épistolaire, il précise quelques pages plus loin : « . . . je cause en vous écrivant, comme si j'étais à côté de vous, un bras passé sur le dos de votre fauteuil et que je vous parlasse. Je vous dis sans ordre, sans réflexion, sans suite, tout ce qui se passe dans l'espace que je remplis et hors de cet espace ; dans le lieu où je suis et dans celui où les autres se meuvent . . . »[7] Une quinzaine de jours plus tard, fidèle à ce même point de vue, il commence une nouvelle lettre à Sophie par les mots : « Voici encore tout plein de bâtons rompus. »[8]

Non seulement les lettres de Diderot sont-elles donc parfois des conversations imaginaires auxquelles il se livre avec ses correspondants, mais elles sont souvent aussi des transcriptions de conversations authentiques auxquelles il participa avec ses intimes.[9] Le charme irremplaçable qu'elles ont aujourd'hui pour nous tient dans une grande mesure à ce qu'elles sont le seul succédané dont il faille nous contenter pour compenser la perte des conversations authentiques de Diderot, irrémédiablement évaporées.

Et pourtant ce n'était pas avec de simples lettres adressées à une petite bourgeoise demeurée vieille fille que Diderot avait espoir d'atteindre la gloire posthume qui lui tenait si fort à cœur. D'autre part, les formes traditionnelles de l'écriture, les livres tels qu'on les composait alors, lui paraissaient si organiquement impropres à la réalisation de ses intentions profondes qu'il put déclarer un jour à Hemsterhuis : « Un livre est pour un auteur un grand obstacle à la vérité. J'ai sur vous l'avantage de n'avoir point écrit. »[10] Cela bien compris, il est clair que le reproche qu'on adressa si souvent à Diderot de n'avoir « jamais fait un livre »[11] est le signe qu'on n'avait rien compris à son génie, et non pas la preuve de son échec ; mais il est clair aussi que la question qui se pose à lui est de savoir s'il est possible d'écrire tout en évitant de faire des « livres .»[12]

---

[7] *Correspondance*, t. IV, pp. 39 et 43.

[8] *Ibid.*, p. 73.

[9] Cet aspect de la correspondance de Diderot a été bien mis en valeur dans l'article intéressant de Bernard Waisbord sur « La conversation de Diderot », *Europe* (janv.-fév. 1963), pp. 163–172.

[10] François Hemsterhuis, *Lettre sur l'homme et ses rapports*, avec le commentaire inédit de Diderot, éd. Georges May, New Haven et Paris, Yale University Press et Presses Universitaires de France, 1964, p. 179. Cet ouvrage sera désigné désormais dans cet article par le titre de *Commentaire sur Hemsterhuis*.

[11] Le mot est de Marmontel. On trouvera le passage cité ci-dessous p. 173.

[12] Il y aurait une étude intéressante à faire sur l'usage péjoratif fait du mot « livre » par les grands écrivains du XVIIIe siècle qui, comme Diderot, prirent conscience des insuffisances de la rhétorique en cours. J.-J. Rousseau, pour des raisons évidemment assez différentes de celles de Diderot, est un de ces écrivains. Il ne veut pas, écrit-il, par exemple, dans la troisième partie d'*Émile*, que son élève devienne ce qu'il appelle dédaigneusement « un faiseur de livres » (éd. F. et P. Richard, « Classiques Garnier », p. 229). Tout un développement de

On trouvera une première réponse à cette question en observant que le
même besoin et le même instinct qui oriente Diderot vers la conversation et la
lettre familière, l'oriente aussi vers le commentaire des écrits des autres, vers
la glose.[13] Il s'agit là en fait d'activités intellectuellement analogues, ainsi qu'en
purent témoigner les nombreux hommes de lettres qui, comme Hemsterhuis,
consultèrent Diderot sur leurs propres ouvrages ; et comme en témoigneraient
encore les ouvrages de Diderot lui-même qui sont par leur nature sym-
biotiques. Marmontel, par exemple, peu après le passage extrait plus haut de
ses *Mémoires*, nous apporte le témoignage précieux et lumineux que voici :

> L'un des beaux moments de Diderot, c'était lorsqu'un auteur le consultait sur
> son ouvrage. Si le sujet en valait la peine, il fallait le voir s'en saisir, le
> pénétrer, et d'un coup d'œil découvrir de quelles richesses et de quelles beautés
> il était susceptible. S'il s'apercevait que l'auteur remplît mal son objet, au lieu
> d'écouter la lecture, il faisait dans sa tête ce que l'auteur avait manqué. Était-ce
> une pièce de théâtre ? il y jetait des scènes, des incidents nouveaux, des traits
> de caractère ; et croyant avoir entendu ce qu'il avait rêvé, il nous vantait
> l'ouvrage qu'on venait de lui lire, et dans lequel, lorsqu'il voyait le jour, nous
> ne retrouvions presque rien de ce qu'il en avait cité.[14]

Pour peu qu'on rapproche ce témoignage de celui, cité plus haut, de Garat, on
remarquera la similarité frappante entre les deux démarches de l'esprit : celle
par laquelle Diderot, monologuant devant un interlocuteur quasi-muet, dont
le seul rôle semble être celui d'excitateur ou d'agent catalytique, saute
infatigablement de sujet en sujet en une suite apparemment incohérente de
digressions ;[15] et celle par laquelle Diderot, prenant pour tremplin l'ouvrage
d'autrui, y réagit et le refait à sa manière dans l'imagination et par la parole.

---

son *Deuxième Dialogue* est consacré, d'autre part, à stigmatiser la tâche dégra-
dante de « faire des livres. » Rousseau y déclare en particulier : « J'ai fait des
livres, il est vrai, mais jamais je ne fus un livrier » (*Œuvres complètes*, « Bibliothèque de la Pléiade », t. I., p. 840.)

[13] Nous avons déjà consacré quelques remarques à « Diderot glossateur » dans
notre introduction au *Commentaire sur Hemsterhuis*, pp. 11—15, où nous ren-
voyons à l'étude de Herbert Dieckmann sur « Diderot et son lecteur », qui
constitue la première de ses *Cinq leçons sur Diderot*, Genève et Paris, Droz et
Minard, 1959, pp. 17—39. Cet ouvrage sera désigné désormais dans cet article
par l'abréviation *Cinq leçons*.

[14] Cité par M. Hervier, *op. cit.*, p. 236. On pourra rapprocher ce passage de ce que
Naigeon remarque dans l'article « Diderot » de l'*Encyclopédie méthodique* sur
les écarts existant entre les ouvrages commentés par Diderot et les observations qu'il fait à leur propos. On trouvera un extrait de ces remarques de
Naigeon dans notre « Introduction » au *Commentaire sur Hemsterhuis*, p. 13.

[15] Rappelons le désaccord existant sur ce point parmi les critiques. H Dieckmann
réfute ceux qui accusent Diderot de s'adonner au monologue plutôt qu'au
dialogue (*Cinq leçons*, pp. 34—35) ; tandis que R. Mortier, comme nous l'avons
déjà rappelé, le voit surtout se livrer « impunément à son goût pour le soliloque
décousu » (*art. cit.*, p. 290.) Pour notre part, nous résoudrions volontiers ce
petit différend en conjecturant que tout dépendait peut-être de l'interlocuteur
dont disposait Diderot.

C'est encore la même démarche qu'on observe dans tant de ses réactions déconcertantes aux œuvres d'art exposées aux *Salons*. Il les refait souvent à sa manière à mesure qu'il en parle, tant et si bien qu'il devient parfois fort malaisé de reconnaître l'œuvre qu'il commente. S'appuyant tantôt sur un détail, tantôt sur une indication qu'il interprète abusivement, il s'en autorise pour prendre la tangente ; et son commentaire aboutit alors à un épanouissement de digressions centrifuges, à la manière d'une gerbe de feu d'artifice, à l'issue de laquelle le lecteur ébloui et interdit s'efforce en vain de retrouver la liaison entre le commentaire du critique et l'œuvre d'art qui lui a servi de point de départ. Rappelons, parmi tant d'exemples qui foisonnent, la toile de Greuze du *Salon de 1765*, « Une jeune fille, qui pleure son oiseau mort », dans laquelle, selon les savants éditeurs de l'édition de 1960, « Personne ne semble voir les allusions que décèle Diderot ; »[16] ou encore les célèbres paysages que Joseph Vernet expose au *Salon de 1767*, et dans lesquels, seul ou accompagné, Diderot n'hésite pas à se promener littéralement en dissertant et en rêvant.

Enfin, répétons-le, c'est surtout ainsi que se comporte Diderot dans son rôle caractéristique et si fréquent de glossateur, de commentateur, de réfutateur et, voudrait-on pouvoir dire, de complémentateur ou de supplémentateur. C'est à ce rôle que nous devons, non seulement des ouvrages tels que la traduction de Shaftesbury, la *Réfutation d'Helvétius*, l'*Apologie de l'abbé Galiani* ou le *Commentaire sur Hemsterhuis*, mais aussi la *Lettre sur les sourds et muets*, les *Principes philosophiques sur la matière et le mouvement*, le *Supplément au Voyage de Bougainville* et d'autres encore.

Ce que, dans tant de ces ouvrages si caractéristiques de sa manière, l'œuvre de base va lui inspirer n'est jamais vraiment prévisible, et peut même finir par être sans rapport apparent avec elle, et par acquérir la gratuité radicale d'une digression faisant dévier en même temps que progresser une conversation à bâtons rompus. L'ouvrage parasitique finit par assumer une existence indépendante de l'ouvrage qui lui a donné naissance, et par le faire oublier. Une pareille observation indique déjà un rapprochement possible à faire entre ce processus de création littéraire et certaines théories biologiques de l'époque, avec lesquelles Diderot était, comme on le sait, fort familier, en particulier celle à laquelle on avait donné le nom d'épigénèse. Mais ce penchant pour la symbiose n'est sans doute pas étranger non plus à la fascination exercée sur Diderot par l'étonnant personnage de parasite dont il a si souverainement enrichi la littérature.

A ce propos, s'il est permis de s'autoriser de Diderot pour digresser un peu, rappelons le vers d'Horace qui sert d'épigraphe au *Neveu de Rameau*, « Vertumnis quotquot sunt natus iniquis », qui met l'ouvrage tout entier, y compris le héros éponyme et l'auteur, sous le patronage révélateur de Vertumne. « . . . né sous la capricieuse malice de tous les Vertumnes réunis »,

---

[16] *Salons*, t. II, p. 35.

dit le poète latin. Et Diderot n'ignore pas que Vertumne est ce dieu imprévisible qui préside aux transformations de la nature, et non seulement au cycle saisonnier, mais aussi aux changements météorologiques, et qui, tel Protée, personnifie donc l'inconstance et le polymorphisme. C'est en effet, ce même dieu versatile et changeant que Diderot évoque et invoque à la première page du *Salon de 1763*, lorsque, remarquant que, pour décrire une exposition aussi variée, il faudrait avoir « toutes les sortes de goût, un cœur sensible à tous les charmes, une âme susceptible d'une infinité d'enthousiasmes différents », il conclut en s'exclamant : « Où est ce Vertumne-là ? »[17]

Mais, est-on tenté de répondre à cette interrogation oratoire, n'est-ce pas là le cas de Diderot lui-même, lequel, dans une lettre sans doute trop célèbre, s'est comparé à une girouette tournant à tout vent? Et, soit dit en passant, quelle piquante étude on pourrait s'amuser à faire, comme un autre texte de Diderot nous l'a déjà suggéré,[18] sur les métaphores météorologiques chez l'auteur du *Neveu de Rameau* ! — de quoi faire les délices d'un tainien attardé, curieux des conséquences littéraires du climat champenois.[19]

Et puisque, digressant toujours, nous parlons d'esprits retardataires, peut-être convient-il de faire observer ici combien il est facile de comprendre comment toute une lignée de critiques, épris nostalgiquement des valeurs qu'ils voyaient présentes dans le classicisme français — ceci fréquemment aggravé de conservatisme politique — ont pu voir en Diderot un écrivain de

---

[17] *Ibid.*, t. I, p. 195.

[18] « A l'usage de ceux qui lisent la *Lettre sur les sourds et muets* », préface à l'édition Paul Meyer de la *Lettre sur les sourds et muets, Diderot Studies VII*, Genève, Droz, 1965, p. XVI.

[19] Rappelons le texte de cette lettre de Diderot : « Les habitants de ce pays ont beaucoup d'esprit, trop de vivacité, une inconstance de girouettes. Cela vient, je crois, des vicissitudes de leur atmosphère qui passe en vingt-quatre heures du froid au chaud, du calme à l'orage, du serein au pluvieux ; il est impossible que ces effets ne se fassent sentir sur eux, et que leurs âmes soient quelque temps de suite dans une même assiette. Elles s'accoutument ainsi dès la plus tendre enfance à tourner à tout vent. La tête d'un Langrois est sur ses épaules comme un coq d'église au haut d'un clocher. » *(Correspondance*, t. II, p. 207.) Une petite comparaison édifiante s'impose ici avec ce que Taine nous dit, à propos de La Fontaine, du même climat champenois : « Il n'a ni excès ni contrastes ; le soleil n'est pas terrible comme au midi, ni la neige durable comme au nord. Au plus fort de juin, les nuages passent en troupes, et souvent dès février, la brume enveloppe les arbres de sa gaze bleuâtre sans se coller en givre autour de leurs rameaux. On peut sortir en toute saison, vivre dehors sans trop pâtir ; les impressions extrêmes ne viennent point émousser les sens ou concentrer la sensibilité ; l'homme n'est point alourdi ni exalté ; pour sentir, il n'a pas besoin de violentes secousses et il n'est pas propre aux grandes émotions. Tout est moyen ici, tempéré, plutôt tourné vers la délicatesse que vers la force » *(La Fontaine et ses fables*, 28e édition, Paris, Hachette, 1932, pp. 5—6.) On s'en voudrait d'ajouter le moindre commentaire, sinon peut-être pour rappeler que Taine était natif de Vouziers dans les Ardennes, localité sise à quelque 200 kilomètres au Nord-Nord-Ouest de Langres.

troisième ordre, un homme à jamais incapable de rien parachever. Même un auteur qui, comme Marmontel, avait été son compagnon dans l'entreprise encyclopédique, mais dont la doctrine littéraire demeurait trop ancrée dans le passé, a commis sur ce point une faute d'interprétation monumentale. Entre les deux passages extraits plus haut de ses *Mémoires*, il croit pouvoir dire, en effet :

> Dans ses écrits, il ne sut jamais former un tout ensemble : cette première opération qui ordonne et met tout à sa place, était pour lui trop lente et trop pénible. Il écrivait de verve, avant d'avoir rien médité : aussi a-t-il écrit de belles pages comme il disait lui-même, mais il n'a jamais fait un livre.[20]

On découvrirait, à feuilleter les commentateurs de la fin du XIXᵉ et du début du XXᵉ siècles, quantité de remarques de ce genre, témoignant à la fois de la suffisance et de la myopie de leurs auteurs. Mais on leur trouvera une explication, sinon une excuse, dans diverses observations de Diderot lui-même, qui, prises au pied de la lettre, tendraient à justifier ces jugements négatifs. Songeons, en particulier, à ses réflexions répétées sur la supériorité de l'esquisse sur l'œuvre d'art achevée, lesquelles risquent d'induire en erreur si on s'arrête à leur sens immédiat ; celle-ci, par exemple, entre bien d'autres, nombreuses en particulier dans le *Salon de 1767* : « La passion ne fait que des esquisses. Que fait donc un poète qui finit tout ? Il tourne le dos à la nature. »[21]

Mais si on pousse l'examen au-delà d'une première lecture, on s'aperçoit que ces fréquentes remarques de Diderot sur les esquisses confirment ce qui précède et permettent peu-être d'avancer vers une meilleure compréhension de la question. Herbert Dieckmann a fort bien mis en lumière le rapport organique unissant ces réflexions de Diderot sur l'esquisse et son goût de la digression. Il montre, en particulier, comment l'esquisse est une tentation pour Diderot de trouver une forme d'expression adéquate à une pensée qui échappe aux cadres expressifs traditionnels :

> Dans l'ensemble de l'œuvre de Diderot, l'esquisse a la valeur et la fonction d'un élément formel. Elle ne pouvait pas devenir un mode d'expression, si ce n'est incidemment; aussi Diderot devait-il trouver d'autres solutions pour résoudre le problème de l'expression naturelle du mouvement de la pensée. Il choisit la forme du dialogue.[22]

Soit ; mais il reste que nombre d'ouvrages de Diderot en sont demeurés au stade de l'esquisse et que tout indique, cependant, qu'il les considérait avec

---

[20] Cité par M. Hervier, *op. cit.*, p. 236.
[21] *Salons*, t. III, p. 248.
[22] *Cinq leçons*, p. 82. L'ensemble de la troisième leçon, d'où ce passage est extrait, « La pensée et ses modes d'expression », touche à des questions très analogues à celles que nous soulevons ici. Nous en avons tiré grand profit, et laissons au lecteur le soin de mesurer l'étendue d'une dette que nous nous faisons un devoir et un plaisir de reconnaître ici.

assez de sérieux pour se soucier de les faire passer à la postérité. Les plans des diverses pièces de théâtre mises en chantier en 1759 et vite abandonnées figurent, en effet, sur les diverses listes publiées dans l'*Inventaire du fonds Vandeul,* signe que Diderot n'avait pas perdu pour ces embryons une tendresse toute paternelle, vestige de l'enthousiasme délirant dans lequel il les avait d'abord conçus. Il est même un de ces plans qu'il semble bien avoir tiré de ses cartons dix ans plus tard, c'est celui de la pièce qui devait tour à tour porter pour titre *le Commissaire de Kent, le Juge de Kent* et *le Shérif.* Il en parle, en effet, à Sophie Volland dans une lettre de septembre 1769.[23] Or, la manière même dont il avait composé ces divers plans en 1759 nous est suffisamment connue, grâce aux lettres adressées à Grimm à ce moment, pour nous permettre peut-être de mieux comprendre la nature spécifique de l'esquisse pour Diderot. Voici, par exemple, ce qu'il écrit à son ami le 18 juillet 1759 d'une pièce, qui devait s'intituler *le Train du monde, ou les Mœurs honnêtes comme elles le sont,* et dont il ne réussit pas à pousser la composition au-delà du plan détaillé qui nous est resté :

> Une débauche de tête, une violente effervescense fait éclore un plan de cette nature. C'est un jet de tête comme on en a quelquefois. Mais l'exécution et les détails demandent une tenue que je n'ai plus. Deux ans, et deux ans de mon bon temps n'y auraient pas suffi. Mais qu'importe ? Si nous ne le faisons pas, cela ne nous empêchera pas de le proposer à faire aux autres. Imaginez ce que ce peut être qu'une machine méditée pendant une semaine, digérée, arrangée, écrite, et à travers laquelle je me perds encore moi-même.
> J'en étais plein. J'allai chez Sophie. Je lui en parlai, et à sa sœur. Celle-ci s'offrit à écrire sous ma dictée. Je dictai environ une douzaine de pages de suite ; mais elles ne purent jamais me suivre ; et depuis, elles ont relu ce qu'elles ont écrit, sans y voir guère plus clair. Pour moi, j'y vois ; surtout la nuit.[24]

Sans avoir besoin d'être nyctalope, on commence à voir peut-être la direction vers laquelle tout ceci oriente la réflexion : il y a des idées dont l'esprit semble incapable de s'emparer pleinement, parce qu'il y a incompatibilité entre ces idées — à cause de leur nature, de leur fugacité ou de leur complexité — et les modes ordinaires de fonctionnement de l'esprit. A plus forte raison est-il improbable qu'on parvienne à exprimer ces idées, qu'il est déjà si malaisé de concevoir. Cependant, n'en déplaise à Boileau, il y a certains hommes doués de ce que Diderot appelle parfois le génie, qui, à certains moments privilégiés, sont capables de concevoir, sinon toujours d'exprimer ces idées. Cette notion de l'inspiration est fort différente de celle dont il est question au début de l'*Art poétique* ; et Diderot a longtemps médité dessus, dès avant de s'intéresser aux arts plastiques. Ce qu'il a peut-être à dire de plus curieux et de plus révélateur sur ce sujet se trouve dans un passage du *Salon de 1767* qui jette sur tout ceci une lumière à peu près unique :

---

[23] *Correspondance,* t. IX, p. 137.
[24] *Ibid.,* t. II, p. 174.

Qu'est-ce donc que l'inspiration ? L'art de lever un pan du voile et de montrer aux hommes un coin ignoré ou plutôt oublié du monde qu'ils habitent. L'inspiré est lui-même incertain quelquefois si la chose qu'il annonce est une réalité ou une chimère, si elle exista jamais hors de lui ; il est alors sur la dernière limite de l'énergie de la nature de l'homme et à l'extrémité des ressources de l'art. Mais comment se fait-il que les esprits les plus communs sentent ces élans du génie et conçoivent subitement ce que j'ai tant de peine à rendre ? L'homme le plus sujet aux accès de l'inspiration pourrait lui-même ne rien concevoir à ce que j'écris du travail de son esprit et de l'effort de son âme, s'il était de sang-froid, j'entends ; car si son démon venait à le saisir subitement, peut-être trouverait-il les mêmes pensées que moi, peut-être les mêmes expressions, il dirait, pour ainsi dire, ce qu'il n'a jamais su ; et c'est de ce moment seulement qu'il commencerait à m'entendre.

Malgré l'impulsion qui me presse, je n'ose me suivre plus loin, de peur de m'enivrer et de tomber dans des choses tout à fait inintelligibles.[25]

Il y a donc deux manières pour l'esprit de saisir les idées et d'appréhender la réalité ; et ces deux manières correspondent aux deux natures également importantes mais profondément différentes des idées et de la réalité. Ce n'est plus tout à fait la distinction de Pascal entre l'esprit de finesse et l'esprit de géométrie ; et ce n'est pas encore exactement, malgré des indications étonnamment suggestives, celle entre le conscient et le subconscient. Mais c'est une distinction fondée elle aussi en partie sur une connaissance approfondie des progrès de la science et sur un pressentiment des conséquences de ces progrès quant à la notion qu'on doit se faire de l'homme. La nature, telle que les sciences et surtout la biologie du XVIIIe siècle commencent à la faire connaître, est à la fois tellement moins simple et tellement moins stable qu'on ne l'avait cru, que Diderot devine que, pour la comprendre à plein, il est besoin de mettre au point de nouveaux procédés de pensée.

C'est ce pressentiment obscur et persistant d'un monde instable et complexe, et cependant inévitable, qui permet peut-être le mieux de rendre compte des aspects du comportement, de la pensée et de l'art de Diderot qui ont surtout frappé ses contemporains les plus avisés, et qui, aujourd'hui encore, nous semblent les plus caractéristiques de son génie propre. Et on trouvera une confirmation, peut-être inattendue, à cette hypothèse en remarquant combien l'idée que ses intimes se faisaient de Diderot correspond à l'idée qu'il se faisait lui-même du monde. Sur ce point encore, soit dit en passant, comme sur bien d'autres dans les pages qui précèdent, il y aurait une comparaison féconde à faire entre Diderot et Montaigne, cet autre maître de « l'art de conférer », cet autre écrivain de l'inachevé, qui croyait à la « branloire perpétuelle » et à la vertu des digressions.

Melchior Grimm, qui connut intimement Diderot, le compare en 1759 « à un torrent dont l'effort impétueux et rapide renverse tout ce qu'on voudrait opposer à son passage... »[26] Or l'image du torrent est justement de

---

[25] *Salons*, t. III, p. 213.
[26] Cité par G. Roth (*Correspondance*, t. IV, p. 281), d'après la *Correspondance littéraire*, t. IV, p. 72.

celles dont Diderot use avec prédilection pour exprimer sa notion d'un univers déterminé. « Il est dur de s'abandonner aveuglément au torrent universel, » écrit-il dans une lettre de l'automne de 1769, faisant ainsi écho à son propre Dr. Bordeu, lequel déclare dans *le Rêve de d'Alembert* : « On est irrésistiblement entraîné par le torrent général ». Et dès son premier ouvrage original, les *Pensées philosophiques*, Diderot s'en prenait aux « esprits bouillants » qui craignent de « s'abandonner au torrent. »[27]

Cette image du torrent, si révélatrice par ce qu'elle évoque à la fois de puissant, de désordonné et d'irrésistible, est à retenir. Cette force de la nature, dans la mesure où elle obéit justement à une nécessité rigoureuse et à des lois connues, n'est désordre et confusion qu'en apparence. Un effort intellectuel soutenu suffit théoriquement pour y retrouver l'ordre réel qui en est le fondement. L'exercice résolu de la pensée permet donc seul d'aller au-delà des apparences d'une réalité confuse et instable.

Pour en revenir momentanément à notre point de départ, c'est ainsi, par exemple, que les méandres d'une conversation à bâtons rompus, loin d'être caprices purement gratuits, obéissent en réalité à un ordre logique qu'on peut retrouver si l'on en fait l'effort. Dans une lettre souvent citée, qu'il écrit à Sophie Volland le 20 octobre 1760, Diderot, rapportant à son amie la conversation de la compagnie assemblée au Grandval, montre le chemin au chevalier Auguste Dupin et au détective de Baker Street en s'amusant à retrouver respectivement les propos successifs qui lui imprimèrent ses détours :

> C'est une chose singulière que la conversation, surtout lorsque la compagnie est un peu nombreuse. Voyez les circuits que nous avons faits. Les rêves d'un malade en délire ne sont pas plus hétéroclites. Cependant, comme il n'y a rien de décousu ni dans la tête d'un homme qui rêve, ni dans celle d'un fou, tout tient aussi dans la conversation ; mais il serait quelquefois bien difficile de retrouver les chaînons imperceptibles qui ont attiré tant d'idées disparates.[28]

Et si, deux ans plus tard, dans une autre lettre à Sophie, Diderot semble dire exactement le contraire, c'est tout simplement parce que les chaînons en question exigent parfois pour être perçus un tel effort de mémoire, d'intelligence et de pénétration, qu'on peut être tenté de mettre leur existence en doute :

> Rien ne tient dans la conversation ; et il semble que les cahots d'une voiture, les différents objets qui se présentent en chemin, les silences plus fréquents, achèvent encore de la découdre.[29]

---

[27] *Correspondance*, t. IX, p. 154 ; *le Rêve de d'Alembert*, éd. Jean Varloot, Paris, Éditions sociales, 1962, p. 86 ; *Pensées philosophiques*, pensée XXVIII. Le rapprochement entre la formule de Grimm et celle de la pensée XXVIII a déjà été signalé par R. Mortier, *art. cit.*, pp. 285—286. A rapprocher aussi de cette formule qu'on trouve dans le *Commentaire sur Hemsterhuis* (p. 201) : « L'ordre général varie sans cesse. Tout est *in fluxu et eterno et perpetuo et necessario.* »

[28] *Correspondance*, t. III, pp. 172—173.

[29] *Ibid.*, t. IV, p. 135.

Si l'on prend soin, en effet, de tenir compte précisément des éléments apparemment fortuits, évoqués ici par Diderot, des cahots, des objets, des silences, une suite de propos décousus en apparence ne tarde par à révéler qu'elle obéit en réalité à des principes ordonnateurs parfaitement reconnaissables et compréhensibles. En fait, à la suite du premier des deux passages qui viennent d'être cités, Diderot cerne avec une grande précision le plus important sans doute de ces principes, et explique du même coup pourquoi celui-ci n'est pas susceptible d'être immédiatement reconnu par tous pour tel : « La folie, le rêve, le décousu de la conversation consistent à passer d'un objet à l'autre par l'entremise d'une qualité commune. »[30] Pour s'y retrouver dans le labyrinthe, il suffit donc d'avoir l'esprit assez fin et assez attentif pour reconnaître ces qualités communes. On devient alors sensible à la ligne continue de ce qui passait d'abord pour chaos. Seul ce fil d'Ariane permet de percevoir le fil du collier dont les perles semblaient enfilées au hasard. Tous les hommes ne sont malheureusement pas également doués pour accomplir avec succès cet effort de perception. Il y faut un ensemble de qualités que Diderot, dans une page admirable de sa *Réfutation d'Helvétius*, définit de la manière suivante :

> Qu'est-ce que l'esprit, la finesse, la pénétration, sinon la facilité d'apercevoir dans un être, entre plusieurs êtres que la multitude a regardés cent fois, des qualités, des rapports qu'aucuns n'ont aperçus ? Qu'est-ce qu'une comparaison juste, nouvelle et piquante, qu'est-ce qu'une métaphore hardie, qu'est-ce qu'une expression originale, si ce n'est celle de quelques rapports singuliers entre des êtres connus qu'on nous rapproche et fait toucher par quelque côté ?

> Tous n'aperçoivent point toutes les propriétés des êtres. Aucuns ne les sentent et ne les aperçoivent rigoureusement de la même manière. Très peu saisissent tous les points par lesquels on peut établir entre eux des points de contact. Beaucoup moins encore sont capables de rendre d'une manière forte, précise, intéressante et les qualités d'un être qu'ils ont étudié et les rapports qu'ils ont aperçus entre différents êtres.[31]

Faute de ces qualités d'esprit assez rares, le lecteur des ouvrages de Diderot fondés eux-mêmes sur elles, est incapable d'y voir autre chose que désordre, discontinuité, décousu et inachevé. La fortune si capricieuse de la réputation posthume du philosophe s'explique dans une très grande mesure par les contresens engendrés par ces points de vue incompatibles. Diderot, qui avait pris le soin de souligner de bonne heure dans sa carrière qu'il écrivait « à

---

[30] *Ibid.*, t. III, p. 173.

[31] A.-T., t. II, p. 329. Cette page est signalée et mise à contribution dans un article remarquable de Bernard Groethuysen : « *La pensée de Diderot* », *Grande Revue*, 25 novembre 1913, pp. 330—331. Cette étude touche sur bien des points aux questions qui nous préoccupent ici. Elle est à notre connaissance la première en date, et de loin, à avoir mis en lumière, avec une originalité et une perspicacité sans défaillance, divers aspects importants et qui nous paraissent aujourd'hui si modernes de la pensée de Diderot.

l'usage de ceux qui voient » et « à l'usage de ceux qui entendent et qui parlent », a eu le malheur d'avoir trop longtemps pour critiques soit des aveugles, soit des hommes incapables d'engager avec son œuvre autre chose qu'un dialogue de sourds. Naigeon eut la perspicacité de s'en apercevoir dès les années qui suivirent immédiatement la mort de son maître et ami, et d'attribuer ces fautes de perspective aux causes mêmes qu'on vient d'exposer :

> . . . je suis très éloigné de blâmer ce qu'on appelle communément des écarts, soit dans Montaigne, soit dans la plupart des ouvrages de Diderot. Ceux qui en jugent ainsi, prouvent assez qu'ils sont incapables de saisir les rapports plus ou moins éloignés qu'ont entre elles certaines idées : ils ignorent que ces idées qui leur paraissent si incohérentes, s'enchaînent dans l'entendement du philosophe par des analogies très fines, très délicates, qui échappent à des lecteurs vulgaires.[32]

C'est précisément parce que la perception de ces rapports, de ces « qualités communes » dépend de la nature et du degré de la sensibilité, que parmi les conditions requises, non seulement du lecteur désireux de comprendre Diderot, mais de Diderot lui-même pour réussir dans son entreprise, se trouvent à la première place certaines qualités spécifiques de l'esprit : sou- plesse, réceptivité, sensitivité. L'importance primordiale de ces qualités ne doit pas se mesurer à l'élégance qu'elles confèrent à l'esprit qu'elles ornent. Ce ne sont pas des objets de luxe. Elles sont, au contraire, strictement indis- pensables, ou bien dans l'exercice de la réflexion pour retrouver la suite des idées, ou bien dans l'exercice de la découverte pour appréhender la complexité et en même temps l'unité du réel. Ce sont ces qualités mêmes que Diderot désigne, dans un fragment de lettre de 1769, par l'expression parfaitement adéquate d' « âme sensible et mobile » :

> Heureux celui qui a reçu de nature une âme sensible et mobile ! Il porte en lui la source d'une multitude d'instants délicieux que les autres ignorent. Tous les hommes s'affligent, mais c'est lui seul qui sait se plaindre et pleurer . . . C'est son cœur qui lie ses idées. Celui qui n'a que de l'esprit, que du génie ne l'entend pas. Il est un organe qui leur manque. La langue du cœur est mille fois plus variée que celle de l'esprit, et il est impossible de donner les règles de sa dialec- tique. Cela tient du délire, et ce n'est pas le délire. Cela tient du rêve, et ce n'est pas le rêve.[33]

L'analogie entre le génie et le rêve ou la folie est une des constantes les plus significatives de la pensée de Diderot. Dès l'époque des *Bijoux indiscrets*, soit plus de vingt ans avant cette lettre, il mettait dans la bouche d'un des personnages de son roman, cette définition remarquable : « Nos rêves ne

---

[32] *Mémoires historiques et philosophiques sur la vie et les ouvrages de D. Diderot*, Paris, Brière, 1821, p. 373. Les quelques pages qui suivent cette citation contien- nent une série de remarques extrêmement suggestives sur les analogies entre Diderot et Montaigne.

[33] *Correspondance*, t. IX, p. 204.

sont que des jugements précipités qui se succèdent avec une rapidité incroyable, et qui, rapprochant des objets qui ne se tiennent que par des qualités fort éloignées, en composent un tout bizarre. » Ce à quoi la sultane Mirzoza ajoutait en approuvant et en marquant plus clairement encore le rapport liant cette idée à certaines des notions que nous avons présentées plus haut : « . . . c'est un ouvrage en marqueterie,[34] dont les pièces rapportées sont plus ou moins nombreuses, plus ou moins régulièrement placées, selon qu'on a l'esprit plus vif, l'imagination plus rapide et la mémoire plus fidèle : ne serait-ce pas même en cela que consisterait la folie ? »[35]

Bref l'unité organique du réel, qu'il s'agisse de la nature physique ou de la pensée, exige souvent, afin d'être perçue pour telle, au lieu d'être sentie superficiellement comme désordre ou chaos, une qualité d'esprit si extrême, si rare, et, à proprement parler, si anormale, qu'elle semble proche de l'insanité. C'est, à peu de chose près, cette même forme du génie que Diderot définit en 1753, à propos du démon familier de Socrate, comme « cet esprit de divination par lequel on *subodore*, pour ainsi dire, des procédés inconnus, des expériences nouvelles, des résultats ignorés. »[36] Et la preuve qu'il s'agit bien ici de cette même forme exceptionnelle de la pensée apparaît dans la suite de ce texte. Comme il l'avait déjà fait dans le passage des *Bijoux*, qui vient d'être cité, Diderot y rapproche, en effet, cette aptitude à saisir les rapports qui échappent aux autres, de la structure de la pensée onirique, démontrant ce faisant l'unité profonde de sa propre pensée :

Comment cet esprit se communique-t-il? Il faudrait que celui qui en est possédé descendît en lui-même pour reconnaître distinctement ce que c'est ; substituer au démon familier des notions intelligibles et claires, et les développer aux autres. S'il trouvait, par exemple, que c'est *une facilité de supposer ou d'apercevoir des oppositions ou des analogies, qui a sa source dans une connaissance pratique des qualités physiques des êtres considérés solitairement, ou de leurs effets réciproques, quand on les considère en combinaison,* il étendrait cette idée : il l'appuierait d'une infinité de faits qui se présenteraient à sa mémoire ;

---

[34] Dans l'essai « De la vanité », parlant de l'unité réelle de son livre, Montaigne usait déjà de l'expression « une marqueterie mal jointe » (livre III, chap. ix ; éd. A. Thibaudet, « Bibliothèque de la Pléiade », p. 926.)

[35] *Les Bijoux indiscrets*, chap. XLII : «Les songes». (Éd. A. Billy, « Bibliothèque de la Pléiade », pp. 190—191.) Dans l'excellente étude qui sert d'introduction à son édition du *Rêve de d'Alembert*, (éd. cit., p. xc), Jean Varloot cite à ce propos l'article « Fantôme » de l'*Encyclopédie* : « . . . alors [dans le sommeil], nous voyons passer au-dedans de nous une scène composée d'objets plus ou moins décousus, plus ou moins liés . . . » Dans cette même étude (p. cxxxii), J. Varloot rappelle opportunément aussi le passage des *Éléments de physiologie* où Diderot rapproche le « rêve décousu » de la « conversation de plusieurs personnes qui parlent à la fois de différents sujets ». Décidément cette notion de « décousu » semble être, paradoxalement peut-être, un des fils continus de la pensée de Diderot !

[36] *Pensées sur l'interprétation de la nature*, No XXX (A.-T., t. II, p. 24). C'est Diderot qui souligne la verbe *subodore*, peu usité selon Littré, qui n'en donne qu'un exemple, tiré d'une lettre de Poussin de 1648.

ce serait une histoire fidèle de toutes les extravagances apparentes qui lui ont
passé par la tête. Je dis *extravagances* ; car quel autre nom donner à cet
enchaînement de conjectures fondées sur des oppositions ou des ressemblances
si éloignées, si imperceptibles, que les rêves d'un malade ne paraissent ni plus
bizarres, ni plus décousus ? [37]

Diderot est donc parfaitement conséquent avec lui-même et parfaitement
conscient de ce qu'il fait, lorsqu'il décide en 1769 de recourir littéralement à
la forme du rêve pour exprimer l'ensemble de sa philosophie, laquelle atteint
à cette date un point de maturation tel qu'elle est enfin capable d'expression
littéraire. Tout en témoigne, non seulement le texte propre du *Rêve de
d'Alembert,* mais aussi ce que Diderot en dit dans sa correspondance alors
même qu'il est en train de le composer : « Cela est de la plus haute extravagance et tout à la fois de la philosophie la plus profonde. Il y a quelque
adresse à avoir mis mes idées dans la bouche d'un homme qui rêve. Il faut
souvent donner à la sagesse l'air de la folie afin de lui procurer ses entrées. »[38]

Procurer à la sagesse ses entrées est sans doute une excellente raison. Elle
n'est pas la seule, ni même peut-être la plus importante. Une autre, en tout
cas, est que la pensée traditionnelle, ou la pensée éveillée est selon Diderot
inadéquate pour concevoir une philosophie en accord avec les progrès scienti-
fiques de son temps. Aux yeux des tenants de cette pensée, celle qu'il faut
nécessairement lui substituer ne peut sembler être autre chose qu'une forme
pathologique, une folie. A ceci près, cependant, que, s'ils sont invités à
réfléchir sur leurs propres rêves, ils verront peut-être dans la pensée onirique
un chaînon entre ce qu'ils nomment pensée et ce qu'ils nomment folie. Peut-
être même comprendront-ils que ce qu'on appelle à la légère folie peut dans
certains cas être en réalité une forme supérieure de la pensée.[39]

Pour n'en prendre qu'un exemple, tiré de l'*Entretien entre d'Alembert
et Diderot,* rappelons l'objection qu'y soulève d'Alembert à la notion que la

---

[37] *Ibid.,* No XXXI (A.-T., t. II, pp. 24—25). Italiques dans le texte.

[38] *Correspondance,* t. IX, pp. 126—127. Une quinzaine de jours plus tard, il réitère:
« Il n'est pas possible d'être plus profond et plus fou » (*ibid.,* p. 140). A rapprocher de ce que dit Naigeon à la suite du passage cité plus haut, lequel,
rappelons-le, s'applique à Montaigne aussi bien qu'à Diderot : « On ne réfléchit
point assez jusqu'où la liaison des idées peut conduire un bon esprit qui, sans
en faire le projet, et même à son insu, se laisse entraîner partout où elle le mène.
Tout est également lié dans la tête de fous, et dans celle de l'homme du sens le
plus droit et le plus rassis. La seule différence qu'il y ait entre eux et lui, à cet
égard, c'est qu'avec de la sagacité, du jugement, de l'application, on peut
presque toujours retrouver la chaîne des idées qu'aura parcourue le philosophe,
quelque déliée qu'elle soit, au lieu qu'on perd l'autre de vue à chaque instant, et
qu'une fois rompue il est bien difficile de la renouer. Le philosophe ne vous
laisse qu'une seule idée intermédiaire à suppléer ; mais le fou vous en laisse
cent mille, entre lesquelles vous ne savez ni celles qu'il faut rejeter, ni celles
qu'il faut choisir. » (*op. cit.,* pp. 374—375.)

[39] Sur les rapports existant selon Diderot entre le génie et la folie, on pourra
consulter l'excellent article de Herbert Dieckmann, « Diderot's conception of

conscience que prend l'individu de lui-même est fondée sur la mémoire qu'il a de ses actions successives : « . . . il me semble que nous ne pouvons penser qu'à une seule chose à la fois ; et que pour former, je ne dis pas ces énormes chaînes de raisonnements qui embrassent dans leur circuit des milliers d'idées, mais une simple proposition, on dirait qu'il faut avoir au moins deux choses présentes, l'objet qui semble rester sous l'œil de l'entendement, tandis qu'il s'occupe de la qualité qu'il en affirmera ou niera. »[40]

Comme Diderot ne se lasse pas de le dire et de l'illustrer, il existe heureusement un moyen de compenser cette infirmité: c'est par la rapidité, à la fois fulgurante et imprévisible, avec laquelle l'esprit est capable de sauter d'une idée à l'autre, et c'est donc aussi par la multiplicité quasi infinie des rapports que l'esprit est à même d'établir entre les idées. A cet égard donc aussi la souplesse, la réceptivité et même une sorte d'infidélité de l'esprit à lui-même sont les conditions nécessaires à la recherche philosophique. Comme Diderot le note avec piquant au cours de l'article « Distraction » de l'*Encyclopédie* : « La distraction a sa source dans une excellente qualité de l'entendement, une extrême facilité dans les idées de se réveiller les unes les autres. C'est l'opposé de la stupidité qui reste sur une même idée. »[41]

Ce que Diderot appelle quelques lignes plus loin le « libertinage d'esprit » est donc nécessaire pour être sensible à la multiplicité des apparences derrière lesquelles se masque l'unité du monde, seule manière peut-être d'approcher de cette unité. Le paradoxe entre multiplicité et unité est donc tout superficiel : [42] il disparaît dès qu'on saisit la continuité qui fait la transition de l'une à l'autre. C'est le même paradoxe apparent qui oppose sagesse et folie.

---

genius », *Journal of the History of Ideas*, II (1941), en particulier les pages 173—174 ; et l'étude de Nedd Willard, « La folie et le génie vus par Diderot à travers ses œuvres », dans *le Génie et la folie au dix-huitième siècle*, Paris, Presses Universitaires de France, 1963, pp. 23—40.

[40] Éd. J. Varloot, pp. 12—13. Diderot avait déjà réfléchi à ce problème, notamment dans la *Lettre sur les sourds et muets* : « . . . discourir ou raisonner, c'est comparer deux ou plusieurs idées. Or comment comparer des idées qui ne sont pas présentes à l'esprit dans le même temps ? . . . » (A.-T., t. I, p. 370.) Il y revient plus tard dans diverses remarques du *Commentaire sur Hemsterhuis* : « L'attention soit à deux objets, soit à deux idées, soit à deux signes, est également difficile à entendre. Le passage de l'attention d'un objet à un autre, et le retour de cette attention de celui-ci au premier est si rapide qu'on les confond en une attention continue à deux objets à la fois. » (p. 61. Cf. aussi pp. 71 et 75.)

[41] Cité par H. Dieckmann, *Cinq leçons*, p. 80, d'après A.-T., t. XIV, p. 287.

[42] « Diderot éprouve puissamment la multiplicité du monde, mais davantage encore les rapports universels reliant entre eux les différents objets du monde : il n'existe pour lui, par delà le divers possible, qu'un seule qualité d'êtres. Aux yeux de qui sait voir, toutes les contrariétés manifestes dans la nature s'évanouissent à la fois. » (Philippe Garcin, « *Diderot et la philosophie du style* », *Critique*, t. XV (mars 1959), p. 209.) La lecture de ce remarquable article est à recommander à ceux qui s'intéressent à plusieurs des problèmes que nous examinons nous-même ici.

En fait, comme Diderot s'attache sans cesse à le montrer, on est sûr de
manquer la première si l'on refuse la seconde. Pour réussir dans la grande
aventure intellectuelle, la pensée doit être libre, rapide et forte. Mais si elle
l'est suffisamment, elle ne pourra manquer de paraître si insolite qu'elle
passera nécessairement pour aberrante et extravagante aux yeux des autres.
Et pourtant, elle seule est capable de comprendre ce que, dans une page
admirable de la *Réfutation d'Helvétius*, Diderot appelle de son vrai nom
« l'univers ». L'un des rares mérites de cette page est de mettre en relief
l'analogie structurale qui, quoi qu'on en pense, existe entre la pensée et
l'univers, et grâce à laquelle celui-ci en fin de compte est compréhensible à
l'homme. Or cette analogie capitale est justement fondée sur ce qu'on vient
de voir, à savoir que ce qui donne l'apparence superficielle d'être discontinu,
disparate ou décousu, semble être au contraire, à la réflexion, et à un niveau
plus élevé de la pensée, continu, homogène et lié.

> L'auteur [Helvétius] n'a pas considéré que tout se tient dans l'entendement
> humain ainsi que dans l'univers, et que l'idée la plus disparate qui semble venir
> étourdiment croiser ma méditation actuelle, a son fil très délié qui la lie soit
> à l'idée qui m'occupe, soit à quelque phénomène qui se passe au dedans ou au
> dehors de moi ; qu'avec un peu d'attention je démêlerais ce fil et reconnaîtrais
> la cause du rapprochement subit et du point de contact de l'idée présente et de
> l'idée survenue, et que la petite secousse qui réveille l'insecte tapi à une grande
> distance dans un recoin obscur de l'appartement et l'accélère près de moi, est
> aussi nécessaire que la conséquence la plus immédiate aux prémisses du
> syllogisme le plus serré ... [43]

Cette notion, que Diderot aime à exprimer par l'expression « tout se tient »,
est étroitement liée à l'idée de déterminisme qui, sous une forme ou une autre,
sous un nom ou un autre, est au centre de ses préoccupations philosophiques.
Le problème qu'elle pose est de ceux auxquels Diderot n'a jamais trouvé de
solution rationnelle. La solution empirique à laquelle il se range, dans la vie
de tous les jours, et qui est implicite dans un roman comme *Jacques le fataliste*,[44] n'est pas en accord avec les prémisses philosophiques qu'il accepte
d'ordinaire. Convaincu du bien-fondé de la notion déterministe, il vit paradoxalement comme s'il jouissait du libre-arbitre. Une page comme celle qui
vient d'être citée permet peut-être de mieux comprendre pourquoi ce para-

---

[43] A.-T., t. II, pp. 372—373.

[44] Voir par exemple ce qu'en dit H. Dieckmann, *Cinq leçons*, pp. 93—94 ; et ce que
nous en avons dit nous-même: « Le maître, la chaîne et le chien dans *Jacques le
fataliste* », *Cahiers de l'Association Internationale des Études Françaises*, No 13
(juin 1961), pp. 281—282. Rappelons également le passage bien connu de la
Réfutation d'Helvétius : « On est fataliste, et à chaque instant on pense, on
parle, on écrit comme si l'on persévérait dans le préjugé de la liberté,
préjugé dont on a été bercé, qui a institué la langue vulgaire qu'on a balbutiée
et dont on continue de se servir, sans s'apercevoir qu'elle ne convient plus à
nos opinions. On est devenu philosophe dans ses systèmes et l'on reste peuple
dans son propos. » (A.-T., t. II, p. 373).

doxe lui a semblé moins intenable qu'on ne serait tenté de le juger : dans la mesure où, par l'exercice de la pensée, on peut parvenir à saisir et à comprendre dans tous les détails de son fonctionnement le mécanisme déterministe dont on est soi-même l'objet, dans cette mesure on recouvre jusqu'à un certain point sa liberté.

Si donc, devant l'immense complexité de l'univers, Diderot conserve sa sérénité, sa gaîté, son enthousiasme, c'est parce que, à la différence d'un Pascal frémissant devant les espaces infinis, il croit pour sa part à une harmonie, à un accord fondamental entre l'homme et le milieu qui l'environne. Et il lui semble en être ainsi parce que l'univers, tel que la science de son temps le lui révèle, est compréhensible à l'homme, à condition que celui-ci consente simplement à utiliser son intelligence au mépris de toute convention, de toute tradition, de toute idée reçue.

Les hommes qui fréquentèrent intimement Diderot, surtout au cours des douze ou quinze dernières années de sa vie, ont été sensibles, d'une part, au fait que Diderot semblait en bonne voie de réussir dans son entreprise d'intelligence et de compréhension universelle, et, d'autre part, à l'harmonie qui existait entre la personnalité philosophique de Diderot et la conception du monde à laquelle il était parvenu. Voici, par exemple, le témoignage de Naigeon :

> Je ne crois pas qu'il y ait eu un être plus contrasté que lui : né avec une imagination vive, ardente, et une disposition assez forte à l'enthousiasme, qualité la plus contraire à l'esprit d'observation, il savait néanmoins voir, et même bien voir. Personne peut-être ne s'est avancé d'un pas plus lent, mais plus ferme et plus sûr vers la vérité : il suffit pour s'en convaincre de lire avec attention ses ouvrages philosophiques dans l'ordre où il les a publiés. Tout se passait à cet égard dans son entendement comme dans la nature, où rien ne se fait par sauts et par bonds, mais par nuances insensibles.[45]

La manière dont Diderot lui-même aime à citer la formule de Linné confirme le bien-fondé de l'observation de Naigeon. On en jugera, par exemple, par ce passage de la *Réfutation d'Helvétius* :

> Rien ne se fait par saut dans la nature et l'éclair subit et rapide qui passe dans l'esprit tient à un phénomène antérieur avec lequel on en reconnaîtrait la liaison, si l'on n'était pas infiniment plus pressé de jouir de sa lueur que d'en rechercher la cause. L'idée féconde, quelque bizarre qu'elle soit, quelque fortuite qu'elle paraisse, ne ressemble point du tout à la pierre qui se détache du toit et qui tombe sur une tête . . . [46]

---

[45] *Mémoires historiques et philosophiques* . . . , éd. cit., p. 10.

[46] A.-T., t. II, p. 372. Rapprocher de ce passage du *Commentaire sur Hemsterhuis* (p. 175) : « Puisque je ne suis pas maître de penser à ce que je veux, et qu'une longue expérience me l'a appris, il faut bien que j'y sois porté par une cause. « Toute cause est un effet » me paraît un axiome. Sans quoi la nature agirait à tout moment *per saltum*, ce qui n'est jamais vrai. »

Un autre témoin de la seconde maturité philosophique de Diderot, Henri
Meister, observe de son côté :

> Quand je me rappelle le souvenir de Diderot, l'immense variété de ses idées,
> l'étonnante multiplicité de ses connaissances, l'élan rapide, la chaleur, le
> tumulte impétueux de son imagination, tout le charme, et tout le désordre de
> ses entretiens, j'ose comparer son âme à la nature, telle qu'il la voyait lui-même,
> riche, fertile, abondante en germes de toute espèce, douce et sauvage, simple et
> majestueuse, bonne et sublime, mais sans aucun principe dominant, sans
> maître et sans Dieu.[47]

L'accord qui, dans cette perspective, existe donc entre l'homme et l'univers
rend par contraste encore plus frappante et irritante pour Diderot l'inaptitude
fondamentale des modes d'expression littéraire traditionnels à exprimer les
idées mêmes qui sont les mieux capables de faire sentir cet accord. En effet,
les mêmes qualités de souplesse, d'énergie, d'originalité et de liberté, nécessaires à l'esprit pour être sensible à l'unité qui se dissimule derrière la
diversité et la multiplicité du réel, sont nécessaires à l'écrivain pour l'exprimer
par la plume. Et il faut par surcroît qu'il puisse disposer de formes littéraires
capables de s'accommoder à des qualités aussi insolites.

C'est donc ici que devraient intervenir deux nouvelles séries de considérations parallèles: les unes sur les modes d'expression littéraire qu'affec-
tionne Diderot ; les autres sur son style. On voit, en effet, immédiatement le
rapport existant entre ce qui vient d'être dit de l'unité organique qui sous-
tend la diversité et l'hétérogénéité trompeuses des apparences, et certaines des
formes d'expression de prédilection de Diderot. On a parlé plus haut de la
lettre, de la glose, du commentaire, du rêve ; mais il faudrait encore, même
après des critiques dont les travaux sur ce sujet font autorité,[48] évoquer aussi
les pensées, le dialogue et le paradoxe, tous si caractéristiques du génie et de
l'art de Diderot. Enfin on devrait même attirer l'attention sur la composition
de l'*Encyclopédie* ou des *Salons*. Où trouver, en effet, fils plus merveilleux
sur lesquels enfiler, au hasard de l'alphabet ou au caprice du « tapissier », les
perles les plus disparates, sans nuire pour autant à l'unité de l'ensemble ?

Quant au style de Diderot, il présente, lui aussi, une analogie fondamentale avec ces réflexions. La juxtaposition, qu'il préfère d'habitude à la
coordination des phrases, ce qu'on appelle quelquefois la parataxe donne, en
effet, une apparence discontinue, un rythme saccadé à un discours dont
l'unité ne se révèle souvent qu'à l'analyse. La composition de certains grands
ouvrages, comme le *Rêve de l'Alembert*, le *Neveu de Rameau* ou *Jacques le
fataliste*, doit dans une large mesure à cette particularité voulue l'allure

---

[47] « Aux Mânes de Diderot » (A.-T., t. I, pp. xvii—xviii).

[48] Nous nous faisons une fois de plus un devoir et un plaisir de renvoyer sur ce
point le lecteur à la troisième des *Cinq leçons* de H. Dieckmann (« La pensée
et ses modes d'expression », pp. 71—94), et à l'article déjà mentionné de R.
Mortier (*CAIEF*, Nᵒ 13 (1961), pp. 283—297).

déconcertante qui laisse tant de lecteurs de Diderot perplexes. Loin de la lui reprocher, ces lecteurs devraient lui en être reconnaissants ; car il leur fait l'honneur de les supposer intelligents, et prêts à consentir l'effort nécessaire pour retrouver l'ordre secret que masque le désordre volontaire de la syntaxe et des propos, et que simultanément celui-ci est seul capable de faire sentir. Ce faisant, Diderot ne va pas à l'aveuglette, comme on le dit parfois. Loin d'être simplement instinctive, sa démarche est au contraire réfléchie et délibérée. On voudrait dire qu'elle est systématique et méthodique, si justement elle n'avait pas pour effet de mettre en question, comme on va le voir, tout système, toute méthode. Il existe, en effet, au moins une preuve explicite et lumineuse des intentions de Diderot à cet égard. On la trouve dans une page peu connue mais d'une lucidité souveraine et admirable de ses *Réflexions sur le livre «De l'esprit»* remontant sans doute à 1758. Sous couleur d'y reprocher à Helvétius son trop de rigidité et d'artifice dans la composition, Diderot nous confie de manière presque exceptionnelle pour lui ses propres aspirations et espérances d'écrivain, en même temps que se trouve une fois de plus soulignée en passant l'importance du rapprochement avec Montaigne toutes les fois ou presque qu'on touche à un aspect central de la pensée de Diderot :

> Il [Helvétius] est très méthodique ; et c'est un de ses défauts principaux : premièrement, parce que la méthode, quand elle est d'appareil, refroidit, appesantit et ralentit ; secondement, parce qu'elle ôte à tout l'air de liberté et de génie ; troisièmement, parce qu'elle a l'aspect d'argumentation ; quatrièmement, et cette raison est particulière à l'ouvrage, c'est qu'il n'y a rien qui veuille être prouvé avec moins d'affectation, plus dérobé, moins annoncé qu'un paradoxe. Un auteur paradoxal ne doit jamais dire son mot, mais toujours ses preuves : il doit entrer furtivement dans l'âme de son lecteur, et non de vive force. C'est le grand art de Montaigne, qui ne veut jamais prouver, et qui va toujours prouvant, et me ballottant du blanc au noir, et du noir au blanc. D'ailleurs, l'appareil de la méthode ressemble à l'échafaud qu'on laisserait toujours subsister après que le bâtiment est élevé. C'est une chose nécessaire pour travailler, mais qu'on ne doit plus apercevoir quand l'ouvrage est fini. Elle marque un esprit trop tranquille, trop maître de lui-même. L'esprit d'invention s'agite, se meut, se remue d'une manière déréglée ; il cherche. L'esprit de méthode arrange, ordonne et suppose que tout est trouvé . . . Voilà le défaut principal de cet ouvrage. Si tout ce que l'auteur a écrit eût été entassé comme pêle-mêle, qu'il n'y eût eu que dans l'esprit de l'auteur un ordre sourd, son livre eût été infiniment plus agréable, et, sans le paraître, infiniment plus dangereux . . . [49]

Si le lecteur de Diderot doit donc faire un effort pour retrouver ce qu'on appelle de façon un peu vague la suite des idées, c'est parce que ce n'est qu'au prix d'un pareil effort qu'il pourra partager avec le philosophe l'exaltation de la recherche, et l'enivrement de la découverte. Il doit refaire le chemin et retrouver lui-même les rapports, les «qualités communes» qui donnent son sens

---

[49] A.-T., t. II, pp. 272—273. Cité et commenté par H. Dieckmann, *Cinq leçons*, pp. 86—87. Les points de suspension sont dans le texte.

à l'itinéraire, capricieux d'apparence seulement, par lequel Diderot l'entraîne, comme la langue le dit si bien, à la découverte. Si Diderot ne livre pas toujours au lecteur le secret de ces chaînons manquants, c'est parce que ce n'est précisément qu'en les découvrant lui-même que celui-ci peut vraiment comprendre le sens du périple qu'il est invité à parcourir. Dans la page déjà citée du *Salon de 1767* consacrée à la valeur de l'esquisse, Diderot note, par exemple: « Dans les transports violents de la passion, l'homme supprime les liaisons . . . »[50] Mais, pour participer rétrospectivement à cette passion créatrice, le lecteur ou le spectateur doit retrouver lui-même ces liaisons. Or, comme elles sont capables de mettre en rapport des éléments extrêmement divers, l'effort doit parfois être considérable. Comme Diderot le note encore ailleurs: « Il y a une liaison nécessaire entre les deux pensées les plus disparates ; cette liaison est, ou dans la sensation, ou dans les mots, ou dans la mémoire, ou au dedans, ou au dehors de l'homme. »[51]

On peut observer ainsi le parallélisme rigoureusement fondamental qui existe entre l'art d'écrire que Diderot, après s'être fait la main dans sa correspondance en particulier, finit par mettre au point aux alentours de 1770, et la philosophie matérialiste longuement élaborée dont il couronne simultanément l'édifice. Ce synchronisme n'est évidemment pas fortuit ; et il faut peut-être considérer les dialogues de 1769 comme l'ouvrage le plus représentatif à cet égard. C'est ainsi que le lecteur de Diderot est invité, grâce à l'exercice indépendant de son esprit, à unifier en un tout cohérent les phrases d'un ouvrage que l'auteur a disposées par son génie dans un ordre « sourd » dont le sens échappe d'abord ; de la même façon, par exemple, que, chez l'individu, la mémoire d'impressions hétérogènes et discontinues s'organise pour constituer l'unité du moi. C'est là le sujet que Diderot et d'Alembert discutent avec chaleur dans l'*Entretien* qui précède *le Rêve* :

> Sans cette mémoire il [l'être sentant] n'aurait point de lui, puisque ne sentant son existence que dans le moment de l'impression, il n'aurait aucune histoire de sa vie. Sa vie serait une suite interrompue de sensations que rien ne lierait.[52]

Une autre analogie se présente ici : c'est celle qui rapproche d'une part le système lucrétien des atomes crochus, tel que Diderot l'expose lui-même, par

---

[50] *Salons*, t. III, p. 248.

[51] Cité par Ph. Garcin, art. cit., pp. 209—210, d'après l'article « Pyrrhonisme » de l'*Encyclopédie*.

[52] Éd. J. Varloot, p. 12. On se rapportera au très riche commentaire figurant en tête de cette édition, dont l'auteur voit dans « le problème de l'unité du moi » ce qu'il appelle « le fil directeur du *Rêve* » (p. LXXXVI). C'est également le cas de l'étude de Georges Poulet qu'on pourra consulter aussi avec grand profit: *Études sur le temps humain*, Paris, Plon, 1950, pp. 194—217. Signalons enfin le fragment suivant du *Commentaire sur Hemsterhuis* : « Sans la mémoire qui attache à une longue suite d'actions le même individu, l'être, à chaque sensation momentanée, passerait du réveil au sommeil ; à peine aurait-il le temps de s'avouer qu'il existe. » (p. 241).

exemple aux articles « Atomisme » ou « Corpusculaire » de l'*Encyclopédie* ;
d'autre part, la manière dont, selon Diderot, les idées « se réveillent », s'ap-
pellent les unes les autres et s'organisent les unes autour des autres ; et enfin
l'art littéraire grâce auquel l'écrivain réussit parfois à fondre des phrases
simplement juxtaposées en un tout homogène et cependant doté, grâce
justement à ce processus générateur, de la mobilité si essentiellement caractéristique selon lui de la matière, et donc de l'univers.[53]

L'originalité et le mérite exceptionnel du style de Diderot est de se con-
former si précisément à cette conception de l'univers qui est la sienne, de
mimer si adroitement le monde et d'adhérer si intimement au réel, qu'il
parvient miraculeusement, sinon à l'exprimer, du moins parfois à le refléter
et à le représenter. La réussite de l'écrivain se mesure à l'impression d'abord
déconcertante que font sur le lecteur ses ouvrages les plus triomphants. Pour
en revenir une dernière fois au *Rêve de d'Alembert*, telles de ses pages nous
paraissent rigoureusement exemplaires à cet égard. Songeons en particulier
à la transcription par mademoiselle de Lespinasse des propos discontinus de
d'Alembert rêvant : « Écoutez... Un point vivant... Non, je me trompe.
Rien d'abord, — puis un point vivant ... A ce point vivant, il s'en applique un
autre, encore un autre; et par ces applications successives il résulte un être
un ... »[54]

Ce texte célèbre qui commence ici pour s'étendre sur plusieurs pages et
enchâsser l'image si judicieusement choisie de la grappe d'abeilles, est d'autant plus remarquable que le sujet en est précisément celui que nous venons
de retrouver au cœur de tant de problèmes fondamentaux posés par la
personnalité, la pensée et l'art de Diderot, à savoir le passage du discontinu
au continu par l'intermédiaire du contigu. L'adéquation est entière, dans ces
pages magistrales du *Rêve*, entre la pensée et le style, entre le choix des
images, le rythme du discours mimant la pulsation de la vie, et le propos qui
est la naissance de la vie. On comprend, — et on partage, — la joie qu'éprouva
l'écrivain, et qui s'exprime dans les lettres qu'il écrivit pendant la brève
période de gestation du chef-d'œuvre. On sympathise aussi avec son refus de
détruire son dialogue, malgré les objurgations de deux de ses protagonistes,
d'Alembert et Julie de Lespinasse.

C'est par ce biais peut-être qu'on parviendra le mieux à comprendre la
nature propre des grands ouvrages de la seconde maturité de Diderot : *le Rêve,
le Neveu, Jacques*. Pour reprendre la terminologie évoquée plus haut, ce ne
sont pas des «livres». Ils sont fondés sur une rhétorique entièrement neuve et

---

[53] « In this writer, nervous system, philosophical system, and « stylistic system »
are exceptionally well attuned », déclarait Leo Spitzer dans le sommaire d'une
étude remarquable sur « The style of Diderot » (*Linguistics and Literary
History*, Princeton University Press, 1948, p. 135), qui, malgré un point de vue
différent, se recoupe avec la nôtre, notamment par l'accent qu'elle place sur la
notion de mobilité.

[54] Éd. J. Varloot, p. 26.

originale, et que Diderot renouvelle et transforme d'œuvre en œuvre. Ils ne sont si insaisissables lorsqu'on leur applique des méthodes critiques traditionnelles, que parce que l'écrivain, dans chaque cas, a miraculeusement réussi à y résoudre, pour ainsi dire, la quadrature du cercle, grâce à une originalité totale de la conception de l'ensemble, et qu'il faut donc pour pénétrer au cœur de ces ouvrages recourir à des méthodes critiques également originales et adéquates à chaque cas. Et surtout, étant donnée la préoccupation centrale de Diderot pour le problème de l'unité fondamentale des éléments les plus hétérogènes, il faut renoncer à toute méthode trop exclusivement analytique. On admire à ce propos la précision prodigieuse avec laquelle un des premiers lecteurs de poids de *Jacques le fataliste* et du *Neveu de Rameau* sut mettre le doigt sur l'un des centres névralgiques de ces deux chefs-d'œuvre. Présentant en 1805 sa traduction du *Neveu* en allemand, Goethe fait observer, en effet : « Tout comme *Jacques le fataliste,* le présent écrit témoigne du bonheur avec lequel Diderot savait assembler les éléments les plus hétérogènes de la réalité en un tout idéal. »[55]

Cette idée, apparemment paradoxale sinon absurde, qu'il n'y a pas contradiction entre l'hétérogène et l'homogène, entre le discontinu et le continu, entre le décousu et le lié, permet donc de mieux apprécier, sinon toujours de mieux comprendre, certains des aspects les plus frappants de la personnalité, de la pensée, de l'art et des œuvres de Diderot. S'il n'était pas aussi l'homme qui n'a cru à l'existence ni d'un centre stable à l'univers, ni d'une clef unique, d'une explication unitaire à aucun des grands problèmes, on serait donc tenté de voir dans cette idée le centre même de son entreprise et de ce que son œuvre représente aujourd'hui pour nous.

---

[55] Cité par R. Mortier, *Diderot en Allemagne (1750—1850),* Paris, Presses Universitaires de France, 1954, p. 223.

LITERARISCHES WOLLEN UND LYRISCHE BEGABUNG
BEI ANDRÉ CHÉNIER

I

Für die literarischen Kategorien der Zeit, in der André Chénier zu dichten begonnen hatte, ist der Zuspruch bezeichnend, den ihm sein „Lehrmeister", der im 18. Jahrhundert als «Pindare français» berühmte Lebrun, auf den Weg nach Straßburg (1782) mitgab: im Epos gelte es noch, die «Palme à Voltaire échappée» zu erringen, in der Elegie mit Properz, in der «audace Lyrique» eben mit Pindar und im Lehrgedicht mit Lukrez zu wetteifern. Seine dichterische Veranlagung einmal grundsätzlich vorausgesetzt, braucht sich der Jünger der Muse und Lebruns nicht lange nach seiner besonderen Eignung zu fragen; die verschiedensten Möglichkeiten stehen ihm gleichermaßen offen, und gleichermaßen lohnend, aktuell und anspruchsvoll sind die Aufgaben, die ihm diese *Épître* weisen will. Nun denn: es geht um die «Gloire», um einen Platz im «Temple de Mémoire».[1]

Von eben diesen Stichwörtern, die ihm Lebrun zuwirft, geht Chénier in seinem Antwortgedicht aus; aber sie tragen hier das umgekehrte Vorzeichen. So deutlich an seinen literarischen Ehrgeiz appelliert worden war, so betont abwehrend gibt sich der Angeredete; selbstsicher scheint er sich ein für allemal bescheiden zu wollen:

> Qu'un autre soit jaloux d'illustrer sa mémoire:
> Moi, j'ai besoin d'aimer ; qu'ai-je besoin de gloire ?[2]

Wesensgemäß sei ihm daher auch einzig und allein die Liebeslyrik, fährt Chénier fort, und dementsprechend liege ihm jede Art von „höherer" Dichtung fern. Bezeichnenderweise nimmt er sich dabei offenbar jene Form der Absage zum Vorbild, mit der sich antike Lyriker wie Properz in den Elegien II 1 und III 9 oder Horaz in der Ode I 6 dem Ansinnen entzogen, ein großes Epos zu schreiben. Bei Properz und Horaz indes deckte sich diese Erwiderung mit dem Werk selbst: sie blieben in der Tat ja der Erkenntnis treu, die sie

---

[1] Le Brun, *Œuvres*, ed. P. L. Ginguené, 4 Bde., Paris 1811; die *Épître à M. Chénier l'aîné* in Bd. II, S. 131 ff.

[2] D III 130. — Zu den Abkürzungen: D steht für die bekannte Chénier-Ausgabe von P. Dimoff (3 Bde., Paris 1908—1919, Neuauflage zuletzt 1966), W für die von G. Walter besorgte Gesamtausgabe in der «Bibliothèque de la Pléiade» (Paris 1940, zitiert nach dem Neudruck von 1950); letztere wird vor allem für die in D nicht enthaltenen Prosaschriften Chéniers herangezogen.

nun einmal von ihrer eigentlichen Bestimmung und damit auch von den
Grenzen ihrer dichterischen Möglichkeiten gewonnen hatten. Chénier dagegen brachte es nie fertig, sich ganz allein auf die Lyrik oder gar nur auf
eine einzige Gattungsform in diesem Bereich zu beschränken; gleichzeitig
versuchte er sich doch gerade, mit immer neuen Anläufen und Plänen, am
großen Epos. Was es damit auf sich hat, wird noch zur Sprache kommen; als
Tatsache ist vorerst jedenfalls festzuhalten: «il n'a jamais été capable de se
vouer à une tâche unique jusqu'à ce qu'elle fût terminée, et il a toute sa vie
mené de front les projets les plus divers». So heißt es in der grundlegenden
Monographie von P. Dimoff,[3] der mit diesen Worten bestätigt, was der Dichter selbst in der *Épître sur ses ouvrages* über das Verhältnis zwischen seinen
vielfältigen Interessen und seiner Arbeitsweise sagt:

> Mes regards vont errant sur mille et mille objets,
> Sans renoncer aux vieux, plein de nouveaux projets,
> Je les tiens; dans mon camp partout je les rassemble,
> Les enrôle, les suis, les pousse tous ensemble.[4]

Was bedeutet dann aber jene Äußerung gegenüber Lebrun, wo Chénier nicht
nur die Anregung zum heroischen oder didaktischen Epos entschieden von
sich weist, sondern auch noch unter den lyrischen Möglichkeiten allein diejenige für sich gelten läßt, die ihm auf Grund seines Naturells wirklich liege?
Daß hierbei auch die Freude mitspielt, eine Verhaltensweise antiker Dichter
in enger Anlehnung nachahmen zu können, ist bereits klar; doch im Kern der
Sache beruht es darauf ebensowenig wie etwa bloß auf jugendlichem Überschwang, wenn sich Chénier in diesem Augenblick zu einer einzigen Art von
Dichtung bekennt. Zwar übertreibt er da wohl die Ausschließlichkeit, aber
das Gleiche könnte umgekehrt auch für jene Vielseitigkeit und Gleichzeitigkeit gelten, wie er sie später vor allem in der *Épître sur ses ouvrages* hervor-
kehrt. Immerhin ist letztere so satirisch angelegt, daß Chénier auch mit einem
Anflug von Selbstironie von seiner eigenen Arbeit schreiben kann, von seinen
alten und seinen neuen Plänen ebenso wie von dem Nachdruck, mit dem er
sich um alle zugleich bemüht («Je... les suis, les pousse tous ensemble»).
Nun ja, Übertreibung hier, Übertreibung dort: die Wahrheit liegt — wenn
nicht immer, so in diesem Falle — ungefähr in der Mitte. Bei Chénier gibt es
nun einmal kein striktes Nacheinander verschiedener Dichtungsweisen und
Dichtungsprogramme; nicht zu Unrecht hat er selbst von seinem «esprit
vagabond et mobile» gesprochen.[5] Die Tatsachen stehen bei seinem Werk,
zumindest soweit es der Zeit vor der Revolution angehört, nicht nur dem
einst von Faguet vertretenen Entwicklungsschema, sondern jedem Versuch

---

[3] P. Dimoff, *La vie et l'œuvre d'André Chénier jusqu'à la Révolution française*
(1762—1790), 2 Bde., Paris 1936, Bd. I, S. 376.

[4] D III 203.

[5] D III 143.

einer starren Phaseneinteilung entgegen.[6] Mit einem bloßen Nebeneinander verschiedener Dichtungsanliegen bei Chénier ist es andererseits jedoch auch nicht getan. Daß er diese eben nicht zu jeder Zeit, gerade nicht immer zugleich mit ein und demselben Nachdruck vorangetrieben hat, daß es ihn vielmehr oft genug stärker nach der einen und dann mit einem Male wieder in eine andere Richtung gezogen hat, muß ja ebenfalls als Tatsache anerkannt werden. Denn eher häufiger noch als jene Parallelität mehrerer Arbeiten, wird auch dieser Wechselrhythmus tonangebender Interessen von Chénier selbst bezeugt; und so viel, wie im einen Fall, wird man ihm wohl auch im anderen zu glauben haben, also wenn er von zeitweise vorherrschenden Tendenzen und von wechselnden Schwerpunkten in seiner Dichtung spricht.

Pourquoi me rappeler, schreibt Chénier etwa Mitte der achtziger Jahre einmal in einem Briefgedicht an Abel de Malartic de Fondat, *Je ne sais quels projets que je ne connais plus?*[7] Offenbar hat er seinen alten Plänen doch nicht immer so die Treue gehalten, wie er das nachher in der *Épître sur ses ouvrages* hinstellt. Daß er sie gar nicht mehr kennen will und von ihnen ganz abgelassen habe, stimmt allerdings auch nicht. Denn im weiteren Verlauf jenes Gedichtes räumt er ja ein, daß er durchaus noch, wenn auch nur gelegentlich an dem epischen Vorwurf arbeite, auf den ihn sein Freund Abel angesprochen hat. Doch läßt Chénier auch hier keinen Zweifel daran, wie sehr es ihn zur Liebeslyrik drängt, wo ihm alles nur so zufalle, während ihm die epischen Verse außerordentlich schwer von der Hand gingen. Im Grunde geht es dabei nach wie vor um den gleichen Sachverhalt wie in der Antwort an Lebrun und in einem weiteren Freundschaftsgedicht, das ebenfalls an diesen gerichtet ist und noch in demselben Zusammenhang steht.[8] Aber hier trennt Chénier auf das schärfste zwischen seinen gegenwärtigen Interessen und seiner einstigen Neigung zum Epos, die bereits ganz und gar der Vergangenheit angehören soll:

> Peut-être, n'écoutant qu'une jeune manie,
> J'eusse aux rayons d'Homère allumé mon génie
> . . . .
> . . . .
> Mais la tendre Élégie et sa grâce touchante
> M'ont séduit : . . . . . . [9]

Viel radikaler als dann gegenüber Abel de Malartic verneint hier also Chénier, daß es bei ihm zu diesem Zeitpunkt irgendeine „Koexistenz", und

---

[6] Vgl. dazu P. Dimoff, a. a. O., Bd. I, S. 374 ff.; J. Fabre, *Chénier, L'homme et l'œuvre*, Paris 1955, S. 120 f.; H. L. Scheel, *André Chénier nach 1789*, in Rom. Jb. IX, 1958, S. 199 ff., hier: S. 200.

[7] D III 143.

[8] Zur Datierung vgl. W 881, Anm. zu S. 135; widersprüchlich allerdings in bezug auf die *Épître* «Mânes de Callimaque»: ist diese nun spätestens «dans les premiers mois de 1783» oder, wie es anschließend wegen der Anspielung auf Camille heißt, «après 1784» entstanden?

[9] D III 128.

sei es auch nur mit sporadischen Anwandlungen auf der einen Seite und mit
einem übermächtigen Zug in die andere Richtung, von epischem und lyri-
schem Dichten gebe. Damit ist man nun doch wieder bei der Frage angelangt,
wie sich diese Ausschließlichkeit erklärt. Die Antwort darauf hängt mit der
besonderen Lage zusammen, in der sich Chénier gegenüber Lebrun befindet.

An Lob für Lebrun, den «roi sur l'Hélicon», läßt es Chénier in diesen
Freundschaftsgedichten gewiß nicht fehlen, aber darunter verbergen sich doch
persönliche Hintergedanken.[10] Im Grunde hat sich Chénier weder dem Epos
noch überhaupt dem literarischen Ruhm je so verschlossen, wie es hier den
Anschein hat. Was er mit einer solchen Reaktion in Wahrheit beiseite schiebt,
ist zuerst und vor allem die in der *Épître* von Lebrun enthaltene Aufforderung: «... et vole sur mes pas!» Bei aller Hochachtung vor dem Älteren
möchte sich der Jüngere eben doch nicht einfach als dessen „Schüler" ein-
stufen lassen. Selbst in bezug auf die Elegie, zu der sich Chénier hier ebenso
ausdrücklich wie einseitig bekennt, pocht er auf seine Unabhängigkeit von
jedwedem französischen Vorgänger. Als wahre Vertreter dieser Gattungsform, mit deren Neuaufschwung in der zweiten Hälfte des 18. Jahrhunderts
sich auch ein „Wandel in der Bewertung der poetischen *genres*" verband,[11]
läßt er von vornherein nur Lebrun und sich selbst gelten: *L'Élégie, ô Le Brun!
renaît dans nos chansons.*[12] Über all die anderen, die vor und neben ihm
Elegien gedichtet haben,[13] geht Chénier also stillschweigend hinweg. Dies
ist nicht das einzige Mal, daß er so verfährt: auch bei der pastoralen Dichtung
etwa erweckt Chénier den Eindruck, daß sie in Frankreich erst durch ihn ihr
echtes Gepräge erhalten habe. Wenn er sich aber um die „Wiedergeburt" der
Elegie nun einmal nicht das alleinige Verdienst zuschreiben kann und wenigstens pro forma auf Lebrun Rücksicht nehmen muß, so hält er sich doch auch
diesem gegenüber sein eigenständiges Bemühen in der Sache zugute. Unüber-
hörbar gibt er ja zu verstehen, daß er, Chénier, ganz von sich aus in dem
musischen Bezirk eines Tibull, Ovid und Properz heimisch geworden sei, in
jenen «bosquets enchanteurs», wie er sagt,

---

[10] J. Fabre, a. a. O., S. 208, spricht hier von einer «rivalité d'apparence amicale,
mais non dépourvue d'arrière-pensées.»

[11] H. Dieckmann, *Zur Theorie der Lyrik im 18. Jahrhundert in Frankreich, mit
gelegentlicher Berücksichtigung der englischen Kritik*, in: *Immanente Ästhetik-
Ästhetische Reflexion, Lyrik als Paradigma der Moderne*, hrsg. v. W. Iser,
München 1966, S. 73 ff., hier: S. 110 f.

[12] D III 128.

[13] Vgl. dazu H. Potez, *L'élégie en France avant le romantisme (De Parny à Lamar-
tine) 1778—1820*, Paris 1897; über Chéniers subjektive Einstellung zu den anderen Dichtern von Elegien s. vor allem J. Fabre, a. a. O., S. 206 ff. — Als Haupt-
vertreter der Elegie im 18. Jhdt. nennt H. Dieckmann „Bertin, Parny, André
Chénier" (a. a. O., S. 111); für Sainte-Beuve war gerade Parny, mit seinen
«élégies immortelles», schlechthin der «maître récent du genre» (Sainte-Beuve,
Œuvres, ed. M. Leroy, 2 Bde., Paris 1949/50, «Bibl. de la Pléiade», Bd. I, S. 163
u. 1028).

> Où les sentiers français ne me conduisaient pas,
> Où mes pas de Le Brun ont rencontré les pas.[14]

Er brauche keinen Ruhm, hat er zu Beginn des einen Gedichtes an Lebrun gesagt; um so mehr aber bringt das andere zum Ausdruck, welchen Ruhm er eben doch für sich beansprucht.

Rückblickend erscheinen auch noch andere Beteuerungen des jungen Chénier, daß er sich ganz der Liebeslyrik verschrieben habe, in diesem Licht. Ebenso pathetisch wie vorschnell erklärt er doch in dem Entwurf zur ersten Elegie an Lycoris:

> Je veux, tant que mon sang bouillonne dans mes veines,
> Ne chanter que l'amour, ses douceurs et ses peines.[15]

Wenn irgendwo, dann scheint hier das Pferd mit dem Reiter, das Gefühl mit dem — kaum zwanzigjährigen — Dichter durchzugehen, nicht wahr? Aber die Ernüchterung, mehr des Lesers als des Dichters, folgt auf dem Fuß. In seinem unmittelbar daran anschließend niedergeschriebenen „Kommentar" sagt nämlich Chénier mit aller Ruhe und aus kritisch abwägender Distanz, daß es sich hier im Prinzip um eine Properznachahmung handelt.[16] Freilich nur im Prinzip: mehrfach ist er von der Vorlage abgewichen, und zwar «souvent aussi pour ne suivre que moi», um «y faire entrer plusieurs détails qui m'ont paru neufs dans notre poésie»; im übrigen vergleicht er da viele Stellen mit dem Original, um daran seine Nachahmung zu messen. Fast all diese Bemerkungen aber lassen erkennen, wie sehr bei dem ganzen Stück der literarische Ehrgeiz federführend war. So betrachtet, geben wohl auch die zitierten Verse hinter ihrer unmittelbaren Gefühlsfassade eine zweite, vielleicht in einem echteren Sinne emotionale Bedeutung frei: denn das in ihnen mitschwingende Bekenntnis zur "imitation inventrice" kommt aus einer tiefen Verehrung für die «maîtres antiques», ihm fühlt sich Chénier gerade als Dichter verpflichtet, und zwar weit über die Elegie, über die Liebeslyrik hinaus.

Was bei jenem anfänglichen «Je veux» noch leicht zu überhören ist, kommt an anderen Stellen mit aller Deutlichkeit zum Vorschein, ganz programmatisch etwa im Zusammenhang mit einem mutmaßlichen *Épître*-Fragment: «ainsi je veux qu'on imite les anciens»,[17] oder in der *Épître sur ses ouvrages: Je veux m'envelopper de leurs saintes reliques.*[18] Wohlgemerkt jedoch, geht es hier nicht etwa im besonderen um das schon oft behandelte

---

[14] D III 129.

[15] D III 37.

[16] D III 40 ff.; zur Quelle im III. Buch von Properz: Chénier verweist auf «él. 3», in der heutigen Ausgabe, z. B. der Oxfordiensis, handelt es sich um die 5. Elegie, V. 19 ff.

[17] D III 311; ohne das «ainsi» wird der Satz zum lapidaren Motto eines «Prologue» in der Chénier-Ausgabe von Becq de Fouquières (2. Aufl., Paris 1872, S. 3) und zur absoluten Formel bei E. Faguet, *André Chénier*, Paris, 1902, S. 43.

[18] D III 206.

Verhältnis Chéniers zur Antike, sondern um die Rolle des «Je veux» in seinem Werk überhaupt, um sein literarisches Wollen im weitesten Sinn. Vom Anfang bis zum Ende, bis zu den *Iambes*, klingt es ja immer wieder programmatisch aus seiner Dichtung heraus, und zwar vor allem dann, wenn er in eine bestimmte Gattung eintritt oder sich auf hervorstechende Weise in ihr zu behaupten versucht. Auch dafür ist der Lycoris-Zyklus ein Beispiel: gleich am Anfang erscheint das in seinem Gefühlswert und als Bekenntnis zum antiken Vorbild bereits analysierte «Je veux» — bedeutet es für Chénier nicht auch von vornherein eine Art Selbstbestätigung in der Elegie? Das wäre die dritte Seite der Sache. Sehr klar liegt der Fall beim Eingang von *L'Amérique*. Kaum hat Chénier die ersten Umrisse seines epischen Planes skizziert, hält er sich auch schon sein hochgestecktes Ziel selbst vor Augen: «Car je veux être l'Homère des modernes»,[19] schreibt er da in einem Augenblick, wo ihn offenbar mehr der ehrgeizige Drang zum durchschlagenden Erfolg in einer literarischen Großform beseelt als die Frage beunruhigt, ob seine dichterische Fähigkeit und Kraft für ein so schwieriges Unternehmen ausreicht. Und wie steht es mit jener Dichtungsart, an die Chénier durch seine Reise in die Schweiz herangeführt wird?[20] Außer Geßner nennt er dafür wieder nur antike Vorbilder: Vergil und Bion, Theokrit und Moschos. Die Vorgänger aus dem eigenen Land schiebt er also, wie bereits gesagt, völlig beiseite. Ähnlich wie bei der Elegie, geht es ihm auch bei der «Muse pastorale», was die Literatur in französischer Sprache betrifft, um den alleinigen Echtheitsprimat. «Elle veut», so wird dieser programmatische Anspruch bezeichnenderweise eingeleitet, *Faire entendre à la Seine enfin de vrais bergers*.[21] Deutlicher als je zuvor aber, und im Rückblick auf sein bisheriges Werk auch sicher zu Recht, markiert Chénier am Anfang der *Iambes* die Wendung zu einer neuen, nach all dem bei ihm Vorangegangenen überraschend scharfen Dichtungsweise:

> J'ai douze ans en secret dans les doctes vallées
>   Cueilli le poétique miel.
> Je veux un jour ouvrir ma ruche tout entière;
>   Dans tous mes vers on pourra voir
> Si ma Muse naquit haineuse et meurtrière.[22]

Von den *Iambes* im allgemeinen und von einem im besonderen wird noch ausführlich die Rede sein. Dabei wird auch gezeigt werden, wieviel eigentümlich literarischer Antrieb selbst in diesem letzten «Je veux» noch steckt und daß hier beileibe nicht allein, vielleicht nicht einmal in erster Linie, die „erlebte Wirklichkeit" den Ausschlag gibt.

---

[19] D II 85; vgl. P. Dimoff, a. a. O., Bd. I, S. 38; ib., S. 70 f., wird die frühe Entstehung des Planes zu *L'Amérique* aufgezeigt.

[20] Vgl. P. Dimoff, a. a. O., Bd. I, S. 155 ff.

[21] D I 301.

[22] D III 262.

Es besagt nichts gegen das ursprüngliche und echte Bedürfnis zu dichten, das Chénier zweifellos hatte, wenn man den ebenso vorhandenen Anteil des literarischen Ehrgeizes an seinem Werk in das entsprechende Licht rückt. Und es ist auch kein bloß verbalistisches Verfahren, wenn man sich dabei zunächst einmal an die mehrfache Wiederkehr eines bezeichnenden «Je veux» oder «Ma Muse ... veut» hält, an den sichtbarsten Ausdruck eines Grundmotivs, dem man dann bei Chénier auch in anderen Wendungen und vom Inhalt her weiter nachgehen kann. „Audendum est", so lautet das Motto zu *L'Invention*;[23] heißt das nicht soviel wie: „Mihi audendum est"? Und im Text steht am Ende einer Steigerungsreihe von drängenden Hortativen der berühmte Vers: *Sur des pensers nouveaux faisons des vers antiques*. Der Selbstbezug ist so deutlich, daß man die allgemeineren Aufforderungen, wie zuerst «Osons», «Essayons» und wie schließlich eben «faisons», ohne weiteres in ein «Je veux» übersetzen kann: didaktische Absicht und persönliches Programm fallen zusammen. Unmittelbar in der Ichform dagegen wird im Prolog zu *Hermès* angekündigt, was dem Dichter vorschwebt, nämlich: *Des chants à faire entendre aux siècles à venir*;[24] wie hoch er damit hinaus will, sagt Chénier hier auf andere Weise als im Falle von *L'Amérique*, aber sinngemäß handelt es sich eben beide Male um das ausgesprochene Wunschziel einer epischen Erfüllung. Allerdings hat Chénier den bereits zitierten Satz, wonach er sich das Zeug zu einem modernen Homer zutraute, wieder gestrichen und stattdessen zurückhaltender festgestellt: «C'est ainsi que fait Homère».[25] Ist das aber nicht nur ein Beweis dafür, wie der Sprachausdruck wechseln kann und der Kern der Sache, Chéniers eigene literarische Ambition, eben doch der gleiche bleibt? Es wäre ein Leichtes, aber es würde nicht weiter lohnen, dazu noch mehr Beispiele zu erbringen.

So viel Wollen nun, mag das Werk dadurch auch rascher wachsen, ist nicht immer für die Dichtung gut. Gerade daraus ergeben sich manche der bei Chénier so eigenartig berührenden Spannungen. Selbst ein an sich so stimmungsvolles Gedicht wie *Neære* ist davon nicht frei. Im Schmerz des Abschieds vom Leben und von ihrem Geliebten soll diese *Neære* mit „letzter Kraft" sprechen. Nichtsdestoweniger werden da zwischendurch auch Kastor und Pollux in horazischer Umschreibung bemüht, und alternativ dazu kommen gar noch Vergils "biferique rosaria Paesti"[26] zu französischer Geltung, ehe die Rede wieder unmittelbar aus dem Gemüt heraus ergreifend innig und schlicht weiterfließt:

> O! soit que l'astre pur des deux frères d'Hélène
> Calme sous ton vaisseau la vague ionienne ;
> Soit qu'aux bords de Pœstum, sous ta soigneuse main,
> Les roses deux fois l'an couronnent ton jardin,

---

[23] D II 12 ff.
[24] D II 29.
[25] D II 85.
[26] Georg. IV, 119; zu den Quellen vgl. die zit. Ausg. von Becq de Fouquières, S. 61.

> Au coucher du soleil, si ton âme attendrie
> Tombe en une muette et molle rêverie,
> Alors, mon Clinias, appelle, appelle-moi.[27]

Ein mehr philologischer Drang zu antikisierenden Glanzlichtern steht hier wohl doch der Reinheit des dichterischen Eindrucks im Wege: wie lyrisch wirkt die Vorstellung von der «âme attendrie» und der «muette et molle rêverie» des Clinias, wie störend dagegen vorher der Bildungszierat, die Wissenskundgabe geradezu als Selbstzweck in «deux fois l'an», die nicht einmal gedanklich zu dem nachfolgenden Bild einer abendlichen Seelenbegegnung stimmt! Eine gewisse Unausgeglichenheit zwischen literarischem Wollen und lyrischer Begabung läßt sich jedenfalls schon an diesen wenigen Versen nicht übersehen. Was hier aber nur in kleinerem Maßstab zum Vorschein kommt, erweist sich bei Chéniers Verhältnis zum Epos als eine breite Kluft. Denn am Epos im ganzen ist er gescheitert, nur einige mehr lyrische Stellen sind ihm da gelungen, wie das allgemeine Urteil lautet.[28] Nach dem erwähnten Gedicht an Abel de Malartic zu schließen, zweifelte freilich Chénier selbst in manchen Augenblicken an seiner Berufung zum Epos.[29] Doch nicht eine solche Einsicht behielt bei ihm die Oberhand, da er ja trotzdem auf diesem Weg immer weiterging, sondern die Aussicht auf einen literarischen Ruhm von besonderer Bedeutung. Um diese voll zu verstehen, ist es notwendig, die bereits angeführten Zitate auf die Gattungspoetik der Zeit zu beziehen, oder genauer gesagt: auf die im klassizistischen Denken geläufigen Anschauungen von einer bestimmten Hierarchie der literarischen Gattungen.[30] Wie unbedingt sich Chénier diesen Glauben an einen prinzipiellen Gattungswert zu eigen machte, geht vor allem aus *L'Invention* hervor. Er steht auch auf dem Boden der literarischen Aktualität, wenn er dem Epos samt der Lehrdichtung den eindeutigen Vorrang zuspricht, selbst noch vor der Tragödie also, die in der klassizistischen Tradition mit jenen um die Spitzenstellung rivalisierte. Nichts jedenfalls, so heißt es in *L'Invention*, komme einer «vaste épopée» gleich: hier winke dem Dichter «la plus noble victoire», entsprechend dem Höchstmaß an Schwierigkeiten, die es im „gro-

---

[27] D I 138.

[28] Vgl. J. Fabre, a. a. O., S. 189 ff.

[29] D III 143, V. 27 ff.:
> Si quelquefois encore . . . .
>
> . . . . . .
>
> Je veux, de nos héros admirant les exploits,
> A des sons généreux solliciter ma voix ;
> Aux sons voluptueux ma voix accoutumée
> Fuit, se refuse et lutte, incertaine, alarmée ;
> Et ma main, dans mes vers de travail tourmentés,
> Poursuit avec effort de pénibles beautés.

[30] Vgl. dazu die einschlägige Bibliographie bei R. Wellek — A. Warren, *Theory of Literature*, London, zuerst 1949, zu Kap. XVII («Literary genres»).

ßen Labyrinth" der epischen Dimensionen zu überwinden gelte.[31] In theoretischer Beziehung sind diese Ansichten gewiß nicht weiter originell, wie das ja von Chéniers Poetik überhaupt schon oft gesagt wurde; aber sie ist darum nicht weniger *seine* Poetik. Und eng mit seiner dichterischen Praxis zusammenhängend, hat sie eben auch seine Einstellung zum Epos mitbestimmt. Er wollte damit auf der Höhe seiner Zeit stehen, und zwar so hoch oben wie möglich: was ihn am Epos immer wieder anzog, ist nicht zuletzt der Gedanke an den Dichterprimat schlechthin. Nach dem letzten und vielleicht innerlich entscheidenden Grund dafür Ausschau zu halten, wäre hier noch verfrüht.

Daß aber auch innerhalb der Lyrik für Chénier ähnliche Motive mitspielen, bedarf keiner langen Ausführungen mehr. Was ihm selbst die Bemerkungen zu den Oden Malherbes bedeuteten, die er zum großen Teil schon bis 1781 niedergeschrieben hatte, ist bekannt: eine Schule der eigenen literarischen Technik.[32] Unter diesen Umständen ließe sich jedoch fragen, warum Chénier dann nicht auch praktisch eben mit Oden begann,[33] sondern sich so vordringlich der elegischen und bukolisch-idyllischen Dichtung zuwandte. Es ist klar, daß Chénier damit eine besonders aktuelle Richtung einschlug, weil diese lyrischen Gattungsformen gerade damals im Zusammenhang mit einem zunehmenden Interesse für das klassische Altertum und mit literarischen Ereignissen von europäischer Tragweite, wie dem Erscheinen von Geßners Idyllen,[34] rasch zu Ehren gekommen waren. Auf einen solchen Zug zur Aktualität wurde auch schon beim Epos hingewiesen, aber nur auf Grund der poetischen Anschauungen der Zeit. Dazu kommt jedoch noch anderes. Was Chénier bewog, gerade über *L'Amérique* zu dichten, war natürlich der nordamerikanische Unabhängigkeitskrieg, zumal nach dem Eingreifen Frankreichs im Jahre 1778. Dadurch wurde ja selbst ein Bertin, der doch viel einseitiger auf die Liebeslyrik eingeschworen war, zu ähnlichen Plänen angeregt, wenn er sie auch noch weniger ausführte als Chénier.[35] Wie lehrhaft dieser auch seinen Gegenstand angehen, wie weit er geographisch und historisch ausholen mochte, liegt hier doch schon ein Zeugnis, ein frühes Beispiel für Chéniers dichterische Anteilnahme am unmittelbaren Zeitgeschehen vor. Und

---

[31] D II 14 f.

[32] Vgl. P. Dimoff, a. a. O., Bd. I, S. 67 ff.

[33] Zum späten Einsatz von Chéniers eigener Odendichtung vgl. J. Fabre, a. a. O., S. 218 f., u. H. L. Scheel, a. a. O., S. 204 f.

[34] Vgl. dazu vor allem P. van Tieghem, *Les idylles de Gessner et le rêve pastoral*, in: *Le préromantisme*, 3 Bde., Paris 1924 ff., Neuaufl. 1947 f., Bd. II, S. 205 ff.

[35] A. Bertin, *Poésies et œuvres diverses*, ed. E. Asse, Paris 1879, S. 85 f. (l. III, él. 1, V. 7 ff.):
Ma Muse, un jour, tranquille et solitaire,
Tu traiteras de plus nobles sujets :
Tu chanteras nos forces renaissantes,
D'un règne heureux monuments immortels,
Nos bords couverts d'enseignes menaçantes,
Sous nos vaisseaux les deux mers blanchissantes,
Et l'Amérique embrassant nos autels.

darin ist überhaupt eine Leitlinie seines Werkes zu erkennen. Ob er des
weiteren nun den wissenschaftlichen Fortschritt im 18. Jahrhundert, eben die
«pensers nouveaux», verherrlichen will und später, unter dem Eindruck seiner
Begegnung mit Alfieri, über politische und soziale Themen zu dichten beginnt,[36] oder ob er in den *Iambes* mit aller Schärfe gegen die Machthaber der
Französischen Revolution und ihre Schreckensherrschaft vorgeht, reagiert er
doch in jedem Falle als Dichter gerade auf das, was seine Zeit bewegt. Der
Unterschied zwischen jenen vorrevolutionären Werken mit ihrem mehr
„akademischen" Gepräge und den viel konkreter zupackenden *Iambes* mit
ihrem persönlichen, für den Dichter selbst so furchtbaren Hintergrund soll
damit keineswegs verwischt werden. Aber trotz ihres vergleichsweise direk-
ten und in gewisser, aber noch zu interpretierender Beziehung auch subjektiven Einsatzes ist Chénier eben doch nicht erst durch die *Iambes* zu einem
Dichter der Aktualität geworden. Diese gehörte vielmehr, wie er sie verstand,
von Grund auf zu seinem literarischen Wollen.

Nun freilich: welcher Dichter wollte nicht aktuell wirken? Ist es aber nicht
doch für Chénier in besonderem Maße bezeichnend, wie er gerade auf sehr
hoch im Kurs stehende literarische Gattungen einschwenkt, und wie er sich
auch thematisch auf das geistige Leben seiner Zeit einstellt, wie er sich an
bedeutenden Ereignissen schon vor der Revolution zumindest inspiriert und
wie er schließlich nach dem Umsturz als einziger unter den französischen
Dichtern dem Terror Widerstand leistet? Als Chénier beispielsweise *Neære*
oder *La jeune Tarentine* schrieb, war das für ihn durchaus aktuelle Dichtung,
nicht weniger wohl als später für den Jambographen etwa *Comme un dernier
rayon*. Indirekter Zeitbezug, über die gängige literarische Form nämlich, oder
direkter, also auch durch den Inhalt, das machte für ihn jedenfalls nicht den
Unterschied aus, wie im romantischen und nachromantischen Denken zwischen mittelbar und unmittelbar erlebter Wirklichkeit gewertet wurde. Zu
Recht hat man gesagt: «Au sens où il l'entendait, tous les vers de Chénier
sont des vers antiques, et ce caractère se manifeste presque aussi clairement
dans les *Élégies* ou les *Iambes* que dans les *Bucoliques*.»[37] Mit demselben
Recht und in dem gleichen Sinn, d. h. aus Chéniers eigener Sicht heraus, darf
man dann hinzufügen: nicht nur im Zusammenhang mit den «pensers
nouveaux» oder mit einem Zeitgeschehen, von dem er selbst betroffen wurde,
sondern mit all seinen Werken erhob er auch den Anspruch, ein „moderner"
Dichter zu sein. Damit ist der Punkt erreicht, wo in die nähere Betrachtung
der *Iambes*, wie bereits angekündigt, eingetreten werden kann.

---

[36] Vgl. dazu P. Dimoff, a. a. O., S. 220 ff., u. H. L. Scheel, a. a. O., S. 202.
[37] J. Fabre, a. a. O., S. 155.

II

Wie es sich mit dem dichterischen Wert der *Iambes* verhält, ist umstritten;[38] nicht zweifeln läßt sich jedoch an dem dichterischen Mut, den Chénier damit bewies. Es stellt an sich schon eine moralische Leistung dar, daß er in schwerster existentieller Bedrängnis überhaupt noch dichtete;[39] wenn er sich damit aber gar eine staatsbürgerliche Verpflichtung auferlegte und wenn er diese selbstgestellte Aufgabe bis zuletzt mannhaft erfüllte, so muß das vollends größte Hochachtung abnötigen. Festzuhalten bleibt indes, daß auch Chéniers politische Oden und seine *Iambes* nicht bloß Kampf um die Sache sind, den er ja naheliegenderweise genauso gut ausschließlich in seinen Prosaschriften hätte austragen können; sie bestätigen vielmehr gerade jenes elementare Bedürfnis zu dichten, von dem hier schon einmal die Rede war. Auch auf der literarischen Ebene erweisen sich die *Iambes* nun aber als Chéniers mutigste Tat. Zwar ist die metrische Form, die er hier verwendet, schon in der französischen Literatur vor ihm nachweisbar; und wenn er selbst mit dem *Hymne aux Suisses de Chateauvieux* dazu gefunden hat, so läßt sich sehr wohl eine Verbindung zu der Ode *Aux Suisses durant leur guerre civile en 1712* von J.-B. Rousseau herstellen, die als Nachahmung einer horazischen Epode bereits nach diesem Schema gestaltet ist.[40] Aber was bei Rousseau im Rahmen

---

[38] Wie verschieden, ja gegensätzlich über die *Iambes* geurteilt wurde und wird, kann hier nur angedeutet werden. So wurde beispielsweise gesagt, daß Chénier damit «ses meilleurs vers» geschrieben habe (M. Braunschvig, *Notre litt. étudiée dans les textes*, II: *Le XVIIIe et le XIXe siècle jusqu'en 1850*, Paris 1921[1], 20. Aufl. 1958, S. 288), aber auch, daß sie "wrongly" als sein Meisterwerk bezeichnet worden seien (G. Brereton, *An introduction to the French poets*, London 1956, 2. Aufl. 1957, S. 87; dazu noch S. 89: "If the man sometimes emerges, a great artist does not."); Dimoff bricht seine Darstellung bei dem Jahr 1790 ab, weil da «le littérateur s'efface derrière le citoyen» (a. a. O., Bd. I, S. IX); umgekehrt schiebt Étiemble sehr polemisch die «élégies, bucoliques et autres fadaises» beiseite, um «seuls ... quelques *Iambes*» gelten zu lassen — die Gründe dafür liegen allerdings nur zum wenigsten in der Dichtung selbst (*D'André Chénier à Paul Nizan*, in: *Hygiène des lettres*, Bd. I, Paris 1952, S. 105; vgl. dazu J. Fabre, a. a. O., S. 230); für Scheel liegt „der eigentliche, zweite Höhepunkt in der Lyrik Chéniers" in dessen letzter Schaffensphase, in seiner Dichtung aus „einer einsamen Originalität" heraus (a. a. O., S. 202 u. 213), während Croce die Revolutionsdichtung Chéniers mehr der "letteratura" als der "poesia" zurechnete (*Andrea Chénier, Frammento: Neære*, in: *Poesia antica e moderna*. Bari 1941[1], zuletzt 1966, S. 359 ff., hier: S. 362 ff.); für J.-M. Gerbault gehen Wert der Dichtung und Schicksal des Dichters offenbar in einer einzigen Gleichung auf: «N'eût-il écrit que les Iambes, Chénier serait, bien avant d'Aubigné et Barbier, avant même le Hugo des Châtiments, notre plus grand poète tragique» (*André Chénier*, Paris 1958, S. 103); usw. — Interessant ist es schließlich auch, daß in der *Anthologie de la poésie française* von A. Gide kein einziges Stück aus der eigentlichen Revolutionsdichtung Chéniers erscheint.

[39] Eingangs seiner Ausführungen zu *La jeune captive* betont von L. Spitzer: *Interpretationen zur Geschichte der französischen Lyrik*, hrsg. v. H. Jauß-Meyer u. P. Schunk, Heidelberg 1961, S. 97 f.

[40] Vgl. Ph. Martinon, *Les strophes*, Paris 1912, S. 142 f.

der eigentlichen Odensammlung die Ausnahme ist, wird bei Chénier eben
zur konstanten Grundform für einen besonderen Inhalt. Und beides zusammen bezeichnet der Dichter, der in dieser Hinsicht bisher kaum so eigen-
mächtig, geschweige denn revolutionär aufgetreten war, eben mit einem in
der französischen Literatur neuen Gattungsnamen. Sein literarisches Wollen
zeigte Chénier schon vorher, wenn er in den bereits geläufigen Dichtungsarten sofort an die Spitze drängte; einen noch stärkeren, ja seinen stärksten
Ausdruck aber findet gerade dieser voluntative Zug in der relativen Neuschöpfung der Jambendichtung.

Eine relative Neuschöpfung ist es vor allem, weil sich Chénier ja doch
insoferne treu bleibt, als er nach wie vor die literarische Dignität, gewissermaßen die künstlerische Beglaubigung für seine neuen Inhalte, im antiken
Muster sucht. Der „moderne" Archilochos allerdings, Chénier, schreibt nicht
aus persönlichen Motiven, nicht in den Grenzen der ihm selbst widerfahrenen
«injures», sondern aus höherer Verantwortung: *La patrie allume ma voix*.[41]
Daß er es nicht einfach dem Leser überläßt, diesen Unterschied zu erkennen,
hat mehr als einen Grund. Eine *moralische* Begründung wird gegeben; aber
qualitativ auf den literarischen Vorgänger bezogen, betont sie zugleich die
dichterische Originalität des französischen Jambographen. Aber mehr noch:
Chénier bestimmt das Wesen seiner neuen Dichtung ja auch im Verhältnis
zu seinem eigenen, bisher ganz auf das Sammeln des «poétique miel» gerichteten Schaffen. Die Stelle wurde bereits zitiert; in diesem vollen Textzusam-
menhang läßt sie nun doppelt deutlich erkennen, wie stark das literarische
Selbstbewußtsein ist, mit dem Chénier hier zu Werke geht.

Vom «poétique miel» nun also zum «fiel», zum dichterischen Ausdruck
einer bissigen Empörung! Das Bild ist antik, es begegnet bei den Humanisten,
beispielsweise im lateinischen Einleitungsgedicht zu den *Regrets* von Du
Bellay, und es zeigt am Anfang der *Iambes* auch gleich, welche Rolle diese
Vorstellungswelt unabhängig von der drängenden Wirklichkeitsnähe seines
jetzigen Themas bei Chénier noch immer spielt. Im Zusammenhang mit
Archilochos nennt er sogleich auch dessen Gegner, den «perfide Lycambe»,
und weiter ausholend, führt er in einem anderen *Iambe* die Ursprungsstätte
dieser Dichtungsart anschaulich vor Augen:

> Diamant ceint d'azur, Paros, œil de la Grèce,
> De l'onde Égée astre éclatant.[42]

Da leuchtet noch einmal etwas vom Glanz der griechischen Welt überhaupt
auf, von Chéniers eigenem klassischen Ideal; er läßt die kulturelle Bedeutung
von Paros ja in mehrfacher, nicht nur in der einen Hinsicht erstehen, aber das
Allgemeine ist dabei doch nur Folie für das Besondere, um das es hier geht:
in Paros ist eben die Literaturgattung entstanden, an deren Schärfe Chénier

---

[41] D III 263.
[42] D III 269.

denn auch gleich im weiteren Verlauf dieses Gedichts sehr bewußt weiter-geschmiedet. Eines kann man von den *Iambes* jedenfalls nicht sagen, nämlich daß die politische Satire hier so, wie stellenweise einst die elegische und bukolisch-idyllische Lyrik bei Chénier, von antikisierendem Beiwerk über-wuchert würde; was jetzt noch an Elementen solcher Herkunft erscheint, ist und bleibt funktional eng auf das Anliegen dieser Gedichte bezogen.

In diesem ersten Unterschied zu früher, was den Gebrauch derartiger Bildungsreminiszenzen betrifft, liegt ein zweiter bereits beschlossen: diese haben auch zahlenmäßig nicht mehr das gleiche Gewicht wie einst. Daß sie in den *Iambes* seltener werden, erklärt sich aber sowohl aus deren inhaltlicher Zielsetzung als auch aus den äußeren Umständen ihrer Entstehung: im Ge-fängnis dichtet es sich nun einmal anders als in Freiheit und Muße. Diese graduelle Veränderung aber, die man gewiß feststellen und aus dem Gegen-stand der Gedichte wie aus der Lage des Dichters ohne weiteres erklären kann, bedeutet noch lange keine grundsätzliche Umstellung. Ob mehr oder weniger häufig, greift Chénier eben doch immer wieder auf den Vorstellungs-schatz der Antike zurück, wie noch der letzte große *Iambe*, und dieser viel-leicht ganz besonders, zu zeigen vermag. Einer mythologischen Größe gleicht da *Le messager de mort, noir recruteur des ombres*, namentlich beschworen wird die «Thémis terrible aux têtes criminelles», und nichts anderes als eine mythologische Periphrase ist «le triple fouet», sogleich als «fouet de la ven-geance» erklärt: eine Anspielung auf die bekannten drei Rachegöttinnen und ihr Attribut.[43] Was könnte das anderes bedeuten, als daß Chénier eben auch in den *Iambes* nicht ohne weiteres auf seine bisherige Stillage verzichtet? Nicht daß hier weniger, sondern daß trotz des unmittelbaren Gegenwarts-bezugs überhaupt noch aus dem antiken Bereich geschöpft wird, ist der ent-scheidende Punkt; diese Einstellung ist nicht das Residuum einer im Grunde überwundenen Dichtungsweise, sondern Ausdruck eines in eben diesem Grunde gleichbleibenden literarischen Wollens.

Bezeichnend dafür ist es, daß immerhin auch in den *Iambes* noch gewisse Stimmungen und Motive nachwirken, wie sie Chénier in früheren Werken gestaltet hatte. Es lohnt sich, den Eingang des letzten *Iambe* gerade unter diesem vergleichenden Gesichtspunkt einmal genauer zu untersuchen; dies wird später geschehen. In demselben Gedicht finden sich aber auch einige wörtliche Anklänge an bereits vorher Entstandenes. Etwas vom Einprägsam-sten an dem *Iambe* ist die antithetische Formel: «Je souffre; mais je vis» (V. 67).

Ganz ähnlich indes lautete schon der Anfang eines kurzen Fragments, bemerkenswerterweise zu einer Elegie, das Chénier während seines England-

---

[43] D III 276 ff., V. 13, 29 u. 83; auf diesen „letzten großen *Iambe*" folgt im Ms. zwar noch ein kurzes, ganz skizzenhaftes Bruchstück, aber davon wird hier ab-gesehen, wenn fortan einfach von dem „letzten *Iambe*"(*Comme un dernier rayon*) die Rede ist.

aufenthaltes geschrieben hatte: «Je vis. Je souffre encore.»[44]; und abgewandelt, aber doch sehr ähnlich hieß es vor dem *Iambe* auch noch in der Ode *Versailles*, V. 37: «J'aime, je vis».[45] Und von hier aus läßt sich auch gleich noch eine weitere Verbindungslinie ziehen, nämlich von V. 32 der Ode:

La vie encor n'est point tarie,

zu V. 75 des *Iambe*:

Tout eût tari ma vie; . . . . .

Ein reminiszenzhafter Bezug, aber nach einer anderen Richtung, läßt sich schließlich auch zwischen «ô cœur gros de haine» in der vorletzten Zeile dieses Gedichtes und einem Vers zu *L'Amérique* herstellen, wo Chénier bereits «le cœur gros de vengeance» vorskizziert hatte.[46] Soviel Erinnerungsgut aus gattungsmäßig und zeitlich verschiedenen Bereichen seines Werkes in ein und demselben *Iambe,* mag es darin auch noch so verwandelt erscheinen, gibt immerhin zur Frage der dichterischen Kontinuität in Chéniers Schaffensweise einen weiteren Anhaltspunkt. Und auch dies ist nicht nur im materiellen Sinne zu verstehen: denn jene Reminiszenzen sind ja doch auch Zeichen für eine bestimmte Stilebene. Natürlich dichtet Chénier, wie er selbst deutlich genug bei Eintritt in die *Iambes* sagt, nicht einfach auf der bisherigen Linie weiter; genau besehen, unterscheiden sich diese nicht nur von seinen früheren Gedichten, sondern teilweise auch untereinander recht beträchtlich. Im Prinzip jedoch bewegt sich Chénier auf hoher, ja manchmal sogar auf höchster Ebene. Das Gegenteil hätte ja auch zu sehr dem Bild widersprochen, das er sich nach den antiken Zeugnissen in seinem *Essai . . . des lettres et des arts* von Archilochos machte: «Enfin Archiloque ne fut pas seulement un satirique, amer et ingénieux; . . . mais il fut de plus un poète d'un goût pur et austère, fécond et varié dans les pensées, fier et vrai dans l'expression, grave et élevé dans le style».[47]

Wie Chénier beispielsweise in dem bereits als programmatisch bezeichneten Gedicht seine Gegner anprangert, ist in mehrfacher Hinsicht, nicht nur wegen der metaphorischen Ausdrucksweise, ausgesprochen hoher Stil: *Contre les noirs Pythons et les hydres fangeuses.*[48]

Und auch sonst in den *Iambes* lassen übertragener Wortgebrauch und längere Umschreibungen, auffallende Vergleiche und Bilder jederzeit das Streben nach einem gehobenen Stil erkennen. Es ist kein Zufall, daß sich gerade in einem der *Iambes*, im letzten, eine der anspruchsvollsten Periphrasen der französischen Literatur des 18. Jahrhunderts überhaupt findet. Dieser hochmanieristischen Stelle, die im einzelnen noch manche kleinere Umschreibung enthält, war immerhin ein Platz in der *Anthologie de la poésie précieuse*

---

[44] D III 163.

[45] D III 219.

[46] D II 126.

[47] W 653.

[48] D III 263; vgl. dazu und zum folgenden vor allem G. Lote, *La poétique classique du dix-huitième siècle*, in: RCC 31, 1929/30, S. 60 ff., 156 ff., 262 ff. u. 464 ff.

sicher, wo sie R. Bray als Einführungsbeispiel zu seiner Auswahl aus Chéniers Werk wiedergibt:

> Peut-être avant que l'heure en cercle promenée
>   Ait posé sur l'émail brillant,
> Dans les soixante pas où sa route est bornée,
>   Son pied sonore et vigilant; ... [49]

Doch weiter: was besagt es, wenn der Beginn dieser Periphrase an eben das «Peut-être» anschließt, mit dem schon der vorhergehende Vers einsetzte, und wenn das «avant que» gleich am Eingang von V. 9 wieder aufgenommen wird, wenn sich überhaupt vom Anfang bis zum Ende dieses Gedichts die Anapher als eine hervorstechende Stilfigur abzeichnet? Zwar noch sehr ruhig, trägt und bestimmt sie doch bereits den ersten Vers, der dadurch eben auch sehr „getragen" wirkt: *Comme un dernier rayon, comme un dernier zéphyre.* In dem Maße jedoch, wie die gedankliche Erregung zunimmt, erscheint auch das stilistische Verfahren — nicht der Stil, wohlgemerkt — wie gewandelt. In V. 58 f. etwa wird nur ein einzelnes Wort, dafür aber, auf engem Raum, um so häufiger wiederholt; auf eine Klimax zugeschnitten, wirkt die Anapher hier gedrängter und drängender zugleich:

> ... *sans* vider mon carq[uois]!
> *Sans* percer, *sans* fouler, *sans* pétrir ...

Und die gleiche Stilfigur ist es auch, die nachher zum Schluß des Gedichts hinüberlenkt. Ausladend feierlich, wenngleich ebenfalls nur auf einem einzigen Wort beruhend, erstreckt sie sich da über einen längeren Abschnitt. Ausgangspunkt ist die Frage in V. 77 f.: «Nul ne resterait donc pour ..... ?» Eine ganze Reihe von mehr oder weniger selbständigen Fortsetzungen, jeweils mit «Pour» am Versanfang, wird daran angeschlossen: wer bliebe, wenn nicht der Dichter, um für die Unterdrückten einzutreten, sie an ihren Unterdrückern zu rächen und vor der Geschichte zu rechtfertigen? Und je mehr er sich in diesen moralischen Auftrag hineinsteigert, desto leidenschaftlicher und sarkastischer wird seine Sprache, gipfelnd wiederum in einer Versanapher: *Pour cracher sur leurs noms, pour chanter leur supplice?* (V. 85). Der Beispiele gäbe es noch mehr in diesem Gedicht, um die vielfältige, ja geradezu virtuose Abwandlung ein und derselben Stilfigur aufzuzeigen. Aber ist es nicht ohnehin klar, welch einen ausgiebigen Anschauungsunterricht allein schon dieser *Iambe*, der damit jedoch keineswegs allein dasteht, zur Kunst der Anapher und ihrer Bedeutung für Chénier gibt? Es handelt sich ja doch um ein klassisches Mittel der Steigerung; und daß es Chénier gerade auf diese Wirkung ankommt, ist an der eher übersteigerten Periphrase oder an der Klimax abzulesen, in denen eben auch die Anapher auftaucht.

---

[49] D III 276, V. 5 ff.; R. Bray, *Anthologie de la poésie précieuse de Thibaut de Champagne à Giraudoux*, Neuaufl. Paris 1957, S. 194; vgl. auch M. Braunschvig, a. a. O., S. 68, A. 1.

Von demselben Stilwillen zeugen im übrigen auch syntaktische Figuren
wie der Chiasmus oder die Inversion, die in den *Iambes* bemerkenswert häufig
vorkommen. Für den einen charakteristisch ist aus dem bereits angeführten
Vers: «noirs Pythons — hydres fangeuses», oder aus dem letzten *Iambe*:
«franchise auguste — mâle constance», «antiques bienfaits — souvenirs
fidèles» (V. 25 f. u. 31). Letztere aber sind gleichzeitig auch Beispiele für die
Inversion, im einen Fall noch verstärkt durch das Enjambement; man braucht
die Zitate nur zu erweitern. Dann lautet das eine:

> . . . . Quelle franchise auguste,
> De mâle constance et d'honneur
> Quels exemples sacrés . . . . ;

und das andere:

> Des antiques bienfaits quels souvenirs fidèles.

Um aber nicht den Eindruck zu erwecken, daß hier nur mit einem oder zwei
Gedichten operiert würde, sei noch auf einige weitere Fälle hingewiesen. Einer
davon ist ebenfalls bereits bekannt: *De l'onde Égée astre éclatant*; wenig
später ein anderer, mit dem Dichter als Subjekt: *De la vertu proscrite
embrassant la défense*; und schließlich, um alle sonstigen wiederum zu übergehen, noch einmal ein Beispiel für die Inversion in Verbindung mit dem
Enjambement:

> Des juges tigres nos seigneurs
> Le pourvoyeur . . . . . [50]

Damit ist nun auch das Stichwort gefallen, das zum Wechselverhältnis von
Satz- und Versgestaltung hinüberführt. Wie weit Chénier da geht, zeigt sich
fast in allen *Iambes*, am deutlichsten aber wiederum in dem letzten. Im einzelnen lassen sich zwar auch die hier anzutreffenden Erscheinungen wiederum
auf französische Vorgänger im 18. Jahrhundert zurückführen; aber es stimmt
trotzdem nicht, daß Chénier damit *nur* den Tendenzen seiner Zeit gefolgt sei,
daß „andere Dichter seiner Zeit es *ebenso* hielten".[51] Vielmehr handelt es sich
um ein ähnliches Verhältnis wie zwischen jener metrischen Form, die Chénier
in der französischen Literatur bereits vorfinden konnte, und der dennoch erst
gattungshaft von ihm geschaffenen französischen Jambendichtung. Mochte
der Gedanke an Versauflockerung, an Enjambement und Rejet auch schon seit
geraumer Zeit in der Luft liegen, so waren die Kühnheiten, die sich andere
französische Dichter vor Chénier in dieser Hinsicht praktisch leisteten, doch

---

[50] Die letzten beiden Fälle: D III 270 u. 276.
[51] P. Dimoff, a. a. O., Bd. II, S. 473 ff.; F. Rauhut, *Gesch. u. Anthol. d. frz. Lyrik*,
III. Tl., München 1952, S. 40. — Viel umsichtiger in bezug auf den wahren Sachverhalt J. Fabre, a.a.O., S. 149: «Chénier n'est *directement* responsable d'aucune
innovation dans la structure du vers» (Kursivschreibungen von mir).

noch vergleichsweise zahm.[52] Was jene im Grunde nur sporadisch wagten, erscheint bei Chénier oft in sehr gewollter Massierung, und zwar zunehmend von seinen frühen Werken bis eben zu den *Iambes:* in seiner politischen Revolutionsdichtung kommt es zu den auffallendsten Folgen von weiterdrängenden Enjambements und heftigen Rejets, die abgehackte, ja zuweilen bis in lauter Einzelwörter zerklüftete Verse nach sich ziehen. Dafür nur ein kurzes Beispiel aus dem letzten *Iambe:*

> La bassesse ; la feinte. Ah ! lâches que nous sommes
> Tous, oui, tous. Adieu, terre, adieu. (V. 35 f.)

Wichtiger indes als die Frage, wo es dergleichen schon in der französischen Dichtung vor Chénier gegeben haben soll, ist die Feststellung, daß sich in solchen Versen gerade die stärkste Erregung entlädt. Anders ausgedrückt: die Verstechnik steht hier ebenso wie der Sprachstil im Dienste der Steigerung, im Dienste eines sehr hohen Gedichtwillens.

Durch die Erregung ausgelöst, fallen in den *Iambes* aber doch auch sehr derbe und ätzende Worte: wie verhalten sich nun diese häufigen „Anleihen bei den unteren Sprachschichten"[53] zu dem bisher Gesagten? Als erstes kann man dabei natürlich auf die gattungsbedingten Eigenheiten der *Iambes* und der satirischen Dichtung im ganzen hinweisen.[54] Aber mit der Einordnung in eine Kategorie ist der stilistische Wert solcher Fälle noch keineswegs eindeutig bestimmt. Denn nach der klassizistischen Theorie konnte ja unter gewissen Voraussetzungen auch ein eigentlich „anstößiges" Wort durchaus literaturfähig, selbst in Tragödie und Epos verwendbar werden. Wenn mit einem geeigneten Epitheton versehen oder in einen entsprechenden Kontext gestellt, unter Umständen allein schon, weil im Plural gebraucht, wurde der an sich problematische Ausdruck eben kaum mehr als heikel empfunden; und wenn in übertragener Bedeutung eingeführt, «il devient même élégant et distingué».[55] Wie sich Chénier derartige Möglichkeiten für seinen Jambenstil zunutze macht, ist nun leicht zu zeigen.

---

[52] Vgl. dazu u. a. D. Mornet, *L'alexandrin français dans la deuxième moitié du XVIIIe siècle,* Toulouse 1907 (behandelt Chénier nicht); R. de Souza, *Un préparateur de la poésie romantique: Delille,* in: *Mercure de France 1938,* S. 298 ff., hier auf S. 320 zu Chénier: «il n'ajouta rien pour la versification à la réforme préconisée dans le *Discours préliminaire* (sc. Delilles Vorwort zu seiner *Georgica*-Übersetzung), s'il est vrai qu'il en appliqua les libres principes avec des éclairs de génie dont la timidité du poète des *Jardins* était incapable» — ist dies aber, die «timidité» auf der einen Seite und demnach die eigentliche Kühnheit doch erst auf der anderen, nicht gerade der springende Punkt für die letzten Endes entscheidende Praxis?

[53] H. L. Scheel, a. a. O., S. 204.

[54] Vgl. dazu J. Fabre, a. a. O., S. 140, A. 1: «Mais il ne faut pas oublier que, pour Chénier, chaque genre a son style particulier»; eine genauere Untersuchung dazu steht jedoch noch aus. Wenig ergiebig, zu dieser Frage wie auch in mancher anderen Hinsicht, G. Lagardère, *André Chéniers Dichtung. Eine Stilanalyse,* Diss. (Masch.), Mainz 1951.

[55] G. Lote, a. a. O., S. 474 ff.

Welch ein grobes Wort beispielsweise wäre «ivrogne», für sich allein genommen! Aber in der Wendung «ivrognes de sang» ist es einerseits zu höchster Aggressivität verschärft, und andererseits doch in einer übertragenen,
nicht in der eigentlich anstößigen realen Bedeutung gebraucht. Wenn man
dazu etwa in Racines *Esther* I,4 liest: «ces peuples farouches, Ivres de notre
sang...», dann hat man den klassischen Hintergrund dieses Bildes, erkennt
aber auch gleichzeitig die Besonderheit seiner weiter ins Pejorative gehenden
Umgestaltung bei Chénier. Daß es dabei indes um eine pathetische Verstärkung gerade in sehr hohem Stil geht, ergibt sich einwandfrei aus dem
vollständigen Zitat: «Noirs ivrognes de sang».[56] Ein ebenfalls übertragen
gebrauchtes Wort, das in den *Iambes* so häufig in dieser Funktion wieder-
kehrende *noir* (so schon *les noirs Pythons, noir recruteur des ombres*, s. o.),
steht als moralisch wertendes Vorzeichen über dem Bild; und in der klassischen Poetik ist es nun einmal so, daß «une belle épithète remonte de plusieurs degrés le substantif indigne».[57]

Und Epitheta solcher Art begegnen in den *Iambes* auf Schritt und Tritt:
außer dem dominierenden *noir*, das grundsätzlich vorangestellt, immer jedenfalls übertragen gebraucht wird, vor allem auch *impur, ignoble, vil, impudent*
und *affreux* oder auf der Gegenseite, manchmal jedoch ironisch gemeint,
noble und *illustre*, um nur die am zahlreichsten in den *Iambes* vorkommen-
den Beiwörter zu nennen. Sie alle urteilen aus hoher Warte, und damit ist
auch die stilistische Ebene bezeichnet, auf der Chénier gegen die «horde
impure», die «bande perverse», die «hideux scélérats» angeht.[58] Natürlich
handelt es sich nicht immer nur um solche Wertungen, aber das Verfahren
bleibt sich gleich: Chénier sagt eben nicht einfach «la boucherie», sondern
«la sombre boucherie».[59] So reich die *Iambes* auch an Adjektiven sind, findet
sich darunter keines, das aus dem «bas-fonds du langage» geschöpft wäre.
Eben dadurch aber werden diejenigen Elemente, die an sich krasse, ja manchmal vulgäre Vorstellungen erwecken könnten, zu besonderen Akzenten der
Härte im allgemeinen, prinzipiell jedoch zum erhabenen Dur der Jambendichtung umgewertet. Unerbittlichkeit im Inhalt, aber hoher Stil: davon
zeugt allein schon die Art, wie Chénier selbst in latinisierender und metapho-
rischer Ausdrucksweise diese Gedichte bezeichnet, sei es als den «belliqueux
ïambe» und den «ïambe acéré», oder als «ces dards persécuteurs du crime».[60]

Eine relative Einschränkung ist hier allerdings zu machen, und zwar im
Zusammenhang mit der bereits erwähnten Unterschiedlichkeit der *Iambes*:
es gibt einige Stücke, wo es auch sprachlich drastischer zugeht. Das ist vor
allem dort der Fall, wo nach alter Jambentradition die Gegner namentlich
genannt und angegriffen werden. Im wesentlichen handelt es sich dabei um

---

[56] D III 270.
[57] G. Lote, a. a. O., S. 476.
[58] D III 271, 272, 278.
[59] D III 273.
[60] D III 263, 270, 277.

Beispiele aus den Anfängen von Chéniers Jambendichtung; manches davon ist außerdem, wie die Ausgabe von Dimoff zeigt, im Entwurfsstadium stecken geblieben. Selbst bei einem *Iambe* wie «Voûtes du Panthéon...» jedoch könnte man noch fragen, ob das Urteil nicht doch aggressiver ist als der Ausdruck, ob also die Ironie nicht stärker ins Gewicht fällt als die heftige und deftige Direktheit. Jedenfalls werden ausgerechnet die Revolutionsgrößen, die Chénier so verhaßt sind, als «mortels sublimes» bezeichnet, und da heißt es beispielsweise weiter: *Pour chanter à ces saints de dignes litanies.*[61] Immerhin jedoch: nirgendwo sonst in den *Iambes* macht sich Chénier so ungebärdig Luft, wie hier, und zwar bis in den Sprachausdruck hinein. Diese Stelle nun hat Étiemble für so charakteristisch gehalten, daß er gerade sie wörtlich zitierte.[62] Zur Korrektur wäre es aber ganz gut gewesen, wenn er den Schluß des unmittelbar nachfolgenden *Iambe*, der zumindest in bezug auf den Stil geradezu wie eine Palinodie wirkt, hinzugefügt hätte:

> Ces gens n'ont point votre langage ;
> N'apprenez point le leur. Un ignoble courroux
> Justifie un ignoble outrage.[63]

Angeredet sind hier die Musen, und auf die ihnen angemessene Ausdrucksweise besinnt sich der Dichter: distanziert er sich damit aber nur von der Sprache eines Barère und anderer Leute seines Schlages? Im Grunde spricht Chénier an dieser bezeichnenden, aber zu wenig beachteten Stelle doch geradezu das Problem der *Iambes* aus, wie es sich für ihn stellt: nämlich als Spannung zwischen einem Gehalt, der sich gegen die verwerflichen Taten gemeiner Menschen richtet, und einer Gestaltung, die gerade nicht auf dieses Niveau abgleiten darf, ja, die umgekehrt gerade erst recht menschliche Würde bewahren soll — ein «ignoble outrage» ist geschehen, aber dem berechtigten «courroux» steht nichts zu, was «ignoble» ist, und schon gleich nicht in der dichterischen Äußerung, in der musischen Verantwortung. Und diese Grundtendenz wird nur bestätigt, wenn sich Chénier im folgenden gleichsam für eine Ausnahme von der Regel entschuldigt und ein besonders abstoßendes Bild mit der Frage kommentiert:

> Car qui peut noblement de leur bande perverse
> Rendre les attentats fameux ?[64]

Um auch aus dieser Sicht noch einen Blick auf den letzten *Iambe* zu werfen: was die Verwendung des «mot bas», des dichterisch eigentlich unzulässigen Einzelausdrucks betrifft, ist die sprachliche Ausfälligkeit hier sehr gering. Bis zu V. 60 findet sich kein einziges Wort, das als solches den klassischen Geschmack irgendwie schockieren könnte. Erst an dieser Stelle fallen für einen

[61] D III 265.
[62] A. a. O., S. 105, als einziges Zitat aus den *Iambes*.
[63] D III 266.
[64] D III 272.

Augenblick die Schranken der absoluten sprachlichen Vornehmheit; da bricht
die leidenschaftliche Verachtung gegenüber den Revolutionsgewaltigen auch
in heftigen Worten durch:

> Ces bourreaux barbouilleurs de lois !
> Ces vers cadavéreux de la France asservie,
> Égorgée !......

Immerhin jedoch: namentlich werden die Angegriffenen nicht genannt, weder
hier noch sonstwo in dem Gedicht. Und klar ist es auch, wie durch übertragenen Wortgebrauch im Plural, durch das latinisierende Epitheton und
den Bezug auf eine Personifikation das Bild der «vers cadavéreux de la France
asservie . . .» stilistisch hochgewertet wird. Das einzige, was zum Schmähstil
im engeren Sinn gehört, ist also: «barbouilleurs de lois»; so war bei Voltaire
schon mehrfach satirisch vom «barbouilleur de papier» die Rede.[65] Was vom
Lexikalischen her in diesem *Iambe* Anstoß erregen könnte, ist dann aber
allenfalls noch in V. 85: «Pour *cracher* sur leurs noms . . . .». Wenn es in der
ersten Sammelausgabe von Chéniers Werken stattdessen hieß: «Pour *insul-
ter* leurs noms», so hat H. de Latouche, der Herausgeber, das von dem Dichter
selbst gewählte Verbum in der Tat als unerträglich stark empfunden. Doch
gegen die «timidité littéraire» seines Vorgängers hat dann bereits Becq de
Fouquières den authentischen Wortlaut mit dem Hinweis auf Malherbe verteidigt, der in *Les larmes de S. Pierre* ja auch zu schreiben gewagt hatte: *Le
mépris effronté que ces bouches me c r a c h e n t.*[66] Darüber hinaus wäre auch
hier auf den Anschluß an die Schmähdichtung des 18. Jahrhunderts hinzuweisen, die vor dem drastischen Ausdruck «cracher» in keiner Weise zurück-
scheute.[67] Dabei aber sorgt Chénier innerhalb des Gedichtes selbst bereits
für einen um so getrageneren Ausgleich. Seine sprachliche Ausfälligkeit an
dieser Stelle bleibt ja eingebunden in eine großangelegte, erhabene Anapher,
wie bereits zu sehen war, und außerdem wird jener derbe Klang in der einen
Vershälfte sofort durch einen geradezu heroischen Ton in der anderen über-
höht: «pour chanter leur supplice», so feierlich eben schließt dieser Vers.

Gerade hinter diesem *Iambe* steht, wie bereits gesagt, ein sehr hoher
Gedichtwille. Gewissermaßen durch die Gegenprobe, durch die Untersuchung
seines Gehalts an unmittelbarer Wortaggressivität, ist die schon oben getroffene Feststellung nunmehr bestätigt. Alles in allem ist dieses Gedicht, das
doch aus Bitterkeit und Empörung über das am eigenen Leib erfahrene Unrecht kommt, ein Musterbeispiel für die Wahrung der sprachlichen Form, ein
vollendeter Ausdruck eben des «noble courroux». Und es veranschaulicht dadurch, was in dem Gedicht selbst gesagt wird. Der «honnête homme», so
heißt es doch in V. 41 ff.,

---

[65] Vgl. Littré, I, 884, s. v. *barbouilleur.*
[66] Ed. Becq de Fouquières, S. 472.
[67] Vgl. z. B. Lebrun, a. a. O., Bd. III, S. 134 u. 149.

Relève plus altiers son front et son langage,
Brillants d'un généreux orgueil.

III

So weit die Meinungen über den literarischen Wert der *Iambes* insgesamt, wie schon erwähnt, auch voneinander abweichen, so einig ist man sich doch längst in der relativen Entscheidung für *Comme un dernier rayon* als das dichterisch bedeutendste unter diesen Stücken. Deshalb schon bisher in besonderem Maße berücksichtigt, soll es nun noch weiter in den Mittelpunkt gerückt und auf seine gedankliche Anlage sowie deren Traditionszusammenhang näher untersucht werden. *Comme un dernier rayon*: das Gedicht beginnt mit einem Vergleichsbild, es geht nicht brüsk, nicht sofort *in medias res*. Grundsätzlich jedoch wird dann im dritten Vers, dem ersten Hauptsatz des Gedichts, feststellend und programmatisch zugleich das Thema ausgesprochen: *Au pied de l'échafaud j'essaye encor ma lyre.*

Bei der Entfaltung dieser Aussage geht Chénier in einer Reihenfolge vor, die sich mit dem Versablauf selbst deckt. Zunächst ausgeführt wird also: «Au pied de l'échafaud» — das Bewußtsein, in unmittelbarer Todesgefahr zu schweben. In gedämpfter Sachlichkeit, in einem fast wie ein Prosasatz anmutenden und darum nur um so erschütternder wirkenden Vers, heißt es da sogleich: *Peut-être est-ce bientôt mon tour.* (V. 4). Durch die anaphorische Wiederaufnahme des «peut-être», das noch zweimal am Vers- und Satzanfang erscheint (s. o.), wird die Unheimlichkeit des Ungewissen gesteigert, während umgekehrt selbst jenes Maß an zeitlicher Distanz, wie es in «bientôt» doch noch enthalten ist, immer mehr dahinschwindet: im nächsten Augenblick schon, «soudain» (V. 19), kann die furchtbare Entscheidung fallen.[68] Und von dem schon jetzt einsamen Dichter werden sich die «tristes compagnons reclus» (V. 22) dann erst recht abwenden. Statt eines Zeichens von Edelmut, von männlichem Anstand—ringsum nur Angst, nur «bassesse», nur «feinte». Vor solcher Trostlosigkeit des Daseins überkommt den Dichter die Anwandlung, von sich aus dem Leben zu entsagen: *Vienne, vienne la mort! — Que la mort me délivre!* (V. 37). Die äußere als Grund der inneren Situation des Sprechenden, der Zug zu völliger Resignation: das ist der erste Hauptteil des Gedichts.

Gerade an dieser Stelle jedoch, im Anschluß an den zuletzt zitierten Vers, kommt es zur aktiven Gegenwendung. Da stellt sich der Dichter auf einmal seine eigene, eben diese resignierende Haltung zur Frage, und wie aus einem lähmenden Zustand erwachend, gibt er sich den energischen Ruck:

> .... Non, non. Puissé-je vivre !
> Ma vie importe à la vertu. (V. 39 f.)

---

[68] In diesem Sinne stellt die Wiederaufnahme von «avant que» — V. 5 u. 10 — eine Gegenanapher zu jenem «peut-être» dar.

Und damit gewinnt auch das Motiv des Dichtens, das zuvor mehr wie ein
Begleitumstand im Gesamtbild der menschlichen Lage des Sprechenden
wirkte und am tiefsten Punkt der Niedergeschlagenheit vollends in den
Hintergrund trat, wieder an Bedeutung. Zunehmend jedenfalls verlagern sich
die Gewichte nun auf die andere Seite des angekündigten Themas: «j'essaye
encor ma lyre». Und dieses Dichten, das ganz am Anfang noch einfach als
musischer Trost erscheinen konnte und dessen Wesen auch in «ces dards
persécuteurs du crime» nur kurz aufleuchtete, wird nun zum entscheidenden
moralischen Halt. Immer stärker macht sich das Sendungsbewußtsein des
Dichters geltend, mit der einzigen Waffe, die er besitzt, für die Werte der
von ihm personifizierten «Justice» und «Vérité» (V. 49) einzutreten. Seine
Verse dienen einem überpersönlichen Anliegen, aber als letztgültiger Lebens-
inhalt haben sie für ihn doch zugleich eine höchstpersönliche Bedeutung:
Par vous seuls je respire encor. (V. 64). Erst hier enthüllt auch das «encor»,
das schon im dritten Vers aufklang, seinen vollen heroischen Sinn: dahinter
steht ein Chénier, der sein eigentliches Verdienst nicht darin sieht, daß er
überhaupt noch dichtet, sondern daß er selbst unter den gegebenen Umständen noch als Vorkämpfer der gefährdeten Humanität auftritt und damit wie
kein anderer seine Pflicht tut.

Gleitend ist damit auch schon der Übergang zum dritten Hauptteil des
Gedichts vollzogen, wo die beiden vorher nebeneinander stehenden Motive
aufeinander bezogen und zusammengenommen werden, deutlich gleich in der
antithetischen Formel, die bereits zitiert wurde: «Je souffre; mais je vis»
(V. 67). Das eine bedeutet mehr als nur Leiden, nachdem der Dichter schon
versucht war, ganz zu kapitulieren. Und ebenso bedeutet das andere mehr
als nur Leben, sondern tapferes Aushalten im Gedanken an eine höhere Verantwortung und im Vertrauen auf die persönliche Berufung zum dichterischen Einsatz für die rechte Ordnung. So kommt es zu der heroischen Schluß-
wendung, daß alles Leiden nicht nur ertragen, sondern geradezu umgekehrt
leidenschaftlich akzeptiert wird, daß die Feststellung «Je souffre» in einen
Imperativ des Dichters an sich selbst umschlägt: *Souffre, ô cœur gros de
haine, affamé de justice.* (V. 87). Und ähnlich zu Ende geführt wird auch die
Gegenaussage «mais je vis». Wenn sich darin die Gewissensverpflichtung
ausdrückte, um der höheren Sache willen weiterzuleben, so kann auch der
Tod nur noch der Idee und nicht mehr der eigenen Person wegen zur Klage
veranlassen: *Et toi, Vertu, pleure si je meurs.* (V. 88).

In dem Gedicht selbst sind die Einzelphasen der Gedankenbewegung
wohl nicht so scharf konturiert, wie sie hier beim Nachzeichnen heraus-
kamen. Doch ob die logischen Stufen mit Hilfe gliedernder Ordnungsparti-
keln streng voneinander abgesetzt sind oder ob sich die Wendungen in dieser
unstrophisch durchlaufenden Versfolge fließend vollziehen, ist eher eine
Frage der Darstellungsform als der Grundkonzeption des Gedichts. An
seinem gegenmotivischen, im Prinzip sogar dialektischen Aufbau kann es
jedenfalls keinen Zweifel geben. Dabei wächst es auch immer mehr über das

eigentliche Wesen eines *Iambe* hinaus. Denn in diesem Falle geht es ja
weniger um ein konkretes Angriffsziel als um die innere Orientierung des
Sprechenden in seiner Lage, um die Reflexion über seine Aufgabe als Dichter.
Die äußere Gestalt und einzelne schmähende Züge der «épode vengeresse»
bleiben gewahrt, aber nach Thema, Anlage und Stil ist bei diesem *Iambe* doch
eine gewisse Annäherung an die odenhaft-heroische Dichtung festzustellen.
Oder vielleicht besser noch: kann man ihn nicht mit einem der lyrischen
Monologe in der klassischen Tragödie vergleichen?

Besonders aus Corneilles Stücken sind solche Szenen bekannt, wo der
Held im Dilemma seine Lage überdenkt, wo er in Anbetracht subjektiver
Hindernisse für einen Augenblick der Resignation stattgibt, aber dann doch
zu dem festen Entschluß gelangt, mit aller Kraft und Tapferkeit zu seiner
moralischen Pflicht als einer objektiven Aufgabe zu stehen. Ein Beispiel dafür
ist der Eingangsmonolog der Emilie im *Cinna*. Von leidenschaftlichem Rache-
verlangen erfüllt, gebietet sie doch zunächst einmal ihrem drängenden
Impuls Einhalt mit den bezeichnenden Versen:

> Et que je considère, en l'état où je suis,
> Et ce que je hasarde, et ce que je poursuis.[69]

Punkt für Punkt ist damit bereits der weitere Gang der Rede in aller Klarheit
vorgezeichnet. Als erstes gibt sich Emilie eben Rechenschaft über den «état»,
in dem sie sich befindet, über die Berechtigung und das Ausmaß ihres Hasses
auf Augustus. — Aber was steht bei der Durchführung der Verschwörung für
sie, Emilie, auf dem Spiel? Das ist der zweite Punkt, wobei die logische Beziehung zum vorhergehenden sogleich durch eine Gegensatzpartikel ausdrücklich gekennzeichnet wird: *Au milieu t o u t e f o i s d'une fureur si juste*
(V. 17) — nun, im Gedanken an die Gefahr, der sie den von ihr geliebten
Cinna durch das geplante Attentat aussetzt, ist Emilie nahe daran, vor dem
Unternehmen zurückzuschrecken, das sie selbst wieder Tränen kosten
kann. — *M a i s peut-on en verser alors qu'on venge un père?* (V. 41). Schon
durch das «Mais» wird, und gar noch deutlicher als vorher durch das «toute-
fois», wieder ein grundsätzlicher Fortschritt im Gedankengang angezeigt:
Motiv und Gegenmotiv werden jetzt gegeneinander abgewogen, wie sich
allein schon aus diesem Vers ergibt. Die Anfechtung durch die subjektiven
Regungen ist bald überwunden; vor dem privaten Wunsch hat schließlich
in nicht nur eindeutiger, sondern schlechthin triumphaler Weise das höhere
Gebot der Ehre den Vorrang. — Auf diesen Monolog kommt Chénier im
Essai... des lettres et des arts zu sprechen, allerdings vom Gesichtspunkt
der «naïveté» aus mit kritischen Vorbehalten gegenüber den «vers enflés qui
ouvrent le chef-d'œuvre de Cinna».[70] Die Theorie der «naïveté» hinderte

---

[69] *Cinna* I, 1, V. 7 f.

[70] W 682; dagegen findet der Einwand gegen die «composition savante», den
Dimoff unterstellt (a. a. O., Bd. II, S. 348), in Chéniers Text keinen Anhaltspunkt.

Chénier indes nicht, sich gelegentlich an solchen Stellen zu inspirieren. Gerade
an jenen Anfang des *Cinna* jedenfalls fühlte sich Dimoff durch gewisse Anklänge in einem der Fragmente zu *Hermès* erinnert.[71]

Das berühmteste Beispiel für einen solchen Redeaufbau aber, das es in
Corneilles Werk gibt, ist der—nur äußerlich anders gestaltete—*Cid*-Monolog
(I,6), den Chénier gewiß ebenfalls gut im Gedächtnis hatte. Und gewiß errät
der Leser auch schon, daß der letzte *Iambe* gerade damit etwas zu tun haben
soll. Was über dessen Anlage gesagt wurde, genügt noch nicht, um einen
solchen Zusammenhang herzustellen; aber eine frappierende Ähnlichkeit mit
jenen cornelianischen Monologen kann doch nicht übersehen werden. Auch
bei Chénier eben wird aus dem Bild der eigenen Lage ein Grund zur Resignation, auch bei ihm setzt sich gegen die subjektive Anwandlung triumphierend
schließlich das höhere Prinzip durch; kurzum: auch bei ihm wird ein innerer
Konflikt auf mehr oder weniger dialektische Weise ausgetragen. Doch in diesem fast schulmäßigen Verfahren könnte sich auch einfach die rhetorische
Bildung des Jambendichters spiegeln; es braucht jedenfalls nicht unbedingt
auf ein ganz bestimmtes Vorbild zurückzuweisen. Nun weiter: schon aus
gewissen Versen der Ode auf Charlotte Corday hat Faguet einen cornelianischen Klang herausgehört;[72] aus dem letzten *Iambe* ließe sich der gleiche
Eindruck mit Wendungen und Schlüsselwörtern belegen wie «franchise
auguste», «mâle constance», «honneur», «généreux orgueil», «vengeance»
und anderen mehr. Doch auch daraus ergibt sich noch kein direkter Bezug.
Denn es könnte ohne weiteres sein, daß Chénier hier zum einen Teil aus dem
geistigen Fundus der Jambentradition, wie er sich schon in der Bezeichnung
«épode vengeresse» erschließt, und zum anderen aus der allgemeinen
Begriffswelt der klassischen Dichtung tragischen und heroischen Stils geschöpft hat. Aber dazu kommt eben doch noch weiteres; nämlich einige engere
Parallelen — gerade zum *Cid*-Monolog. Da heißt es etwa bei Corneille:

> ..... et mon âme abattue
> Cède au coup qui me tue (1. Str.),

und bei Chénier:

> ..... mon cœur abattu
> Cède au poids de ses maux ? (V. 38 f.)

Und da ist der Ausruf des Cid:

> Mourir sans tirer ma raison ! (5. Str.)

Chénier gibt diesem Achtsilbler, der so gut in das metrische Gefüge des
Iambe paßt, eine dem Stil nach mehr satirisch-epigrammatische Wendung,[73]
ohne dadurch aber den cornelianischen Hintergrund zu verdecken:

---

[71] P. Dimoff, a. a. O., Bd. II, S. 454.

[72] E. Faguet, *Hist. de la poésie française*, X: *André Chénier*, Paris, 1936, S. 56.

[73] Vgl. A. Piron, *Œuvres complètes*, ed. Rigoley de Juvigny, 7 Bde., Paris 1776,
Bd. VI, S. 524 (Épigr.): «vuider son carquois».

Mourir sans vider mon carq[uois] ! (V. 58).

Auch für den Schluß des Gedichts, für Chéniers Aufforderung an sich selbst, ließe sich durchaus noch Vergleichbares aus dem *Cid*-Monolog anführen. Aber es steht nunmehr wohl ohnehin fest, daß Reminiszenzen aus diesem bekannten Bravourstück des «grand Corneille» in Chéniers letztem *Iambe* mitschwingen und daß etwas von dem alten Grundsatz der «imitation inventrice», wenngleich in neuer Orientierung, auch hier noch mitspielt.

Aber selbst wenn der soeben geführte Nachweis noch immer nicht genügen sollte, würde das nicht weiter ins Gewicht fallen gegen die eigentlich bedeutsame Tatsache, daß nämlich Chénier mit seinem letzten *Iambe* einen Vergleich zu dem männlichen Ton und erhabenen Stil von Corneilles Dichtung überhaupt nahelegt. Denn eben daran wird ja klar, wie sehr Chénier bei seiner monologischen Ich-Aussprache den tatsächlichen Wirklichkeitsbezug literarisch umdenkt und ausbaut, wie sehr er die Bedeutung des Dichters, der einer tiefbegründeten Hoffnungslosigkeit in Selbstüberwindung trotzt, zu einem höchst heroischen Bild stilisiert. Und wichtiger als dieser oder jener Unterschied in der Darstellungsform, von denen einer bereits angedeutet wurde, ist hier wieder die Tatsache, daß Chénier dabei auch das Maß der cornelianischen Heldenhaftigkeit bei weitem überschreitet. In Ehren vor den Mitmenschen, in Ehre vor sich selbst bestehen zu können: das ist der Leitgedanke des cornelianischen Helden, der wesentlich im Begriffsrahmen der sozialen Bezüge oder jedenfalls der relativen Werthaftigkeit handelt; das gilt mit Einschränkungen selbst für einen Polyeucte, der bezeichnenderweise auch Glauben und Liebe aneinander mißt.[74] Demgegenüber geht es bei Chénier eben nicht um einen relativen Konflikt, sondern um «Justice», «Vérité» und «Vertu» als ganz groß geschriebene, absolute Werte: ohne sie hat das Leben keinen Sinn. Die Gedichte freilich, die *Iambes*, sind *Du juste trop faibles soutiens* (V. 18). Aber damit erscheint der Dichter selbst bereits als der Gerechte, und er steigert sich immer mehr in diese Rolle hinein. Wer ist gemeint, wenn die edelsten männlichen Züge zur Sprache kommen als «doux à l'âme du juste» (V. 27)? Es ist der gleiche, der sich am Schluß als «affamé de justice» bezeichnet, der Dichter selbst. Dies aber ist nur die eine Seite seines Bildes; von einer anderen her wird es noch gesteigert.

Im April 1791 waren von Chénier die *Réflexions sur l'esprit de parti* erschienen. Aus der Einsicht dieses Artikels heraus, daß gerade in Zeiten der Revolution ein enger Wechselbezug zwischen der Willkür der Radikalen und der Furcht der meisten besteht, erhob der Autor gegen beide, also nicht nur gegen die eigentlichen Machthaber, seine Stimme. «Et partout la peur» — so schrieb er fast zur gleichen Zeit noch in einem anderen Artikel, in *Les autels*

---

[74] *Polyeucte* IV, 3 (zu Pauline):

. . . . *Je vous aime*
Beaucoup moins que mon Dieu, mais bien plus que moi-même.

de la peur: was not tut, ist «le courage de la vertu».[75] Daher die Ode auf
Charlotte Corday, eine «mâle louange», zuletzt im Namen der «Vertu» selbst.
In ein kühnes Paradox faßt Chénier die Bedeutung der von ihm gefeierten
Heldin: «Seule tu fus un homme».[76] Ihren Ruhm aber und damit die Wahrheit zu künden, hat ebenfalls nur einer den Mut. Zwischen dieser Ode und
den *Iambes* besteht so eine tiefere Verwandtschaft, als es der bloße Motiv-
zusammenhang innerhalb des Revolutionsgeschehens besagen könnte. Soll
es von dem «pauvre poète ... seul, captif, près de la mort»[77] nicht auch der-
einst heißen, daß er allein ein Mann, ein Held war? Wie stark die *Iambes*
überhaupt von diesem Motiv getragen sind, zeigt die soeben zitierte Stelle:
sie stammt aus einem der früheren Stücke. Groß ausgeführt aber wird der
Gedanke gerade im letzten dieser Gedichte. Wie steht es mit den Menschen,
die den Dichter umgeben? *La peur fugitive est leur Dieu* (V. 34). Er ist «seul
dans la foule» (V. 16) — und was wäre ohne ihn? Die Antwort liegt in Chéniers eigener Frage: «Nul ne resterait donc pour . . . . . ?» Er ist der letzte, der
noch aufbegehrt gegen die tyrannische Gewalt, und damit ist der Dichter der
Einsame, der Mutige und der Gerechte schlechthin. Auf solche Weise wird
der letzte *Iambe* zu einem monumentalen Bild von männlicher Größe; und
darin fallen, wie im folgenden zu sehen sein wird, literarisches und mensch-
liches Wollen zusammen.

IV

Erst mit der politischen Revolutionsdichtung ist Chéniers Muse «haineuse et
meurtrière» geworden. Bei der Rückkehr von seiner Italienreise (1786/87)
schrieb er dagegen noch in einer Elegie von seiner «Muse timide», von seiner
«muse naïve et de haines exempte».[78] Eine Gegenüberstellung der beiden
Äußerungen wäre wohl richtig in bezug auf die «haine», im übrigen jedoch
recht trügerisch. Denn wenn das Bild des angehenden Dichters auch vorwiegend durch die elegisch-idyllische Lyrik bestimmt erscheint, so ist doch
sehr früh auch schon der Zug zur männlichen Energie zumindest ansatzweise
bei ihm zu erkennen. Natürlich kann und soll von da aus nicht einfach der
Bogen geschlagen werden zu Chéniers heftiger Reaktion auf die Ereignisse
der Revolutionszeit. Um also nicht mißverstanden zu werden: durch diesen
radikalen Wandel der äußeren Verhältnisse wurde gewiß der auffallendste
Umschwung in Chéniers Dichtung ausgelöst; aber ausgelöst, aktualisiert
werden konnte eben doch nur, was von Grund auf — potentiell — in seiner
dichterischen Persönlichkeit angelegt war. Daß er mit seinem Kampf gegen
Unrecht und Gewalt unter den zeitgenössischen Dichtern allein und einzig

---

[75] W 361 f.

[76] D III 251 ff., Zitate S. 254.

[77] D III 270.

[78] D III 35; zum biographischen Hintergrund dieser Äußerung vgl. P. Dimoff,
a. a. O., Bd. I, S. 212 f.

dasteht, ist Beweis genug für seine mannhafte Individualität: aber diese wurde durch die politische Lage wohl erst voll herausgefordert, doch nicht erst begründet, ja nicht einmal erst dabei sichtbar. Wie immer, wie „naiv" sie sich auch vor jener politischen Dichtung ausdrücken mag: hier liegt ein wesentlicher Aspekt des Persönlichkeitszusammenhangs zwischen dem «Chénier avant la Révolution française» und dem «Chénier nach 1789». Zugegeben also, daß zwischen dem einen und dem anderen, durch die jeweiligen Umstände bedingt, ein erheblicher Unterschied besteht, wird man doch die männlichen Ansätze schon im vorrevolutionären Werk von Chénier nicht einfach übersehen oder leichthin übergehen wollen.

In dieser Hinsicht gewähren seine Bemerkungen zu Malherbe bereits einen aufschlußreichen Einblick. Bei allem Sinn für «grâce» und «harmonie», für «élégance» und «précision», achtet Chénier doch ganz besonders auch auf die «hardiesse» im Stile dieses Dichters. Mehr als einmal ist es gerade ein kraftvoller Inhalt und sein freimütiger Ausdruck, dem Chénier uneingeschränkten Beifall zollt: «On ne saurait exprimer un sens plus mâle et plus énergique d'une manière plus simple et plus franche». Sowohl für die weiche als auch für die männliche Tönung aufgeschlossen, hat Chénier erst recht an ihrem künstlerischen Widerspiel seine Freude; so erklärt er an einer Stelle, wo er von einer «strophe divine» schlechthin spricht: «comme les quatre premiers vers, délicieux et pleins de grâce, contrastent aisément avec le ton noble et l'image frappante de la fin!»[79] Nun lassen sich freilich auch diese Äußerungen auf den „Geist der Zeit" zurückführen. Auf Lebrun hatten die «hardiesses poétiques» eines Corneille ihre Anziehungskraft ausgeübt:[80] warum sollte Chénier nicht gleichermaßen auf die entsprechenden Züge bei Malherbe achten?

Aber hier ist nur noch einmal darauf hinzuweisen, daß Chéniers Poetik überhaupt zugleich die seiner Zeit und seine eigene war, daß also die Übereinstimmung mit einer geläufigen Anschauungsweise nichts gegen deren persönliche Bedeutung, gegen ihren besonderen Wert für ihn selbst besagt. Ausdrücke wie *mâle, énergique, fier* und *austère*, begegnen jedenfalls schon in seinem vorrevolutionären Werk mit auffallender und charakteristischer Häufigkeit. Was an manchen Stellen „nur Wort" sein mag, ist an vielen anderen doch für die Persönlichkeit Chéniers durchaus bezeichnend, so etwa in dem folgenden Vers aus der *République des lettres: Une pauvreté m â l e est mon unique bien.*[81] Und von solchen Stellen aus auf die «mâle louange» in der Ode auf Charlotte Corday oder auf die im letzten *Iambe* beschworene «mâle constance» zu verweisen, ist dann eben doch wesentlich mehr als nur eine äußerlich-lexikalische Gleichung. Letzten Endes zeugt es auch von ein und derselben Haltung, wenn sich Chénier einerseits vor Lebrun soweit ab-

---

[79] W 826.
[80] Vgl. in Bd. IV der zit. Lebrun-Ausg. v. Ginguené die *Remarques sur les hardiesses poétiques du grand Corneille.*
[81] D II 208.

schirmt, daß er nicht als dessen „Schüler" gelten kann, und wenn er andererseits im Falle Alfieris die «honorable ressemblance entre ce qu'il avait écrit et ce que j'écrivais» von sich aus betont. Natürlich, man merkt auch hier die Absicht; dennoch bleibt festzuhalten, welchen Wert er auf die Geistesverwandtschaft gerade mit einem so voluntativ-männlichen Dichter wie Alfieri legt, der die «énergie de la langue toscane» in Verbindung mit der «noblesse et majesté de la pensée romaine» wiedererweckt hat.[82] Zutreffend bezeichnet Chénier damit ja doch die Grundrichtung, in die es ihn selbst schon vor der Begegnung mit Alfieri immer mehr zog. Er würde sich so gerne, schreibt er in einer „italienischen", also späteren Elegie, der Liebe entziehen und *Travailler à loisir quelque œ u v r e   n o b l e   e t   f i è r e* ;[83] und kurz danach heißt es in einer Art Rückblick auf seine frühere Lyrik:

> J'ai trop chanté de vers, trop suaves peut-être,
> Que l'œil de la Pudeur n'a point osé connaître.
> Mais aujourd'hui que mon âge a commencé de se calmer,.... je puis sans
> interruption chanter sur un ton plus austère.........[84]

Nichtsdestoweniger trägt schon der literarische Ehrgeiz, mit dem Chénier gleich anfangs zu Werke ging, ein durchaus männliches Vorzeichen. Denn worum es sich in seiner frühen Dichtung auch handelte und auf welchen Grundton sie auch gestimmt war, stand dahinter eben immer ein literarisches Wollen, das auf nichts Geringeres als den zeitgenössischen Primat in diesen Literaturgattungen, zumindest für Frankreich, gerichtet war. Es liegt in der Natur der Sache, daß Chénier in seiner elegisch-idyllischen Lyrik vor allem sanft melancholische, sinnlich-weiche Stimmungen auskostet. Dennoch: wenn etwa *Neære* mit einer «voix toujours tendre et doucement plaintive» spricht, so erzählt andererseits ein «grand vieillard, en images hardies»[85] — das ist Homer, Chéniers *Aveugle,* in einem Gedicht, das den Zug ins Große verrät.[86] Genau besehen, verbergen sich unter einer Sammelbezeichnung wie *Bucoliques* doch recht verschiedenartige Vorwürfe, vom elegischen bis zum heroischen Idyll. In dieser Spannweite aber läßt sich auch eine zumindest latente Grundspannung erkennen: in ihrer durch den Gattungsrahmen bestimmten Tonlage treten diese Stücke zwar nicht allzu weit auseinander, aber ihrer inneren Tendenz nach gehen sie doch nach verschiedenen Richtungen. Eine davon ist, zunächst noch literarisch gesprochen, die epische. Was aber bedeutet das Epos für Chénier? Den Dichtungsprimat schlechthin, wurde gesagt, weil diese Gattung normativ als die höchste galt. Stand sie aber nicht auch in dem Ansehen — wenn man mit Chénier an «quelque œuvre noble et fière», an den «ton plus austère» von *Hermès* denkt —, die männlichste zu sein? Wenn

---

[82] W 691.
[83] D III 27.
[84] D III 32.
[85] D I 74.
[86] Vgl. J. Fabre, a. a. O., S. 183.

das stimmt, dann bedeutet die Kette seiner oft mühsam durchgehaltenen epischen Versuche in der Tiefe nichts anderes als den Drang, sich den eigenen Persönlichkeitswert eben in einer betont männlichen Dichtung zu bestätigen. Diesen Sinn jedenfalls hat das Motto von *L'Invention*: „Audendum est", und diesen Sinn hat erst recht der Schluß:

> Il faut savoir tout craindre et savoir tout tenter,
> Et, recueillant affronts ou gloire sans mélange,
> S'élever jusqu'au faîte ou ramper dans la fange.[87]

Selbst wenn man das rhetorische Pathos abzieht, bleibt doch noch der aufrichtige „Sturm und Drang", der Chénier hier beseelt. Heroisches oder didaktisches Epos — tut die große Satire, die Jambendichtung, nicht den gleichen Dienst? Nun, es wurde bereits gesagt, wie dabei die äußere Wirklichkeit die Rolle des Katalysators spielt; es war aber auch zu sehen, wie der «fier André» der bissigen Schmähgedichte schließlich über sich selbst hinauswächst, wie er in dem feierlichen letzten *Iambe* eine männliche Idealerfüllung findet. —

Um aber noch einmal auf *L'Invention* zurückzukommen: gegen Ende des Lehrgedichts geht es um den poetischen Schwierigkeitsgrad, aber auch um die poetischen Entfaltungsmöglichkeiten des Französischen, verglichen mit dem Kastilischen und dem Toskanischen. Da findet Chénier in seiner Sprache die „charakteristischen" Vorzüge der beiden vereint:

> .... et la Seine à la fois
> De grâce et de fierté sut composer sa voix.[88]

Ist dies aber nur eine theoretische Antwort zu einer geläufigen Streitfrage? Wie ja auch sonst in *L'Invention* immer wieder der Selbstbezug durchzuspüren ist, so kann man hier wohl ebenfalls die allgemein gehaltene Aussage auf Chéniers persönlichen Nenner bringen: sind die beiden Pole, zwischen denen sich sein dichterisches Schaffen bewegte, nicht eben «grâce» und «fierté»? Dies aber gilt im Prinzip ebenso für die Zeit vor wie nach *L'Invention*, mögen sich die Gewichte auch je nach Lage der Dinge verschieben.

Es ist nicht notwendig, noch einmal auf Chéniers Wort von der «tendre Élégie» und ihrer «grâce touchante», auf das Wesen seiner idyllischen Dichtung hinzuweisen. Worauf es jedoch ankommt, ist die Tatsache, daß auch diese Linie bei ihm nicht einfach abreißt, daß sie trotz der Revolution bis zuletzt in seinem Werk zu verfolgen ist. So vordringlich ihn auch die politische Auseinandersetzung in Anspruch nehmen mochte, hat er daneben eben doch noch Gedichte der «grâce» geschaffen, wie die Oden an Fanny oder *La jeune captive*. Von dieser jungen Mitgefangenen sagt der Dichter selbst: *La grâce décorait son front et ses discours*; und was er in Verse faßt, ist eine Rede,

---

[87] D II 24.
[88] D II 24, V. 381 f.

die in sanfter Klage eine Lebenssehnsucht voll naturhaft sinnenfroher Zu-
versicht ausdrückt: keine Spur von heftiger Anklage auf seiten der *Jeune
captive*, keine Spur aber auch von Ironie dagegen auf seiten des Dichters.[89]
Warum soll sein «toutefois» (V. 43) einen hintergründigen Bezug auf die
vorhergehende Rede haben, wenn es doch im Vers selbst ganz natürlich zu
verstehen ist? Der Dichter ist «triste et captif», aber er rafft sich eben *dennoch*
auf und schreibt, der lähmenden Bedrückung zum Trotz; und wie eindeutig
er das Geschriebene aufgefaßt wissen will, sagt er ja ebenfalls selbst: *Ces
chants, de ma prison témoins harmonieux*.[90] Der Schluß des Gedichts mag
„weniger gelungen" sein,[91] aber er dementiert nicht die weichgetönte Stimmung des Ganzen, das reine Zusammenspiel von Elegischem und Idyllischem.

Eine lyrische Erfahrensweise von solcher Art aber schlägt zuweilen auch
in den politischen Oden, ja hie und da selbst in den *Iambes* noch durch. Noch
einmal hier zu dem Gedicht auf Charlotte Corday: ihr politisches Vermächtnis
zu vertreten, «enflammant les courages timides», fühlt sich Chénier moralisch
zutiefst verpflichtet. Doch zwischen Protest und Gewissensappell gewinnt
einmal auch die lyrische Hingabe an das beglückend verklärte Erscheinungs-
bild der Frau die Oberhand: «Belle, jeune, brillante», fährt sie wie auf einem
«char d'hyménée» dahin — zur Hinrichtung, gewiß, «aux bourreaux
amenée»[92] und dennoch aus dem realen Zusammenhang in jene lichte Welt
der Phantasie entrückt, in der Chénier einst das tragische Schicksal etwa der
Jeune Tarentine auf melancholisch-idyllische Weise nacherlebt hatte. „Schön,
jung und strahlend" waren all die weiblichen Wesen in seiner früheren
Lyrik;[93] und auch jene Mitgefangene aus der vorhin besprochenen Ode bezeichnet sich ja als «belle» und «jeune», «Brillante sur *sa* tige» (*La jeune
captive*, V. 4 u. 34).

Unter anderen Voraussetzungen hängt aber auch noch der Beginn des
letzten *Iambe* mit jener lyrischen Vorstellungswelt zusammen. Ein feierlicher
Ernst und, aus der Situation verstanden, eine furchtbare Schwere liegt über
den Eingangsversen:

> Comme un dernier rayon, comme un dernier zéphyre
>   Animent la fin d'un beau jour,
> Au pied de l'échafaud j'essaye encor ma lyre.

Verwandelt und vertieft jedoch, ist dies im Grunde ein Motiv, das Chénier
schon viel früher aus der Phantasie heraus gestaltet hatte. Zum Vergleich
bietet sich noch einmal *Neære* an; da lauten die ersten Verse:

---

[89] Im Anschluß an J. Fabre, a. a. O., S. 108 u. 219, sieht H. L. Scheel in dem Gedicht
  eine „Ausgewogenheit von *tendresse* und *ironie*", und zwar auf Grund des
  gleich zu besprechenden «toutefois» (a. a. O., S. 211).

[90] D III 222 ff., hier: 224.

[91] Vgl. dazu L. Spitzer, a. a. O., S. 102 ff.

[92] D III 253.

[93] Vgl. J. Fabre, a. a. O., S. 179.

Mais telle qu'à sa mort pour la dernière fois
Un beau cygne soupire, et de sa douce voix,
De sa voix qui bientôt lui doit être ravie,
Chante, avant de partir, ses adieux à la vie :
Ainsi, les yeux remplis de langueur et de mort,
Pâle, elle ouvrit sa bouche en un dernier effort.[94]

In beiden Fällen handelt es sich um ein letztes Mal, um ein Sprechen oder Dichten unmittelbar vor dem Tode, und in beiden wird auch der eigentliche Auftritt des lyrischen Subjekts erst durch ein Vergleichsbild vorbereitet. Der evokative Stimmungswert aber, den diese Gedichteinsätze gemeinsam haben, trägt jeweils doch recht verschiedene Akzente.

In *Neære* fällt gleich auf Anhieb das Stichwort «mort», und damit steht auch schon der Vergleichsbezug fest: was nachfolgt, kann dann aber auch nicht erst einmal in lyrischer Selbständigkeit wirken, sondern nur in Abhängigkeit von dem vorausgestellten Grundbegriff zu dessen Veranschaulichung und Verstärkung beitragen. Wie es sich in dieser Hinsicht verhält, ist an den vielen Variationen zur Todesvorstellung abzulesen: «pour la dernière fois», «sa voix qui bientôt lui doit être ravie», «avant de partir», «ses adieux à la vie». Und wie hier bei der Beschreibung des sterbenden Schwanes, so wird auch zum Bild der *Neære* recht pathetisch aufgetragen. Wenn dabei aber wiederum auch das Stichwort «mort» (V. 5) auftaucht, und wenn darüber hinaus das Ende des sechsten Verses — «en un dernier effort» — deutlich auf den Schluß des ersten zurückweist («pour la dernière fois»), dann ist die Machart der ganzen Stelle klar: sie hat, wie der begriffliche Entsprechungsrahmen zeigt, eben doch einen sichtbar intellektuellen Zug. Dieser offenbart sich auch in der Wahl des Entsprechungsobjektes. Der Vergleich zwischen dem Klagelaut eines sterbenden Schwanes und den letzten Worten eines Menschen vor dem Tode stammt ja aus der Antike; in der französischen Literatur findet er sich beispielsweise bei Malherbe, dessen Bedeutung für Chénier nicht weiter betont zu werden braucht:

Ce sera là que ma lyre,
Faisant son dernier effort,
Entreprendra de mieux dire
Qu'un cygne près de sa mort.[95]

Dergestalt jedenfalls auf literarischer Überlieferung beruhend, ist der Vergleich auch nur auf diesem intellektuellen Umweg nachzuvollziehen. Der Eindruck einer gewissen Künstlichkeit aber, den der Auftakt zu *Neære* erweckt, wird durch jenes überreiche Wortaufgebot von gewollt emotionaler Bedeutung eher gesteigert als verwischt.

---

[94] D I 137.

[95] Malherbe II, 2. — Vgl. im übrigen die Quellenangaben zu *Neære* in der Ausg. v. Becq de Fouquières, S. 59, zu denen jedoch manches nachzutragen wäre: Aischylos, Agamemnon, V. 1445; Cicero, De orat. III, 2, 6, usw.

Welch ein melancholischer, wahrhaft lyrischer Zauber dagegen allein
schon von dem einen Wort «dernier» ausgehen kann, zeigt sich am Anfang
des letzten *Iambe*. Es vermag in anaphorischer Wiederholung frei auszu-
schwingen, weil es eben nicht sofort auf einen einzigen zwingenden Sinn-
bezug festgelegt wird. Ein letzter Sonnenstrahl, ein letzter Windhauch am
Ende eines schönen Tages: das ist ein poetisches und, wenn man nach einem
Ausdruck wie «zéphyre» geht, auch ein literarisch gedachtes Bild; anders
jedoch als der bildungsbeflissene Vergleich mit dem sterbenden Schwan, läßt
es sich aus ganz persönlicher Erfahrung begreifen und wirkt darum so echt,
so unmittelbar. Und es wirkt zunächst fast unabhängig von der Vergleichs-
fortführung, einfach durch seine verhaltene Schmerzlichkeit im Hinblick auf
das beglückend Schöne, das noch einmal aufkommt und dann dahinschwindet — am Ende des zweiten Verses ist noch nicht ohne weiteres zu erkennen,
wie dieser beziehungsreich sanfte in einen furchtbar eindeutigen Ernst umschlägt, in den elementaren Gegensatz von bedrohtem Leben und bevorstehen-
dem Tod als Schicksal des Sprechenden selbst. Noch einmal also: «Au pied de
l'échafaud . . .» — das allein hat mehr dichterisches Gewicht als wiederum all
die Variationen zusammen, die sich in der Einleitung zu *Neære* um den
Zentralbegriff «mort» rankten. Wenn der Vergleichseinsatz die Weichheit
der Empfindung mit einem bereits feierlichen Ton verbindet und dadurch ergreifend wirkt, so ist der noch unmittelbarer ansprechende Vergleichs-
abschluß männlich und bündig, in seiner Umschweiflosigkeit erschütternd:
das ist nicht zuviel gesagt.

Zuviel gesagt wäre es jedoch, wenn man auf Grund der dichterischen Reife
des Gedichteinsatzes von einem ästhetisch durchwegs auf gleichhoher Stufe
stehenden, vollkommen einheitlichen Ganzen sprechen wollte. Großartig im
ganzen ist die moralische Haltung, die sich darin kundgibt; aber «nel farne
oggetto di arte», um an Croce anzuschließen,[96] ist Chénier stellenweise eben
doch nicht bis zur «superiorità e serenità poetica» gelangt. Die anspruchsvolle
Periphrase von der «heure en cercle promenée», die schon in V. 5 beginnt,
wird man zwar als weniger preziös empfinden, wenn man erst einmal die
beklemmend ernste Anspielung auf die Ronde der Wachsoldaten im Gefäng-
nis durchschaut hat:

> Dans les soixante pas où sa route est bornée,
>   Son pied sonore et vigilant (V. 7 f.);

nichtsdestoweniger jedoch wird die dichterische Unmittelbarkeit eben auch
hier von einem intellektuellen Zug durchkreuzt, wie er sich bei Chénier schon
früher fand und nicht mehr weiter ausgeführt zu werden braucht. Und literarisch gewollt erscheint auch manches andere, nicht minder stark von dem
Streben nach hohem, ja höchstem Stil Diktierte; eigens dafür noch einmal
Beispiele zu nennen, wäre nach dem bisher Gesagten ebenfalls nur eine

---

[96] B. Croce, a. a. O., S. 363.

Wiederholung. Die Tendenz selbst rechtfertigt sich natürlich aus der Poetik der Zeit; aber damit allein ist es für eine ästhetische Wertung des Gedichts eben doch nicht getan. Das zeigen umgekehrt gerade solche Stellen, die sich über die Poetik zur reinen Dichtung erheben, Stellen wie jener wunderbare Vergleichseinsatz oder wie der schon mehrfach erwähnte Halbvers: «Je souffre, mais je vis». Damit erweist sich die Grundspannung zwischen lyrischer Begabung und literarischem Wollen, die letzten Endes, wie hier gezeigt werden sollte, in Chéniers dichterischer Persönlichkeit überhaupt lag und in seinem menschlichen Wesen begründet war, auch noch in *Comme un dernier rayon*. Was sich hier aber auch zeigt, ist dies: der Lyrismus Chéniers erscheint gerade dort am reinsten, wo er männlich gebändigt ist.

JACQUES PROUST

LE « JEU DU TEMPS ET DU HASARD »

DANS *LE PAYSAN PARVENU*

L'expression est de Georges Poulet, qui l'applique à l'œuvre entière de Marivaux.[1] Son interprétation est connue : le personnage paraît à tout moment créé de rien par l'efficace de l'Amour, dans un monde où chaque instant est délié de celui qui le précède ou le suit. Dans un monde ignoré de l'histoire où il n'est d'être que d'un instant, chaque seconde d'existence est pour l'éphémère la figure de l'éternité : sachant le peu qu'il doit vivre, il n'a garde d'en perdre une miette.

Tout pourtant n'est pas dit lorsqu'on a remarqué le caractère *instantané* des personnages de Marivaux. Car, sans parler de la difficulté d'accorder ce caractère avec ce que Jean Rousset appelle la « structure du double registre »,[2] on peut légitimement se demander s'il est aussi compatible avec l'existence *romanesque* qu'il l'est avec l'existence *dramatique* ; s'il vaut pour le *Paysan*, ou la *Marianne*, aussi bien que pour Silvia, Dorante ou Arlequin. La comédie, après tout, se déroule sous nos yeux en un temps bref qui contient aisément les événements relatés ; nous prenons notre parti d'ignorer ce qui s'est passé avant le lever du rideau et ce qui se passera après le dénouement. Notre plaisir est comme l'être des personnages représentés, la scintillation d'un instant. Il en va tout autrement dans le *Paysan* ou la *Marianne,* du fait même que ce sont des romans, et que par nature tout roman restitue une durée. Ou du moins quelque apparence de durée. *Le Paysan parvenu* a, de ce point de vue, une structure étonnante et qu'il vaut la peine de « démonter » car elle est, à certains égards, d'allure assez moderne.

Ne disons rien, pour le moment, de la composition du roman en cinq parties, ni de son inachèvement. A ne considérer que la chronologie des événements rapportés depuis le jour où Jacob quitte son village et celui où il va à la Comédie, le lecteur est d'abord frappé par l'extraordinaire, par l'improbable *plénitude* du temps vécu par le héros. Et Marivaux a pris le plus grand soin de placer tout au long du récit les repères permettant de le « cadrer » dans le temps. Il a même imaginé de menus artifices pour souligner à notre attention l'importance de ces repères : ici la *montre* que Mme de la Vallée tire à plusieurs reprises pour manifester son impatience de se retirer

[1] *La distance intérieure*, Paris, Plon, 1952, p. 1—34.

[2] *Marivaux et la structure du double registre*, Studi francesi, gen.-aprile 1957, 1, p. 58—68.

pour la nuit avec son jeune mari,[3] ailleurs cette question que pose M. de
Fécour : « Quelle heure est-il, messieurs ? »[4]

Au début du roman, le jalonnement est assez lâche. Jacob a « dix-huit à
dix-neuf ans » lorsqu'il arrive à Paris (p. 9). Sa première entrevue avec la
femme de son seigneur se place « cinq ou six jours » après son arrivée (p. 10).
Entre cette rencontre et la mort du seigneur se passent « trois ou quatre
mois » (p. 43). Dans cette partie du récit, les repères chronologiques sont
encore imprécis (un jour, un matin . . .), sauf à la fin. « Un matin » Geneviève
montre à Jacob l'or qu'elle a accumulé (p. 23) ; le lendemain, son maître lui
propose le marché que l'on sait et lui donne vingt-quatre heures pour s'y
résoudre (p. 30) ; Jacob se terre dans son taudis « jusqu'à sept heures du
soir » (p. 35), attendant de pouvoir parler à sa maîtresse ; on apprend alors
la mort du maître. Le lendemain, les créanciers fondent sur la maison (p. 38).
Jacob y reste trois jours encore (p. 39). Il passe deux jours dans une auberge
après son congé (p. 40) et décide de rester à Paris deux ou trois semaines. Le
lendemain — nous verrons que c'est un *mercredi* —,[5] il va tôt le matin prendre
des nouvelles de sa maîtresse, qui s'est déjà retirée dans un couvent (p. 41),
et il se trouve « entre sept et huit heures » sur le Pont-Neuf.

A partir de là, tout est minutieusement chronométré et il n'y a pour ainsi
dire pas de faille dans l'emploi du temps de Jacob. Il arrive chez les demoiselles Habert à la fin du petit déjeuner (p. 46). Cinq pages plus loin, c'est l'heure
du déjeuner (p. 51). La seconde partie du roman commence aussitôt après le
repas (p. 57). La conversation entre l'abbé Doucin et ses deux pénitentes, que
Jacob écoute derrière la porte, ne dure pas « un quart d'heure » (p. 66).
Page 78, nous sommes chez Mme d'Alain, la veuve de procureur, à l'heure
de la collation. Jacob et Mlle Habert restent là « deux bonnes heures » et
rentrent au logis « à l'entrée de la nuit » (p. 81). Le déménagement de Mlle
Habert se fait le jeudi matin. Les deux amoureux déjeunent encore dans
l'ancien logis (p. 83). Le soir, ils dînent jusqu'à minuit avec leur hôtesse
(p. 89). Le lendemain, vendredi, « entre huit et neuf », Jacob et Mlle Habert
sont de nouveau réunis. Ils décident de s'épouser au plus tôt. Le surlendemain
est un *dimanche* et l'on pourra publier les bans (p. 102). La visite au notaire
a lieu « dans l'après-midi du même jour » (p. 103) ; le consentement du père
de Jacob arrive quatre jours après, donc le mardi (*ibid.*), et le mariage est
prévu pour la nuit du mardi au mercredi (fin du souper à onze heures, départ
de la maison à deux heures du matin). Dans la fameuse scène du souper
interrompu, Mme d'Alain date de « six jours » la première rencontre de Jacob
et de Mlle Habert sur le Pont-Neuf : le compte est exact (p. 108).

Nous retrouvons Jacob le mercredi matin à huit heures : il se réveille
(p. 121). Il est près de neuf heures quand il entre chez Mlle Habert. L'enlève-

---

[3] *Le Paysan parvenu*, éd. par F. Deloffre, Paris, Garnier, 1959, p. 188 (toutes mes
références au texte de Marivaux renvoient à cette édition).

[4] *Ed. citée*, p. 204.   [5] Cf. *infra* et *Le Paysan parvenu*, p. 102.

ment, la scène chez le Président, ont lieu dans la matinée, ainsi que le premier
entretien avec Mme de Ferval. Jacob est arrêté par erreur et emprisonné avant
que la matinée ne soit écoulée et il faut « une ou deux heures » au geôlier
pour porter à Mlle Habert le message que Jacob lui a confié. C'est alors
l'heure du déjeuner (p. 148). « Trois heures » après, visite de Mlle Habert et
de l'« homme vêtu de noir » (p. 149). Jacob fait un second déjeuner (p. 154).
L'interrogatoire, la confrontation, la seconde visite de Mlle Habert se font
dans un temps indéterminé, sans doute le jeudi. Ce qui est sûr, c'est que
Jacob est libéré le surlendemain de son arrestation, le vendredi donc, à onze
heures du matin (p. 157).[6] Jacob et Mlle Habert déjeunent chez Mme d'Alain,
lui offrent à dîner le soir, et se marient dans la nuit du vendredi au samedi
(p. 162). Ils se réveillent le samedi à dix heures moins le quart (p. 164) et se
lèvent à dix pour le café (p. 165). Le reste de la matinée se passe à équiper
Jacob. Tout est prêt pour l'heure du déjeuner (p. 167). « Sur les cinq heures
du soir », les témoins du mariage arrivent pour le dîner (p. 168) ; mais avant
le repas, entre cinq et huit, Mlle Habert envoie Jacob chez Mme de Ferval. La
seconde rencontre avec Mme de Ferval, celle de Mme de Fécour, ont donc
encore leur place dans cette soirée du samedi. Jacob revient tout émerillonné
à l'heure du dîner (p. 188). Le dimanche matin, Mlle Habert va « entendre la
messe » et Jacob fait le voyage de Versailles. L'entretien avec M. de Fécour
se situe autour de midi (p. 204). Jacob déjeune avec les deux femmes qu'il
vient de rencontrer, et à deux heures sonnantes ils se rendent ensemble chez
M. Bono (p. 211). Le retour à Paris ne prend pas plus de temps que l'aller.
Jacob arrive dans le faubourg où est située la maison de Mme Rémy vers les
« cinq heures et demie du soir » (p. 221). La petite comédie qui se joue chez la
Rémy est assez courte : il est encore de bonne heure quand Jacob sort de chez
elle pour se rendre chez Mme de Fécour (p. 242). Au dîner, il retrouve Mlle
Habert qui a passé une partie de l'après-midi à l'église (p. 246). Le lundi, il
passe toute la matinée chez lui (p. 248). A trois heures, Mlle Habert va aux
vêpres et il s'habille pour aller voir Mme d'Orville (p. 250). A sa porte, il
rencontre d'Orsan assailli par des malandrins et le soir même le comte
l'entraîne à la Comédie (p. 262). Il ne s'est donc écoulé que *douze jours et
demi* entre le moment où il a rencontré Mlle Habert sur le Pont-Neuf et celui
où il voit le rideau se lever sur *Mithridate*.

La rigueur de cet « emploi du temps » est telle que le lecteur devrait
s'interdire toute question sur sa vraisemblance. Un auteur aussi scrupuleux que Flaubert eût sans doute hésité à ne compter que quatre jours
pour faire aller et revenir le courrier entre Paris et un village de Champagne ; et il se fût enquis de l'horaire des voitures entre Paris et Versailles
avant de lancer Jacob sur les chemins, un dimanche. Mais enfin il n'y a rien
dans ces deux exemples qui choque absolument. Ce qui est plus curieux, ce

---

[6] Cf. p. 158 : « Oui, monsieur, je vous remets, je crois que c'est vous qui étiez
avant-hier dans cette maison ».

sont les inconséquences réelles du récit. J'en ai relevé deux. La plus grave est
à la fin de la première partie, après la description du déjeuner des demoiselles
Habert : « Les plats se trouvaient si considérablement diminués quand on
desservait, que je ne savais *les premiers jours* comment ajuster tout cela ».
Et Marivaux insiste : « Mais je vis *à la fin* de quoi j'avais été *les premiers
jours* dupe ».[7] Or il est patent dans la suite que Jacob n'a pu assister
qu'à un déjeuner de cette sorte, le jour même de son arrivée chez les
demoiselles. Le soir, Mlle Habert l'aînée ne sera même pas au dîner, elle aura
déjà quitté la maison (p. 82). Plus tard, dans la quatrième partie, Marivaux
présente les personnes conviées à la table de Mme de la Vallée comme ayant
servi de témoins « le jour » du mariage de Jacob (p. 188). Mais il ne s'est pas
écoulé plus de dix-sept heures entre le moment du mariage et ce dîner ;
Marivaux lui-même a souligné cette proximité à la fin de la troisième partie :
« Nos témoins, que Mme de la Vallée avait invités à souper en les quittant à
trois heures du matin le même jour, arrivèrent sur les cinq heures
du soir » (p. 168). Tout se passe dans le premier cas comme si l'auteur,
au moment d'achever la première partie de son récit, avait ignoré la suite
qu'il allait lui donner,[8] et dans le second, comme s'il avait « oublié », entre
la troisième et la quatrième parties, le cadre strict dans lequel il s'était
d'abord enfermé. L'hypothèse n'est pas absurde, si l'on considère la manière
dont Marivaux a donné au public les cinq parties de son ouvrage, la première
en mai 1734, la seconde en juin, la troisième en septembre, la quatrième en
octobre-novembre de la même année, la cinquième en avril 1735. Ce qui
pourrait faire difficulté, c'est que la seconde partie du roman était *approuvée*
ou sur le point de l'être quand parut la première.[9] En revanche, il s'est bien
écoulé près de trois mois entre l'approbation de la troisième et celle de la
quatrième. De toute manière, le fait que Marivaux n'a jamais achevé son
roman et qu'aucune trace ne nous est restée d'une « suite » possible incline à
penser qu'il n'avait pas au départ de canevas complet, et que le cadre chronologique retracé plus haut n'est qu'un artifice plus ou moins ingénieux pour
faire croire au lecteur à l'existence d'un tel canevas.

    L'illusion est créée d'autant plus facilement que le découpage du roman
est habile, et que les *pierres d'attente* y sont judicieusement disposées. Du
découpage même, il n'y a rien à dire qui ne puisse s'appliquer à un bon

---

[7] P. 52 ; c'est moi qui souligne.

[8] Ou du moins hésité sur cette suite. L'hésitation se refléterait assez bien dans
l'usage curieux que Marivaux fait des temps du passé à la fin de cette première
livraison. La plus grande partie de la description du déjeuner des demoiselles
Habert est à l'imparfait. Subitement l'auteur use du passé simple (« Le dessert
fut à l'avenant du repas », p. 53) puis revient aussi abruptement à l'imparfait
(« Après quoi, Mlle Habert l'aînée disait à la cadette », *ibid.*). Le dernier paragraphe est normalement au passé simple (« Mlle Habert la cadette, après que
j'eus desservi, m'appela », p. 54).

[9] Voir la chronologie de Frédéric Deloffre, *éd. citée*, p. LXXII.

« feuilleton » ; chaque partie s'achève par une question à laquelle la suivante doit répondre : que va dire Mlle Habert lorsqu'elle appelle Jacob après le déjeuner (p. 54) ; comment pourra se conclure le mariage après l'intervention brutale de l'abbé Doucin (p. 109) ; que se passera-t-il dans la seconde entre- vue entre Jacob et Mme de Ferval (p. 168) ; quelles aventures attendent Jacob chez la Rémy (p. 217) ; comment va se comporter Jacob dans le grand monde et plus spécialement dans le monde du théâtre (p. 267) ? Quant aux « pierres d'attente », ce sont des allusions plus ou moins claires à des événements qui ont dû se dérouler entre la partie de la vie de Jacob qui fait l'objet du récit et le moment où il entreprend d'écrire ses mémoires. C'est sur elles que Mari- vaux aurait pu bâtir une « suite », à supposer qu'il eût été dans cette suite plus conséquent que dans l'exemple relevé plus haut. De toute manière, leur présence contribue pour une bonne part à donner à l'œuvre son *relief*. Hasard ou calcul, elles tendent à ordonner les événements successifs de la vie de Jacob selon une *finalité* que soulignent déjà le titre du livre et sa présentation sous forme de mémoires. On sait ainsi qu'après la cinquième partie de ses aventures Jacob perdra sa femme (sa mort est annoncée deux fois, p. 84 et p. 247) ; il rencontrera de nouveau la « grande dame, laide, maigre, d'une physionomie sèche, sévère et critique », qu'il a vue pour la première fois au chevet de Mme de Fécour (p. 243) ; il reverra Mme d'Orville devenue veuve et d'autant plus touchante (p. 255) ; il devra « l'origine de sa fortune » au comte d'Orsan (p. 257) ; il fréquentera les milieux du théâtre (p. 267). On imagine aussi, d'après le tour des réflexions qu'il fait à tout moment sur Mme de Ferval, Mme de Fécour, et en général les jolies femmes à qui il a affaire, qu'il en reverra quelques-unes, qu'il en connaîtra bien d'autres et qu'il ne cessera de comparer leurs images.

C'est ici qu'il nous faut pénétrer plus avant dans la structure du roman. Les remarques que nous avons faites jusqu'ici sont superficielles et à certains égards décevantes, parce qu'elles ne concernent que l'aspect *discursif* de l'ouvrage. Or, malgré le soin scrupuleux avec lequel Marivaux a généralement « cadré » son récit dans le temps — et peut-être à cause de ce scrupule même —, l'attention du lecteur est nécessairement attirée vers un aspect plus essentiel du livre, celui qui lui donne son allure moderne. C'est que le temps en réalité ne s'y déroule pas selon une ligne simple et continue mais sur trois lignes au moins, courant dans trois plans différents. L'art de Marivaux est d'avoir joué en grand *harmoniste* de toutes les ressources que lui offrait cette structure « étagée », selon qu'il se plaçait dans le temps vécu par Jacob, dans celui de Jacob se souvenant, voire dans celui du lecteur, avec les innombrables possi- bilités d'interférence, de glissement et de projection que le « modèle » consi- déré permet.[10]

---

[10] On s'excuse de cet emprunt analogique au langage des mathématiques, dont la critique structurale contemporaine abuse quelquefois. On se rappellera cepen-

Le temps propre à Jacob se caractérise déjà lui-même par la très grande inégalité de ses parties. Les unes sont anormalement pleines, les autres vides, parfois même le fil de ce temps se dédouble ; si bien que le rythme du récit paraît très irrégulier. J'ai déjà relevé un exemple de contraste entre une longue durée à peu près vide et une courte durée étrangement pleine : neuf pages de texte pour « dix-huit à dix-neuf ans » d'une existence, cent soixante-seize pour douze jours et demi. Et encore ces quelques jours ne se déroulent-ils pas de façon régulière ; la durée n'y est pas homogène. Il arrive que Marivaux passe explicitement un laps de temps sans intérêt : « Mais tous ces menus récits m'ennuient moi-même ; sautons-les, et supposons que le soir est venu, que nous avons soupé avec nos témoins, qu'il est deux heures après minuit, et que nous partons pour l'église ».[11] Que Jacob ait été en effet pressé de « sauter » par-dessus un intervalle ennuyeux ou que le narrateur lui-même ne retienne de ses souvenirs que ceux qui l'intéressent, il n'importe guère : toujours est-il que le rythme du récit obéit évidemment à des raisons affectives. On le voit encore dans le temps qui va de l'incarcération de Jacob à sa libération. Le cadre chronologique qui jusqu'alors était net et le redeviendra ensuite semble soudain brisé (p. 154). C'est que Jacob a vécu ces quelque vingt-quatre heures dans une confusion totale de l'esprit et des sens. Ce *flou* chronologique est donc d'un « réalisme » psychologique élémentaire.

Il n'y a pas grand-chose à dire non plus sur le temps des dialogues rapportés par Marivaux. Tous les propos tenus ne sont pas reproduits. Par exemple les discours de Catherine et de Mme d'Alain sont fort écourtés. Il n'est pas vraisemblable en effet que Jacob ait enregistré l'intégralité des paroles entendues, et d'ailleurs Marivaux, dramaturge expérimenté, sait que le dialogue doit être stylisé pour être supportable. Le « réalisme » psychologique s'accorde donc ici aussi avec les nécessités de l'art.[12]

Plus intéressantes sont les parties du récit où le fil de la durée est dédoublé, ou même triplé. Le temps y est si substantiel qu'il doit en quelque sorte être divisé entre deux, et quelquefois trois filières. C'est le cas dans le souvenir qu'a gardé Jacob de son entretien avec son seigneur, un des moments les plus dramatiques de son existence. La scène s'y déroule simultanément sur trois plans, celui du dialogue entre les deux personnages, celui des

---

dant que l'une des critiques les plus pénétrantes de l'œuvre de Marivaux a été faite par un *mathématicien*, dans son langage de mathématicien. Je renvoie sur ce point à l'*Eloge de Marivaux* par d'Alembert (*Œuvres*, éd. Bastien, 1805, t. IX, p. 231). Le « modèle » que je prends en considération est un peu plus complexe que celui de Jean Rousset, mais il n'en est pas essentiellement différent.

[11] P. 162 ; cf. déjà p. 83 : « Il me tarde d'en venir à de plus grands événements : ainsi passons vite à notre nouvelle maison » ; p. 154 : « je laisse là le récit de tout ce qui se passa depuis la visite de Mlle Habert, pour en venir à l'instant où je comparus devant un magistrat » ; et plus loin, p. 255: « Mais j'abrège », etc.

[12] Ce qui vaut pour la durée des dialogues vaut aussi bien pour leur contenu: il est évident que les propos de Mme d'Alain, de Catherine, de Jacob surtout ne sont « réalistes » que jusqu'à un certain point. Ils ont passé par l'étamine de l'artiste.

gestes et de l'expression, celui du for intérieur de Jacob. Mais la mémoire de
Jacob a enregistré séparément les trois « messages » superposés et de toute
manière le narrateur doit les *juxtaposer* dans un ordre discursif pour les
rendre compréhensibles. Ce traitement de la durée a d'ailleurs une conséquence paradoxale dans l'économie même de la scène : le temps paraît soudain suspendu et le personnage s'immobilise plus longtemps qu'il n'est
vraisemblable, « en plan fixe », pendant que se dévide le fil de ses pensées :
« Je restai comme un marbre à ce discours » (p. 26) / « Cependant monsieur,
surpris de ce que je ne lui disais rien (. . .) me demanda à quoi je pensais »
(p. 28).

On aura déjà remarqué combien les interférences sont nombreuses entre
le temps vécu par Jacob et le temps de Jacob se souvenant. C'est là précisément l'effet de « double registre » si bien analysé par Jean Rousset.[13] Dans
la durée que vit le narrateur, il lui est aisé de réorganiser ses souvenirs d'une
manière plus cohérente qu'il ne les a enregistrés au hasard de l'événement.
Son intervention dans le champ de son propre passé lui permet, au fil du récit,
de retourner plusieurs fois en arrière ou d'évoquer au contraire des faits à
venir. Lorsque ces faits se situent entre l'interruption des aventures de Jacob
et le début du récit qui en est donné, ils constituent justement ces « pierres
d'attente » dont je parlais plus haut.

Mais il arrive que le plan du souvenir et celui de la narration se super-
posent idéalement. Le temps du récit est alors le présent, et il n'y aurait rien
à en dire, s'il ne s'agissait que d'un artifice de présentation somme toute banal.
Sans doute Marivaux emploie-t-il le plus souvent le présent de narration
comme les historiens et les romanciers l'ont toujours fait : pour actualiser
leur récit et lui donner quelque vie. Il me paraît pourtant qu'il y a bien de la
hardiesse dans la façon dont il use, relativement à ce présent « idéal », du
passé composé et du futur. Par exemple lorsqu'il écrit (p. 83–84) : « Le tapissier est venu (. . .), nos meubles sont partis, nous avons dîné debout (. . .).
Catherine (. . .) m'a voulu battre, moi qui ressemble à ce défunt Baptiste
qu'elle m'a dit qu'elle avait tant aimé. Mlle Habert a écrit un petit billet
qu'elle a laissé sur la table pour sa sœur, et par lequel elle l'avertit que dans
sept ou huit jours elle viendra pour s'arranger avec elle ».[14] On comparera
le passage avec cet autre : «Suis-je absent, Mme de la Vallée souhaite ardemment mon retour, mais l'attend en paix ; me revoit-elle ? point de questions,

[13] *Art. Cité*, p. 61 : « Que ce soit pour interpeller le lecteur, ou ses personnages, ou
pour s'introduire lui-même comme personnage intermittent confessant ses
humeurs et ses opinions, l'auteur ne cesse de tenir ouvert le double registre du
récit et du regard sur le récit, faisant la navette de l'un à l'autre, s'unissant à
ses héros puis s'en dissociant, constatant que leur temps vécu n'est pas le même
que le sien ».

[14] Dans la langue classique, le passé composé s'emploie normalement pour un
événement qui ne remonte pas au delà de la nuit précédente. Exemple : «Je *vis*
hier — *j'ai vu* ce matin» (voir sur ce point S. Ullmann, *Style in the French Novel*,
Cambridge University Press, 1957, p. 22).

la voilà charmée, pourvu que je l'aime, et je l'aimerai. Qu'on s'imagine donc de ma part toutes les attentions possibles pour elle ; qu'on suppose entre nous le ménage le plus doux et le plus tranquille ; tel sera le nôtre » (p. 248). Il semble que ce ne soit plus le narrateur qui tourne son regard vers son passé, mais le passé lui-même qui soudain « saute » dans le champ de sa conscience. Et Jacob ressuscité efface vraiment pour un instant le parvenu vieilli.[15]

Car il ne faut pas s'y tromper : cet homme n'a pas entrepris de conter ses souvenirs à seule fin de tuer le temps ou d'édifier ses lecteurs. Il éprouve un plaisir certain à reformer l'image de ce qu'il fut. Il veut jouir, il jouit à nouveau, en les racontant, des choses qu'il a vues ou qu'il a goûtées : « Malepeste, le succulent petit dîner ! Voilà ce qu'on appelle du potage, sans parler d'un petit plat de rôt d'une finesse, d'une cuisson si parfaite » (p. 51—52). Est-ce le jeune paysan qui parle, attablé dans la cuisine de Catherine, ou le narrateur rêvant devant sa feuille blanche ? « Ah le bon pain ! dit-il ailleurs, je n'en ai jamais mangé de meilleur, de plus blanc, de plus ragoûtant » (p. 49). Le passé composé est bien ici du parvenu, à qui pourtant l'on a dû servir dans sa vie des mets autrement raffinés.[16]

Jean Rousset considère à juste titre l'interpellation du lecteur par l'auteur à la fois comme un procédé du roman burlesque — dont Marivaux a usé et abusé dans ses premières œuvres —, et comme un moyen de ménager entre les deux « registres » du passé et du présent l'espace nécessaire au mouvement de la «navette». Mais il faut bien reconnaître que ce n'est le plus souvent qu'un artifice. D'ailleurs les renvois répétés que Marivaux fait au temps de son lecteur — « Comme on le verra » (p. 12), «Je crois que ce détail n'ennuiera pas » (p. 46), «Comme on le verra dans la suite » (p. 50), «Vous me direz » (p. 54), « Vous verrez dans les suites où cela nous conduira » (p. 58), « On se rappellera » (p. 78), etc. —, ne suffisent pas, il s'en faut bien, à constituer ce futur en durée vécue. Il reste purement *grammatical* et la répétition en est plus lassante que suggestive.

Aussi bien Marivaux ne fait-il ce détour par un futur imaginaire que pour mieux surprendre son lecteur. Ce qu'il veut, c'est l'arracher à son confort

---

[15] Dans un cas au moins, il n'y a pas *projection* brusque, mais *glissement* d'un plan sur l'autre. Le mouvement est même assez lent pour être perceptible. C'est dans la seconde partie du roman, lorsque le narrateur substitue ses réflexions actuelles sur Catherine à celles que Mlle Habert lui faisait autrefois : « Elle a l'esprit rude et difficile, elle serait toujours en commerce avec ma sœur, qui est naturellement curieuse, sans compter que toutes les dévotes le sont ; elles se dédommagent des péchés qu'elles ne font pas par le plaisir de savoir les péchés des autres ; c'est toujours autant de pris ; et c'est moi qui fais cette réflexion-là, ce n'est pas Mlle Habert qui, continuant à parler de sa sœur, me dit » (p. 79).

[16] Cf. la scène où Jacob se pavane chez lui en robe de chambre, et la parenthèse jetée en travers de la description : « Laissez-moi en parler pendant qu'elle me réjouit, cela ne durera pas ; j'y serai bientôt accoutumé » (p. 250). Ce pourrait être le début d'un poème en prose intitulé « Regrets sur ma vieille robe de chambre » . . .

intellectuel et le faire entrer de gré ou de force dans la réalité du récit. Mais le simple jeu des temps n'y suffirait pas. Il le complique donc, et le renforce, d'un habile jeu de *modes* et du jeu plus habile encore des *pronoms personnels*, de manière à faire de son lecteur un tiers invisible, véritable « voyeur » au milieu des figures du roman, mieux même, à le mettre hardiment « dans la peau » de l'un ou l'autre de ses personnages. Ici les préoccupations de l'artiste et celles du moraliste se confondent. Il est même probable que le moraliste a conduit initialement la main de l'artiste à écrire des phrases comme celles-ci : « C'est une erreur, du reste, que de penser qu'une obscure naissance vous avilisse, quand c'est vous-même qui l'avouez » (p. 6) ; «quand ces gens-là viennent à se manifester, vous voyez des vertus qui sortent de dessous terre » (p. 39) ; « en de pareilles occasions, nous sommes d'abord saisis des mouvements que nous méritons d'avoir (p. 147) ; « les dévots prennent leur haine contre vous pour une preuve que vous ne valez rien » (p. 161). Le présent dont il s'agit là n'est ni celui du récit, ni celui du narrateur, ni celui du lecteur ; c'est le présent « intemporel » d'une nature toujours pareille à elle-même sous les apparences changeantes. Aussi l'expérience de l'un est-elle aisément communicable à l'autre et les sujets sont interchangeables.

Mais voici qui est mieux. Dans la scène où Jacob rencontre pour la première fois la femme de son seigneur, la commutation des personnes et l'emploi de l'imparfait font que le lecteur est en quelque sorte contraint à prendre la place du héros : « Vous ne pouviez manquer de trouver éloge ou grâce auprès d'elle (. . .). Au demeurant, amie de tout le monde, et surtout de toutes les faiblesses qu'elle pouvait vous connaître ».[17] Et lorsqu'arrive la nuit de noce que Jacob et Mlle Habert ont attendue si impatiemment, l'art de Marivaux se fait plus subtil encore. Le lecteur est engagé tour à tour à voir Mlle Habert par les yeux de Jacob et Jacob par les yeux de Mlle Habert : « Non, pour ressembler à Mlle Habert, que je ne devrais plus nommer ainsi, il ne sert de rien d'avoir le cœur le plus sensible du monde ; joignez-y de l'emportement, cela n'avance de rien encore ; mettez enfin dans le cœur d'une femme tout ce qu'il vous plaira, vous ferez d'elle quelque chose de fort vif, de fort passionné, mais vous n'en ferez point une Mlle Habert ; tout l'amour dont elle sera capable ne vous donnera point encore une juste idée de celui de ma femme » (p. 163). Six lignes plus loin les positions sont inversées : « Oh ! mariez-vous après trente ans d'une vie de cette force-là, trouvez-vous du soir au matin l'épouse d'un homme, c'est déjà beaucoup ; j'ajoute aussi d'un homme que vous aimerez d'inclination, ce qui est encore plus, et vous serez pour lors une autre Mlle Habert, et je vous réponds que qui vous épousera verra bien que j'ai raison, quand je dis que son amour n'était fait comme celui de personne » (*ibid.*). On ne saurait suggérer une scène « libertine » par des moyens plus

---

[17] P. 11. L'usage que Marivaux fait ici du pronom n'est qu'une extension de l'usage populaire, attesté par exemple dans l'expression : «maudissant les filles de Paris, qu'on vous obligeait d'épouser le pistolet sous la gorge » (p. 31).

«honnêtes », plus « décents », et surtout plus simples : *un pur jeu grammatical*.[18] Et il faut bien constater que Marivaux en a surtout joué dans les scènes
les plus osées de son roman : la présentation de Jacob à la femme de son
seigneur, la nuit de noce, la rencontre avec Mme de Fécour.[19] Il y a une
analogie frappante entre la structure grammaticale de ces parties du récit et
la structure des scènes de « voyeurisme » proprement dites, assez fréquentes
dans les comédies ou les romans de Marivaux, et en particulier dans *Le
Paysan parvenu*.[20]

On aura remarqué, dans toutes les analyses précédentes, la fréquence et la
diversité des modes de *commutation* et de *répétition*. Il y a là un fait de
structure qui mérite qu'on s'y arrête, dans une étude sur le traitement du
temps romanesque. Sans doute est-ce la conception du monde qu'avait le
moraliste qui a dans tous les cas ordonné le travail de l'écrivain. Marivaux
disait des Anciens, dans son *Spectateur* : « Ils avaient mêmes vices, mêmes
passions, mêmes ridicules, même fond d'orgueil ou d'élévation ; mais tout
cela était moins déployé, ou l'était différemment ».[21] Ce qui revient à rejeter
dos à dos les Modernes et les Anciens, à affirmer d'un côté le « progrès »
historique — mais dans le seul domaine des formes et des usages —, et de
l'autre la permanence foncière des caractères moraux de l'homme. Pourtant,
en dernière analyse, Marivaux semble avoir une conception statique, ou du
moins cyclique, de l'histoire. En bon « classique », il paraît incapable de
concevoir le devenir, le changement. L'homme n'évolue pas vraiment, la
nature n'évolue pas. Ce qui change, ce sont les apparences, les masques, les
vêtements, et le devoir de l'écrivain-moraliste, romancier, journaliste ou
dramaturge, est d'arracher un à un les voiles pour révéler l'être à lui-même.
C'est sans doute la raison pour laquelle au théâtre il n'a, comme le remarquait
déjà d'Alembert, jamais écrit qu'une seule pièce.[22]

On peut se demander justement si dans *Le Paysan parvenu* cette attention
scrupuleuse à la chronologie et cet « étagement » du temps romanesque en

---

[18] Cf. la critique de Crébillon dans la quatrième partie du roman : «Il est vrai que
(le) lecteur est homme aussi, mais c'est alors un homme en repos, qui a du goût,
qui est délicat, qui s'attend qu'on fera rire son esprit, qui veut pourtant bien
qu'on le débauche, mais honnêtement, avec des façons, et avec de la décence »
(p. 201).

[19] P. 180 : « Quand vous lui plaisiez, par exemple, cette gorge dont j'ai parlé, il
semblait qu'elle vous la présentât, c'était moins pour tenter votre cœur que
pour vous dire que vous touchiez le sien ; c'était une manière de déclaration
d'amour ». Et plus loin : « Monsieur, que ferons-nous ? vous disait-elle », etc.

[20] On pense naturellement à la scène chez la Rémy, dans la cinquième partie ;
mais il y a aussi la scène chez les demoiselles, au début de la seconde.

[21] *Spectateur français*, éd. par Bonnefon, Paris, 1921, p. 96.

[22] D'Alembert, *Eloge de Marivaux*, éd. citée, p. 221 : « On l'accuse, avec raison, de
n'avoir fait qu'une comédie en vingt façons différentes, et on a dit assez plaisamment, que si les comédiens ne jouaient que les ouvrages de Marivaux, ils
auraient l'air de ne point changer de pièces ».

trois plans qui se projettent l'un sur l'autre et interfèrent en vingt façons plus ingénieuses les unes que les autres, ne masquent pas une absence totale du sens de la durée véritable, et une certaine impuissance à concevoir un personnage *en évolution*.[23] Cette hypothèse, si elle était fondée, aurait entre autres avantages celui d'expliquer l'interruption inattendue du roman à la fin de la cinquième partie.

Il n'est pour la vérifier que de considérer non plus la structure d'ensemble de l'ouvrage, mais l'économie particulière des morceaux que le jeu des « interférences », des «projections » vers l'avant ou vers l'arrière, des « glissements », des « reflets » et autres artifices d'optique, permet de mettre en relation les uns avec les autres. On s'aperçoit en effet, en lisant avec attention *Le Paysan parvenu*, qu'un certain nombre de scènes qui se succèdent dans le temps après un intervalle plus ou moins long ont entre elles des ressemblances qui leur donnent un air de « déjà vu ». Naturellement les circonstances changent, et quelquefois les personnages. Mais l'on sent que « c'est toujours à peu près la même chose », et d'ailleurs Marivaux fait bien en sorte que nous ayons cette impression : grâce au retour des détails, et aux rapprochements que le regard même ou les réflexions du narrateur suggèrent.

L'exemple le plus typique est celui des scènes où Jacob *lorgne* les appas d'une femme: «Je n'étais pas né indifférent (. . .) ; cette dame avait de la fraîcheur et de l'embonpoint, et mes yeux lorgnaient volontiers » (p. 15) ; « j'avais jeté de fréquents regards sur la dame dévote, qui y avait pris garde, et qui m'en avait rendu quelques-uns à la sourdine » (p. 129) ; « c'étaient de belles mains et de beaux bras sous du linge uni (. . .). C'était une gorge bien faite (il ne faut pas oublier cet article-là qui est presque aussi considérable que le visage dans une femme), gorge fort blanche, fort enveloppée, mais dont l'enveloppe se dérangeait quelquefois par un geste qui en faisait apparaître la blancheur » (p. 142) ; « figurez-vous une jupe qui n'est pas tout à fait rabattue jusqu'aux pieds, qui même laisse voir un peu de la plus belle jambe du monde ; (et c'est une grande beauté qu'une belle jambe dans une femme). De ces deux pieds mignons, il y en avait un dont la mule était tombée, et qui, dans cette espèce de nudité, avait fort bonne grâce (p. 171) ; « je vis donc entrer une assez grosse femme , de taille médiocre, qui portait une des plus furieuses gorges que j'aie jamais vu » (p. 179) ; « je levais avidement les yeux sur elle ; elle était un peu moins enveloppée qu'à l'ordinaire » (p. 223). Ce sont trois femmes distinctes et les circonstances dans lesquelles Jacob les rencontre sont fort différentes. Mais son désir, son regard, et les formes qui le charment semblent à chaque fois rejouer la même «surprise

---

[23] Une remarque de d'Alembert sur la prétendue « paresse » de Marivaux me semble aller dans ce sens-là : « C'était tout au plus la paresse d'achever, et non pas de produire » (*ouvrage cité*, p. 232). Et il précise que Marivaux ayant dans le caractère un fond d'inconstance, il lui était plus aisé de courir sans cesse à de nouveaux objets que de se tenir à celui qu'il avait d'abord envisagé.

de l'amour ». La main de Mme de Ferval que Jacob baise à la page 139, qu'il baise encore page 173 et rebaise page 222 se confond sans doute plus ou moins dans son esprit avec la main de Mlle Habert (p. 98) ou celle de Mme de Fécour (p. 180) ; les yeux, les « grands yeux noirs » de l'une (p. 142) ont autant d'attrait que les « grands yeux de prude » de la seconde (p. 192) et les yeux « parlants » de la troisième (p. 168). La répétition serait sans doute lassante si le roman avait plus d'étendue, car en dépit des efforts de l'auteur pour varier les effets secondaires, la structure même de ces scènes est immuable.

Il lui arrive pourtant de tirer de cette relative faiblesse un parti très heureux, dans la quatrième partie du roman, lorsque Jacob déjà marié se retrouve seul avec Mme de la Vallée, après avoir passé la soirée avec Mme de Ferval et Mme de Fécour, et fait le plaisant avec Agathe pendant le dîner : «Je me couchai de bon cœur, parce que je l'aimais aussi ; car elle était encore aimable et d'une figure appétissante (. . .). Outre cela, j'avais l'âme remplie de tant d'images tendres, on avait agacé mon cœur de tant de manières on m'avait tant fait l'amour ce jour-là, qu'on m'avait mis en humeur d'être amoureux à mon tour » (p. 189). Pour une fois, la répétition n'est pas la contrepartie de l'*inconstance* originelle que Georges Poulet a si bien décrite, et l'interférence de plusieurs images enregistrées à des moments distincts ne se réduit pas à un vain jeu de miroirs. Pour une fois, la discontinuité des instants fait place à la continuité d'une *durée intérieure,* et soudain le héros en acquiert une profondeur, une humanité, une « réalité » que n'ont pas souvent les personnages de Marivaux.[24]

L'exemple n'est pas isolé. Il y en a au moins un autre, qui prouve que Marivaux avait eu l'intuition d'un traitement *en profondeur* de la durée, dont la structure d'ensemble de son roman ne donne que l'illusion superficielle. Entre les nombreuses scènes «harmoniques» du roman, reliées entre elles par des correspondances du type que j'analysais plus haut, on aura remarqué la scène répétée de la confrontation du jeune paysan avec de beaux messieurs qui le jugent : dans le salon du Président (p. 124 sq.),[25] dans l'allée où Jacob s'est laissé surprendre avec une épée sanglante à la main (p. 145), dans le cabinet de M. de Fécour à Versailles (p. 203), dans le chauffoir de la Comédie (p. 265). Il serait facile de montrer là aussi qu'en dépit des « variations » de

---

[24] Dans son excellente introduction au *Paysan parvenu* (Le Monde en 10/18, Paris, 1965) Robert Mauzi écrit que la « durée intérieure des personnages romanesques de Marivaux est pour beaucoup dans l'impression de réalité qu'ils nous donnent (p. 16). Mais il dit aussi que de leur conscience psychologique le romancier ne donne que « le profil ». Ce que je traduirais volontiers en disant que Marivaux recrée bien l'*illusion* de la durée intérieure, mais non cette durée même.

[25] La scène chez le Président est même double : la confrontation solennelle est précédée par une confrontation burlesque avec la domesticité de la maison. Jacob appelle cela « passer par les baguettes ».

l'auteur la structure de la scène ne change pas ; Jacob n'a pas évolué d'un moment à l'autre. Et d'ailleurs *il n'en a pas eu le temps* : « J'avais sauté trop vite », lui fait dire ingénument Marivaux. Une des variantes de la scène est pourtant tout autre chose qu'une «répétition» plus ou moins ornée. C'est celle dans laquelle Jacob est confronté chez la Rémy avec le chevalier qui l'a connu dans son village. Cet homme qui lui rappelle, avec son nom, sa véritable origine, dans une de ces circonstances où l'on est trop tenté de s'oublier, réussit à arracher Jacob à l'enivrement de l'instant, et à le faire rentrer au plus profond de lui-même : « Pour moi, je n'avais plus de contenance, et en vrai benêt je saluais cet homme à chaque mot qu'il m'adressait ; tantôt je tirais un pied, tantôt j'inclinais la tête, et ne savais plus ce que je faisais, j'étais démonté. Cette assommante époque de notre connaissance, son tutoiement, ce passage subit de l'état d'un homme en bonne fortune où il m'avait pris, à l'état de Jacob où il me remettait, tout cela m'avait renversé » (p. 226). Ici encore la *répétition* est tout autre chose qu'un procédé mécanique de superposition des images, et elle crée plus et mieux que l'illusion du temps écoulé entre la première et la seconde rencontre des deux personnages : abstraction faite du temps écoulé, oubliées toutes les circonstances, Jacob retrouve au niveau des réflexes instinctifs le sentiment de son être profond et de sa véritable durée intérieure.

Au total, *Le Paysan parvenu* est, comme seront les automates de Vaucanson, une machine très ingénieuse, parfaitement agencée pour donner l'illusion de la vie. Si l'on met à part quelques exceptions d'autant plus remarquables, Marivaux n'a pas réussi — mais le désirait-il ? — à donner à la structure de son roman et aux personnages qui l'animent une véritable *profondeur*. Les trois plans dans lesquels se déroule son récit sont agencés de façon extrêmement habile mais ce n'est en fin de compte qu'un jeu d'optique : des miroirs différemment inclinés, où les images cent fois reflétées du jeune paysan, du narrateur vieillissant et du lecteur même se confondent en un seul visage, en réalité toujours pareil à lui-même.[26] Et c'est bien ce visage de l'homme éternel qui l'intéresse, non pas les masques dont il se couvre, comme l'atteste d'ailleurs l'admirable récit du « Voyageur dans le Nouveau Monde », dans la sixième feuille du *Cabinet du philosophe*.

Il reste que le lecteur moderne est fasciné par ces *apparences*, plus peut-être que par la réalité « platonicienne » à quoi elles renvoient. Et lorsqu'on lit Marivaux après avoir lu *La Recherche du Temps perdu*, on ne peut s'empêcher de rêver à tout ce que l'auteur du *Paysan parvenu* aurait pu tirer d'une technique aussi originale et aussi moderne, s'il n'avait été tenu en lisière par une conception du monde par trop traditionnelle.

---

[26] Les miroirs jouent d'ailleurs un rôle discret mais non négligeable dans le roman : celui que Jacob tend à Geneviève (p. 24), celui qu'il tend dans un même geste à Mlle Habert (p. 103), mais surtout ces miroirs vivants que sont les *yeux*, et dans lesquels Jacob et ses belles amies ne cessent de chercher leur image reflétée.

Jacques Roger

LE DÉISME DU JEUNE DIDEROT

On connaît la rapide évolution religieuse et philosophique de Diderot entre 1745 et 1749 : déiste enthousiaste en 1745 lorsqu'il traduit et adapte l'*Essai sur le mérite et la vertu* de Shaftesbury, Diderot semble bien partager en 1749, dans la *Lettre sur les Aveugles*, l'athéisme résigné de son héros Saunderson. La vie et la pensée de Diderot pendant cette période ont été étudiées à plusieurs reprises.[1] L'influence de la pensée biologique contemporaine[2] et le rôle particulier de Buffon[3] ont été mis en évidence. Le but de la présente étude est un peu différent : nous voulons chercher comment l'évolution de Diderot était *possible*. Le passage du déisme à l'athéisme n'a rien en soi de nécessaire, et n'a jamais tenté Voltaire, par exemple. Pour Diderot, il a sûrement été facilité par les nouvelles perspectives de la biologie, mais ces facilités seraient demeurées inutiles si elles n'avaient répondu à un besoin de l'esprit.

Or les textes ne permettent pas toujours de déceler clairement ce besoin profond. Comme Desfontaines l'avait bien vu,[4] et comme Diderot l'a avoué lui-même,[5] l'auteur joue avec les idées et entrechoque volontiers les thèses contradictoires. Il ne peut faire cependant qu'il ne soit de son temps, ni que sa pensée ne pose essentiellement des rapports entre les trois personnages du drame métaphysique, Dieu, la nature et l'homme. Le caractère, simple ou équivoque, de ces rapports nous permettra peut-être de comprendre pourquoi ce déiste devint athée, et peut-être aussi pourquoi, devenu athée sans esprit de retour, il ne le fut jamais de façon enthousiaste ni systématique.

*

---

[1] Cf. Jean Pommier, *Diderot avant Vincennes* (Paris, 1939) ; Franco Venturi, *Jeunesse de Diderot* (trad. française, Paris, 1939) ; Arthur M. Wilson, *Diderot : the Testing Years* (New York, 1957).
Notons que René Etiemble a cru pouvoir nier cette évolution en montrant que Diderot est déjà athée dans les *Pensées philosophiques*. Cf. *Structure et sens des Pensées philosophiques* (*Romanische Forschungen*, LXXIV (1962), pp. 1–10). Cette étude a au moins l'intérêt de souligner les ambiguïtés de la pensée de Diderot en 1746.

[2] Cf. Aram Vartanian, *From Deist to Atheist : Diderot's Philosophical Orientation. 1746–1749* (*Diderot Studies* I (1949), pp. 46–63).

[3] Cf. Jacques Roger, *Les sciences de la vie dans la pensée française du 18ème siècle* (Paris, 1963), pp. 585–599 ; et *Diderot et Buffon en 1749* (*Diderot Studies* IV (1963), pp. 221–236.

[4] Cf. F. Venturi, *op. cit.*, pp. 68–69.

[5] « Mes pensées, ce sont mes catins » — *Neveu de Rameau* (éd. J. Fabre, Genève, 1950), p. 3.

Lorsqu'il traduit Shaftesbury, Diderot hérite à travers lui d'un déisme déjà traditionnel, pour qui l'ordre du monde est la meilleure preuve de l'existence de Dieu. « Croire que tout a été fait et ordonné, que tout est gouverné pour le *mieux* par une seule intelligence essentiellement bonne, c'est être un parfait *théiste,* » proclame l'*Essai sur le mérite et la vertu,*[6] dont l'auteur revendique ce titre de *théiste.* « La Divinité n'est-elle pas aussi clairement empreinte dans l'œil d'un Ciron que la faculté de penser dans les ouvrages du grand Newton », reprennent les *Pensées philosophiques,*[7] et le narrateur de la *Promenade du sceptique* demandera à l'athée : « Voyez-vous (..) l'éclat de ces astres ; (...) leur existence et leur ordre admirable ne nous mèneront-ils pas à la découverte de leur auteur ? ».[8]

Cette manière de prouver Dieu est très ancienne — Galien la défend déjà énergiquement — mais la pensée mécaniste du 17ème siècle lui a donné une nouvelle vigueur en rendant la nature plus concevable à l'homme. Il n'y a pas de machine sans artisan, pas d'horloge sans horloger : l'évidence de la comparaison décuple l'efficacité de l'argument. Cependant, il est clair aussi que cette nature mécanisée dépend plus étroitement de son créateur, et la controverse entre Clarke et Leibniz montre que la nature, au début du 18ème siècle, est en passe de perdre toute « efficace » ; Dieu seul agit en elle, soit actuellement, comme pour Newton ou Malebranche, soit par quelque préordination initiale. Or, à mesure que la nature perd son autonomie, elle engage davantage la responsabilité de son créateur. Heureusement, une fois passées les ivresses rationalistes du 17ème siècle, il est de plus en plus admis que l'homme ne connaît qu'une faible partie de l'univers et ne saurait donc juger du tout. L'*Essai sur le mérite et la vertu* adopte allègrement cette preuve de l'existence de Dieu par l'ignorance de la nature.[9]

La preuve de Dieu par l'ordre du monde devient ainsi clairement ce qu'elle n'a jamais cessé d'être, une pétition de principe dont il convient de retourner les termes : le monde est en ordre parce qu'il est l'œuvre de Dieu. Car il n'est pas nécessaire de connaître tout l'univers pour trouver cet ordre en défaut,[10] et Diderot n'a pas attendu 1749 pour savoir qu'il y a des monstres, des « créa-

---

[6] in *Oeuvres complètes* (éd. par J. Assézat, Paris, 1875—1877), I, 21.

[7] Pensée XX (éd. Robert Niklaus, Genève, 1950), p. 15.

[8] In *Oeuvres complètes*, I, 228.

[9] *Oeuvres Complètes*, I, 27 et note 1 (apologue du Mexicain sur un navire encalminé). Cette note est empruntée à Shaftesbury : cf. F. Venturi, *op. cit*, pp. 346—347.
Pour l'évolution des idées brièvement résumée dans ce paragraphe, nous nous permettons de renvoyer à notre ouvrage, *Les sciences de la vie dans la pensée française du 18ème siècle.*

[10] Saunderson retournera aisément l'argument fondé sur l'ignorance du tout, et l'utilisera pour nier l'ordre du monde : *Lettre sur les aveugles* (éd. Robert Niklaus, Genève, 1951), p. 43. « Combien de mondes estropiés, manqués (...) dans des espaces éloignés, où je ne touche point et où vous ne voyez pas. »

tures originellement imparfaites, estropiées entre les mains de la nature ».[11] Mais en 1745 il se garde bien d'en conclure contre l'ordre du monde : il en déduit seulement que les monstres moraux ne peuvent être allégués contre la bonté de l'espèce humaine. Nous sommes encore loin du « Voyez-moi bien, M. Holmes » de l'aveugle Saunderson.

Ce n'est cependant pas la contemplation des perfections divines qui convainc Diderot de la perfection du monde. Il n'est guère question de Dieu dans l'*Essai sur le mérite et la vertu*, et les *Pensées philosophiques* doivent faire appel aux secours de la physique expérimentale[12] pour écarter une tentation panthéiste qui reparaît, plus puissante que jamais, dans la *Promenade du sceptique*.[13] L'existence d'un créateur intelligent et bon n'est pas affirmée par un mouvement premier du cœur : dans la mesure où elle est liée à l'ordre du monde, elle en est une conséquence logique et subordonnée ou, si l'on veut, une expression transcendante. S'il est, comme ses prédécesseurs, convaincu *a priori* de l'ordre du monde, Diderot se sépare d'eux en ceci qu'il ne pose pas cet ordre *afin de* prouver Dieu.

Or, s'il ne s'intéresse que médiocrement à ce Dieu lorsqu'il n'est que « l'Etre tout-puissant dans la nature, et qu'on suppose la gouverner avec intelligence et bonté »,[14] Diderot se préoccupe de lui bien davantage lorsqu'il s'agit de ses rapports avec l'homme, et surtout quand il faut opposer l'image de ce Dieu bon au fantôme cruel imaginé par les chrétiens. Tout au long des trois premières œuvres se manifeste la même horreur à l'égard de cet « être vindicatif, colère, rancunier, sophiste (..., qui) encourage les hommes au parjure et à la trahison »,[15] ce Dieu dont « l'âme la plus droite serait tentée de souhaiter qu'il n'existât pas »,[16] ce « souverain fantasque, dont (on se flatte) vainement de captiver les bonnes grâces par (sa) persévérance à vaincre (les) épines ».[17] Ce Dieu des chrétiens est haïssable parce qu'il nie et condamne toutes les aspirations de l'homme, « comme s'il fallait cesser d'être homme pour se montrer *religieux* ».[18]

En fait, c'est l'homme qui juge la divinité, ou du moins l'idée qu'on lui en présente. Il en a le droit, car il connaît le bien et le mal avant de connaître Dieu,[19] et indépendamment de lui : « Celui qui admet un Dieu vrai, juste

---

Mais Atheos l'avait déjà retourné dans la *Promenade du sceptique* : « Vous est-il permis de conclure d'un point de l'espace à l'espace infini ?» In *Oeuv. compl.*, I, 229.

[11] *Essai sur le mérite et la vertu*, in *Oeuvres complètes*, I, 99.

[12] Pensée XVIII, p. 13.

[13] *Oeuvres complètes*, I, 234.

[14] *Essai sur le mérite et la vertu*, in *Oeuvres complètes*, I, 21.

[15] *Ibid.*, p. 47.

[16] *Pensées philosophiques*, IX, p. 7.

[17] *Promenade du sceptique*, in *Oeuvres complètes*, I, 226.

[18] *Essai sur le mérite et la vertu*. A mon frère. *Ibid.*, p. 10.

[19] *Ibid.*, pp. 49—50.

et bon, suppose une droiture et une injustice, un vrai et un faux, une bonté et une malice, indépendants de cet Etre Suprême, et par lesquels il juge qu'un Dieu doit être vrai, juste et bon ».[20] Le cœur humain, si corrompu soit-il, garde le sentiment du bien et du mal,[21] et c'est d'après lui-même que l'homme doit juger des sentiments de Dieu : « Si quelqu'ami (...) vous avait offensé, la sincérité de son retour vous laisserait-elle des sentiments de vengeance ? Point du tout. Or celui que vous adorez est-il moins bon que vous ? ».[22]

Si Dieu existe, c'est parce que l'ordre de la nature l'exige ; si ce Dieu est bon, c'est parce que l'homme est bon. Cette affirmation de la bonté de l'homme est le thème majeur de l'*Essai sur le mérite et la vertu*. C'est elle aussi qui donne sa pleine valeur à la condamnation de la religion, pudiquement baptisée superstition. Bien avant que Diderot n'écrive l'apologue du misanthrope qui inventa l'idée de Dieu pour se venger des hommes,[23] il impute à la religion, vrai péché originel de l'humanité, la responsabilité des haines et des guerres qui déchirent les sociétés,[24] et dont il détaille ainsi les causes : « L'intérêt a engendré les prêtres, les prêtres ont engendré les préjugés, les préjugés ont engendré les guerres, et les guerres dureront tant qu'il y aura des préjugés, les préjugés tant qu'il y aura des prêtres, et les prêtres tant qu'il y aura de l'intérêt à l'être ».[25] Généalogie dont la simplicité aurait fait sourire Fontenelle, mieux averti des infirmités humaines, mais qui permet à Diderot de laver l'humanité de tous les crimes racontés par l'histoire, et de maintenir que l'homme est bon. Car l'intérêt lui-même, comme toute forme de l'amour de soi, est légitime en son principe et ne devient coupable que par excès.[26]

Dire que l'homme est bon, c'est nier qu'il soit double, bien et mal, raison et passions, grâce et nature. La réhabilitation des passions qui ouvre les *Pensées philosophiques* est annoncée dans l'*Essai sur le mérite et la vertu* : « J'ai des passions, et je serais bien fâché d'en manquer : c'est très passionnément que j'aime mon Dieu, mon roi, mon pays, mes parents, mes amis, ma maîtresse et moi-même ».[27] Ce sont là des « affections naturelles, fondements de la société »,[28] bonnes, par conséquent, puisqu'elles sont naturelles, et que toute notion morale, toute « distinction de laideur et de beauté morales » vient de la nature : « si l'on nie que la chose soit dans la nature, on avouera du moins que c'est de la nature que nous tenons l'idée qu'elle y existe ».[29]

---

[20] *Ibid.*, p. 48.
[21] *Ibid.*, p. 34.
[22] *Ibid.*, p. 90, note.
[23] *Addition aux pensées philosophiques, ibid*, pp. 169—170.
[24] *Essai, A mon frère*, p. 10 ; *Essai*, p. 76.
[25] *Promenade*, p. 183.
[26] *Essai*, p. 29.
[27] *Ibid.*, p. 25, note 1.
[28] *Ibid.*, p. 38.
[29] *Ibid.*, p. 43.

Diderot dirait sans doute que la nature est bonne, et que par conséquent l'homme est bon quand il suit ses affections naturelles, qui sont la présence de la nature en lui. Mais il est permis ici encore de renverser les termes : Diderot se sent naturellement bon, bon par un élan immédiat du cœur, dans lequel la raison, cette « rivale » des passions,[30] n'a rien à voir. Il en infère la bonté du cœur, la bonté de la nature et la bonté de Dieu. C'est l'intuition morale qui sert de fondement à tout l'édifice.

Mais le plus remarquable, dans cet univers où tout est spontanément bon, c'est que la bonté n'est qu'une harmonie de rapports. Diderot reconnaît du bout des lèvres qu'une «créature parfaitement isolée» pourrait être considérée comme bonne.[31] Il accepte de présenter une distinction scolastique entre la « bonté d'être », la « bonté animale » et la « bonté raisonnée », ou « Vertu »,[32] distinction qui réserverait à l'homme une bonté volontaire inconnue aux autres êtres. Mais lorsqu'il pose sérieusement la question : « Qu'est-ce que la bonté»,[33] il répond clairement : l'adaptation harmonieuse d'un être au système dont il fait partie, adaptation de l'individu au bien de l'espèce, de l'espèce au bien de l'univers.[34] Les mouches sont bonnes, parce que « l'existence de la mouche est nécessaire à la subsistance de l'araignée ».[35] On ignore ce qu'en pensent les mouches. On sait par contre que, pour l'homme, «l'intérêt particulier de la créature est inséparable de l'intérêt général de son espèce ».[36] Or, nul besoin de « bonté raisonnée » pour découvrir cette unité et agir en conséquence : la nature y pourvoit et nous y fait tendre : «Celui-là seul mérite le nom de *vertueux*, dont toutes les *affections*, tous les *penchants*, en un mot toutes les *dispositions* d'esprit et de cœur, sont conformes au bien général de son espèce ».[37] Hormis le « monstre », « souverainement misérable » et d'ailleurs improbable,[38] tout homme mérite cette définition s'il n'est pas dénaturé par la « superstition »,[39] qui cherche à le séparer de ses semblables[40] et de lui-même[41]. On aboutit ainsi à une harmonie complète : parfaitement abandonné à la nature, l'homme sera parfaitement adapté à la société, parfaitement bon, parfaitement heureux.[42]

---

[30] *Pensées philosophiques*, I, p. 3.

[31] *Essai*, pp. 24—25.

[32] *Ibid.*, pp. 30—31, note.

[33] *Ibid.*, p. 24.

[34] *Ibid.*, pp. 24—28.

[35] *Ibid.*, p. 26.

[36] *Ibid.*, p. 66.

[37] *Ibid.*, p. 64. Souligné par nous.

[38] *Ibid.*, p. 91.

[39] *Ibid.*, pp. 45 et 76—77.

[40] *Ibid.*, p. 25, note 1. Cf. *Pensées philosophiques*, V et VI, pp. 5 et 6.

[41] *Essai*, p. 38, note 1.

[42] Cf. *ibid.*, p. 86 : Société = nature = vertu. Cf. aussi pp. 38—39 et 64—65. Pour bonheur = vertu, cf. *A mon frère*, *ibid.*, p. 10 et *Discours préliminaire*, *ibid.*, p. 12.

Quel rôle reste-t-il à Dieu dans cet ensemble ? On ne nous dit pas positivement qu'il a créé l'univers : il est « l'Etre tout puissant dans la nature, et qu'on suppose la gouverner avec intelligence et bonté ».[43] Est-il distinct de cette nature ? cela n'est pas dit. L'activité qu'on lui attribue, et qui est essentiellement de veiller au bonheur des créatures,[44] n'exige pas sa transcendance. Dans la vie morale, il joue le rôle d'une conscience supérieure, « spectateur de la conduite humaine et témoin oculaire de tout ce qui se passe dans l'univers ».[45] On nous précise que le théiste « admet (. . .) des récompenses et des châtiments à venir »,[46] et on avoue que « la créature ne peut jouir d'une félicité proportionnée à ses désirs, d'un bonheur qui la remplisse, d'un repos immuable, que dans le Sein de la Divinité ».[47] Mais, « quoi qu'il en soit de l'autre vie », Dieu est surtout le garant des récompenses actuelles de la vertu,[48] le garant de l'ordre universel. L'athée, c'est celui qui ne voit « ni bonté ni charmes dans la nature », celui qui confond « les idées de laideur et de beauté », « qui regarde l'univers même comme un modèle de désordre », « celui pour qui le tout, dénué de perfections, n'est qu'une vaste difformité ». Homme à plaindre, car « quoi de plus affligeant que de penser que l'on existe dans un éternel chaos ? qu'on fait partie d'une machine détraquée, dont on a mille désastres à craindre, et où l'on n'aperçoit rien de bon, rien de satisfaisant, rien qui n'excite le mépris, la haine et le dégoût ».[49] Diderot n'est pas cet athée-là. Il repousse « ces idées sombres et mélancoliques ».[50] Il a besoin d'admirer et d'aimer : Dieu est le nom qu'il donne à l'harmonie universelle, à ce parfait accord de l'homme avec lui-même, avec ses semblables et avec la nature, cet accord que son cœur exige et que, par conséquent, ses yeux découvrent avec enthousiasme. Dieu transcendant à la nature, car il lui donne un sens et une beauté, abolit le hasard, établit l'ordre dans l'éternité, fait en un mot de l'univers une Nature, prête à cette transfiguration qu'opèreront en elle les désirs de l'homme. Mais Dieu transcendant aussi à l'homme, car il l'unit à son espèce, et son espèce à toute la nature. Dieu sensible au cœur avant que d'être admis par l'intelligence, entité plutôt que personne, Dieu bon parce qu'il est la somme de tout ce qui est bon, le Dieu du jeune Diderot est le lieu de communion de l'homme, et la Nature, l'expansion infinie de la bonté du cœur humain.

*

La foi de Diderot rassemblait trop de confiances diverses pour être durable, et les premiers signes de dislocation apparaissent déjà dans les *Pensées*

---

[43] *Essai*, p. 21. Cependant Diderot dit en passant : « le créateur » (p. 24).
[44] *Ibid.*, pp. 23—24 et 121.
[45] *Ibid.*, p. 52. Cf. *Pensées philosophiques*, XXVI, p. 21.
[46] *Essai*, p. 60.
[47] *Ibid.*, p. 78. Tout ce passage semble bien destiné à désarmer la censure.
[48] *Ibid.*, pp. 60—61.
[49] *Ibid.*, p. 59.   [50] *Ibid.*

philosophiques. L'ordre du monde physique n'est pas contesté, et devient même, ce qu'il n'était pas encore vraiment, une preuve, au sens logique du mot, de l'existence de Dieu. Mais le raisonnement se dessèche en se resserrant, et l'argumentation de l'athée reste sans réponse.[51] Plus gravement peut-être, l'ordre moral est mis en question.[52] Cléobule, le héros de la *Promenade du sceptique,* « a vu le monde et s'en est dégoûté » :[53] le temps n'est plus, déjà, où Diderot se présentait comme un « *mondain,* et qui se fait gloire de l'être »,[54] en donnant à ce mot un sens qui n'était pas celui de Voltaire. Le philosophe de la *Promenade* est sévère pour les jeunes fous qui peuplent l'Allée des fleurs, royaume de l'infidélité et de l'hypocrisie, et son jugement ressemble à une confidence personnelle : « J'ai été cent fois dupe de ce monde avant que de le connaître et que de me méfier ; et ce n'a été qu'après une infinité de fourberies, de noirceurs, d'ingratitudes et de trahisons, que je suis revenu de la sottise si ordinaire aux honnêtes gens, de juger des autres par soi-même ».[55] Diderot n'aurait-il pas fait la même expérience, lui qui doit constater que « les âmes les plus philosophes ne se défendent pas toujours assez bien » de « quelques secrets mouvements de jalousie ».[56]

Retiré du monde, Cléobule vivait dans la nature, dont il s'était fait « un livre allégorique où il lisait mille vérités qui échappaient au reste des hommes ».[57] Vérités peu consolantes, puisqu'elles portent sur « les erreurs de l'esprit humain », « l'inconstance de nos affections », « la fragilité de nos vertus », « le mépris » de nos fausses gloires et « les misères attachées à la condition des hommes ».[58] Il est visible que la nature a cessé d'être fraternelle. Extérieure, et même étrangère, malgré des analogies trop ingénieuses, elle rappelle maintenant l'homme au sentiment de sa fragilité : du haut de la colline, Cléobule « me montrait mille fois plus d'espace au-dessus de ma tête que je n'en avais sous mes pieds, et il m'humiliait par le rapport évanouissant du point que j'occupais à l'étendue prodigieuse qui s'offrait à ma vue ».[59] Pascal aurit-il eu raison? La nature s'est éloignée de l'homme. Libre encore au déiste de regarder le ciel « avec je ne sais quels yeux d'enthousiaste » et de croire que Dieu a fait les astres pour nous ;[60] qu'importe à l'homme la perfection de l'insecte : « Belle occupation pour (Dieu), d'avoir exercé son savoir-faire sur les pieds d'une chenille ou sur l'aile d'une mouche ».[61]

---

[51] Nous ne croyons pas qu'il faille en conclure que Diderot la fait sienne : il n'aurait pas écrit ensuite la *Promenade du sceptique.*
[52] Pensée XV, p. 10.
[53] *Promenade,* p. 178.
[54] *Essai,* p. 25, note 1.
[55] *Promenade,* p. 239.
[56] *Ibid.,* p. 235.
[57] *Ibid.,* p. 180.
[58] *Ibid.,* p. 179.
[59] *Ibid.*
[60] *Ibid.,* p. 228.
[61] *Ibid.,* p. 233.

Car en même temps que la nature, Dieu s'est éloigné des hommes. Ce prince vers lequel on va sans que nul l'ait jamais vu, ce prince caché dont l'existence même est objet de discussion, n'est plus ce Dieu toujours présent à la conscience, et auquel Diderot voulait naguère qu'on réservât une place dans toute compagnie.[62] S'il existe, peut-on s'entêter à croire qu'il a créé les étoiles et les insectes à l'intention de l'homme, et ne risque-t-il pas de devenir cet « éternel géomètre » qui inspirait à Voltaire cette restriction désabusée : « mais les géomètres n'aiment point ».[63] Ou bien faut-il penser, avec le spinoziste Oribaze, « que l'être intelligent et l'être corporel sont éternels, que ces deux substances composent l'univers, et que l'univers est Dieu » ?[64] Système logiquement séduisant, mais redoutable, car l'homme y reste seul, éphémère et transitoire, devant la formidable éternité de la nature et de Dieu. Le « nuage épais » qui dérobe aux philosophes « le spectacle de la nature »[65] ne prive pas seulement le déiste d'un argument rebattu : il laisse les hommes seuls, en tête à tête avec eux-mêmes, dans leur incertitude et leur fragilité.

Ainsi sommes-nous préparés à ce qu'il y a de fondamentalement nouveau dans la *Lettre sur les Aveugles*, c'est-à-dire aux rapports que Diderot établit désormais entre l'homme et la nature. L'homme est soumis à la nature, et ses idées morales dépendent de sa conformation physique.[66] Mais l'exemple de l'aveugle du Puiseaux, et plus encore celui de Saunderson, prouvent qu'il peut triompher de la nature, compenser largement une infirmité physique par les seules forces de son intelligence. Diderot affirme ainsi l'existence d'un fait humain spécifique, que nulle divinité ne garantit, et qui suffit pourtant à constituer l'homme en puissance autonome, en face d'une nature qui l'ignore et qui nie ses valeurs propres. Mais la nature, désormais abandonnée par l'homme, a perdu le sens que l'homme seul pouvait lui donner, et que Diderot appelait Dieu. Son ordre éternel s'est évanoui, et il ne reste plus que la force anarchique de la matière : sous l'œil vide de Saunderson, la nature aussi est aveugle et sans desseins.

« Qu'avions-nous fait à Dieu ? » demande Saunderson.[67] Il est vain de faire des reproches à la nature, vain aussi de l'interroger sur un Dieu que l'homme seul exige et dont l'homme seul porte témoignage : au dernier moment, Saunderson invoquera le « Dieu de Clarke et de Newton »,[68] non le dieu des insectes ou des étoiles, car ni les étoiles ni les insectes ne sont témoins d'éternité. Ce qui reste possible entre l'homme et cette nature tou-

---

[62] *Pensées philosophiques*, XXVI, p. 21.

[63] Cité par R. Pomeau, *La religion de Voltaire* (Paris, 1956).

[64] *Promenade*, p. 234.

[65] *Ibid.*, p. 235.

[66] *Lettre* (éd. R. Niklaus, Genève, 1951), p. 12 sq.

[67] *Ibid.*, p. 43.

[68] *Ibid.*, p. 44.

jours prête à l'engloutir, c'est une sorte de communion panique, où s'émeut ce qu'il y a de moins humain en l'homme, ces forces profondes d'où jaillissent parfois le sublime et le génie.[69] Y a-t-il là source de salut ou tentation périlleuse ? Pour constituer sa civilisation, son art, sa morale, l'homme peut-il s'appuyer sur les sourdes puissances de la nature qui s'agitent en lui, ou ne doit-il compter que sur ses propres forces ? Diderot passera sa vie à réfléchir à ces questions que lui a posées, dès 1749, l'évanouissement des illusions de sa jeunesse.

---

[69] Cf. *Entretiens sur le fils naturel*, in *Oeuvres esthétiques* (éd. P. Vernière, Paris, 1959), pp. 96—97.

Fritz Schalk

ZUR FRANZÖSISCHEN KOMÖDIE DER AUFKLÄRUNG

Die französische Komödie hatte im 17. Jahrhundert eine neue Freiheit er-
worben, geistige Experimente vieler Art unternommen, ungekannte Möglichkeiten erfüllt und erschlossen. Molière hatte die Grenzen des Komischen
und Lächerlichen erweitert, in seinen Figuren eine zeitgenössische und
poetische Wirklichkeit so widergespiegelt, daß die Komödie unter Forderungen gestellt zu sein schien, denen man sich in der Spätphase der Aufklärung
nicht entziehen konnte. Molière fand jedoch in seiner Zeit weit mehr Widerspruch als Zustimmung. Einmal zog die religiöse und kirchliche Kritik scharfe
Grenzen gegen das Theater überhaupt. Nicole erschien in seiner 1659 geschriebenen, 1667 in Lüttich erschienenen Schrift *De la comédie* die Komödie
als ein mauvais plaisir qui ne vient ordinairement que d'un fonds de corruption[1] und das Theater als une des grandes marques de la corruption de ce siècle.
Und das Nein Bossuets in seinen 1694 erschienenen *Maximes et Réflexions
sur la Comédie* begriff sich nicht nur als Negation des Theaters, sondern
sogar des Lachens. Denn Christus hat zwar alle Leiden der menschlichen
Natur auf sich genommen, aber er hat nie gelacht — n'en a pas voulu prendre
le ris et la joie qui ont trop d'affinité avec la déception et l'erreur.[2] Bossuet
fügt sich damit in eine alte kirchliche, bis Rousseau lebendige Tradition[3] und
steht in einem Feld, wo vielerlei Spannungen, vielerlei Kontroversen an der
Komödie zerren.

Wenn die Kirche so stets polemisch den Raum der Komödie durchmessen
hat, so war das System der ästhetischen Neigungen der Zeit, das die Regeln
der klassischen Poetik in sich aufgenommen hat, ein System von Bindungen,
dem ungetrübte Beziehungen zur Komödie nicht gegeben waren. Boileau
gelang es nicht, die ganze Produktion Molières anzuerkennen. Unmutig sah
er den Dichter sich stets in der Farce bewegen, und La Bruyère hat das Gefühl
einer anarchischen Unterströmung in Molière nie verlassen. Er fürchtete —
wie Fénelon — jene heitere Verwegenheit der Übertreibung, die die Worte
schnell und fliegend bewegt.

Aber wieviele auch in dieses Streitgespräch über die französische Komödie
hineingezogen waren, um das Für und Wider in jener lang dauernden Auseinandersetzung zu erwägen, das Publikum und die Dichter haben die Fixierung an bestimmte Vorstellungen entweder gar nicht oder nur zum Schein

---

[1] Bibliothèque de la faculté des Lettres, Lyon, Fasc V., ed. P. Couton, Paris 1961, 51.

[2] *Reflexions et Maximes sur la comédie, Œuvres Complètes*, éd. F. Lachat, Paris
1864, XXVII, 78.

[3] S.M.M. Moffat, *Rousseau et la querelle du théâtre au XVIIIe siècle*, Paris 1930.

angenommen. Man ahmte seit langem Plautus nach, aber Terenz und Menander — Menander, den man gar nicht kannte[4] — ließen sich zusammen mit Molière repräsentieren, ineinander gewirkt durch eine Synthese von bienséance, beauté und vraisemblance. Als La Fontaine im Vorwort zu *L'Eunuque* Terenz beschreibt, da rühmt er ihn gerade wegen der vollkommenen Rückbezogenheit auf die griechischen Vorbilder: La bienséance et la médiocrité que Plaute ignorait, s'y rencontrent partout ... Aussi Térence s'est-il servi des modèles les plus parfaits que la Grèce ait jamais fournis.[5]

Aber in der Spätphase des 17. Jahrhunderts war die Komödie nicht nur durch die stets wiederkehrenden Rückgriffe auf die antike Überlieferung gekennzeichnet. Denn das auf die Antike eingeschränkte Blickfeld war längst erweitert, und es ist bezeichnend, daß Saint-Evremond in seiner Schrift *Sur nos comédies*[6] (1677) nicht nur von der französischen Komödie handelt — excepté celle de Molière où l'on trouve le vrai esprit de la comédie — sondern auch von der italienischen und englischen, während der Père Rapin das umfassende System der spanischen Komödie, das schon Rotrou, Corneille, Molière fasziniert hatte, auch in der Theorie, in der Reflexion über die Poetik, nicht übersehen wollte.[7] Die Räume aller Länder öffneten sich, und die Komödie schöpfte aus allen Zeiten und Zonen.

Während aber die Poetik der Farce nicht gerecht geworden war, haben Ende des 17. Jahrhunderts eine Reihe von Komödiendichtern, der Aufklärung präludierend — nämlich Fatouville, Robbe, Dufresny, Baron, Regnard —, mit unerschöpflichem Vergnügen die Sprachgebärden der italienischen Truppen der Commedia dell'arte, die in Frankreich Triumphe feierte, im Spiegel ihrer Stücke aufgenommen und auf ihren Ebenen weitergespielt. Die Commedia dell'arte war eine improvisierte, von Gebärden und Mimik getragene Kunst.[8] Die Vielseitigkeit, die körperliche Wendigkeit der Schauspieler zeigte sich stets aufs Neue, und ebenso zeigten sich die festen Typen[9]

---

[4] S. Marie Delcourt, *La tradition des comiques anciens en France avant Molière* (Bibliothèque de la Faculté de Philosophie et Lettres de l'Université de Liège, Fasc. LIX) Liège-Paris 1934.

[5] *Œuvres diverses*, ed. P. Clarac (La Pléiade), Paris 1948, 261.

[6] *Œuvres*, éd. P. Planhol, Paris 1927, I. 221 ff.

[7] So sagt er von Lope de Vega: il avait l'esprit trop vaste pour l'assujettir à des règles et pour lui donner des bornes, *Œuvres* (*Réflexions sur la poétique*), Amsterdam 1709, II, 200.

[8] S. G. Attinger, *L'esprit de la Commedia dell'arte dans le théâtre français* (Publications de la société du théâtre), Paris 1950; Maria de La Luz Uriba, *La Comedia del Arte* (Cuadernos del Centro de Investigaciones de literatura comparada, Universidad de Chile) Santiago de Chile 1963; *Comédie italienne et théâtre français* (Cahiers de l'association int. des études françaises, 15) Paris 1963; W. Hinck, *Das deutsche Lustspiel des 17. u. 18. Jahrh. u. die it. Komödie* (passim) Stuttgart 1965.

[9] So sagt Regnard einmal durch den Mund des Arlequin: Arlequin est toujours Arlequin, le Docteur toujours Docteur, au lieu qu'un comédien français est .. aujourd'hui César et demain Mascarille, *Les Chinois*, IV, 2, *Œuvres complètes* éd Beuchot, Paris 1854, I. 633.

der Italiener, Typen, die die äußersten Gesten und Formen wagten und in einer ständigen Metamorphose die satirische Darstellung zeitgenössischer Personen ermöglichten: Arlequin als Procureur, als Notaire, Colombine als kokette Pariserin — dazu kamen Polichinelle, Pierrot, Aurelio und viele andere von berühmten Schauspielern wie Biancolelli, Gherardi, Lolli, Tortoriti gespielte Rollen. Das Kostüm des Arlequin war das eigenartigste und das charakteristischste der italienischen Komödie von Paris. Im 17. Jahrhundert ist es aus bunten rautenförmigen Stoffteilen zusammengesetzt. Arlequin trägt eine schwarze Halbmaske, die bis zur Oberlippe reicht und eine zweite, die Kinn und Backenknochen bedeckt, einen struppigen Bart und einen kleinen Hut mit Kaninchenschwanz, der ein Zeichen seiner Feigheit sein soll. Durch die Maske unterschied sich Arlequin-Biancolelli von den Dienern der französischen Komödie. Die Maske zwang ihn, sein Spiel nicht nur auf die Ausdrucksfähigkeit des Gesichtes zu konzentrieren, sondern mit den Bewegungen des Körpers alle Gefühle auszudrücken. Die Mimik des Körpers steigerte die Wirkung. Und das Kostüm wirkte komisch — Arlequin trat als Mondkaiser auf oder als Notar oder Arzt, aber unter dem für diese Rolle passendem Gewand lugte stets die schwarze Maske hervor. Man verweist im Stück auf sie, denn die italienische Komödie scheute sich nicht, die Illusion der Theaterwirklichkeit zu durchbrechen.

Die Breitenwirkung jener Komödie über alle Länder ist uns durch Briefe, Memoiren, Skizzen, Anekdoten und vor allem durch graphisches Material bezeugt. Im Text von Fatouville vermischen sich französische Farce und italienische Einlagen. Die scharfen Grenzen zwischen Gattungen und Formen haben keine Geltung mehr, und die Variatio enthüllt sich als ein Formen- und Themenwechsel, als eine Vielfalt und Freiheit gegenüber aller Starre. Der Fortgang der Handlung mutet oft willkürlich an. Einfälle können bald sich stützen, bald sich behindern, einzelne Motive werden bald fallen gelassen, bald aufgenommen und überboten. In der scharfen Kennzeichnung der Stände — des Adels, der Juristen, Ärzte, der Finanzwelt usw. — hat Fatouville einer möglichen Entwicklung zur Fortbewegung verholfen. Vieles kannte er aus eigener Erfahrung, denn als Conseiller an der Cour des aides gehörte er zu den gens de robe, und die Verflechtungen und listigen Verdeckungen der einzelnen Berufe waren ihm nicht verborgen geblieben.

Die Komödie war zur Sittenkritik geworden, die die korrumpierten Anwälte, Schreiber, Kommissare lächerlich macht. Man merkte, daß fremde Elemente wie Gifte in einen gesunden Körper in den Leib der Gesellschaft eingedrungen waren. An solchen Komödien — kühnen Synthesen von grotesken, burlesken und satirischen Elementen — sind solche Szenen besonders bezeichnend, die in einem gefahrvollen Fluge neue Bahnen betretend, den Blick schärfen für die nunmehr herrschend gewordenen Praktiken des Rechtslebens und der Finanzwelt. Die Bedeutung zumal der Financiers war Ende des Jahrhunderts gewachsen. Der König selbst scheute sich nicht, bei dem Lyoner Großbankier Samuel Bernard Geld zu borgen. Der reiche Financier war schon in den 8oer Jahren zur lächerlichen Figur geworden. Lesage sagte Jahrzehnte später in der *Critique de la comédie de Turcaret*: Le public aime à rire aux dépens de ceux qui le font pleurer. Aber das erste Porträt eines Financiers fand sich schon in Chappuzeaus *Le riche mécontent* (1662), und die großen Szenen aus Fatouvilles *La matrone d'Ephèse ou Arlequin-Grapignan* (1682) — eine der großen Rollen Biancollelis — nämlich die Scène d'un vieux procureur und die Scène d'étude — lassen, die Wirklichkeit deutend und verdeutlichend, in grotesker Übersteigerung der Gebärden, Geldgier und Korruption als die beherrschenden Mächte erkennen. Wir finden die gleiche Thematik in Fatouvilles *Isabelle médecin* (1685), in *Colombine femme vengée* (1689), wir sehen den Typus bald in der Verkleidung des Pantalone, bald in der Gestalt von Friquet in dem Stück *Le marchand dupé* (1688). Ein geschärfter Blick zeigt, wie begehrenswert das Geld geworden ist, und wie man mit tausend Begierden sich an Erwerb und Betrug klammert. Und niemals hat Fatouville, hierin getreuer Schüler der Italiener, heitere, gelegentlich vom Sarkasmus ablenkende Einlagen — lazzi — vergessen. Die Mimik war festgehalten und überall die übertreibende Kostümierung, die ins Überlebensgroße leitet. Die Regel, das Gleichgewicht waren dieser Komödie, die die Wunder der Verwandlung auskostete und die Phantasie beschwingte, verhaßt. Aber indem sie vielen Kräften, auch solchen, die in der französischen Farce wirksam waren, Raum gab, bewies sie zugleich deren Anziehungskraft. Und sie präludierte Motiven, denen bei den späteren Komödiendichtern ein sehr breiter Boden erwachsen sollte, Motiven, die sich bei Molière noch nicht entfalten konnten, und deren Hervortreten wir dort beobachten können, wo in der Erschütterung einer Gesellschaft die allgemeinen Lebensbedingungen zerrüttet sind. In dem Maß, als die Energie der Macht nachließ, die Herrschenden selber, wie wir aus der grausamen Optik von Saint-Simon wissen,[10] Sklaven ihrer Leidenschaften geworden waren, bedeutete der zunehmende Verfall des Königtums das Freiwerden automatisch wirkender materieller Kräfte. Jetzt entdeckt die Komödie in der Flut neuer Eindrücke, neuer Typen ein bizarres System von Absurditäten. In Fatouvilles *Le Banqueroutier* (1687), in Dancourts *Les fonds perdus* (1685), *Le Chevalier à la mode* (1687), in Robbes *La Rapinière ou l'Intéressé* (1687), in Barons *L'Homme à bonnes fortunes* (1686), war — lange vor Lesages *Turcaret* (1709) — die Usurpation des Lebens durch die Finanz, durch die Hochstapelei beschrieben — in Robbes *La Rapinière*[11] liegt die Mechanik der Geschäfte, der Finanzwelt wie ein entblößtes Uhrwerk vor uns.

---

[10] S. Yves Coirault, *L'Optique de Saint-Simon*, Paris 1966, 82: Quel orgueil de l'esprit, quelle jouissance! Il suffit d'avoir de bons yeux pour que le passé, le présent et l'avenir se découvrent en un instant.

[11] Das Stück erschien unter dem Namen: Par Mr de Barquebois (Avec les vers retranchés), Paris 1683 ... Man beachte z. B. IV, 5, eine Szene, in der die Praktiken der Steuerpächter detailliert beschrieben werden.

Eine solche Betrachtung hat Molière fern gelegen. Denn sein scharfer Spott gegen Adelige oder Bourgeois hatte einen Hintergrund, von dem aus er relativiert erscheinen mußte, wirklich zwar, aber die Wirklichkeit überschreitend. Denken wir doch, wenn wir von dem Molièreschen Don Juan sprechen, nicht zunächst an den libertinistischen Adeligen, nicht an den Don Juan, der im Verkehr mit Herrn Dimanche sich in Geldverlegenheiten befindet — solche Szenen konnten, wie Kierkegaard bemerkt hat, die Idealität der Gestalt gefährden —, sondern an den Don Juan, dem sein weittragender Schwung erlaubt, sich mit Alexander dem Großen zu vergleichen, mit dem Don Juan qui se sent un cœur à aimer toute la terre.

So lag der Schwerpunkt der Komödie der Frühaufklärung — von Fatouville bis zu Regnard — anderswo als bei Molière. Und doch standen beide in einem Punkte unter einem verwandten Gesetz: bei allen sind Wort und Geste ineinander verstrickt. Die Grimassen und Gesten des sterbenden Argan im *Malade imaginaire*, die Verzweiflung Harpagons im *Avare* sind in eine Höhe gesteigert, die von ihrem Wesen soviel und mitunter mehr aussagt als das Wort: Scaramouche-Firorilli galt als Lehrer Molières, und Max Kommerell bemerkt mit Recht, daß die herrlichste mimische Lebendigkeit von *Monsieur de Pourceaugnac* bis auf den *Tartuffe* waltet und daß Molière die „Gnaden des Augenblicks, die mit dem Stegreifspiel kamen und schwanden, vergeistigt und verewigt hat".[12] Und sicher kannte Molière den 1622 erschienenen *Recueil général des Rencontres tabariniques avec réponses;*[13] viele Linien seiner Kunst liefen zu ihnen hin, zu ihrer Technik, in der die Wirklichkeit umgeformt und das Zeitliche in einen zeitfernen Raum gehoben werden konnte. Molières in den Stoff der Wirklichkeit ausgreifende und ihn ordnende Energie fand den bewegenden Antrieb in der Kunst der Commedia dell'arte, die er an seine Bühne anschloß. Die wirkliche Welt war durch das Medium der Commedia dell'arte widergespiegelt, weil — wie Goethe in der *Farbenlehre* bemerkt — ein mehrfach von Spiegel zu Spiegel gelenkter Lichtstrahl an Leuchtkraft zunimmt.

In den Komödien von Regnard[14] standen Mimik und Gebärde zwar nicht mehr im Mittelpunkt des Spiels, aber die Vielfalt ihrer Bestrebungen breitet sich doch in jedem Stück aus. Selbst in der Komödie *Le Joueur* (1696), die mit dem Stil des klassischen Theaters verknüpft ist, finden sich doch Szenen, die mit der Handlung in keiner unmittelbaren Verbindung stehen und in denen in neuer unverminderter Stärke die Commedia dell'arte, weiterlebt. Aber auch im *Distrait* (1697) oder in der berühmten Komödie *Démocrite* (1700) merkt man, wie in Regnards mit der antiken Komödie, mit Molière und La Bruyère vertrautem Geist die Commedia dell'arte tiefen Widerhall gefunden hat — vielleicht

---

[12] *Dichterische Welterfahrung (Betrachtung über die Commedia dell'arte)*, Frankfurt 1952, 166.

[13] S. O. Nadal, *Molière et le sens de la vie*, in: *A mesure haute*, Paris 1964, 104.

[14] S. das schöne Buch von A. Calame, *Regnard, Sa vie et son œuvre* (Publications de la faculté des Lettres d'Alger XXXVII), Paris 1960.

war es die körperliche Gegenwart des Arlequin — Misanthrope, den Bian-
colleli 1696 im Théâtre italien gespielt hat, dessen Bewußtsein er nie verloren
hat. Und die berühmte Sammlung Gherardis, deren Mitarbeiter Regnard selbst
gewesen war, prägt auch die Richtung der ausgelassenen Darstellungen in
den *Folies amoureuses* (1704): die Commedia dell'arte verstellte ihm nie den
Blick auf die antiken oder Molièreschen Stücke, sie steigerte sein Vermögen,
allseitig und beziehungsreich zu schauen. Seine Kunst war nie überdeckt
durch ein Muster. Sie entzündete sich an den italienischen Stegreiftypen, und
stets wird die nachbildende Kraft der Erinnerung an die italienischen Rollen
so deutlich wie das seltene Vermögen der kongenialen Verschmelzung literarischer und erlebter Eindrücke mit den ihn bewegenden Gedanken.

Aus solcher Verflechtung mit der Gebärde hat erst die Marivauxsche
Komödie sich allmählich gelöst. Die Handlung erwärmt sich jetzt am Wort,
an der Konversation, und dem künstlerischen Temperament des Autors entspricht es nun, manches in der Sphäre leiser Andeutung zu belassen, anderes
zu verschweigen und Leser wie Zuschauer in eine Welt geistreicher Geselligkeit zu versetzen.

Marivaux schreibt in einer Zeit, in der die Gesellschaftsordnung sich gewandelt hat. Die politische Windrichtung hatte sich geändert. Die gesell-
schaftliche Hierarchie, d. h. der König und der Hof, dessen Strahlung den
ganzen Menschen mit seinen Gedanken, Gefühlen, Willensstrebungen durch-
drang, verliert nunmehr ihre Gültigkeit. Die Kritik, eine z. Z. Ludwigs XIV.
meist verborgene Ader, in der sich politisch-freiheitliche Gedanken bewegen,
wird jetzt ans Licht gehoben. Schon in den Komödien von Dancourt[15] waren
die Kräfte der rebellischen Kritik wieder lebendig geworden; ihre verschiedenen Personen sind geeint durch das Streben nach Geld und Geschäften.
Das Geld entwickelt eine dynamische Kraft, und die einzelnen Schichten
werden Schauplatz einer tiefen geschichtlichen Wandlung. Indem der Adel
immer mehr Einfluß verliert, werden dem Aufwärtsstreben anderer Schichten
die Zügel freigegeben. Die Bürger befinden sich in steter Auflehnung gegen
Vorurteil und Hemmungen, die die Entfaltung des Einzelnen begrenzen. Der
freiheitliche Zug in den Komödien, der die neuen Typen — Spieler, Falsch-
spieler, die Geldaristokratie — visiert, zielt auf eine Emanzipation innerhalb
der vorgefundenen Ordnung.

Diese Thematik ist in Marivaux' Theater nicht mehr die herrschende. Gewiß, auch in seinem Theater werden die gesellschaftlichen Verhältnisse
beschrieben, in denen sich die verschiedene Lebensart der einzelnen Stände
nicht mehr zu einer verbindlichen und verbindenden Haltung durchdringen
kann. Die Diener wollen sich wie Frontin in Lesages *Turcaret* oder *Crispin
rival de son maître* an die Stelle ihrer Herren setzen, den Bauern — Blaise im
Héritier du village, in der *Coquette de village* — verleiht das Geld eine neue

---

[15] S. F. W. Müller, Dancourts Prologue des trois cousines, *Archiv f. d. Studium d.
Neueren Sprachen* Bd. 196 (1959) 113 ff.

Sicherheit, und sie verleugnen die Hemmungen, die für George Dandin noch mit seiner Herkunft gegeben waren.

Aber wenn sich diese dem Theater wie dem Roman und der Publizistik vertraute Thematik wie ein ziehendes Gewölk auch in Marivaux' Stücken zeigt — das Element, das als Lebensluft seine Gestalten trägt, ist ein anderes. Es ist die Muße, die Liebe, so daß selbst die Geldgeschäfte — im *Triomphe de Plutus*, in *Legs* — nicht als solche beschrieben zu sein scheinen, sondern nur, um in einen psychologischen Prozeß einbezogen zu werden. Leicht und schwebend hingesetzte Szenen — in der *Ile des Esclaves*, im *Prince travesti* — sollen nicht helfen, anspruchsvolle Forderungen vorzutragen, sondern nur feinere und reichere psychologische Nuancen einzuführen. Denn das Bürgertum wird nicht mehr unter dem Aspekt des Gegensatzes zum Adel gesehen wie im Theater des 17. Jahrhunderts, sondern es läßt sich wie selbstverständlich von den Wellen adeliger Konventionen tragen, die nun auch die seinen geworden sind. Wir stehen einer neuen Harmonie von Adel und Bürgertum gegenüber, einer neuen Gesellschaft, die der Rahmen war, in der Marivaux seine Gestalten sich bewegen läßt..

Es sind Gestalten, die immer wieder in die auf die Liebesthematik hinlaufende Perspektive gerückt sind. Marivaux wird der Psychologe der Liebe, der Eifersucht, der Überraschung, des erwachenden aufkeimenden Gefühls, der gehemmten Geständnisse. Und zwar in einer weitreichenden Analyse, die aus dem Stoff der *Serments indiscrets*, der *Surprise de l'amour*, der *Fausses confidences* ein kunstreiches Spiel von Variationen erfindet. Themen der Eroberung und Überraschung — unter den Lichtstrahlen der Psychologie des 18. Jahrhunderts beleben sie sich stets von Neuem und verlocken zum Gebrauch von Wörtern wie surprendre, égarer —, *Les égarements du cœur et de l'esprit* lautete der Titel eines der Romane von Crébillon — sentir, sensible — Wörter, die, in richtiger Mischung vereinigt, mit ihrer Faszination in immer weitere Schichten eindringen. Es ist ein Spiel im Gefüge der Gesellschaft und ihrer Konventionen, die man beherrscht, um anzuregen und aufzuregen. Mit den Themen war auch die Sphäre gegeben, die die Sprache verlangt, z. B. die bedrohte Unschuld — Lieblingsthema der Malerei und der Literatur. Eine Fee lauert auf das sinnliche Erwachen Arlequins in *Arlequin poli par l'amour*. Ein galanter Verführer umwirbt die unerfahrene Félicie und bemüht sich, sie über seine verhüllten Pläne durch eine unverfängliche Sprache zu täuschen: On peut nous marier ici, et quand nous serons époux, il faudra bien qu'ils (les parents) y consentent... Vous parlez de vertu, Félicie; les dieux me sont témoins que je suis aussi jaloux de la vôtre que vous-même.[16]

Zur Überraschung kommt die Prüfung. Doch anders als in Alarcóns *Examen de los maridos* und in der spanischen Komödie des goldenen Zeitalters wird das Wort — épreuve — in einer Sphäre verwendet, in der es die grausam gelenkte Beobachtung meint, der man sich nicht entziehen kann.

---

[16] *Théâtre complet*, éd. M. Arland (La Pléiade), Paris 1949, (Félicie) I, 9. S. 1446.

Dangereuses werden auch bei Marivaux die Liaisons. Sind es doch solche von Personen, die der Norm nur allzu gerne ausweichen, um sich in eine absichtsvoll ausgedachte Besonderheit — singularité — zu begeben. Schon Destouches hatte eine *L'homme singulier* überschriebene Komödie verfaßt. Bei Marivaux ist stets die Versuchung gegeben, vor allem die weiblichen Wesen seines Theaters in einem besonderen Wirkungskreis zu erhalten, den Akzent auf ihre singularité, extravagance, désordre de l'esprit, fantaisie, caprice zu legen und in der Charakteristik der Personen Züge zu sammeln, die ebenso sehr durch ihre Ähnlichkeit wie durch ihre Unterschiede auffallen:

> Que de grâces! et que de variété dans ces grâces! Voyez ses ajustements ... et toutes les modes les plus extravagantes: mettez les sur une femme; dès qu'elles auront touché la figure enchanteresse, c'est l'Amour et les Grâces qui l'ont habillée; c'est de l'esprit qui lui vient jusques au bout des doigts; cela n'est-il pas bien *singulier?*[17]

In solchen Formulierungen gibt sich der komische Dichter seinen Figuren und entzieht sich ihnen, weil der angestrebte Sprechton so oft variiert wird, daß er teilhaben kann an dem Leben sehr verschieden gearteter Personen.

Ein weiteres Charakteristikum, ein Strukturelement der Stücke liegt darin, daß alle Personen auf die Handlung der Liebhaber visiert sind. Bald wird ein äußerer Vorgang wesentlich, bald heben sie das Verhalten der Personen in eine komplizierte Deutung, so daß die Handlung immer auf verschiedenen Bewußtseinsebenen spielt. Im Theater, das eine doppelte Struktur aufweist, bekundet sich der Prozeß eines Spiels zwischen Einsicht und Täuschung, zwischen regard und regardé,[18] das heißt, die Umrisse, in die sich die Verstellung, das Lächerliche einfügen kann, sind so gezogen, daß die Personen, sobald sie sich nicht mehr im Widerspruch mit sich selbst befinden, auch dem Spott entrückt sind und die Rolle, die sie spielen, auch ihrem Gegensatz annähern können. Die Richtung des zu durchschreitenden Weges geht von der Wirklichkeit zur Möglichkeit. Die Personen bieten nicht den Anblick einer Fassade starrer Formen, sondern sie können sich von sich selbst distanzieren, ihre wechselnde Gestalt und das Spiel auf mehreren Ebenen entzieht sich nicht dem Zugriff des Dichters und auch nicht dem Mitdenken des Zuschauers. In den *Serments indiscrets* entschuldigt Frontin die unentschlossene Haltung seines Herrn: tout cela lui tourne la tête et la tournerait à un autre: il ne voit pas les choses comme nous, il faut le plaindre.[19]

Marivaux' Personen, die in der vornehmen Gesellschaft leben, sprechen eine Sprache, die ins Zweideutige abbiegt, und in der eine ständig wirkende erhaltene Beziehung zu einer Schein- und Maskenwelt gegeben ist. In den

---

[17] ib. *La surprise de l'amour*, 144. Zum Wortgebrauch von singulier, bizzare s. meine Arbeit Das Wort bizarr im Romanischen, in: *Exempla romanischer Wortgeschichte*, Frankfurt 1964.

[18] S. J. Rousset, Marivaux et la structure du double registre, in: *Forme et signification, Essai sur les structures littéraires de Corneille à Claudel*, Paris 1962.

[19] V, 1. l. c. 872.

Metaphern der Bühnensprache—personnage, masque, rôle, se donner la comédie[20] — kündigt sich eine Bewegtheit an, die sich nie beruhigt, denn jeder, an dem sich die Umwelt als Verstellung und Verdeckung erweist, ist auf eigene Maskierung bedacht. Kein Wunder, daß so viele der Marivauxschen Schlüsselwörter die Maske um ihren Bedeutungskern erhalten: die dramatis personæ sind so aufeinander abgestimmt, daß sie in scharfe Umrisse zu spannen sind wie Theaterfiguren. E.H.J. Green bemerkt mit Recht, daß Arlequins Worte:

> Du personnage à la personne, il y a loin comme de mon masque à mon visage, et comme de mon habit à ma peau. Vous voyez bien qu'à Paris les Comédiens ne sont pas les seuls qui jouent la comédie

als Motto über Marivaux' ganzem Werk stehen könnte.[21] Verständigen wir uns mit seinem geistreichen, ingeniösen Wesen, so ist es, als wäre uns ein Blick in eine sprachliche Landschaft gewährt, die Frieden und Gleichgewicht mit der klassischen Tradition nicht mehr herstellen kann. Deren Prinzip, der Respekt des Usus, wird in die Marivauxsche Welt nicht mehr herübergenommen, der belebende Ströme zufließen aus den Worten der Ästhetik — délicatesse, finesse, le je ne sais quoi — charakteristische Begriffe, denen man noch einen Katalog rarer Wörter anfügen könnte. Sie offenbaren alle jenen Willen zum Besonderen, zum steten Wechsel der Perspektive, das Vertrauen einer Sprache, die im indirekten Widerstand gegen alle lebt, die auf vorgedachten Geleisen sich bewegen. Die Wörter weisen auf eine Technik, die stets an Spannungen und Überraschungen entlangführt, Überraschungen, die durch unerwartete Ereignisse oder durch die Liebe ausgelöst werden können und sich wie ein Präludium zur Haupthandlung deuten lassen.

Diese Technik, die am Gegenpol klassischer Kunst entstanden ist, war ein Novum, anziehend nicht zuletzt durch den ewig laufenden Quell eines Dialogs, der von der bestehenden Lebensform, der eleganten Unterhaltung der Zeit erfüllt ist. Eine Feuerkette von Einfällen — eine Wortakrobatik, eine

---

[20] S. Ph. Koch, On Marivaux' Expression „se donner la comédie" *Romanic Review*, Bd. LVI, (1965), 22 ff.

[21] S. *Marivaux*, University of Toronto Press, 1965, 134
Ähnlich läßt M. Imbert in dem Piron gewidmeten Dialog *Poinsinet et Molière* das Licht des Spottes auf die neue Komödie fallen und Molière die Heiterkeit klassischen Theaters und das Moralisieren des neuen ironisch gegeneinander abwägen:
> Quoi, c'est là, depuis mon décès,
> Le style de la comédie!
> Un sermon dramatique amuse ma patrie!
> Qui l'auroit cru, Peuple Francois,
> Que la morale un jour dut être ta folie!
> Je l'avois mal connu; mais s'il en est ainsi,
> Je ne vis plus au temple de Mémoire,
> Mes Ouvrages sont morts aussi.

Le Jugement de Pâris, Poème en quatre Chants suivie d'œuvres mêlées, Nouvelle édition corrigée et augmentée, Paris 1774—78.

nuancierte Analyse der Gefühle, gepaart mit der Kunst dichterischer Ver-
wandlungstechnik — sie gehören zusammen als Mächte, die sich gegenseitig
stützen.

Nicht in der gleichen Bedeutungszone wie das Theater von Marivaux wird
man das von Destouches erblicken, der der englischen Überlieferung sich ver-
pflichtet hat, um sein Interesse einer neuen Form der Komödie zuzuwenden.
Die früh ausgeprägte moralisierende Tendenz der Aufklärung erfährt in
seinen Stücken eine flüchtige Widerspiegelung.[22] *Le philosophe marié* (1727),
L'Envieux (1736), *Le Glorieux* (1732) — überall fristet das Komische ein
Schattendasein. Die Handlung ist bezogen auf die moralische Besserung der
Seele, das laute Lachen ist verpönt, und alle Entsagungen sind durch den
Blick auf eine ergreifend-rührende Tugend bestimmt. Es ist, als hätten
Destouches' Jahre in England viele Elemente in ihm verlagert, als wollte er
schon — wie Nivelle de la Chaussée — den komischen Anspruch nur noch in
einer mittleren Schwebe halten. Der Zuschauer wird hineingezogen in das
Geschehen der Bühne, er identifiziert sich mit der dargestellten Person, bereit,
die Lehren in sich aufzunehmen, die das Stück vermittelt.

Indem die philanthropische Erziehungsidee im Theater sich durchsetzt,
verändert sich das Genre: die Komödie wird zur comédie larmoyante, und im
Pathos von Gefühl und Tränen werden der komischen Darstellung die Flügel
beschnitten. Jetzt zeigt, zumal in den Komödien und den sie ergänzenden
Theorien, Voltaires Empfindsamkeit einen großen Reichtum von Facetten,
und wo sie sich zu übersteigern scheint, wird ihr durch komische Szenen noch
die Waage gehalten. Der beherrschende Moment in Voltaires Theorie — so
im Vorwort zu *L'enfant prodigue* (1736) — ist zunächst ein sehr freier
Zug, sofern alle komischen Arten, die nicht langweilig, erlaubt sind. Aber
nach dem Erscheinen von Nivelle de la Chaussées *Mélanie* (1741) — einer
reinen comédie larmoyante — vollzieht sich deutlich eine Akzentverschiebung
von der Freiheit auf die stärkere Bindung an die Überlieferung. Der klassizistische Zug, der Voltaire innewohnt, wird in den später entwickelten
Theorien — in den Vorworten zu *L'Echange* (1734) und *Nanine, ou le Préjugé vaincu* (1749) — sichtbar. Im Vorwort zu *L'enfant prodigue* war
Nivelle de la Chaussée in gewissem Sinn noch freundliche Duldung gewährt,
die Vorworte zu den späteren Komödien besiegeln seine definitive Nieder-
lage und die in vielen Schriften enthaltenen Urteile Voltaires über die
comédie larmoyante sprechen eine deutliche Sprache. Nur das dezente
Lachen der comédie attendrissante scheint noch erlaubt zu sein.[23] In der

---

[22] So schildert er den homme singulier als doux, tendre et compatissant... il
regarde les hommes en pitié, sans se fâcher contre eux, *Œuvres dramatiques*,
Paris 1772, VII.

[23] Doch sei daran erinnert, daß Voltaire nicht immer nur diesem dezenten Lachen
oder Lächeln den Vorzug gab. In einem Brief an Vauvenargus (7.1.1745, *Correspondance*, ed. Bestermann, Bd. 14, 91) bemerkt er, daß man Molière die Wahl
seiner Gegenstände nicht zum Vorwurf machen dürfe: Les ridicules fins et déliés
dont vous parlez ne sont agréables que pour un petit nombre d'esprits déliés.

Tat tragen die Komödien Voltaires ihre Züge, aber in ihrer Form liegt die fortwirkende Kraft des 17. Jahrhunderts; meist kann Voltaire aus seinen Antrieben und Konflikten seine Kraft schöpfen, außerstande, sich der comédie larmoyante oder dem drame bourgeois von Diderot zu öffnen. Beide hat er als ein seinem Ideal fremdes Prinzip abgelehnt und bekämpft. Der Komödie *Nanine, ou le préjugé vaincu* gelingt es, Ernstes und Heiteres zu verbinden, ohne in Sentimentalität zu verfallen, und war damit die Grenze gegen Neuerungen gezogen, so geschah es in der Nachfolge Molières, in der Nachfolge der klassischen Zeit und Doktrin, die das Wunschbild waren, das Voltaire stets zur Seite blieb.

Auch *Le café ou L'Ecossaise* (1760), *Le droit du Seigneur* (1762) sind solche comédies attendrissantes, die, ohne sich aus dem Rahmen der klassischen Tradition zu lösen, noch als eine Mischform den Strom verbreitern, der sich aus klassischen Quellen nährt. Die in den Spuren Englands geschriebenen Stücke scheinen zwar im Einzelnen in Form und Gehalt sich der Voltaireschen Kunstanschauung zu verweigern. Aber noch in der Umformung des Prinzips der bienséance beweisen sie, daß der schützende Bannkreis klassischer ästhetischer Wertung nicht verloren war.

Diese Stücke aus der Spätphase waren um einen Mittelpunkt, um England, geordnet. Die englische Komödie hatte Voltaire schon in den *Lettres philosophiques* analysiert. Denn bei den englischen Dichtern — bei Wicharley, Vanbrugh, Congreve —, die er am meisten schätzte, fand er die Schranken der französischen Komödie hinweggeräumt; hier sah er die alltägliche Wirklichkeit ins Theater einströmen, einen freien Ton und Humor zusammentreffen. Sein Problem — ein Problem, dem er nicht gewachsen sein konnte — war es nun, die in England gesammelten Eindrücke und Erfahrungen unter die festgehaltenen klassischen Gesichtspunkte zu rücken, ohne durch solche Technik pedantisch zu wirken. Er hielt sich bei der Abfassung von *La Prude* (1747) an Wicherley, benutzte *The Relapse* von Vanbrugh als Vorbild für *L'Echange,* wieder unter englischem Einfluß schrieb er das Stück *Les Originaux* (1732) in Prosa. Das bedeutete eine Erweiterung des Gesichtskreises, eine teilweise Aufgabe der Regeln. Das englische Beispiel leuchtet an vielen Stellen durch, aber Voltaires tiefe innere Beziehungen zur klassischen Lehre konnten

---

De plus, ces ridicules si délicats ne peuvent guère fournir des personnages de théâtre. Un défaut presque imperceptible n'est guère plaisant. Il faut des ridicules plus forts. In dieselbe Richtung tendiert folgende Bemerkung des Abbé Prévost (*Journal étranger*, 1755): Malgré les défauts du théâtre italien, on reconnaît que, dans son genre même, non seulement il y a quelques bonnes pièces, mais que les caractères y sont beaucoup plus marqués que dans les nôtres. Une excessive délicatesse nous éloigne souvent du but que nous nous proposons. Nos mœurs moins forts que celles de nos voisins, rendent notre pinceau trop timide. En craignant de blesser la nature, nous n'y atteignons pas ... nos caractères dans le comique ne sont distingués que par des nuances fort légères. C'est que nos peintures comme nos sensations, manquent d'intimité et de profondeur.

nicht gefährdet werden. Sie sind nur gelockert, und in der Handlung der
Komödie *Les Originaux*, die wie ein Konglomerat aus englischen Stücken
wirkt, ist trotz aller Anpassung an eine fremde Thematik der klassizistische
Ton unverkennbar. Und nur weil traditionelle Gesichtspunkte und Einsichten
schon gegeben waren, konnte Voltaire in seiner letzten Komödie *Le dépositaire*
(1767) wieder zu Molière zurückkehren.[24] Der Zug, der ihn zur englischen
Komödie geführt hatte, war schwächer als die Macht ererbter Vorstellungen.
Voltaires Theorie und Praxis sind Anklänge und Nachklänge klassischer Lehren, Nachklänge, wie man sie auch in den zahlreichen Vorworten und Stücken
von Destouches findet. In solchen Formen erkennt man stets die Züge der Tradition, aber es sind dunkle, halbverloschene Züge. Die Waage des kritischen
Urteils neigte sich zu neuen Formen, und nicht zufällig begegnen sich in der
die Verbindung von Sprache und Pantomime fordernden Prosa und Poetik
Diderots der Geist Molières, der Commedia dell'arte und Goldonis mit einer
die traditionelle Poetik überwindenden Theorie.

Die Komödie *Est-il bon? est-il méchant?* (1781)[25] repräsentiert die geglückte
Form der neuen Komödie. Sie ist aus dem *Divertissement domestique*, aus *La
pièce et le prologue* (1770) entsprungen und auch als Parodie oder Satire
charakterisiert worden. Die Prologe, die eine modische Form der Gelegenheitsdichtung waren, erscheinen hier als etwas Negatives in parodistischem Licht.
Mußte Diderot doch stets sich geeignete Denk- und Sprachformen schaffen, da
keine der überkommenen ihn je ganz zu befriedigen vermochte. Wo er sich auch
in der einen oder andern bewegt, ist doch der Inhalt, mit dem er diese Formen
erfüllt, schon von Hause aus ein anderer. Sodann aber gewinnt die Darstellung des literarischen Lebens in den Salons, die karikierende Kennzeichnung
der Juristen eine bald ins Komische, bald ins Satirische wachsende Form.
Personen, die Diderot persönlich gekannt hat, erfahren eine Umbildung, indem sie in ein fiktives Ganzes gestellt werden — Realität und Fiktion schließen sich zur Einheit zusammen. Wenn in *Est-il bon? est-il méchant?* Motive
der Entwürfe nachklingen, so sind es doch solche, die schon lange vorbereitet
waren, und helfen, Diderots Natur durch ihre Wandlungen in ihrer Kontinui-

---

[24] S. Brief an d'Argental vom 5. 9. 1772: Les Lyonnais apparemment ne sont point
gâtés par la Chaussée, ils vont à la comédie pour rire. O Molière, Molière! le
bon temps est passé, l. c. Bd. 83, 6 und Brief an Thieriot vom 4. 4. 1769. La
pièce n'est pas dans le genre larmoyant; ce jeune homme n'a pris que Molière
pour son modèle, cela peut lui faire tort dans le beau siècle ou nous vivons,
l. c. Bd. 71,135.

[25] S. die wertvolle Ausgabe von J. Undank (*Studies in Voltaire and the Eighteenth
Century*, ed. by Th. Bestermann vol. XVI), Genève 1961. — In gewissem Sinn ist
méchant im Text ein Schlüsselwort, an dessen wechselndem Gebrauch in Diderots Werk man Diderots Stellung zum Leben ablesen kann. In den Spät-
schriften illustriert es jene eigentümliche Mischung von Philanthropie und
Skepsis, jenes ambivalente Wesen, in dem sich wie in Hardouin entgegengesetzte
Formen begegnen. S. R. Niklaus, Le méchant selon Diderot, *Saggi di letteratura
francese* (Università degli studi di Pisa, Studi di filologia moderna vol. II) 1963,
139 ff.

tät erkennen zu lassen. Das Wesen der Hauptgestalt, nämlich Hardouins, steht im Zeichen Diderots. Die auseinanderzweigende Entwicklung seines Wesens, sein Charakter, der konstituiert ist aus den ihm innewohnenden Energien und aus dem Wechselspiel, das sich unmittelbar zwischen ihnen entspinnt, seine Anschauungen weisen immer wieder auf Diderot als Ergänzung oder ideellen Brennpunkt. Hardouin bleibt innerhalb der Lebensphase Diderots, in der fiktiven Welt der Komödie finden wir wie in *Jacques le fataliste*, wie im *Paradoxe sur le comédien* Abbilder eines Lebens, die das Gesetz ihrer Bildung und Ausbildung in seiner eigenen Erfahrung und Entwicklung tragen. Das Spiel von ernst und heiter besitzt in dieser autobiographischen[26] Komödie eine belebende Macht.

Theorien über das genre sérieux, Formen desselben, waren in der zweiten Hälfte des 18. Jahrhunderts oft zu Tage gefördert worden, aber das Widerspruchsvolle, das Diderots Komödien in sich vereinigen, gleicht dem reichen Gehalt einer Quelle, die die mannigfachsten Elemente und Stoffe, die sie auf ihren verborgenen Wegen in sich aufgenommen hat, zu einem neuen Produkt von eigentümlicher und genialer Wirkung in sich vereinigt. Solch eine freie und kühne Bewegung nach allen Seiten hin war für die gesamte Produktion Diderots charakteristisch. Das Neue, mannigfach durchfärbt, durchzieht sein Werk, das nicht alle Elemente der Tradition unbemerkt liegen ließ oder eliminierte, aber durch eine zwar nicht immer konsequent behauptete, jedoch vorherrschende Haltung bestimmt war, die die Fülle von gärenden Momenten seines Wesens in sich schließen konnte. Die Komödie *Est-il bon? est-il méchant?* wirkt — wie der *Neveu de Rameau*, wie *Jacques le fataliste* — wie eine Abschiedsschrift, in der Diderot Abschied nimmt von den Gattungen des Jahrhunderts.

---

[26] S. auch das autobiographisch gemeinte *Jean Bête à la foire* von Beaumarchais, das J. Scherer, *La dramaturgie de Beaumarchais*, Paris 1954, charakterisiert.

Hans Sckommodau

VITTORIO ALFIERI UND DIE AUFKLÄRUNG

Alfieri liebte es, seine Gesinnung mit starken Worten zu bekunden. Er liebte es auch, sein dichterisches Werk energisch und eigenwillig zu kommentieren. Beide Bedürfnisse fließen oft zusammen im gleichen Bestreben, Meinung und Schaffen als Ausdruck desselben Impulses eines "libero scrittore" darzustellen. Die Kritik hat seiner Selbstinterpretation zu vertrauen und gerät dann leicht in die verwirrende Lage, das scheinbar Unzeitgemäße, eine vermeintliche Blindheit Alfieris den denkerischen Leistungen der zeitgenössischen Welt gegenüber, als eigentlichen Nerv eines doch sehr repräsentativen poetischen und essayistischen Werks erklären zu müssen.

In der *Risposta al Calsabigi* etwa äußert sich Alfieri über die Möglichkeit einer, d. h. seiner, italienischen Tragödie in der Form eines Zirkelschlusses, der geradezu die Unmöglichkeit einer solchen Tragödie darlegt: Vorläufig gebe es kein Theater in Italien. Davon geht er aus und sagt weiter: "Fatale cosa è, che per farvelo nascere si abbisogni d'un principe. Questa stessa cagione porta nella base un impedimento necessario al vero progresso di quest'arte sublime". Man wird sich auf andere Äußerungen Alfieris verwiesen fühlen, in denen die Identifikation des Herrschers mit dem „Tyrannen" deutlicher ausgesprochen wird. Und man begreift, daß Alfieri mit jenem "principe" der *Risposta* schwerlich einen Fürsten im Sinne des aufgeklärten Absolutismus meinen konnte. Erstaunlich aber ist, daß er einen Fürsten, dessen Tyrannis die "civil libertà" bei den Untertanen nicht aufkommen lassen wird, zur Voraussetzung für ein Theater macht, das diese zum echten Volk gereiften Untertanen zur Bestätigung der Bürgertugenden aufrufen soll. Unter solcher Voraussetzung ist das „wahre Theater" freilich unmöglich.

Alfieri orientierte sich in den zwei Jahrzehnten vor der französischen Revolution, in die das Schaffen seiner Reifezeit fällt, sehr programmatisch nach solchen ideologischen Vorstellungen, die das Vertrauen in den aufgeklärten Absolutismus ausschließen. Als er mit dem Zeitpunkt seiner „Erweckung"[1] zu schreiben begann, konnte er im Grunde auf die optimistische und erwartungsvolle erste Phase der italienischen Aufklärung schon zurückblicken. Es mag darum nicht allzu sehr überraschen, wenn Alfieri zu einem Themenkreis, für den sich etwa die Gruppe Pietro Verris, angeregt durch das geistige England und Frankreich, leidenschaftlich interessierte,[2] keine eindeutig positive Haltung fand. Andererseits findet sich eine Radikalisierung

[1] 1775; vgl. *Vita*, III, 15
[2] Vgl. Mario Fubini, in: *La Cultura illuministica in Italia,* Edizioni Radio Italiana, 1957, 108

der politischen Theorie, die der bei Alfieri entsprechen könnte, späterhin auch bei anderen aufgeklärten Italienern. Wenn solche Radikalisierung — bei Verri etwa, der dazu noch Staatsmann war — bereit stimmen konnte, die revolutionäre Entwicklung zu begrüßen, so veranlaßt die aus der Nähe erlebte französische Revolution Alfieri zu einem prononciert-polemischen Verdikt gegen eine Nation, der er allerdings schon immer mit leidenschaftlicher Abwehr begegnet war.

Die häufigen Diatriben Alfieris gegen Frankreich, gegen Frankreich in jeder politischen Gestalt, lassen auf ein merkwürdiges Vorurteil schließen, das dieser Dichter, der Frankreich oft als Aufenthaltsort wählte, literarisch bis zum Ärgernis kultivierte. Dieses Vorurteil präjudiziert sein Verhältnis zur Aufklärung, deren italienische Aufbruchstimmung er als zu spät Geborener offenbar nicht teilen konnte. Dieses Vorurteil motiviert die Ablehnung eines ideologischen Programms, zu dem sich ein moderner Autor des damaligen Italien schlecht mit allen Anzeichen prinzipieller Mißbilligung in Opposition begeben konnte.

Die französische Revolution bewirkte bei Alfieri den Umschlag von Abneigung aus Gründen des persönlichen Geschmacks in politischen Haß. — Das mit dem politischen Wandel verbundene Blutvergießen hätte Alfieri nicht befremden sollen. Er selbst hatte als politischer Theoretiker von "molte violenze", von "molto pianto" und "moltissimo sangue" gesprochen, die in der ersten Härtezeit einer Republik, die die Tyrannis eines Monarchen ablöst, unvermeidlich seien.[3] Und auch in der Vorstufe zum dann nicht ausgeführten Drama *Carlo I* hatte er Cromwell sagen lassen, der Sturz des Königtums sei eine "entreprise", bei der "beaucoup de sang" fließen müsse.[4] Jedoch — so muß hinzugefügt werden — legitimiert sich für Alfieri das Blutvergießen nicht durch die Beseitigung der gekrönten Person, sondern erst durch die Zerstörung des Prestiges einer Monarchie, jenes "Fantôme qui offusque la vue à bien de gens, ce nom de Roi".[4] — Den französischen Revolutionären spricht Alfieri jede politische Moral ab; ihre Revolution sei "la ignominiosa satira del sacrosanto nome di Libertà".[5]

Die Frage nach der ideologischen Konsequenz Alfieris könnte nur zur Anzweiflung jener festen Prinzipien führen, die dieser Autor stets so nachdrücklich betonte. Für Alfieri galten Überzeugungen, deren Anwendung auf die praktische Situation des Tages er sich vorbehielt — meist im Sinne des grundsätzlichen Einspruchs vorbehielt. Den Kern der Sache trifft man schwerlich mit der Unterstellung mangelnden Wirklichkeits- oder Geschichtssinnes. Alfieres Bedürfnis nach Distanz vom kulturellen Milieu ist Ausdruck einer ästhetischen Natur, die zum Paktieren mit den vorhandenen Formen nicht bereit sein wollte. Nur selten, in den Sonetten, auch in manchen Partien des *Saul* oder im *Abele*, verrät sich die Solidarität mit der poetischen Tradition;

---

[3] *Della Tirannide*, II, 8
[4] Mario Fubini, *Alfieriana*, in: Giorn. Storico, CVII, 44
[5] *Misogallo, Prosa Seconda*

und auch dann äußert sich oft genug eine Neigung, die persönliche Konzeption unter Ausschluß jeder mit dem Zeitalter sympathisierenden Stimmung zu betonen.

Die Tragödien sind nicht in d e m Sinne Werke alfierischer Erfindung, daß sie schon vorhandene Motivierungen eines identischen Stoffes ausschlössen, sondern daß sie in ganz entschiedener Weise die Protagonisten in einer bis zum Unmenschlichen überhöhten Sphäre agieren und sprechen lassen. Im *Timoleone* etwa stehen der Tyrann und der, der ihn beseitigt, auf der gleichen idealen Höhe, zu der der Zuschauer hinaufzublicken genötigt wird. Timofane, der Tyrann, bekennt im Tode:

> . . . Se impreso
> Io non avessi a far . . . la patria . . . serva, . . .
> Impreso avrei di liberarla.

Den Freiheitshelden wie den Tyrannen zeichnet also vor jedem Staatsbürger, der sich im praktischen Leben einrichtet, jenes "forte sentire" aus, das nach der *Prosa Seconda* des *Misogallo* Quelle jedes "bene buono" und auch "male buono" sein soll und die "ottimi" von den "mediocri" scheidet. — Die späten Komödien sind mitunter in einem genremäßigen Sinne wirkungsvoll (etwa *Il Divorzio*); aber hier äußert sich nun das Postulat höherer Moral im „philosophischen" Blick herab auf die Niederungen, in denen sich ein durchschnittliches Menschentum bewegt. In *L'Uno* etwa reserviert sich der Philosoph Gobria eine solipsistische „Freiheit":

> . . . da liber' uomo
> Sovra me stesso, e sotto niun di voi;

und seine Attitüde verbindet sich mit einer pessimistischen Meinung vom Volk: für die Unfreien sei vielleicht die monarchische Staatsform, die in dieser Komödie in erster Linie persifliert wird, die beste:

> . . . Bastone e borsa;
> Quest'è il Codice eterno.

Einer solch hochfahrenden Konzeption des Freiheitsbegriffs wird man die Anwendbarkeit auf die politische Debatte der Aufklärung nicht einräumen wollen. Am besten nimmt man das alfierische System als Symptom einer Mythenbildung, zu der sich ein Schriftsteller mit starkem Drang nach ästhetischer Isolierung entschließt. Der "libero scrittore" schafft sich eine in ihrem Wesen utopistische ideologische Plattform, von der aus sich die Verhältnisse des Zeitalters äußerst fragwürdig, wenn nicht verächtlich ausnehmen müssen.

Von diesem Autor, der aufgrund einer „Selbstinvestitur"[6] sich zum freien Schriftsteller solcher Art stilisiert, ist nicht die Zeitkritik eines Beccaria oder

---

[6] R. Ramat, *Alfieri tragico-lirico*, Firenze 1940, S. 155: "prepotenza d'un auto-investitura"

Pietro Verri zu erwarten (die dem Adelsstand angehörten wie er). Wenn
Alfieri den italienischen Aufklärern, die Jahrzehnte vor seinem Auftreten
oder gleichzeitig mit ihm schrieben, auch nicht annähernd im Bemühen um
eindringende Analyse moderner Probleme vergleichbar ist, so war er doch
schwerlich ein verstockter Reaktionär, der sich die ideologische Bewegung der
Zeit nicht zum Bewußtsein gebracht hätte. Seine ästhetische Mythomanie
disponiert ihn aber zu einer immer bereiten Geste der Abwehr und des
Widerspruchs, in die die Beobachtungen an der umgebenden Welt mit einbezogen werden. Hinter dieser Abwehr mag sich, dem Alfieri-Leser unzugäng-
lich, eine nüanciertere praktische Erfahrung des Dichters verbergen.

Alfieri überspitzt ein Bedürfnis nach denkerischer Unabhängigkeit, das
andere Italiener seiner Epoche wie er empfanden. Seine Neigung zur Fixierung eigenwilliger Urteile hat er selbst zugegeben: Der Anblick des devoten
Metastasio vor Maria Theresia in Schönbrunn veranlaßt ihn zur bedingungs-
losen Absage an eine dem Despotismus dienende Muse: "mi esagerava
talmente il vero in astratto".[7] Zu diesem Zeitpunkt war sein ideologisches
Interesse schon geweckt: im vorangehenden *Vita*-Kapitel erzählt er von den
ersten Studien. Besonders Montesquieu wird anerkannt: "lo lessi di capo in
fondo ben due volte, con maraviglia, diletto, e forse anche con un qualche
mio utile". Doch wird gleich darauf Plutarch genannt: die Lektüre der
„Lebensbeschreibungen" läßt bei dem von der Idee moralischer Größe be-
sessenen Alfieri jedes andere Studium im Eindruck verblassen.

Montesquieu war für Alfieri, in anderer Weise wohl, ein genauso bedeuten-
der Anreger, oder gar Erwecker, wie Plutarch. Und, ganz allgemein gesagt,
es würde zu einer Verzeichnung Alfieris führen, wollte man die französischen
Anregungen, die Alfieri nicht nur in seiner Jugend empfing, als wesentliche
Motive zur Bildung seiner Ideologie und zur Fixierung seiner Konzeption
vom Drama vernachlässigen. An seiner "Oltremontaneria" läßt er keinen
Zweifel; selbst "mal succhiata",[8] hat sie ihm den Geschmack an den Verhältnissen Italiens verdorben.

Zum Zeitpunkt der ersten literarischen Koketterien[9] war Alfieri ein Jünger
Voltaires (oder in den *Giornali* ein Epigone der französischen Moralisten).
Auch nach der Erweckung war seine Ideologie nicht so gefestigt, daß ihm die
Übertragung französischer Termini nicht hätte willkommen sein können.
Und man wird auch nicht sagen können, daß Alfieri die Begriffe der Franzo-
sen stets nur in polemischer Pervertierung verwendet hätte. In der 5. Satire
Le Leggi nennt er zwar Rousseaus "volonté générale" ein "Onnivolere
insano" und spielt den rousseauschen Grundsatz gegen die eigene Idee einer
mythischen Rechtsgründung "di pochi o d'uno" aus. Doch in *Della Tirannide*
wird der Sturz des Tyrannen von der "volontà, l'opinione di tutti, o dei più",

---

[7] *Vita*, III, 8

[8] *Satira* IX — *I Viaggi*

[9] Vgl. F. Maggini, *Un vocabolario satirico*, in: Annali Alfieriani, II (1943), 285 ff.

also einer etwas zaghaften Variante der "volonté générale", erwartet. Im
gleichen Werk kehrt Montesquieus *crainte*-Motiv des despotischen Staats im
Kapitel "Della paura" wieder. Und wenn Alfieri den *patria*-Begriff im
Zusammenhang seiner piemontesischen Herkunft nicht anwenden will, und
von seinem "mal sortito nido natio" spricht,[10] so trifft er eine Unterscheidung,
die sich aus dem Artikel "Patrie" in Voltaires *Dictionnaire philosophique*
belegen läßt.

Auch das Theater Alfieris setzt seine Vertrautheit mit der französischen
Moderne voraus. Voltaires *Mérope* wird Alfieri so wenig wie Torellis oder
Maffeis Dramen zu lesen verschmäht haben. In der Stoffwahl waren für einen
dramatischen Autor des 18. Jahrhunderts die allgemeinen Linien vorgezeichnet, auch im Hinblick auf das politische Interesse der Fabel. Voltaire behandelt im 180. Kapitel des *Essai sur les mœurs* den Gewalttod Karls I. von
England und schließt mit der Betrachtung, man müsse 300 Jahre vor die
christliche Ära zurückgehen, um einen ähnlichen politischen Justizmord im
Falle des Spartanerkönigs Agis anzutreffen. In noch unsicheren Konturen
zeichnet sich Alfieris Jugendplan eines *Carlo I* ab; sein Typus der politischen
Tragödie ist hingegen im *Agide* voll ausgereift, wo der Fall des Justizmords
freilich durch das Ethos des politischen Befreiers, der sich selbst opfert, über-
strahlt wird.

Wenn sich Alfieri zu einer Tradition bekannte, so am bereitwilligsten und
oft enthusiastisch zu der italienischen. Besonders auf Machiavel beruft er sich
gern.[11] In ihm sieht er den einzigen "vero filosofo politico" der Italiener.[12]
Den Stoff zur *Congiura dei Pazzi* nimmt er aus Machiavels *Istorie Fiorentine;*
die vorgegebene Fabel mit der Einmischung Roms weckt bei dem Dichter
Betrachtungen über das italienische Schicksal und das Ausbleiben der Befreiung und Erneuerung durch einen "Tosco signor".

Anderen italienischen Autoren der Aufklärung ist die Hoffnung auf eine
Erneuerung des alten Italien nicht in gleicher Weise eine politisch-ethische
Forderung wie Alfieri. Sie betrauern wie dieser das Fehlen der politischen
Kraft, analysieren die politische und soziale Situation einzelner Gebiete, oder
sie akzeptieren ohne nationalistischen Vorbehalt das Regiment nicht-italieni-
scher aufgeklärter Fürsten. Von den Reformen können sie eine Aufwertung
der öffentlichen Moral erhoffen. — Bei Alfieri entspricht der Abneigung gegen
Frankreich eine ebenso irrationale Liebe zu Italien, durch die er zu einem
echten Patrioten wird. Gegenwärtiges Elend — "Italia . . . di delitti or
madre"[13] — schließt die Erwartung zukünftiger Größe nicht aus. Allzu bekannt sind die vertrauenden Äußerungen über die italienische "pianta uomo",

---

[10] *Vita*, IV, 1; ähnlich im *Misogallo, Documento* I
[11] Vgl. u. a. Matteo Cerini, *Machiavelli e Alfieri*, in: La Nuova Italia, IV (1933),
217 ff. u. 347 ff; und L. Russo, *Ritratti e disegni storici*, 134 ff.
[12] *Del Principe e delle lettere*, II, 9
[13] 5. Satire *Le Leggi*

gegen die die Staatsbürger nördlich der Alpen als bloße "uomiciattoli" erscheinen.[14]

Ein nationalpädagogischer Autor ist Alfieri aber auch in seinen Äußerungen sprachästhetischer Natur; und in diesem Punkte ist sein Widerspruch zum Sprachstil der italienischen Zeitgenossen äußerst bemerkenswert. In den Aufsätzen des *Caffè* etwa befleißigten sich die Autoren eines Stils sorgfältig argumentierender Darlegung, deren Brillanz in denkerischer Schärfe und unmittelbarer propagandistischer Wirkung liegt. Die oft geäußerte Abneigung gegen einen ästhetischen Formalismus der Sprache bezog sich nicht nur auf die Poesie der Arcadia und die poetischen Prätentionen der Akademien, sondern zugleich auf die florentinische Tradition in Prosa und Vers. Schon Muratori erschien[15] der literarische Toskanismus als nicht mehr zeitgemäß.

In diesem Punkte widerspricht Alfieri sehr entschieden. Die in Italien inaugurierte „philosophische" Sprache, die formalen Purismus nicht mehr als eine Qualität bewertet, möchte er als Symptom nationaler Entartung ansehen: ".... questo è il secolo che veramente balbetta, ed anche in lingua assai dubbia; che il secento delirava, il cinquecento chiacchierava, il quattrocento sgrammaticava, e il trecento diceva".[16] Die neue Schreibweise ist ein Stil plebejischer Beeinflussung: Voltaires "lepido stile".[17] Dagegen sei die Toskanität der Trecentisten der Höhepunkt freiheitlichen Schreibens. Trotz der Barbarei eines Großteils Italiens möchte sich Alfieri diese verleumdete Toskanität zum Muster nehmen und damit möglicherweise die Wirkung seines Worts in Frage stellen: "Con tutto ciò, io immobile nella persuasione del vero e del bello, antepongo assai (ed afferro ogni occasione di far tal protesta), di gran lunga antepongo di scrivere in una lingua quasi che morta e per un popolo morto, e di vedermi anche sepolto prima di morire, allo scrivere in codeste lingue sorde e mute, francese e inglese . . ."[18]

Die Frage nach Alfieris tatsächlicher Toskanität können wir mit allen Vorbehalten auf sich beruhen lassen; symptomatisch aber ist an einem solchen Satz der provokative Ton. — Ohne den typischen "Alfierismen" eine besondere Bedeutung einräumen zu wollen, läßt sich an der Modernität der alfierischen Sprache nicht zweifeln. Alfieri setzt der Sprachregelung der zeitgenössischen Aufklärer seine "possente magica arte delle parole",[19] eine eigene, keineswegs auf werbende Kraft des Worts verzichtende Sprache entgegen.

---

[14] Brief von 1792 an Teresa Regoli-Mocenni; vgl. auch das *Parere* zum *Agide* und das Schlußkapitel von *Del Principe e delle lettere*

[15] *Della perfetta poesia italiana*, ersch. 1706

[16] *Risposta al Calsabigi*

[17] *Satira VII — L'Antireligioneria*

[18] *Vita*, IV, 17

[19] Eine Formulierung, die Alfieri dem toten Francesco Gori in den Mund legt (*La Virtù sconosciuta*)

In anderer Hinsicht entsprachen Alfieris Anschauungen eher den aufklärerischen Vorstellungen von der Literatur. Der „philosophische" Schriftsteller ließ sich vom Bewußtsein einer hohen und ernsten Mission des geschriebenen Worts tragen. — Alfieri nun räumt dem literarischen Werk vor
allen anderen Künsten den Vorrang ein.[20] Er denkt an die politische Mission
des Schriftstellers, die diesen zum echten Gegenspieler des Inhabers der praktischen Gewalt im Staate macht und zu unbedingter Selbstachtung verpflichtet.[21] Der Literat ist die Instanz einer von jeder fürstlichen Protektion unabhängigen politischen Vernunft. Gäbe es einen vollkommenen Fürsten, so
wäre er kraft seiner gesetzgeberischen Mission "il primo degli scrittori tutti";
doch nur Lykurg hat diese Höhe bisher erreicht.[22]

Soweit dieses Idealbild des Schriftstellers dessen politische Verantwortung
betont, mag es dem Schriftsteller-Ethos der Aufklärer einigermaßen entsprechen. Der Radikalismus liegt im eifersüchtigen Vorbehalt absoluter Unabhängigkeit. Und der Utopismus wird evident im Postulat der idealen Identität
schriftstellerischer und herrscherlicher Aktion. Alfieris Tadel, fast Verachtung, trifft die antiken Meister der poetischen Form: Vergil ist für ihn ein
"vile liberto di Augusto". Wenn Alfieri das Schaffen solcher "eccellenti
scrittori" wie Vergil und Horaz unter einem Mäzenat beanstandet,[23] so
richtete sich die Literaturkritik vieler seiner modernistischen Zeitgenossen
gegen den Ästhetizismus der Form.

Alfieris Schriftsteller-Ideologie beruht also auf einer denkbar absolut formulierten ethischen Forderung. Wenn deren Radikalität auch überraschen
kann und sich nicht so leicht mit den gängigen Vorstellungen des 18. Jahrhunderts harmonisieren läßt, so entspricht Alfieris Bild vom "libero scrittore"
doch Gedankengängen einer Spätaufklärung, wie sie sich bei Mme de Staël
finden.[24] Bei Alfieri verbindet sich nun freilich mit dem Schriftstellerethos die
konstante Bereitschaft zu einem Zivilisations-Pessimismus, der Äußerungen
über das Zeitalter nur in polemischer Form zuläßt.

Diese Polemik richtet sich gegen die Lehrmeinungen der Aufklärung in
ihrem ganzen Umfang. Der sich im Negativen erschöpfende Charakter dieser
Zeitkritik ist oft festgestellt worden. So schrieb etwa Croce über die Satiren
Alfieris: "Sono satire, cioè negazione e non giudizio e intelligenza di costumi
ed istituti atti di ostilità e non di scambio spirituale".[25] Und Mario Fubini
meint zu Recht, Alfieri habe im zeitgenössischen Gedanken den negativen

---

[20] "E a voler provare questa primazia delle lettere, non solo sulle arti mute, che
   troppo chiara cosa ella è, ma anche su tutte le cose grandi e grandissime che
   gli uomini possono eseguire; si dimostri soltanto, che lo scrivere è la sola arte
   che basti a se medesima, e il di cui artista ritrovi tutta in se stesso la materia
   per eseguire" (*Princ. e Lettere*, II, 5)
[21] *Princ. e Lettere*, II, 7
[22] *ebda.*, II, 8
[23] *ebda.* III, 2
[24] Vgl. *Discours préliminaire* zu *De la Littérature*
[25] Quaderni della Critica, N. 7 (1947), 49

Aspekt aufspüren wollen: "Al solito, non l'apporto positivo del pensiero contemporaneo, ma il suo accento negativo lo colpisce".[26]

Alfieri hat sich in seinen literarischen Konzeptionen auf einen merkwürdig utopischen Späthumanismus festgelegt, der für die künstlerische Wirkung kein Hindernis darstellte, aber der sachlichen Diskussion moderner Fragen, zu denen er gleichzeitig sein Wort sagte, den Boden entzog. Eine praktische Zeitfremdheit ist für einen Autor, der sich „entpiemontisierte" und damit in recht ungewöhnlicher Lebensplanung auf die von den Modernen gern angefeindeten Adelsvorzüge verzichtete und der nach dem Studium vieler europäischer Länder sich zum unabhängigen Literatenleben entschloß, daraus nicht abzuleiten. Wie man das psychologische Phänomen auch bewerten will: die voraussetzungslose Existenz, die Alfieri anstrebte, disponierte ihn nicht zur Sympathie für die ideologische Avantgarde. Ein solches Bedürfnis zur Solidarität stellt sich bei ihm nicht ein. Statt dessen praktiziert er eine Askese des künstlerischen Schaffens, bei der er die Brücken zum zeitgenössischen Leben abbrechen möchte, ohne sich darum den Blick auf die Zeitverhältnisse zu versagen und diese in einem scharfen Tone zu rügen.

Umsichtigen Umgang mit seinen Argumenten kann man von einem solchen Autor nicht erwarten. Die Argumente sind Waffen in einer Auseinandersetzung, die leicht einen fiktiven Charakter annimmt. Sie haben ihren fernen Bezug zu einem vom Autor selbst statuierten System von Werten. Die Argumente können auswechselbar sein, so daß der Eindruck widersprüchlichen Denkens entsteht. — Um ein Beispiel zu nennen: Die Religionsstifter sind in *Della Tirannide*[27] im Sinne überlieferter religiöser Skepsis Helfer eines Despotismus, den Alfieri mit aller bösen Dämonie ausstatten möchte. In *Del Principe e delle lettere*[28] sind sie „sublimste Schriftsteller", weil Alfieri sie in diesem Falle auch als mögliche Begründer eines Gesetzes ansehen möchte, das die "Libertà" sanktioniert. Es erlaubt schließlich keine Rückschlüsse auf Alfieris tatsächliche religiöse Gesinnung, wenn die Religionsgründer in der 7. Satire[29] dem religionsfeindlichen Voltaire, "Disinventor, od Inventor del Nulla", gegenübergestellt werden.

Den Satiren kommt die Bedeutung zu, eine mitunter recht akut zur Kenntnis genommene Zeitwirklichkeit im idealen Kulturbild des Autors zu spiegeln. — In der 12. Satire über den Handel gesteht Alfieri diesem "Nume di questo secolo borsale" den Charakter einer halben Emanzipation von der vergangenen Welt zu:

> Figlio di mezza libertade, il sei;
> nè il niego già . . . ;

---

[26] In *La Cultura illuministica in Italia*, 248
[27] I, 8
[28] III, 5
[29] *L'Antireligioneria*

doch entscheidend ist, daß er am Ende über die Handelstransaktionen moderner Nationen den Stab bricht:

> Io tronco il nodo ...
> ... il Commercio è mestiere da vigliacco.

In der 11. Satire[30] wird der humanitären Philosophie Voltaires der Prozeß gemacht. Voltaire wird ironisch als der Apostel der "Umanitade" gefeiert. Dennoch blühe weiterhin der Soldatenhandel; und Alfieri zeigt weitere Schattenseiten des humanitären Jahrhunderts (oder die er als solche ansieht, wie etwa die Befürwortung einer Revision des Strafvollzugs), Alfieri verschmäht es, seine Gegenargumente diskursiv zu entwickeln, und schließt mit einem höhnischen letzten Vers:

> Chi tal Genia non odia, è Gallo o tondo.

Ob Alfieri Handel, Luxus, Kreditwesen bekämpft[31] oder das Bauerntum als staatserhaltend bezeichnet:[32] polemische oder im anderen Falle apologetische Äußerungen seiner Meinung lassen die Abneigung gegen neuen Reichtum[33] oder das Festhalten an den alten Werten[34] als konstante Motive seiner Ethik erkennen, ohne daß man seine Position in der zeitgenössischen Debatte klar bestimmen könnte. Seine Ablehnung merkantilistischer Thesen ist ziemlich evident; doch seine wirtschaftstheoretischen Aperçus erreichen nie die echte, aus dem genauen Studium realer Verhältnisse resultierende Unabhängigkeit und Kompetenz eines abate Galiani. Seine Gedanken scheinen den Vorstellungen der Physiokraten noch am nächsten zu stehen. Im Sinne der Zeitbewegung zuende gedacht, hätten sie zu recht extremen Folgerungen führen können. Doch eine solche Konsequenz verbietet sich bei Alfieris striktem theoretischem Antimodernismus.

Er vermeidet jeden Beitrag zeitgenössischer Theorien im Rahmen seines eigenen Systems. Indem er seine Gedankengänge jeder Aktualisierung entzieht und ihnen die Promiskuität mit dem Denken der Zeit verbietet, kultiviert er sein persönliches ethisch-politisches Reservat, in dem auch, wohl vorrangig, sich seine dichterische Imagination bewegt. Agis möchte in der Spartanertragödie das lykurgische Gesetz in neuer Reinheit einsetzen und damit die Schmach der Besitzlosigkeit durch die Ächtung des Goldes tilgen:

> ... povertà sbandisci
> In un coll'oro; ella dell'oro è figlia.[35]

---

[30] *La Filantropineria*

[31] *Satira XIII—I Debiti*

[32] *Satira IV — La Sesqui-Plebe*

[33] Vgl. *Misogallo*, Epigr. XXVI: "subitanee ricchezze, figlie del commercio"

[34] Vgl. *Satira III — La Plebe*:
"Uom tu sei; chiaro farti, il può la guerra, L'aratro stesso, anco il ben colto ingegno."

[35] *Agide*, III, 2

Und in der Komödie, die freilich den ideologischen Zeitbezug zum polemisch behandelten Thema macht, enthüllt sich die moderne Heuchelei; denn Aeacus entdeckt im Herzen von Konfucius

> Tirannia mascherata da Filantropa;[36]
> Religion da ragion sreligionata.

Und abgefunden mit der menschlichen Schwäche und damit verbundenen Neigung zum Vortäuschen einer nicht vorhandenen Moral sagt Minos: "L'impostura trionfi!"[37]

Alfieri hat aus instinktivem Unabhängigkeitsbedürfnis mit seinem Zeitalter kein Verhältnis der Solidarität finden wollen. Es mag sein, daß er eine Organisation des modernen Lebens, bei der Leitwörter wie "commercio" und "lusso" in einem positiven Sinne zur Geltung kommen konnten, in ingrimmiger Überzeugtheit abgelehnt hat. Diejenigen ideologischen Begriffe der Zeit aber, denen in erster Linie ein Verständnis im Sinne der Moral zukam, waren für seine eigene Terminologie unentbehrlich. Sein unüberwindlicher Hang zur Distanzierung, der nur zu recht seltenen Zugeständnissen bereit war, ertrug ungern die Übereinstimmung seiner Sprache mit der der Zeitgenossen. Ein modernistisches und meist vom aufklärerischen Frankreich präjudiziertes Verständnis der ideologischen Vokabeln nahm er zum Anlaß, um sein anderes Verständnis mit übermäßiger Akzentuierung der „unzeitgemäßen" Nüance seiner Moral zu betonen. Im Brief vom 20. März 1793 an Francesco Albergati Capacelli wünschte er sich deshalb eine Revision des politischen Vokabulars:

> ... il dizionario politico vuol essere rinnovato
> del tutto: tutti i nomi più sacrosanti essendo ora
> stati contaminati da tante bocche e penne servili,
> bisogna alla libertà, alla proprietà, ai diritti
> dell'uomo, alle leggi, ad ogni cosa insomma dar
> nuovi nomi, perchè siano in tutto diversi da quelle
> iniquità che vediamo operare sotto tal maschera.

---

[36] *La Finestrina*, IV, 4
[37] *ebda.*, V, 5

À PROPOS DE LA VIEILLE ROBE DE CHAMBRE

Dans son *Inventaire du Fonds Vandeul,* Herbert Dieckmann rapporte que vers 1950 il avait eu l'intention d'étudier de près le manuscrit autographe des *Regrets sur ma vieille robe de chambre* conservé à la Bibliothèque Nationale ; mais, ayant appris qu'une étude détaillée de ce manuscrit était en préparation, il avait renoncé à son projet. L'étude en question n'a jamais paru, et il faut déplorer que Dieckmann ne l'ait pas entreprise lui-même. Ce que je voudrais tenter ici, c'est un examen général, non seulement du manuscrit, mais des divers problèmes que pose ce texte célèbre-sans d'ailleurs me flatter de les résoudre ; car quelques-uns au moins présentent des difficultés singulières.[1]

Il y a d'abord le problème du texte. Johannson avait retrouvé à Saint-Pétersbourg le volume XVII des copies faites pour Catherine II ; les *Regrets* occupent dans ce volume les feuillets 246 à 253 ; suivent deux feuillets (245 et 254) d'une autre copie, 245 constituant le faux titre, 254 correspondant aux deux dernières pages du manuscrit complet. C'est ce manuscrit que nous appellerons L (Léningrad).

Johannson avait comparé L avec les imprimés successifs : D *(Collection complète des Œuvres . . de M. Diderot,* IV, 1773, pp. 319–31) qui réimprime la première édition de 1772 ; N (Naigeon, 1798, IX, pp. 423–33) ; B (Belin, 1818–19, I, pp. 34–46) ; Br (Brière, 1821–23, III, pp. 106–115) ; enfin, Assézat et Tourneux, IV, pp. 5–12. Il avait remarqué que L et N ont en commun une omission assez longue ; et il avait vu dans cette coïncidence « la preuve sans conteste que les deux textes viennent de la même source ».[2]

Dieckmann, étudiant à son tour L, cette fois par rapport avec les deux manuscrits des *Regrets* retrouvés par lui dans le Fonds Vandeul,[3] jugeait avec raison cette conclusion prématurée. Premièrement, disait-il, N et L offrent un certain nombre de divergences, de sorte que la provenance ne peut pas être aussi directe ; mais aussi, et surtout, L porte à la douzième page (feuillet 252) une correction *(celui-ci* remplacé par : *ce passager)* que Johannson donne en facsimilé, sans s'apercevoir qu'elle est de la main de Diderot ! Cette correction prouve que Diderot a vu cette copie. Or, V[1] pré-

---

[1] Le biographe de Diderot, Arthur Wilson, a bien voulu m'aider de ses suggestions. Qu'il trouve ici mon amical remerciement.

[2] *Etudes sur Denis Diderot,* Göteborg-Paris, 1927, pp. 120–21 ; 145–46 ; 151.

[3] Le premier (V[1]) est contenu dans le tome XXXIV ; il a dix-sept pages, y compris la page de garde. Le second (V[2]) se trouve parmi les morceaux détachés, no 75 ; il consiste en quatre feuillets abîmés en marge et en bas. Les cotes à la Bibliothèque Nationale sont respectivement NAF 13764 et NAF 24939.

sente les mêmes omissions et les mêmes variantes que L ; mais on y trouve, en outre, les mots corrigés par Diderot. V^1 est donc postérieur à L.[4]

Reste à considérer V^2 ; l'autographe de la Nationale (NAF 13004) où Dieckmann voit, à juste titre, une mise au net ; et la première édition de 1772. De la comparaison de ces trois textes entre eux, et avec L et N, ressortent les constatations suivantes :

1. La première édition est proche de l'autographe, mais elle s'en écarte parfois ; elle contient des fautes absurdes, mais qui semblent imputables au typographe.[5] Elle n'a pas de lacunes.

2. L en a ; non seulement celle que Johannson avait relevée aussi dans N, mais plusieurs autres. Diderot, qui a corrigé L, ne semble pas s'être aperçu de ces omissions, imputables, cette fois, aux copistes (« Vos scribes, disait Diderot à Grimm, sont enclins à sauter des mots, et même des lignes »). V^1 a les mêmes lacunes ; mais V^2 ne les a pas ; et sur d'autres points encore, V^2 est très proche de l'autographe : par exemple, là où tous les autres manuscrits, et la première édition, ont : « la surface des eaux », seuls l'autographe et V^2 ont : « la face des eaux ». Autre coïncidence : la correction de L, incorporée dans V^1 comme l'a remarqué Dieckmann, n'est pas dans V^2 ; mais elle n'est pas non plus dans l'autographe.

3. Là où ils divergent de l'autographe, L, V^1 et V^2 sont le plus souvent d'accord entre eux, et avec la première édition.

Mais à qui revient le mérite de cette première édition, parue sans nom de lieu, mais probablement en Suisse ?[6]

« J'avais, en 1772, édité sur le manuscrit les *Regrets sur ma vieille robe de chambre*, de notre plaisant Diderot » ; ainsi s'exprime Friedrich Dominicus Ring.[7] Cet Alsacien, conseiller aulique à Carlsruhe, était venu à Paris à une date indéterminée ; il affirme y avoir été en relations non seulement avec l'auteur des *Regrets*, mais avec ses « acteurs » : « J'avais connu directement et de rapport personnel les deux personnes qui y jouent un rôle, Diderot et Madame Geoffrin, ainsi que le troisième personnage, le peintre Vernet ». Cette familiarité expliquerait qu'il ait disposé d'un bon manuscrit, et bénéficié de la permission de l'auteur. Mais Ring en tire un autre avantage: c'est de pouvoir expliquer (du moins il le prétend) l'origine du morceau, qu'il expose comme suit dans son « Avis au Lecteur », signé : R.

---

[4] *Inventaire du Fonds Vandeul . . ,* p. 81.

[5] Elle fut imprimée à l'étranger, cf. *infra.*

[6] Sans doute à Bâle, d'après le filigrane.

[7] C'est à l'occasion d'une traduction allemande ridicule que Ring revendiqua ce rôle d'éditeur. V. R. Mortier, *Diderot en Allemagne,* 1954, pp. 28 et 250. Une meilleure traduction, due à Karl Spazier, devait paraître en 1799. Quant à la première édition des *Regrets* parue en France, on la doit à F. M. Leuchseuring qui les publia dans son *Journal de lecture,* tome XII, 1779, II, pp. 160—67. V. Mortier, « Le Journal de lecture et l'esprit philosophique », *Revue de Littérature comparée,* 1955, pp. 215—17.

Diderot. Regrets sur ma vieille robe de chambre (manuscrit autographe, p. 1).
(Cliché Bibliothèque Nationale)

Vernet. Tempête (d'après Fl. Ingersoll-Smouse, Joseph Vernet, peintre de marines, no 887).

Poussin. Esther devant Assuérus, gravure. (Cliché Bibliothèque Nationale)

M. Diderot ayant eu l'occasion de rendre un service signalé à Madame Geoffrin, celle-ci imagina par reconnaissance d'aller déménager un jour tous les haillons du réduit philosophique et d'y faire mettre d'autres meubles qui, quoique beaux, étaient d'une extrême simplicité, et ne sont devenus si recherchés que sous la plume poétique du *pénitent en robe de chambre d'écarlate*.[8]

Or, quand il avait inséré les *Regrets* dans la *Correspondance littéraire* du 1er février 1769, Grimm avait donné à ses abonnés une version très sensiblement différente :

> Il y a environ trois mois, écrivait-il, que M. le Prince Adam Czartoryski ayant désiré de connaître M. Diderot, je le menai dans le réduit simple, modeste et élevé du philosophe. Nous le trouvâmes paré d'une robe de chambre en ratine écarlate, neuve du jour, et comme je ne lui avais connu jusqu'alors qu'une robe de chambre de callemande, couleur de capucin, je ne pus m'empêcher de me récrier sur sa magnificence. En regardant autour de nous, nous aperçûmes un tableau de Vernet nouvellement sorti du pinceau de cet illustre artiste. Autre sujet de me récrier. Ce tableau représentait une tempête sans catastrophe funeste. Le philosophe en avait fourni le sujet au peintre, et le peintre avait fait présent du tableau au philosophe. Je représentai à celui-ci les dangers du luxe ; mon sermon fut pathétique et gai. Quelques jours après le philosophe sermonné m'envoya le morceau que vous allez lire.[9]

Les *Regrets* furent appréciés des nobles étrangers auxquels les avait communiqués Grimm : « Je lui sais bon gré, à cette jeune demoiselle de Brunswick, écrit Diderot à son ami en novembre 1769, d'avoir pris plaisir à ma *Vieille Robe de chambre*, parce que c'est un morceau que j'aime, quoiqu'un peu bavard. Mais ce bavardage est sauvé par la gaîté d'un homme qui s'amuse et qui a résolu d'écrire tant que cela l'amusera ».[10]

Mais Ring et Grimm sont en désaccord évident sur les circonstances qui ont excité la verve de Diderot. Pour Grimm, le morceau est sorti d'un échange de facéties : c'est l'amplification bouffonne d'une réplique à un « sermon ». En somme, c'est Grimm lui-même qui aurait provoqué les *Regrets*. De Madame Geoffrin, il n'est pas question, ni du déménagement qu'elle aurait clandestinement opéré chez le philosophe : une robe de chambre neuve, un tableau de Vernet, ces deux objets ont suffi comme points de départ. Selon Ring, au contraire, tout est parti de l'intervention de Madame Geoffrin ; et ce sont *tous les haillons* de Diderot qui ont été remplacés.

Qui croire ? Il y a bien, dans les *Regrets*, une allusion fugitive à Madame Geoffrin (« . . une pendule à la Geoffrin ») ; mais rien de plus. D'autre part, l'ami auquel s'adresse Diderot, à la fin des *Regrets*, est évidemment Grimm ; et le « saint prophète » qu'il invoque est « le petit prophète de Bœmischbroda ».[11]

---

[8] Je donnerai plus loin la deuxième partie de cet « Avis au lecteur », qui concerne Vernet.

[9] Je donnerai plus loin la suite de cette Introduction.

[10] *Correspondance générale de Diderot*, éd. G. Roth, IX, p. 207.

[11] Depuis la querelle des Bouffons et le pamphlet de Grimm, *Le Petit Prophète de Boemischbroda* (1753) Diderot appelle souvent son ami « prophète ».

La correspondance ne nous est ici d'aucun secours ; nulle part il n'y est fait mention de l'origine du morceau. Peut-être, en analysant son contenu, pourrons-nous éclaircir un peu les choses.

Remarquons d'abord que Grimm et Ring sont au moins d'accord sur un point. Ring, nous l'avons vu, met les lecteurs en garde contre « la plume poétique » de Diderot : les meubles apportés par Madame Geoffrin, loin d'être aussi luxueux qu'il le prétend, étaient d'une extrême simplicité. Or Grimm avait donné à ses abonnés un avertissement analogue :

> Je ne désespère pas, disait-il, qu'après avoir lu ce morceau on ne se fasse une magnifique idée de l'habitation du philosophe, et qu'on ne croie devoir la compter au nombre des curiosités de Paris et parmi ces merveilles que la richesse, le goût et la recherche se sont plu à embellir. On pourrait trouver à rabattre de la magnificence de ces idées lorsque après avoir grimpé à un quatrième étage par un escalier fort obscur, on s'attendait à voir un appartement conforme à l'esquisse du propriétaire. Cela prouve seulement comme il est aisé de se donner bon air et même grand air sur le papier.

Diderot a donc embelli le logement de la rue Taranne. On s'en doutait. Mais dans quelle mesure l'a-t-il embelli ? Est-il possible de faire le départ entre la fantaisie et la réalité ?

Lors de l'Exposition Diderot à la Bibliothèque Nationale en 1963, les organisateurs avaient tenté de « recomposer » le mobilier du philosophe ; ils avaient montré divers objets mentionnés dans les *Regrets* (Catalogue, nos 217—227 et 230—231) : chaise, table, secrétaire, pendule, etc, empruntés pour la plupart au Musée des Arts décoratifs ; et même deux robes de chambre, prêtées par la Comédie Française ! Cette reconstitution était ingénieuse, mais purement imaginaire. Est-il possible d'aller plus loin, et de retrouver tout au moins quelques éléments authentiques ?

Commençons, comme il se doit, par la nouvelle robe de chambre, *la somptueuse écarlate*. S'il faut en croire Grimm, quand il a vu pour la première fois son ami paré de cette robe, c'était vers la fin de l'année 1768 ;[12] et elle était « neuve du jour ». Or, l'année précédente, L. M. Van Loo avait exposé au Salon un portrait de Diderot où déjà on le voit dans un négligé magnifique. Diderot lui-même souligne cette magnificence, en commentant son portrait : « . . un luxe de vêtement à ruiner le pauvre littérateur si le receveur de la capitation vient à l'imposer sur sa robe de chambre . . »[13] La tentation est forte d'identifier cette robe avec celle que décrit Grimm ; la plupart des critiques (y compris, naguère, moi-même) ont cédé à cette tentation. Mais, outre la difficulté de date, une objection majeure interdit de conclure à l'identité : ni le tissu, ni la couleur, ne concordent : Grimm parle de ratine rouge ; Vernet a peint une soie verte.[14]

---

[12] « Il y a environ trois mois », écrit-il le 1er février 1769.

[13] *Salons*, éd. Seznec et Adhémar, III. pp. 66—67 ; cf fig. 5.

[14] Renseignement communiqué par la conservation du Louvre ; le portrait, malheureusement, est dans les réserves du Musée.

Aurons-nous plus de chance avec la pendule, «où l'or contraste avec le bronze » ? Diderot ici nous a mis sur la voie, en la qualifiant de « pendule à la Geoffrin ». En effet, dans les papiers de Madame Geoffrin, on a retrouvé une liste intitulée : *Prix de différentes choses dont je veux me ressouvenir ;* et dans cette liste, nous lisons : « Une pendule pareille à la mienne que j'ai donnée à D———— : 996 livres ».[15] Note doublement précieuse : non seulement elle authentifie, presque à coup sûr, un détail des *Regrets* ; mais elle semble confirmer le rôle de fée bienfaisante que prête Ring à Madame Geoffrin : sa générosité envers le philosophe n'est pas une légende.

Il y a d'autres détails que Diderot n'a pas inventés. Il parle de deux estampes d'après Poussin (remplacées l'une par un Rubens, l'autre par un Vernet) : *La Chute de la Manne dans le désert*, et *Esther devant Assuérus*. Nous savons qu'il les possédait.

> Dans le tableau du Poussin *que j'ai sous les yeux*, écrit-il dans le *Salon de 1763*, Assuérus est sur son trône ; il a l'air d'un Jupiter Olympien, tant il est simple et majestueux ; son front est couvert d'une bandelette. Il faut voir comme il est coiffé et drapé, comme sa main est naturellement posée sur sa baguette ; comme il regarde la douleur d'Esther, comme il en est pénétré... Quel groupe que celui d'Esther et des femmes qui la secourent !... Comme ces figures sont agencées ! C'est certainement une des plus belles choses que je connaisse. La belle douleur que celle d'Esther ! La noblesse et la simplicité se remarquent jusque dans le trône du monarque et l'estrade sur laquelle il est élevé. Le fond du salon est percé de niches qui font sans doute un bel effet en peinture, mais qui en font un mauvais *en gravure*, parce qu'on n'y distingue pas assez les statues qui les remplissent des personnages intéressés à la scène.[16]

Quant à la *Manne*, Diderot la décrit en détail dans son *Salon de 1767* pour illustrer sa théorie sur les masses et les groupes.[17]

Voyons maintenant les « nouveaux » tableaux, à commencer par ceux qui, paraît-il, ont remplacé ces estampes. Une *Tempête* de Vernet se trouvait effectivement dans le cabinet de travail de Diderot ; comme cette toile tient dans les *Regrets* une place particulière, nous y reviendrons en détail. Pour la *Tête de Vieillard* de Rubens, c'est sans doute un morceau que Diderot *rêvait* d'acquérir : il est question dans les *Salons* d'une tête de saint, qui paraît l'avoir frappé.[18] A-t-il acquis, comme il s'en flatte, « des esquisses de Vien ou de Machy » ? Il connaissait fort bien les deux peintres, qui exposaient régulièrement ; nous n'en savons pas davantage. Sur les «plâtres de Falconet », nous ne sommes pas mieux renseignés ; mais que le sculpteur ait donné ces deux plâtres à son ami, rien de plus vraisemblable ; l'invrai-

---

[15] Ph. de Ségur, *Le Royaume de la Rue Saint-Honoré*, appendice, p. 406.

[16] *Salons*, I, pp. 200—201 ; cf p. 124 ; *Pensées détachées sur la Peinture*, A. T. XII, p. 105 et mon article : « Le Musée de Diderot », *Gazette des Beaux-Arts*, mai 1960, p. 345 et note. V. aussi la lettre de Diderot à Voltaire, 28 novembre 1760, *Correspondance générale*, III, p. 273.

[17] *Salons*, III, p. 83.

[18] *Salons*, II, p. 90.

semblable serait que Diderot les eût remplacés, si l'on se rappelle dans quels termes il parlait du groupe de *Pygmalion* exposé en 1763 : « Voilà le morceau que j'aurais dans mon cabinet, si je me piquais d'avoir un cabinet ».[19]

En ce qui concerne les La Grenée, au contraire, nous sommes très bien informés : nous avons à la fois le témoignage du philosophe, et celui du peintre. Les deux tableaux qui sont supposés « remplir le vide entre la tablette du secrétaire et la belle tête de Rubens » sont les «deux petits pendants » mentionnés dans le *Salon de 1767* : *la Poésie* et *la Philosophie*.

> Ces deux petits tableaux m'appartiennent, et l'on prétend qu'ils sont très jolis. C'est aussi mon avis. L'un montre une femme couronnée de laurier, la tête et les regards tournés vers le ciel ; dans un accès de verve. A sa droite, un bout de cheval Pégase assez mal touché. L'autre représente une femme sérieuse, pensive, en méditation, le coude posé sur un bureau, et la tête appuyée sur sa main. Puisqu'il n'y a qu'un jugement sur ces deux morceaux, et qu'ils sont à moi, il serait dans l'ordre que j'en ignorasse ou que j'en celasse les défauts. Mais dans les arts, comme en amour, un bonheur qui n'est fondé que sur l'illusion ne saurait durer. Mes amis, faites comme moi. Voyez votre maîtresse telle qu'elle est. Voyez vos statues, vos tableaux, vos amis tels qu'ils sont. Et s'ils vous ont enchanté le premier jour, le charme durera . .
>
> Mes deux petits tableaux sont bien coloriés, surtout *la Philosophie*. Ils ne manquent pas d'expression, surtout *la Philosophie* dont les accessoires, les livres, le bureau et le reste sont encore précieusement finis. Mais le bras droit de *la Poésie* dont la main gauche est très belle . . Eh bien, ce bras droit ? . . A quelque incorrection qui me blesse ; et ceux de *la Philosophie* sont d'une servante. Et puis les deux figures, surtout celle-ci, ont un caractère domestique et commun qui ne convient guère à des natures idéales, abstraites, symboliques, qui devraient être grandes, exagérées et d'un autre monde. Une femme qui compose, n'est pas la Poésie ; une femme qui médite, n'est pas la Philosophie. Outre l'action propre de l'état, il y a la physionomie. « Et ils vous plairont toujours, ces petits tableaux ? » . . Je le crois.[20]

Or, les Goncourt ont publié un catalogue manuscrit de l'œuvre de La Grenée, dressé par l'artiste lui-même : *Etat des tableaux faits par Monsieur La Grenée*

---

[19] *Salons*, I, 245. Diderot laisse même entendre que ce chef d'œuvre, à lui seul, lui aurait suffi : « Ne vaudrait-il pas mieux sacrifier tout d'un coup ? . . Mais laissons cela. Nos amateurs sont des gens à breloques ; ils aiment mieux garnir leurs cabinets de vingt morceaux médiocres que d'en avoir un seul et beau. »

[20] *Salons*, III, p. 104. A rapprocher d'un autre passage (*ibid.*, p. 126) où Diderot raille les gens (y compris lui-même) qui s'aveuglent sur les imperfections de ce qu'ils possèdent : « C'est un mauvais rôle que celui d'ouvrir les yeux à un amant sur les défauts de sa maîtresse . . Le Comte de Creutz, notre ami, se met tous les matins à genoux devant l'*Adonis* de Taraval, et Denis Diderot, votre ami, devant une *Cléopâtre* de Madame Therbouche. Il faut en rire . . En rire, et pourquoi ? Ma *Cléopâtre* est vraiment fort belle, et je pense bien que le Comte de Creutz en dit autant de son *Adonis*. » De Madame Therbouche, Diderot avait aussi son portrait, qu'il avait pendu en face de celui de Van Loo (*ibid.*, p. 252). Mais apparemment ces tableaux n'étaient pas dans son cabinet. Il avait placé le Van Loo au-dessus du clavecin de sa fille. (*Correspondance générale*, VII, p. 174).

depuis son retour de Rome. On y lit, sous le no 124 : « *La Poésie.* Pour Diderot. 150 livres » ; et, sous le no 125 : « *La Philosophie,* pendant au précédent. Présent à Diderot ».

Un troisième La Grenée est mentionné dans les *Regrets* : « une *Magdelaine* du même artiste ». C'est évidemment le no. 117 de ce même catalogue : « *La Madeleine pleurant la mort du Sauveur.* Pour Diderot. 300 livres. »[21]

Ceci nous amène au Vernet ; et nous retrouvons nos incertitudes : non sur l'existence du tableau, qu'il est possible d'identifier ; non sur le fait, indubitable, que Diderot en était propriétaire ; mais sur la façon dont il l'avait acquis.

De nouveau, Grimm et Ring présentent des versions discordantes. Selon Grimm, nous l'avons vu, le tableau est un présent de Vernet : il aurait été offert par le peintre au philosophe (qui du reste en avait fourni le sujet : « une tempête sans catastrophe funeste »). C'est aussi ce qu'affirme Diderot.[22] Il s'extasie, dans ses dernières pages, sur la beauté de *son* Vernet, le plus précieux de tous ses biens ; il consent à renoncer à tous les autres, pourvu qu'il conserve celui-là. Il implore le Ciel de le lui laisser ; il implore son ami lui-même : « Venez voir mon Vernet ; mais ne me l'ôtez pas ! »

Toutefois, aussitôt il se reprend. Non, le luxe ne l'a pas corrompu ; il est toujours capable de générosité. Ce Vernet qu'il possède, ce Vernet qu'il chérit, il n'en est pas devenu l'esclave. Il saurait, à l'occasion, s'en priver pour faire le bonheur d'un autre :

> J'ai Laïs, mais Laïs ne m'a pas. Heureux entre ses bras, je suis prêt à la céder à celui que j'aimerai et qu'elle rendrait plus heureux. Et pour vous dire mon secret à l'oreille, cette Laïs qui se vend si cher aux autres ne m'a rien coûté.

Pourquoi, d'abord, cette comparaison du Vernet avec la courtisane antique ? C'est que Diderot s'amuse ici à citer ou plutôt à parodier Aristippe et Diogène qu'il a invoqués plus haut, et dont il parle en ces termes dans l'*Encyclopédie* :

> Aristippe ne rougit point à Egine de se montrer entre les adorateurs les plus assidus de Laïs, et il répondait aux reproches qu'on lui en faisait : *qu'il pouvait posséder Laïs sans cesser d'être philosophe, pourvu que Laïs ne le possédât pas.*

---

[21] E. et J. de Goncourt, *Portraits intimes,* éd. définitive, II, pp. 86 et 87.

[22] Il ne dit pas, ici, qu'il a fourni le sujet ; mais nous lisons dans sa lettre du 2 mai 1773 à Falconet, publiée par Dieckmann et moi-même dans le *Journal of the Warburg and Courtauld Institutes,* XV, 1952, 3–4, p. 222 :
« Vernet me dit : 'Je veux vous faire un tableau, mais je veux qu'il vous plaise ; cherchez un sujet, et vous me l'indiquerez.' Je réponds à Vernet : 'Je voudrais voir la suite d'une tempête effroyable ; les passagers sur le rivage.' ... Je cause du sujet avec l'artiste : j'en vois qui remercient la Providence du danger auquel ils ont échappé ; d'autres qui rassemblent les débris de leur fortune ; un troisième qui jure contre les éléments qui l'ont ruiné ; d'autres qui se pressent dans les bras les uns des autres ; l'artiste s'enivre de mes idées, il y joint les siennes, et il travaille pour moi ». Il s'agit bien de la *Tempête* que possédait Diderot, cf. *infra,* p. 280.

Quant à Diogène, l'austère et frugal Diogène, qui se déclarait vainqueur de la volupté, il fut accusé, lui aussi, d'avoir des relations avec Laïs : mais c'est que la courtisane, ruineuse pour les autres, se donnait à lui pour rien.[23] Est-il bien vrai que Laïs-Vernet n'ait rien coûté à Diderot ? Ring le dément dans son « Avis au lecteur » :

> Malgré ce qu'en dit M. Diderot . . on est sûr cependant qu'il obligea M. Vernet de prendre de sa part vingt-cinq louis. Ce n'est rien, mais toujours beaucoup pour une bourse philosophique. Ce n'est pas assurément la faute de l'artiste qui voulait absolument que le philosophe acceptât son tableau. Mais celui-ci voulut, disait-il, en payer au moins les couleurs, et Vernet fut obligé de céder.

Ces précisions semblent donner à la version de Ring le caractère et l'accent de la vérité ; mais elle n'est conciliable ni avec celle de Grimm, ni avec les affirmations de Diderot. Nous devrions avoir le moyen de les départager car nous possédons — comme dans le cas de La Grenée — le *Livre de vérité* où Vernet consignait les tableaux qu'il exécutait, avec le nom de leurs destinataires.[24] Or, à la date du 10 décembre 1767 il note : « J'ay reçu pour un tableau que j'ay fait *pour M. Diderot* 600 livres » ; et, en novembre 1768, il inscrit de nouveau : « J'ay reçu *de M. Diderot* 600 livres pour un tableau que je lui ay fait. » Ceci paraît indiquer 1°) que Vernet a peint deux toiles pour Diderot ; 2°) que Diderot a payé au moins la deuxième. Au lieu de résoudre le problème, le *Livre de vérité* introduit une nouvelle contradiction.

Placés devant cette difficulté, les critiques ont avancé des hypothèses. Selon Assézat, le premier tableau aurait été payé par Madame Geoffrin, qui l'aurait offert à Diderot ; le second par Diderot lui-même qui, « pour récompenser l'artiste », lui aurait commandé un pendant au premier.[25] Cette hypothèse s'accorderait avec le récit de Ring au moins sur un point : les vingt-cinq louis dont il parle correspondent tout juste à six cents livres.

Miss Ingersoll-Smouse, qui a dressé le catalogue de l'œuvre de Vernet, fait une autre supposition : il s'agit d'un seul tableau ; les deux paiements signifient simplement que Diderot a payé ce tableau en deux fois.[26] Il aurait donc versé douze cents livres. Nous voilà bien loin de cette Laïs « qui ne m'a rien coûté ».

En somme, la question n'est pas tranchée ; mais Miss Ingersoll-Smouse introduit dans le débat un élément essentiel, à savoir le tableau lui-même. La

---

[23] *Encyclopédie*, articles « Cyrénaïque » et « Cyniques » (Assézat- Tourneux, XIV, pp. 268—69 et 252—63).

[24] Ce document a été publié par L. Lagrange, *J. Vernet et la peinture au XVIIIe siecle*, 1861.

[25] L'inverse, en somme, de ce qui s'était passé pour les deux pendants de La Grenée : Diderot en ayant payé un, l'artiste lui offrit l'autre, cf. *supra*, p. 276. Nous ignorons, dans le cas des Vernet, quel aurait bien pu être « le pendant » de la *Tempête*. Nous savons seulement que Diderot avait convoité un *Clair de lune* ; cf. *Salons*, III, p. 161 : « Voilà vraiment le tableau de Vernet que je voudrais posséder. »

[26] Fl. Ingersoll-Smouse, *Joseph Vernet peintre de marines*, 1926.

toile que possédait Diderot porte, dans son catalogue, le no 886. Elle est perdue ; heureusement, il en subsiste une réplique dans une collection particulière (no 887). Il est facile de constater que cette composition coïncide avec
la description des *Regrets*. Tout y est, décor et personnages ; les rochers, le
phare et la tour à droite ; le vieil arbre déchiré par les vents ; la terrasse ; les
matelots qui s'occupent à renflouer leur navire ; le naufragé qui remercie le
Ciel, celui qui le maudit ; celui qui rassemble les restes de sa fortune ;[27]
l'époux serrant dans ses bras sa femme terrifiée ; la mère, pressant son enfant
sur son cœur ; le jeune garçon qui rattache le collier de son chien. Le seul
détail qui manque, ce sont « les habitants accourant des montagnes voisines ».

Or, cette *Tempête*, qui joue dans les *Regrets* un rôle prépondérant, nous
la retrouvons ailleurs. En tête de son manuscrit autographe, au-dessus du
titre, Diderot à écrit : « Fragment du Sallon de 1769 ». Le texte des *Regrets*
ne figure pas, en fait, dans ce *Salon* ; mais il y aurait facilement trouvé place ;
et Diderot, en l'y insérant, n'eût fait qu'appliquer, une fois de plus, un
procédé qui lui est cher. Les *Salons* précédents sont farcis d'intermèdes succu-
lents de ce genre, telle la « Satire contre le luxe à la manière de Perse », au
beau milieu du *Salon de 1767* (et les *Regrets* ne sont-ils pas, après tout, une
autre « satire contre le luxe » ?)[28] Bien mieux : dans ce même *Salon de 1767*,
Diderot a introduit après coup trois digressions, et toutes les trois, précisément, en prenant pour prétexte des tableaux de Vernet . .[29] S'il a dû renoncer
à placer les *Regrets* dans le *Salon de 1769* c'est peut-être que, cette année-là,
la consigne était à la brièveté. Grimm, alarmé par la débordante éloquence du
philosophe, lui avait prescrit d'être sobre, et de retrancher les hors d'œuvre ;
du reste, les abonnés de la *Correspondance Littéraire* connaissaient déjà les
Regrets, puisqu'ils en avaient reçu des copies en février de cette même
année.[30]

Cependant, l'inscription : « Fragment du Sallon de 1769 » n'est pas men-
songère ; car nous trouvons dans ce *Salon*, et naturellement à l'article Vernet,
un long paragraphe qui complète les dernières pages des *Regrets* et qui serait,
sans elles, inintelligible. Après avoir examiné les envois du peintre à l'Exposition, Diderot enchaîne :

> Venons à présent au tableau dont je vous ai entretenu et que je tiens de son
> amitié. La reconnaissance a eu son moment, il faut que l'équité ait le sien. Je
> persiste : le ciel, les eaux, l'arbre déchiré, les nues sont de la plus grande
> beauté, mais je ne m'en impose pas sur le reste. En dépit des attraits de la
> propriété, je ne suis pas aussi content des roches, de la terrasse et des figures.
> Les figures sont un peu colossales, je le sens, il n'y a pas assez de liaison entre
> elles, elles ne font pas masse ; peut-être le moment choisi ne le voulait-il pas.

---

[27] Sur la caisse que manie ce naufragé, on lit : J. Vernet fecit 1768. Cette date
semble indiquer que, s'il y a eu deux Vernet, il s'agit bien du second, puisque
le peintre avait été payé, la première fois, en décembre 1767.

[28] *Salons*, III, pp. 121—26.

[29] *Ibid.* pp. 136, 149, 156 ; p. 348 ; et appendice, pp. 356—58.

[30] Cf. *supra*, p. 273.

Ce sont des passagers qui s'échappent les uns après les autres d'un vaisseau qui vient d'échouer ; les matelots qui sont sur le devant pourraient être sinon plus beaux, plus agissants, du moins occupés à une fonction plus décidée. Après cela j'espère que vous m'en croirez si je vous dis que le malheureux qui ramasse les débris de ses effets et cet autre qui jette au ciel des regards furieux sont de la vigueur de Rubens. Un autre trouvera la terrasse blanchâtre, trop égale de lumière et de couleur, aux pierres une même forme carrée et le ton du bois pourri. Sans prévention, je suis sûr que le temps, en éteignant l'éclat de la terrasse, lui donnera toute la vigueur qu'on y désire à présent. Je ne puis souscrire à la critique sur la forme et le ton des pierres, parce que c'est l'imitation d'une nature que j'ai tant vue et qu'on ne connaît pas quand on n'a pas habité une contrée de montagnes et de marécages. Ah ! Si les figures étaient un peu moins fortes ! Il n'y a point de remède à cela ; mais heureusement je m'accommode à ce défaut.[31]

En somme, c'est un second jugement sur la *Tempête* décrite dans les *Regrets* ; et celui-ci aussi critique que le premier était enthousiaste. Diderot aime toujours son Vernet ; mais il ne s'aveugle plus sur ses imperfections. Léon Lagrange interprète malicieusement cette palinodie : dans l'intervalle des deux jugements, Diderot a payé Vernet. Tant qu'il ne s'était pas acquitté, il était tenu à l'indulgence ; désormais, il n'a plus de ménagements à garder. Et nous voici revenus à la question : le tableau a-t-il été, oui ou non, un cadeau du peintre ?

« Je le tiens de son amitié », répète Diderot. Dans ce cas, la véritable explication est évidemment celle qu'il donne lui-même : la gratitude a inspiré le premier jugement ; la froide justice a dicté le second. Et « les attraits de la propriété » ne sauraient affecter longtemps la clairvoyance du possesseur ; il l'a déjà montré à propos de ses La Grenée.[32] On conçoit clairement, en tout cas, pourquoi, dans la pensée de Diderot, les *Regrets* formaient partie intégrante du *Salon de 1769* : ils n'en étaient pas un « fragment détaché », mais en ce qui concerne le Vernet — un complément, ou plutôt, une introduction nécessaire.

Comme j'en avertissais le lecteur, j'ai le sentiment d'avoir soulevé, à propos de la *Robe de Chambre*, plus de problèmes que je n'en ai résolu. Un point seulement paraît fixé : les trésors énumérés dans les *Regrets* ne sont pas tous fictifs. Diderot n'a pas exclusivement meublé son cabinet par l'imagination, comme le pauvre Balzac, écrivant au charbon, sur les murs de la maison des Jardies : « Ici un plafond peint par Eugène Delacroix . . . Ici une tapisserie d'Aubusson . . Ici une cheminée en marbre cipollin . . »[33] Pour le reste, je n'ai guère offert qu'un choix de conjectures ; trop heureux si j'ai pu, ce faisant, jeter quelques lueurs sur la genèse et sur les prolongements d'un texte délicieux.

---

[31] Assézat-Tourneux, XI, p. 417. Dans les *Pensées détachées sur la Peinture*, Diderot mentionne un autre défaut de son Vernet, auquel il s'est accommodé : «Ce Vernet si harmonieux n'a peut-être pas sur toute sa surface un seul point qui rigoureusement parlant ne soit faux ». (A. T., XII, p. 111.)

[32] Cf. *supra*, p. 276.

[33] L. Gozlan, *Balzac en pantoufles*, éd. 1856, p. 28.

Jean Starobinski

ROUSSEAU ET L'ORIGINE DES LANGUES

La réflexion sur le langage occupe chez Rousseau une place considérable.
D'une part, la théorie du langage fait partie intégrante des écrits de doctrine,
qu'il s'agisse des ouvrages qui concernent l'histoire de la société, ou de ceux
qui intéressent l'éducation de l'homme moderne ; d'autre part, le problème
de la communication, le choix des moyens d'expression préoccupe en Rousseau le musicien, l'artiste, le romancier et, au suprême degré l'autobiographe.
Rousseau a été le premier à conférer une importance pathétique à la question
de la relation interhumaine : nous n'avons donc pas lieu de nous étonner
devant l'insistance avec laquelle il fait de la parole le thème de son propre
discours. A bien des égards, nous tenons ici l'un des éléments qui assurent la
cohésion interne d'une œuvre trop souvent accusée de manquer d'unité.
Prêtons attention à la théorie du langage, telle que Rousseau l'a élaborée, et,
connaissant l'importance qu'il attribue à l'aspect génétique des réalités
humaines, tentons plus précisément de mettre en lumière ce qu'il a pensé de
l'origine des langues.

Sur ce point, deux textes retiendront notre attention : le *Discours sur
l'origine de l'inégalité* et l'*Essai sur l'origine des langues*.[1] Textes complémen-
taires, parfois légèrement dissonants, mais qui proposent au lecteur une
même histoire sous une double version : le *Discours de l'inégalité* insère une
histoire du langage à l'intérieur d'une histoire de la société ; inversement,
l'*Essai sur l'origine des langues* introduit une histoire de la société à l'intérieur
d'une histoire du langage.

Pour Rousseau, l'homme n'est pas naturellement sociable, ou, tout au
moins, il ne l'est pas dès l'origine. Il est *devenu* sociable, en vertu de sa
perfectibilité. Mais Rousseau considère la perfectibilité comme un apanage
inné, comme un don de la nature. L'institution sociale n'est donc pas sans
relation avec la nature : elle est la conséquence *différée* d'une disposition
primitive, dont les effets se sont déployés très lentement, à distance de l'origine, sous l'influence de conditions exceptionnelles qui ont sollicité l'essor
des facultés virtuelles. Ces conditions favorisantes sont des obstacles exter-
nes, devant lesquels l'homme s'est trouvé arrêté accidentellement. Rousseau

---

[1] Nous nous référerons à l'édition des *Œuvres Complètes* de Jean-Jacques
Rousseau, en cours de publication à la Bibliothèque de la Pléiade. Nous recour-
rons à l'abréviation O. C. pour désigner cette édition. Pour l'*Essai sur l'origine
des langues* (EOL), et pour l'*Emile*, qui n'ont pas encore paru dans cette collection, nous nous bornerons à mentionner les chapitres ou les livres de ces
ouvrages.

incrimine des « circonstances » physiques, qui auraient pu aussi bien ne pas survenir, mais qui, une fois présentes, font passer la perfectibilité sommeillante de la puissance à l'acte.

Dans le *Discours*, Rousseau suppose une humanité primitive en lente expansion ; certains individus, sortis de l'habitat tempéré, rencontrent des climats difficiles qui les obligeront à lutter contre la nature environnante. L'intelligence, la technique, l'histoire prennent naissance au contact de l'obstacle, quand l'homme quitte la tiédeur égale de la forêt primitive et se trouve exposé à des « étés brûlants » ou à des « hivers longs et rudes ».[2] Dans l'*Essai sur l'origine des langues*, la même idée se trouve exposée, mais de façon plus énigmatique, à travers le symbole cosmologique de l'inégalité des saisons : «Celui qui voulut que l'homme fût sociable toucha du doigt l'axe du globe et l'inclina sur l'axe de l'univers. »[3] Langage et société sont tellement liés — conformément à la tradition classique et à la doctrine de Hobbes — que si l'on admet que l'homme de non sociable est devenu sociable, il faut également conjecturer que l'homme, de non parlant, est devenu parlant. Car l'homme n'est pas originellement doué de parole. Le langage n'est pas une faculté que l'homme a su exercer d'emblée : c'est une acquisition, mais une acquisition rendue possible par des dispositions présentes dès l'origine et longtemps inexploitées. Entre toutes les créatures, l'homme est le seul qui ait *par nature* le pouvoir de sortir de son état primitif. Au même titre que l'institution sociale, le langage est un effet tardif d'une faculté primitive : il est le résultat d'un essor différé. Naturel dans son origine, il constitue une anti-nature dans ses aboutissements. Le dangereux privilège de l'homme, c'est d'avoir dans sa propre nature la source des pouvoirs par lesquels il s'opposera à sa nature et à la Nature.

« La parole étant la première institution sociale ne doit sa forme qu'à des causes naturelles ».[4] A longue échéance, l'institution sociale contredira la « loi naturelle » ; mais l'institution sociale est une anti-nature issue de la nature.

*

La préface du *Discours de l'inégalité* soulève une question de définition : pour savoir si l'inégalité est conforme à la loi naturelle, il faut d'abord savoir ce qu'est la loi naturelle. La question, aussitôt, se formule comme un problème de langage : comment *parle* la loi naturelle ? Comment est-elle perçue ?

Rousseau insiste d'abord sur un caractère négatif. La loi naturelle n'est pas un énoncé libellé dans la langue de la réflexion philosophique. Pour être écoutée et suivie, elle ne requiert aucun savoir. Elle ne suppose donc aucun langage préalable. Elle ne saurait être une règle convenue, un discours étayé d'arguments. Rousseau récuse l'idée d'une convention, d'un contrat, d'où

---

[2] *O. C. III*, p. 165.
[3] *EOL*, chap. IX.

dépendrait la teneur de la loi naturelle. C'est là pourtant ce que supposent, à tort, la plupart des philosophes, et Rousseau ne manque pas de s'en gausser : « On commence par rechercher les règles dont, pour l'utilité commune, il serait à propos que les hommes convinssent entre eux »[5] ... Rousseau congédiera donc les constructions discursives que les philosophes substituent à la véritable loi naturelle sous prétexte de la définir. Il écarte les assertions trop doctes, trop cultivées, de ceux qui voudraient que la loi naturelle parlât comme parle la raison constituée. Rousseau nous invite à regarder en deçà du règne humain de la parole. Certes, il nous propose un «discours», mais c'est pour faire apparaître une *voix* antérieure à tout discours.

Pour que cette *loi* soit naturelle, «il faut qu'elle parle immédiatement par la voix de la nature ».[6] Par définition, la voix de la Nature doit parler avant toute parole. Tacite et impérieuse, cette voix nous dicte les mouvements spontanés de l'amour de soi et de la pitié, « principes antérieurs à la raison ».[7] Ne serait-ce pas une métaphore que d'évoquer ici une voix ? Cette dictée, peu s'en faut qu'elle n'équivale à un automatisme, à un instinct, à une « empreinte » marquée une fois pour toutes. Rousseau y voit toutefois autre chose : c'est une injonction qui intéresse l'être moral, qui met au défi une liberté et une faculté de désobéir. «La Nature commande à tout animal, et la bête obéit. L'homme éprouve la même impression, mais il se reconnaît libre d'acquiescer ou de résister. »[8] Si l'homme naturel ne désobéit pas, c'est parce qu'il n'a pas encore pris entière possession de son vouloir propre, et parce qu'il n'a pas encore eu l'occasion d'exercer suffisamment sa liberté. La loi naturelle a donc pour l'homme le caractère ambigu d'un instinct qui perdrait son caractère mécanique pour devenir *intimation* ; avant même que l'homme primitif ne réfléchisse et ne parle, la nature cesse d'être pour lui un simple conditionnement physique : elle n'est plus une « impression » irrésistible, elle se fait langage interne. Il s'agit d'une parole que l'homme écoute parce qu'elle *se parle* en lui : le fait de la percevoir garantit une moralité première qui distingue déjà l'homme de la bête, quand bien même l'homme et la bête apparaîtraient identiques dans leur conduite. L'homme se définit d'abord non parce qu'il parle, mais parce qu'il *écoute*. Pour lui, la voix de la nature est une information qui ne s'inscrit pas directement dans la forme du comportement. Toutefois, cette voix qui n'emprunte aucun signe conventionnel n'a besoin d'aucun « décodage » pour être comprise. La voix de la nature est d'une telle proximité qu'elle paraît se confondre avec l'intimité personnelle. On ne peut donc la comparer à la transmission d'un message, où un énoncé formulé par un sujet parlant s'adresserait distinctement à un sujet écoutant. Tant qu'il reste l'homme *de* la nature, c'est en lui-même que l'homme perçoit

---

[4] *EOL*, chap. I.
[5] *O. C. III*, p. 125.
[6] *O. C. III*, p. 125.
[7] *O. C. III*, p. 126.
[8] *O. C. III*, p. 141–142.

la voix de la nature. La Nature parle *en lui* puisqu'il est lui-même *dans* la Nature. Le décalage de la liberté est encore virtuel.

Pour l'homme civilisé, cette voix deviendra une voix lointaine, une voix délaissée. Elle lui sera extérieure. Pis encore, il ne saura plus l'entendre et la reconnaître (exception faite des « initiés » que Rousseau mentionne dans ses *Dialogues*,[9] et au nombre desquels il se compte). En sortant de la nature, en travaillant contre elle, en interposant le langage dont il est l'inventeur, l'homme se rend sourd à la voix qui lui parlait à l'origine. L'existence morale n'est plus régie par la loi naturelle : il faut énoncer des lois « positives », des conventions, des contrats. Les discours raisonnés deviennent nécessaires, pour retrouver la voix de la nature à travers une sorte d'archéologie interprétative : il devient nécessaire de suppléer, par une élaboration factice, à la disparition de ces «mouvements immédiats» qui assuraient le respect de la vie d'autrui et la sauvegarde de l'existence personelle. Les *fins* de la morale restent ce qu'elles étaient, mais ce sont désormais des règles explicites qui doivent les prescrire. Aussi pouvons-nous dire que, dans l'histoire, l'importance acquise progressivement par le langage discursif s'accroît en raison inverse de l'intensité de la voix de la nature : celle-ci s'efface en nous à mesure que le langage articulé se perfectionne. Alors le philosophe, en sa qualité d'*interprète* d'une voix devenue imperceptible aux autres hommes, devient nécessaire à la société. Dans son sentiment actuel, il découvre ce dont les autres hommes ont perdu le souvenir. Le *Discours* philosophique rappelle ce que fut l'autorité qui régnait avant tout discours.

*

La première partie du *Discours* décrit l'homme naturel. Dénué de langage, cet homme communique à peine avec ses semblables.

Pourtant Rousseau insère dans cette partie du *Discours* un long développement sur la parole et sur le progrès du langage — développement qui appartient logiquement à la seconde partie, où se trouvera exposé le mouvement de l'histoire. Nous avons affaire ici à une curieuse sorte de métathèse. Rousseau anticipe, mais négativement : loin de chercher à faire entrevoir l'essor futur des facultés humaines, il s'applique à énumérer tous les facteurs qui immobilisent la condition de l'homme naturel. S'il évoque la question des langues, c'est pour exposer tout ce qui retient l'homme sauvage dans la situation de l'*infans*, tout ce qui contribue à le priver de parole.

Rousseau recourt ici délibérément au paradoxe. Il est paradoxal, en effet, de décrire sous l'aspect de l'impossibilité la genèse du langage, dont nous savons pourtant qu'elle a bien eu lieu, puisque nous parlons à l'heure qu'il est.

Rousseau est conscient de son procédé. Pour nous faire entendre que l'homme a parlé tard, il accumule de si grandes difficultés qu'il paraît soutenir que l'homme n'a jamais parlé. L'hyperbole est manifeste. Rousseau avance le plus pour prouver le moins. En soulevant les innombrables obstacles qu'il oppose à l'invention des langues, il nous oblige à admettre à tout le moins une très grande distance, un immense laps de temps entre l'homme primitif et l'homme doué de langage. On pourra dès lors conjecturer que le premier état de nature, loin d'être une simple hypothèse, a duré très long-temps, et que l'homme, avant de parler, a vécu durant des milliers de siècles dans une errance silencieuse. Rousseau peut ainsi évoquer « l'espace immense qui dut se trouver entre le pur état de nature et le besoin des langues. »[10] Il peut nous imposer le sentiment de l'écart temporel: « Plus on médite sur ce sujet, plus la distance des pures sensations aux simples connaissances s'agrandit à nos regards ».[11]

Dans la première partie de son *Discours*, Rousseau s'applique à formuler une *anthropologie négative* : l'homme naturel se définit par l'absence de tout ce qui appartient spécifiquement à la condition de l'homme civilisé. La méthode de Rousseau consiste à dépouiller l'homme de tous les attributs « artificiels » dont celui-ci a pu prendre possession au cours de l'histoire. C'est donc par une sorte de «voie négative » qu'il cherche à tracer l'image de l'homme de la nature. Les négations, les formules privatives sont fortement mises en évidence dans la phrase qui récapitule toute la première partie du *Discours* : « Concluons qu'errant dans les forêts, sans industrie, sans parole, sans domicile, sans guerre et sans liaison ».. .[12] Tout le passage sur l'origine des langues prend place dans ce mouvement négatif : il s'agit moins de retracer l'essor du langage, les diverses étapes de sa formation, que d'en montrer les difficultés et les « embarras ». La considération de ces embarras sert à injecter de la durée — un temps immense — dans l'histoire humaine, au delà des chronologies admises jusqu'alors. Tandis que pour Condillac l'histoire du langage se développe en quelques générations, Rousseau allègue les *peines inconcevables* de l'invention des langues : il rend ainsi plausible l'étalement de la pré-histoire (l'état primitif de l'homme non modifié par le travail et la culture) à travers un temps infini. Il s'écoule « *des milliers de siècles* » où l'homme ne connaît ni besoins, ni passions, où il ne possède et ne cherche à transmettre aucune technique.[13] Besoins, passions, techniques eussent pu rendre le langage nécessaire. Mais l'homme naturel n'éprouve pas le *manque* qui est au cœur du besoin et de la passion, et qui l'eût contraint à s'exprimer ; il est oisif, il ne *fait* rien, sans pour autant risquer de périr : il n'a donc pas l'occasion d'acquérir et de transmettre un *savoir-faire*... « *La première difficulté qui se présente* », écrit Rousseau, « *est d'imaginer comment les langues purent devenir nécessaires.* » Rousseau, pour mettre en évidence les

---

[9] *O. C. I*, p. 668 sq.

[10] *O. C. III*, p. 147.

[11] *O. C. III*, p. 144.

[12] *O. C. III*, p. 160.

[13] Le long développement consacré au problème du langage prend appui sur une expression négative, mise en évidence en fin d'alinéa : *sans se parler* (O. C. III, p. 146).

difficultés, insiste jusqu'au paradoxe sur les problèmes logiques d'antécédence causale (du genre de celui de la poule et de l'œuf) ; il multiplie les
cercles vicieux pour accroître notre embarras. Autant de freins qui ralen-
tissent le départ de la « culture » et qui retiennent l'homme au sein de la
nature.[14]

Ainsi du reproche que Rousseau adresse à Condillac. Celui-ci, dans l'*Essai
sur l'Origine des Connaissances humaines*, avait supposé deux enfants échap-
pés au déluge, et qui auraient été les premiers inventeurs du langage humain.
C'est là, objecte Rousseau, «une sorte de société établie ».[15] L'hypothèse de
Condillac est récusée pour vice de forme : elle repose sur un *hysteron
proteron*. Rousseau, pour sa part, s'efforce de nous enfermer dans l'étau de
deux négations qui se réfléchissent l'une l'autre : pour l'homme naturel, il ne
peut y avoir de langage parce qu'il n'y a pas de société ; et il n'y a pas de
société parce que l'homme est incapable de parler. A supposer qu'il y eût des
idiomes improvisés par les mères et leurs enfants, durant la brève période de
la dépendance, ce ne seraient tout au plus que des langues individuelles
éphémères.[16]

Supposons néanmoins les langues nécessaires, — postulat que Rousseau
feint de considérer comme gratuit. Les problèmes d'antécédence apparaissent
à nouveau, et Rousseau les formule de façon outrancière : « Si les hommes
ont eu besoin de la parole pour apprendre à penser, ils ont eu bien plus besoin
encore de savoir penser pour trouver l'art de la parole » ... D'où il résulte
que « la parole paraît avoir été fort nécessaire pour établir l'usage de la
parole ». Rousseau « laisse à qui voudra l'entreprendre la discussion de ce
difficile problème, lequel a été le plus nécessaire, de la société déjà liée, à
l'institution des langues, ou des langues déjà inventées, à l'établissement de
la société. »[17] Si Rousseau, à ce moment, laisse le champ libre à l'hypothèse
traditionnelle d'une révélation divine de la parole, c'est moins pour accréditer
cette idée que pour donner à l'impossibilité une sorte de profondeur supplémentaire ...

Certes, sur bien des aspects du problème, Rousseau reprend les vues de
Condillac, qui les avait lui-même élaborées à partir d'une tradition qui
remonte à Platon. Comme Condillac, Rousseau voit le langage naître avec le
«cri de la nature », passer par le geste (langage d'action) et aboutir lentement
au langage d'institution. Comme Condillac, comme Maupertuis, Rousseau
admet que les désignations concrètes et les onomatopées ont précédé les
signes abstraits et les termes conventionnels : la communication s'est d'abord
effectuée par les *symptômes* immédiats de l'émotion, avant de passer par le
truchement d'un système de signes médiateurs. L'originalité de Rousseau

---

[14] *O. C. III*, p. 146.
[15] *Ibid.*
[16] *O. C. III*, p. 147 : ... « ce qui multiplie autant les langues qu'il y a d'individus
pour les parler ».
[17] *O. C. III*, p. 151.

apparaît d'une part dans la manière dont il multiplie les oppositions embarrassantes, là où Condillac ménage des transitions aisées ;[18] d'autre part, elle se remarque dans les corrélations et les implications très riches que Rousseau met en évidence. Les sensualistes ne cessent d'évoquer le rôle de l'expérience ; mais, telle qu'ils l'entendent, l'expérience n'est qu'une succession de moments abstraits : Rousseau en revanche temporalise l'expérience, l'étend à travers la durée et en fait une histoire en devenir. De plus, le langage à ses yeux ne se développe pas isolément. Son évolution induit et reflète tout ensemble les autres transformations de l'homme et de la société. Ainsi l'on s'aperçoit que pour Rousseau l'évolution du langage n'est pas séparable de l'histoire du désir et de la sexualité ; elle se confond avec les étapes de la socialisation ; elle entretient des rapports étroits avec les divers modes de subsistance et de production.

*

Rousseau marque avec netteté le point de départ et le point culminant de l'histoire du langage. D'une part, l'origine silencieuse ; d'autre part la fonction politique : « persuader des hommes assemblés »,[19] solliciter leur commun consentement, « influer sur la société ».[20] La société du *Contrat* requiert le langage dans sa force la plus éloquente. Mais dès le moment où il pose ses repères, Rousseau nous invite à considérer la *perversion* possible de la parole, qui l'empêchera d'atteindre son apogée éloquente, ou qui, après une période de plénitude, l'entraînera dans la voie de la déchéance. Le langage dégénère, se corrompt, devient discours abusif, arme empoisonnée : l'homme, simultanément, s'égare, se comporte en trompeur et en méchant. De même que la

---

[18] Pour Condillac, par exemple, le problème de la pensée et du langage ne pose pas une embarrassante question de priorité ; Condillac insiste au contraire sur les influences réciproques : « L'usage des signes étendit peu à peu l'exercice des opérations de l'âme ; et à leur tour celles-ci, ayant plus d'exercice, perfectionnèrent les signes et en rendirent l'usage plus familier » (*Essai sur l'origine des connaissances humaines*, deuxième partie, section première, chap. I, § 4).. De même, d'étape en étape, Condillac suggère des transitions progressives par voie d'association, entre le silence et le cri de la nature, entre le cri de la nature et le langage d'action, entre le langage d'action et les signes institués. Autant de paliers dont Rousseau fera des intervalles insurmontables. Pour mieux nous convaincre, il oppose abruptement la condition muette de l'homme qui n'a aucun besoin du langage, et l'état évolué qui paraît résulter d'une *convention linguistique* où certains sons de la voix correspondent arbitrairement à certaines idées. La conclusion d'un pareil « contrat » linguistique suppose un langage préalable, et ce langage, pour s'établir, appelle un autre langage, etc. ... Toute « convention » exacte implique une langue antécédente définissant l'idée et le rapport du signe à l'idée. Nous voici au rouet. Mais il faudra bien — puisque *nous parlons* et que le langage est un *fait* — que Rousseau concède, à un autre moment, ce qu'il commence par refuser pour donner plus de poids à son argumentation.

[19] *O. C. III*, p. 148.

[20] *O. C. III*, p. 151.

naissance de la société correspond à l'émergence du langage, le déclin social correspond à une dépravation linguistique. Le risque d'un abus de la parole est constamment présent à l'esprit de Rousseau. Le *langage trompeur* est l'un des éléments principaux du fond obscur que Rousseau croit percevoir derrière chacun des aspects du moment présent. En un certain sens, l'on peut affirmer que c'est sur ce fond actuel que Rousseau évoque tous les moments antérieurs de l'histoire humaine.

Les procédés littéraires de Rousseau, dans le *Discours de l'inégalité*, sont particulièrement révélateurs. La seconde partie du discours — où nous verrons l'homme sortir de l'état de nature, quitter l'oisiveté, perdre l'égalité, s'élever au langage, s'engager dans les voies funestes de l'amour-propre, etc. — débute par l'irruption d'une parole qui est revendication possessive : « Le premier qui ayant enclos un terrain, s'avisa de dire, *ceci est à moi* »[21] ... (Rousseau recourt ici aux effets de la prosopopée ; il rapporte la parole supposée d'un personnage fictif.) Le premier homme parlant représenté par Rousseau est celui qui profère une *parole néfaste*. Rousseau lui oppose le discours possible d'un contradicteur qui, en fait, n'a pas osé prendre la parole. Une riposte, une résistance, un contre-discours auraient dû intervenir, mais n'ont pas eu lieu.[22] La situation se caractérise par le triomphe injuste de l'usurpateur, qui berne des « gens assez simples pour le croire ». Il en ira de même pour la proposition de contrat abusif que Rousseau mettra dans la bouche du Riche : le trompeur s'adresse à des « hommes faciles à séduire ».[23] La parole rusée exerce une violence dissimulée. Nous voyons ici le langage mis en œuvre dans sa fonction sociale, mais pour instituer la mauvaise socialisation, la société de l'inégalité.

D'ailleurs, à regarder de près tous les passages de la seconde partie du *Discours* où Rousseau met en scène des personnages qu'il fait parler, nous constatons que, dans leur grande majorité, ces passages apportent l'exemple d'un emploi pernicieux du langage : dissimulation, mensonge, bavardage ... La parole est utilisée en vue d'un avantage inique, en vue du mal, ou en pure perte.[24] Avec quelle ironie Rousseau n'évoque-t-il pas les paroles du prince qui s'adresse « au plus petit des hommes » pour lui dire : «Sois grand, toi et toute ta race » ! La parole est ici imposture ; elle est mise au service des apparences illusoires. Par la vertu de la parole anoblissante du Prince, celui qu'il a désigné paraît aussitôt «grand à tout le monde, ainsi qu'à ses propres yeux».[25] Parmi les maux de la société présente, Rousseau insistera sur la futile

---

[21] *O. C. III*, p. 164.

[22] «Que de crimes, de guerres, de meurtres, que de misères et d'horreurs, n'eût point épargnés au genre humain celui qui arrachant les pieux ou comblant le fossé, eût crié à ses semblables : Gardez-vous d'écouter cet imposteur » ... (*Ibid.*)

[23] *O. C. III*, p. 177.

[24] Seules exceptions, les deux fortes paroles de Pline et de Brasidas (*O. C. III*, p. 181). Mais ce sont des sentences, des *auctoritates* empruntées au dehors.

[25] *O. C. III*, p. 188.

rumeur des hommes soucieux de « faire parler de soi »[26] ; sur la vaine parole, sans contrevaleur de réalité, qui est le véhicule de l'opinion et qui fait le malheur de l'homme civilisé. Un mal identique pervertit la société et fait du langage cultivé l'agent infectant d'une duperie universelle. Nul alors (excepté par miracle Jean-Jacques Rousseau) ne peut rester indemne. Mensonge, fiction, illusion forment le milieu même où évoluent les sociétés civilisées. Brillante comme l'or, la parole, devenue elle aussi monnaie d'échange, rend l'homme étranger à lui-même.

*

Tel est le « fond » que laisse pressentir Rousseau : il y a, selon lui, une fin du langage comme il y a une fin de l'histoire, et toutes deux sont désastreuses. Les puissances du devenir sont des puissances corruptrices. Nous y reviendrons, l'histoire du langage, selon Rousseau, part d'un *premier* silence pour aboutir à une vaine rumeur qui équivaut à un *dernier* silence.

Dans le début de ce que Rousseau nomme le « *second état de nature* » (et qui est le laps immense interposé entre le « *premier état de nature* » et l'institution de la société), les hommes rencontrent les premiers obstacles, ils s'entre-aident occasionnellement ; ils en arrivent à constituer des « *hordes* » La langue de la horde est celle du *besoin* matériel : c'est le langage de l'appel à l'aide. Il comporte un premier surgissement : le « cri de la nature », qui est encore inarticulé. Il est surtout *langage d'action*, composé de gestes indicatifs ou imitatifs ; le langage vocal se développe pour se faire onomatopée (qui est la forme vocale du langage d'action) ; à quoi s'ajoutent de rares « articulations » et de rares éléments conventionnels. Cette langue est évidemment « grossière et imparfaite ». Elle est néanmoins une langue *universelle* . . .

Son universalité est le dernier écho de l'universalité de la «voix de la Nature ». En effet, dictée par une cause physique, elle est parlée de la même façon par tous les hommes — par l'universalité des hommes. Mais cette langue est dépourvue de moyens logiques ; elle ne contient pas de fonctions grammaticales distinctes ; elle ne se prête pas à l'abstraction : « *Ils donnèrent d'abord à chaque mot le sens d'une proposition entière* »[27] Riche en désignations concrètes, ne possédant guère que des noms propres et des infinitifs, elle vise le particulier : l'objet nommé n'y est pas évoqué sous l'aspect de ses qualités universalisables, mais au contraire dans son individualité fugace, dans son « eccéité ». Ainsi l'universalité de la langue primitive reste en deçà du concept : elle intéresse les sujets parlants, non les objets signifiés. La langue primitive, commune à tous les hommes, est la possibilité *universellement répandue* de désigner le particulier par des moyens à peu près similaires. Il faut alors ajouter que le bénéfice de cette universalité

---

[26] *O. C. III*, p. 189.
[27] *O. C. III*, p. 149.

échappe sans cesse, puisque, à ce stade, les hommes ne se sont pas encore mutuellement reconnus et n'ont contracté que des formes très lâches d'association. Capables en principe de se comprendre en tous lieux par les mêmes moyens, les hommes sont encore très proches de leur état de dispersion originelle.

A ce stade, Rousseau en convient, la langue primitive n'est qu'un « mauvais instrument » ; mais il lui attribue une haute valeur expressive. Tandis qu'elle désigne imparfaitement les qualités universalisables du *signifié*, elle renvoie très fidèlement au sujet parlant et à ses émotions. En instaurant le rapport d'une conscience singulière et d'un objet singulier, elle parle pauvrement de l'objet, mais elle exprime fortement la présence de l'individu ; s'il est permis de forger un terme qui manque dans le vocabulaire de la linguistique (où il est question de *signifiant* et de *signifié)*, nous dirions que la langue primitive est celle où prédomine l'existence du *signifieur*, — qu'elle est une *parole* qui anticipe la formation du système des conventions de la *langue*. D'une façon instantanément évidente, elle est capable d'indiquer la détresse ou le besoin qu'éprouve le sujet.

Une mutation importante affectera le langage quand l'humanité passera du stade de la horde à celui de la famille, — du nomadisme à la sédentarité. Les efforts conjugués concourent à mieux assurer la subsistance ; de petits groupes sociaux se constituent, où les relations deviennent plus étroites : l'empire du besoin (qui s'exprimait par une langue à prédominance gestuelle) peut céder la place à celui du désir et de la passion (qui se manifestera par les inflexions mélodieuses du langage articulé). Les familles une fois rassemblées (s'assembler, c'est, au sens latin, convenir, participer à une convention), les éléments conventionnels du discours vont se développer, se fixer et se stabiliser. Ainsi se formeront des idiomes particuliers. Rousseau, pour donner les raisons de la multiplicité des langues,[28] allègue des causes physiques, (catastrophes naturelles, tremblements de terre, inondations, climats arides) qui ont isolé certains groupes humains dans des îles, dans des vallées, autour des points d'eau. Ce qui doit nous retenir, dans les conjectures de Rousseau, c'est la manière dont la notion de *séparation* s'y trouve traitée. L'humanité primitive est une population éparse, composée d'individus solitaires, tous égaux : elle est caractérisée par une parfaite homogénéité dans la dispersion, et nous savons que la « voix de la Nature », puis le « cri de la Nature » et même le langage d'action, sont encore des langues universelles. Quittant la vie solitaire des commencements, les hommes se rapprochent les uns des autres, mais pour constituer des groupes *différents*, pour lesquels l'entente accrue au niveau *interne* se paiera par la perte de la ressemblance universelle qui caractérisait l'état de nature. Ayant développé leurs idiomes propres, leurs particularités culturelles, les groupes sont plus étrangers les uns aux

---

[28] Problème fort ancien, dont l'histoire d'ensemble a été retracée par Arno Borst dans *Der Turmbau von Babel*, Stuttgart 1957—1962, 6 vol.

autres que ne l'étaient entre eux les individus solitaires du commencement. La plus grande cohérence interne est contrebalancée par la séparation et bientôt par la rivalité belliqueuse entre tribus (ou nations). Tout se passe comme si, aux yeux de Rousseau, un certain *coefficient de séparation* tendait à demeurer constant. La socialisation, qui réduit la séparation dans un sens, ne peut éviter de la produire et de l'accroître dans un autre sens.

Tournant son attention vers la société « moderne », Rousseau n'y voit plus l'homme démuni du commencement, celui dont le langage était appel à l'aide : l'homme démuni est devenu l'homme habile qui subjugue et qui trompe. La séparation physique du commencement est devenue séparation morale, iné-galité, « aliénation ».

Les hommes qu'une même langue cultivée paraît réunir dans Paris sont en fait des étrangers les uns pour les autres ; le pouvoir spontané de la sym-pathie et de la pitié s'est affaibli à l'extrême. C'est à peine si le peuple en préserve quelque trace. Les hommes ont beau pratiquer et écrire la même langue, ils n'en sont pas plus proches pour autant les uns des autres. Toute-fois ce langage, incapable d'assurer une *communion* par l'expression,[29] est devenu un moyen d'*action* remarquablement efficace. S'il ne permet pas aux individus de se rejoindre dans la présence partagée du sentiment, il est un outil d'une redoutable précision : il désigne médiatement l'universel abstrait. Certes, il lui resterait encore des progrès à accomplir pour satisfaire pleine-ment aux exigences de la logique. Mais d'ores et déjà il permet de formuler un nombre considérable d'idées générales. Nous voyons ainsi les qualités instru-mentales l'emporter sur les valeurs expressives du langage. La parole ne renvoie plus à la vérité du sujet ; bien au contraire, elle entraîne celui-ci hors de lui-même pour le vouer à l'impersonnalité du concept. Dans l'écriture, qui caractérise nos sociétés, la parole ne fait plus corps avec la personne : le langage est devenu un produit étranger, il s'est détaché de l'être vivant. Simultanément, les hommes se sont rendus incapables d'éprouver de vraies passions, et le langage a perdu le pouvoir de les exprimer.

L'*Essai sur l'origine des langues*, comme le *Discours de l'inégalité*, s'achève sur l'évocation d'un désastre final : le monde civilisé est envahi par la vaine parole, par la jactance, par le bavardage. Les idiomes contemporains, si fins et si déliés, ne servent plus à faire passer aucun contenu passionné et vivant. Le français est pour Rousseau une langue exténuée, dénuée de tout véritable accent, et rendue pour ainsi dire inaudible :

> [Nos langues] sont faites pour le bourdonnement des divans. Nos prédicateurs se tourmentent, se mettent en sueur dans les temples, sans qu'on sache rien de ce qu'ils ont dit.[30]

Un maléfice envahit la voix, étouffe et paralyse la relation vécue. Dans les sociétés civilisées, le sujet est comme expulsé de la parole ; l'on y voit circuler

---

[29] *EOL*, chap. V.
[30] *EOL*, chap. XX.

en revanche un discours impersonnel, efficace *in absentia* : c'est l'expression de l'autorité tyrannique, laquelle commande sans appel :

> Les sociétés ont pris leur dernière forme : on n'y change plus rien qu'avec du canon et des écus ; et comme on n'a plus rien à dire au peuple, sinon, *donnez de l'argent*, on le dit avec des placards au coin des rues, ou des soldats dans les maisons. Il ne faut assembler personne pour cela ; au contraire, il faut tenir les sujets épars. [31]

Ainsi la communication humaine est supplantée par les intimations de la violence arbitraire. Argent, placards et canons réduisent l'âme au silence. Ce qui s'échange, sous la contrainte, n'est plus que signe abstrait. De même que l'histoire humaine, telle que la retrace le *Discours de l'inégalité* débouche sur le désordre d'un « nouvel état de nature », « fruit d'un excès de corruption »,[32] elle s'achève, dans l'*Essai sur l'origine des langues,* par un nouveau silence. La dispersion primitive de l'humanité se répète : « Il faut tenir les sujets épars » . . . Le sauvage ne connaissait que des instants (qui étaient des instants oisifs) ; les Parisiens eux aussi vivent dans une succession d'instants fugitifs (qui sont, cette fois, des instants affairés). La fin de l'histoire est la répétition parodique de son commencement. L'homme sauvage «se livre au seul sentiment de son existence actuelle » ;[33] les Français que Rousseau rencontre à Paris «ont le sentiment qu'ils vous témoignent ; mais ce sentiment s'en va comme il est venu. En vous parlant ils sont pleins de vous ; ne vous voient-ils plus, ils vous oublient. Rien n'est permanent dans leur cœur : tout est chez eux l'œuvre du moment »[34] Pour l'histoire du langage comme pour celle de la société, il y a un «point extrême qui ferme le cercle et touche au point d'où nous sommes partis ».[35]

Nous avons évoqué les termes extrêmes et antithétiques : la langue qui privilégie le sujet, et celle qui privilégie les aspects universels de l'objet. Mais entre la langue grossière de la horde et la langue exténuée des civilisés, il y a celle du début de l'âge sédentaire, celle qui fut inventée par la société patriarcale. Nous avons déjà brièvement évoqué cette phase : il nous faut y revenir, car elle représente, dans l'histoire du langage comme dans tous les autres domaines, un point d'équidistance, d'équilibre et de bonheur. Dans le *Discours de l'inégalité,* cette époque apparaît comme un âge d'or. C'est la « véritable jeunesse du monde » ;[36] c'est une île claire aperçue derrière nous dans le cours tragique de l'histoire. En d'autres continents, ou sur des îles enchantées, les explorateurs européens ont trouvé des peuples sauvages pour qui ce bonheur a été préservé.

---

[31] *Ibid.*
[32] *O. C. III*, p. 191.
[33] *O. C. III*, p. 144.
[34] *Confessions, livre IV (O. C. I.* p. 160).
[35] *O. C. III*, p. 191.
[36] *O. C. III*, p. 171.

La description de l'âge patriarcal, chez Rousseau, est l'un des plus beaux exemples de la coordination étroite qu'il fait intervenir entre l'évolution de la langue et le développement de la société. Rousseau en a la conviction : chaque moment de l'histoire sociale a le langage qui lui convient : «Les langues se forment naturellement sur les besoins des hommes, elles changent et s'altèrent selon les changements de ces mêmes besoins. »[37]

Nous le rappelions tout à l'heure, la sédentarisation correspond à une première victoire sur l'empire de la nécessité matérielle. Le travail en commun, le labeur partagé permettent de répondre aux exigences du besoin. Mieux assurés de subsister, les hommes connaissent l'alternance du travail et du loisir. Ils deviennent disponibles pour l'essor des passions. Rapprochés par la vie commune, ils se comparent, ils se préfèrent : les mouvements de la vanité ont plus d'occasions de naître et de se développer. Dans une situation exactement intermédiaire entre l'état de nature et l'état civil, les grandes familles patriarcales découvrent l'univers ambigu de la relation affective. Chacun est présent à autrui dans l'amour ou la rivalité. Moment important pour l'histoire de la sexualité : cette époque se trouve en effet à mi-distance entre deux âges de *dispersion* amoureuse. L'homme primitif n'avait qu'une sexualité instinctive, vagabonde, non passionnelle ; les civilisés ne connaîtront que la dissipation vaniteuse, la frivolité, la promiscuité sans conséquences. Encore une fois, la fin de l'histoire parodie son commencement : les amours volages des hommes «cultivés» sont analogues aux contacts fugitifs qui rapprochaient le mâle et la femelle dans la forêt primitive. De même que l'histoire, pour le langage, va d'un premier à un dernier silence, elle va, pour la sexualité, d'une première à une dernière facilité amoureuse. Dans l'intervalle, cependant, se situe un moment de plénitude, qui est à la fois plénitude du langage et plénitude du sentiment. L'amour n'y est plus libre : la prohibition de l'inceste est intervenue.[38] Le langage, lui aussi, est désormais *lié* par des conventions. Mais ces chaînes sont encore celles du bonheur. Et ces mêmes chaînes se manifestent comme l'enchaînement par lequel l'homme, sortant de la succession discontinue des instants qui caractérisait l'existence primitive, prend possession de la durée. Le langage, porté par ce mouvement, va devenir modulation enchaînée, *discours* . . .

Pour manifester adéquatement les besoins, le geste suffisait ; maintenant que le sentiment s'empare de l'âme, il faut faire appel aux inflexions et aux accents de la voix. L'instantanéité de la gesticulation suffit à qui veut indiquer sa faim ou sa soif ; mais pour capter l'intérêt affectif, pour « émouvoir le cœur et enflammer les passions», il faut enchaîner des sons selon le cours d'un temps que la parole invente.

---

[37] *EOL*, chap. XX.

[38] *EOL*, chap. IX. *Différer* l'assouvissement du désir, c'est entrer dans le règne de la *différence* et de l'inégalité. Tel est l'ordre social, qui veut que l'homme *diffère* . . .

L'impression *successive* du discours, qui frappe à coups redoublés, vous donne bien une autre émotion que la présence de l'objet même, où d'un coup d'oeil vous avez tout vu. Supposez une situation de douleur parfaitement connue ; en voyant la personne affligée vous serez difficilement ému jusqu'à pleurer : mais laissez-lui *le temps* de vous dire tout ce qu'elle sent, et bientôt vous allez fondre en larmes. Ce n'est qu'ainsi que les scènes de tragédie font leur effet. La seule pantomime sans discours vous laissera presque tranquille ; le discours sans geste vous arrachera des pleurs. Les passions ont leurs gestes, mais elles ont aussi leurs accents.[39]

Rousseau, on le voit, est loin d'ignorer les pouvoirs du geste ; il lui arrivera même de préférer le geste à la parole. Mais il reconnaît parfaitement la différence spécifique, d'ordre temporel, qui caractérise la parole. En quoi il anticipe les remarques de Ferdinand de Saussure : « Que les éléments qui forment un mot se *suivent*, c'est là une vérité qu'il vaudrait mieux ne pas considérer, en linguistique, comme une chose sans intérêt parce qu'évidente, mais qui donne d'avance au contraire le principe central de toute réflexion utile sur les mots. »[40]

Pour l'homme du premier état de nature, qui vivait dans l'immédiateté, l'absence de langage correspondait à l'absence d'une conscience de la durée. L'homme de la horde, à peine sorti de la sauvagerie primitive, n'effectue que des efforts discontinus ; son langage, où prédomine le geste d'appel à l'aide, ne prend pas encore possession du temps. Aussi n'est-ce pas vraiment une langue . . . L'éveil de l'homme à la conscience du temps coïncide avec l'éclosion du langage vocal (discours qui se développe dans le cours d'une durée liée), avec le choix d'une demeure permanente (la sédentarité supposant le choix d'un *lieu durable*), avec la prolongation des rapports affectifs (le couple, d'instantané qu'il était, s'astreignant à la fidélité et devenant la famille), enfin avec la continuité du travail destiné à accumuler la subsistance. L'homme entre dans le souci de la prévoyance. Le futur, qui jusqu'alors ne lui était pas apparu, l'inquiète par ses risques voilés. Incapable désormais de se contenir dans le pur instant, l'homme désormais *s'approvisionne*. Les symboles du langage conventionnel s'emparent du temps et l'organisent. Eux aussi, ils sont approvisionnement. Ils sont les témoins d'un travail révolu et les agents d'une anticipation active.

Les premières langues sont dominées par le rythme et l'accent. Elles ne sont pas l'œuvre du besoin matériel, le produit de la raison travailleuse ; elles sont liées à l'impulsion du sentiment et à l'essor du désir. Rousseau ne les fait pas naître au cours de l'activité productrice, mais dans les moments de loisir et de dépense qui interrompent la vie active. L'originalité de Rousseau, comme l'a bien souligné Edouard Claparède,[41] c'est de faire surgir le langage

---

[39] *EOL*, chap. I.

[40] Cf. Jean Starobinski, *Les anagrammes de Ferdinand de Saussure,in Mercure de France*, février 1964, p. 254.

[41] Edouard Claparède, *Rousseau et l'origine du langage*, in *Annales de la Société Jean-Jacques Rousseau*, XXIV, p. 95—119.

d'une source tout affective. Dans le suspens du travail (d'un travail qui n'est pas encore servitude), des fêtes s'improvisent. Le rythme et l'accent des premières langues sont inséparables d'une exaltation du corps :

> Dans cet âge heureux où rien ne marquait les heures, rien n'obligeait à les compter, le temps n'avait d'autre mesure que l'amusement et l'ennui. Sous de vieux chênes, vainqueurs des ans, une ardente jeunesse oubliait par degrés sa férocité : on s'apprivoisait peu à peu les uns avec les autres ; en s'efforçant de se faire entendre, on apprit à s'expliquer. Là se firent les premières fêtes ; les pieds bondissaient de joie, le geste empressé ne suffisait plus, la voix l'accompagnait d'accents passionnés ; le plaisir et le désir, confondus ensemble, se faisaient sentir à la fois : là fut enfin le vrai berceau des peuples ; et du pur cristal des fontaines sortirent les premiers feux de l'amour.[42]

A ce stade, la musique n'est pas « un art entièrement séparé de la parole ». Le langage associe étroitement, à son origine, accent, mélodie, poésie :

> Comme les premiers motifs qui firent parler l'homme furent les passions, ses premières expressions furent des tropes. Le langage figuré fut le premier à naître ; le sens propre fut trouvé le dernier.[43]
> Les premières langues furent chantantes et passionnées avant d'être simples et méthodiques.[44]

Afin de privilégier les langues primitives et les langues du Sud, Rousseau va s'ingénier à opposer les articulations (consonnes) et les accents (qui intéressent les sons vocaliques et les rythmes). La richesse en articulations appartient, selon lui, aux langues du Nord, qui sont les langues du besoin et du raisonnement. La passion, elle, recourt à l'inflexion mélodique et à l'accent. « L'on chanterait au lieu de parler ».[45] Le premier mot, alors, n'est pas *aidez-moi*, mais *aimez-moi*.[46]

Certes, avant Rousseau, d'autres avaient affirmé la nature poétique des premières langues. Rousseau s'appuie expressément sur l'autorité de Strabon. Il avait été précédé par Vico, par l'abbé Fleury, par Warburton, par Blackwell. Ici, une fois de plus, l'originalité de Rousseau ne consiste pas dans une affirmation isolée, mais dans la série des corrélations qu'il entrevoit ou qu'il rend manifestes.

Bien que la fête où s'épanouit le langage intervienne lors d'un suspens du travail, la parole qui s'y invente correspond étroitement à une situation technologique équilibrée. Avant l'apparition de la métallurgie et de l'agriculture, les hommes possèdent un équipement sommaire, qui n'exige encore aucune division du travail. Ils utilisent certes des instruments, mais ils ne sont pas encore aliénés par les conséquences de l'activité instrumentale : ils ne sont

---

[42] *EOL*, chap. IX.
[43] *EOL*, chap. III.
[44] *EOL*, chap. II. Voir également, dans le *Dictionnaire de Musique*, les articles *Musique, Accent, Mélodie*.
[45] *EOL*, chap. IV.
[46] *EOL*, chap. X.

pas encore les esclaves de leurs *moyens*. Si l'inégalité s'est déjà insinuée dans cette société ébauchée, elle n'est ni économique (il n'y a ni riches ni pauvres), ni, à plus forte raison, politique (il n'y a pas de privilégiés ni d'opprimés). L'inégalité n'est encore qu'un premier déploiement de l'inégalité naturelle : on voit intervenir des préférences dues à la beauté. L'homme commence à prendre la funeste habitude de se comparer, mais il reste encore présent à lui-même et à autrui.

Le langage établit la relation entre les personnes. Les instruments instaurent une relation entre l'homme et la nature. On ne s'étonnera pas que le *style* de la relation soit le même dans les deux cas. L'homme a pris ses distances avec la nature, il s'est rapproché de l'homme, il est sorti de son premier mutisme, il ne s'en tient plus au cri instantané. Mais son langage, musical et poétique, n'est pas encore un agent de division. Il autorise la communication expressive du sentiment et la pleine compréhension réciproque. Bien qu'un tel langage permette déjà le déploiement des talents (et l'amplification de l'inégalité fondée sur les dispositions naturelle), bien que l'essor du langage rende déjà possible tout un jeu d'illusion et de prestige, la parole humaine n'est pas encore génératrice d'absence : elle reste au service de la présence. Le sujet n'est pas encore l'esclave des moyens (des « médiations ») qu'il a développés, et qui, cessant de servir d'intermédiaires à la communication, font écran, s'interposent, jettent un voile entre les hommes civilisés. Dans la danse et le chant de la fête patriarcale, le langage reste inhérent au corps même du sujet passionné ; non seulement c'est un signe qui renvoie à la personne signifiante (au « signifieur »), mais c'est encore un geste qui adhère à lui, une conduite concrète. Nous sommes amenés à cette constatation importante : le langage patriarcal préserve le souvenir et le pouvoir des onomatopées archaïques, il a encore le don de persuasion immédiate du *cri de la nature*. Mais déjà il est autre chose en plus : il est capable de désigner, hors du sujet parlant, l'existence indépendante d'une réalité pensée... Quoique déjetés par l'histoire hors de l'immédiateté première, les hommes disposent d'un instrument (d'une médiation) capable de restituer l'immédiateté. Dans la parole chantante, le sujet se communique sans se quitter. Il sort de lui-même pour s'offrir à autrui dans la parole ; et il revient à lui-même dans la présence affective constante qui anime sa parole. Qui, nous avons dépassé le cri brutal des origines (sans articulation ni inflexion), mais nous sommes en revanche très éloignés du langage impersonnel de l'homme civilisé, langage qui s'absorbe dans la généralité du signifié, qui déserte le sujet parlant, langage tout entier entraîné par sa fonction instrumentale et ses fins extérieures, langage sans personne .

*

Tel est l'idéal linguistique qui correspond à l'idéal social de la société ébauchée. L'homme ne rétrograde pas. L'âge d'or où parole, musique, danse, poésie étaient confondues ne peut nous être rendu. Après avoir évoqué le surgissement de cette première parole modulée, l'*Essai sur l'origine des langues* n'est plus que l'histoire d'une progressive et irréversible séparation. La parole ira perdant sa force, son accent et ses inflexions, elle deviendra logique, froide et monotone ; la musique, de son côté, ira son chemin, et la mélodie, expression de l'âme, verra sa suprématie menacée par les virtuosités harmoniques des musiciens modernes. Quant à la poésie, confiée à l'écriture, elle perdra le pouvoir souverain qui la caractérisait chez Homère et dans les grandes œuvres de la tradition orale. Tout l'apport du progrès n'est que l'envers d'une perte essentielle.

Tandis que la langue musicale et chantante correspond à l'âge d'or de la société ébauchée, il est une autre langue qui correspond à la société du contrat : c'est l'*éloquence*, acte de présence du citoyen à la délibération commune. Ici encore, nous voyons une structure de la parole s'ajuster à un modèle social. Le grand style oratoire ne se laisse pas dissocier de l'idéal civique.

Mais la société du contrat n'est pas une société révolue, comme l'est pour nous celle de l'âge patriarcal. Elle ne pose pas un problème d'origine historique, mais un problème de fondement idéal : c'est une société *possible*, dont le modèle intemporel plane, pour ainsi dire, au-dessus des société réelles. Ce modèle n'a trouvé nulle part encore sa parfaite application : il définit une norme, et non pas un état de fait. La corruption des sociétés réelles peut ainsi s'évaluer par l'ampleur de l'écart qui les sépare de cette norme. Les grands états modernes, livrés au despotisme, n'offrent aucun terme d'équivalence avec la norme : ils lui sont entièrement infidèles. En revanche, pour la Genève ancestrale ou pour la Rome républicaine, l'écart est à son degré le plus bas, la coïncidence avec la norme a presque été réalisée. Aussi Rousseau peut-il s'en réclamer.[47]

S'il existe une éloquence idéale, dans laquelle la norme de l'existence civique s'énonce et se vit, il existe aussi une éloquence pathétique, une éloquence accusatrice, dans laquelle la pensée dénonce l'oubli de la norme et met en évidence les causes et les effets de cet oubli. En écrivant le *Contrat*, Rousseau adopte le ton de l'éloquence légiférante. Dans les deux *Discours*, dans l'*Emile*, Rousseau recourra au pathos et aux démonstrations accusatrices : il rappellera la loi oubliée, il exposera les conséquences fatales de cette infidélite.

L'éloquence n'étant pas une langue de l'origine, mais une langue évoluée qui rappelle l'origine perdue, nous renoncerons à analyser ici la théorie de l'art oratoire selon Rousseau. Une remarque toutefois nous paraît nécessaire. De même que la langue patriarcale, plus évoluée que la langue archaïque, reprenait et intégrait dans son *discours lié* les gestes et les cris instantanés du langage antérieur, de même l'éloquence de la société idéale reprend et intègre à la fois les gestes de la langue primitive et les valeurs mélodiques de la

---

[47] C'est au cinquième livre de l'*Emile* que Rousseau s'explique le plus clairement sur le rapport entre l'idéal du *Contrat* et les sociétés réelles.

langue patriarcale. Le geste, le signe spectaculaire font partie de la véritable éloquence. Dans l'*Essai sur l'origine des langues*, Rousseau nous avait dit que la parole (qui se déroule dans le temps) éveille l'émotion mieux que « la présence de l'objet même ». Dans l'*Émile*, tout au contraire, Rousseau paraît donner la préférence à l'objet visible :

> Une des erreurs de notre âge est d'employer la raison trop nue, comme si les hommes n'étaient qu'esprit. En négligeant la langue des signes qui parlent à l'imagination, l'on a perdu le plus énergique des langages. L'impression de la parole est toujours faible, et l'on parle au coeur par les yeux bien mieux que par les oreilles. En voulant tout donner au raisonnement nous avons réduit en mots nos préceptes : nous n'avons rien mis dans les actions [. . .]
>
> J'observe que, dans les siècles modernes, les hommes n'ont plus de prise les uns sur les autres que par la force et par l'intérêt, au lieu que les anciens agissaient beaucoup plus par la persuasion, par les affections de l'âme, parce qu'ils ne négligeaient pas la langue des signes [. . .]
>
> Que d'attention chez les Romains à la langue des signes ! Des vêtements divers selon les âges, selon les conditions ; des toges, des saies, des prétextes, des bulles, des laticlaves, des chaires, des licteurs, des faisceaux, des haches, des couronnes d'or, d'herbes, de feuilles, des ovations, des triomphes : tout chez eux était appareil, représentation, cérémonie, et tout faisait impression sur les coeurs des citoyens [. . .] Les guerriers ne vantaient plus leurs exploits, ils montraient leurs blessures. A la mort de César, j'imagine un de nos orateurs, voulant émouvoir le peuple, épuiser tous les lieux communs de l'art pour faire une pathétique description de ses plaies, de son sang, de son cadavre : Antoine, quoique éloquent, ne dit point tout cela ; il fait apporter le corps. Quelle rhétorique ! [48]

Rousseau, en fait, ne se contredit pas. Dans l'*Essai sur l'origine des langues*, il nous dit que le pouvoir expressif s'accroît quand le geste isolé *se dépasse* pour devenir discours lié ; dans le texte que nous venons de citer, il nous dit toute l'efficacité du discours qui sait *revenir* au geste et qui se souvient du prestige fascinant de l'objet présenté (ou représenté). Dans les deux cas, l'intention expressive est en quête d'une énergie supplémentaire. L'homme du signe doit inventer la parole. L'homme de la parole doit se souvenir du pouvoir des signes.

D'une part, la pensée de Rousseau réinvente une *genèse* et imagine des acquisitions successives ; d'autre part, pivotant sur elle-même, elle se place dans la perspective de la *perte*, et elle évoque des pouvoirs révolus, des énergies dissipées, des vertus trahies. C'est le *pas encore* et le *jamais plus* qui sont les catégories favorites de cette pensée, quand elle évoque l'histoire humaine. L'*Emile* et l'*Essai sur l'origine des langues* s'accordent dans leurs conclusions : la véritable éloquence est perdue, le champ est libre pour la violence, la ruse et l'intérêt.

*

Jean-Jacques ne renonce pourtant pas à parler. Il parle dans une situation historique qu'il juge désespérée. « Les langues populaires nous sont devenues

---

[48] *Emile*, livre IV.

aussi parfaitement inutiles que l'éloquence. »[49] Quant à lui, il vient à nous comme celui qui tente un dernier effort ; il lance un dernier avertissement, à l'instant où la parole humaine est menacée de sombrer dans l'insignifiance. Il est le dernier orateur, et il annonce la mort du langage. Après moi, le silence.

Dans la *Dédicace* du *Discours de l'inégalité*, Rousseau se met lui-même en scène adressant la parole à ses concitoyens ; dans la *Préface* qui fait suite, il assemble autour de lui un auditoire de philosophes (le Lycée d'Athènes) qui s'amplifie bientôt aux dimensions du genre humain tout entier. Un homme solitaire s'adresse à l'humanité, pour réfuter la parole erronée des philosophes qui l'ont précédé. Situation merveilleusement héroïque, trop belle pour n'être pas chez Rousseau un rêve éveillé. C'est là une de ses *chimères*, l'une des situations idéales dans lesquelles son imagination le transportera encore à maintes reprises : s'exprimer soi-même, face au plus large auditoire possible, afin de manifester une vérité méconnue.

J'insisterai sur les implications de chacun des termes que je viens de formuler.

1. *S'exprimer soi-même* : il s'agit en effet d'exalter la singularité du sujet parlant. Singularité que la langue primitive, selon la théorie de Rousseau, garantissait, et dont il prétend conserver pour lui-même le privilège, dans la spontanéité de son cœur. Musicien et poète, il n'a pas oublié la langue de la *société commencée*, il est un « habitant du monde enchanté » :[50] il est Jean-Jacques.

2. *Il s'adresse au plus large auditoire possible*. Le Rousseau du second *Discours* souhaite être écouté de tous les hommes. Le Rousseau des *Dialogues* croit être enfermé par un mur de silence. C'est vivre de deux manières le désir de l'universel : comme possibilité, et comme impossibilité. L'idéal civique de la société du contrat exige la présence d'une place publique — d'un *forum* — au cœur de la cité. Rousseau s'y plante en imagination et rassemble un auditoire dont sa parole conquiert l'adhésion. Il légifère ; il parle la langue de la société du contrat ; il est citoyen : il est Jean-Jacques Rousseau, citoyen de Genève. Mais si Genève le désavoue, si personne n'accepte d'écouter, il lui reste à être, dans la solitude, l'individu paradoxal qui fera de son isolement l'envers d'une communauté perdue.

3. *Manifester la vérité*. C'est formuler, sur l'homme, sur la conscience, sur la société, les sentences qui correspondent à la science *perfectionnée*. Rousseau argumente ; il met en œuvre toutes les acquisitions du savoir moderne ; il entend pouvoir recourir, quand il le juge nécessaire, à la langue abstraite du raisonnement : il veut manier mieux que les autres cet instrument qui s'absorbe dans son objet et le désigne sous le jour de l'universel. Fût-ce pour

---

[49] *EOL*, chap. XX.
[50] Premier *Dialogue*, *O. C. I*, p. 672.

dénoncer la société cultivée, il parle la langue de la société cultivée. Il est un écrivain français.

Dramatiquement, Rousseau est convaincu d'être le seul à pouvoir exprimer cette vérité universelle, qui concerne l'origine perdue. L'éloquence de Jean-Jacques Rousseau est celle d'un homme démuni, sans autre titre que son amour de la vérité, et qui se sent réduit aux seules ressources qu'il pourra trouver dans sa parole.

Il se donne pour celui en qui—malgré la corruption générale—la voix de la nature, l'élan muet de l'amour de soi et de la sympathie ne se sont pas abolis. Il peut évoquer le langage du commencement parce qu'en lui ce langage initial ne s'est pas tu. Il est à la fois l'homme naturel taciturne, le musicien-poète de l'âge d'or, l'orateur républicain de la société vertueuse. Il récapitule en lui toute l'histoire du langage. Mais s'il sauvegarde et recueille chacune de ces langues archaïques, c'est pour se dresser en contradicteur de la société présente, en accusateur du vain discours, du « bourdonnement » et du bavardage futile de ses contemporains. Il rassemble en lui tous les langages révolus pour donner naissance à la parole nouvelle de la protestation.

Franco Venturi

LA CORRISPONDENZA LETTERARIA
DI AUGUSTE DE KERALIO E PAOLO FRISI

Per vent'anni, dal 1764 al 1784, Paolo Frisi e Auguste de Keralio si scambiarono notizie sulla vita scientifica, letteraria e politica dell'Italia e della Francia, procurando l'uno all'altro ed inviando a mezzo delle incerte e costose poste di quell'età — oppure ricorrendo alla compiacenza di diplomatici, banchieri e librai — innumeri dissertazioni matematiche ed astronomiche, commedie ed elogi, libri di economia e di diritto. Accompagnarono sempre questi loro pacchetti con commenti e discussioni, trasmettendo così tra Parigi e Milano un rivo costante di voci e polemiche, di ironie e apprezzamenti. La loro corrispondenza è vivo documento delle idee e delle lotte dell'illuminismo al di qua e al di là delle Alpi e ci permette di cogliere elementi e mentalità comuni, insieme ad altrettanto caratteristici distacchi e distinzioni.

Le lettere di Paolo Frisi sono disperse o perdute. Quelle invece di Auguste de Keralio si trovano nella Biblioteca Ambrosiana, nella tanto ricca e tanto interessante raccolta di lettere pervenute a Frisi dai più diversi luoghi dell' Italia e dell'Europa che in quella biblioteca si conserva. In un volume che porta la segnatura Y 153 Sup., in mezzo alle altre corrispondenze giunte dalla Francia (Germain de Noguès, il principe Emanuel de Salm, Clairaut, Nollet, D'Holbach, Watelet, d'Alembert ecc.) un grosso pacco di duecentoventuna lettera, dal f. 171 al 366, contiene il nutrito carteggio dello studioso brettone.[1]

Auguste-Guy Guinement de Keralio era il governatore del giovane Don Ferdinando, il duchino di Parma.[2] Nato nel 1715, fratello di Louis Félix, cavaliere di Keralio (1731—1793), diplomatico ed erudito, di Agathon Guinement de Keralio (1734—1788), uomo d'armi ed educatore del principe dei Due Ponti, il futuro re Massimiliano-Giuseppe di Baviera, Auguste fu anch' egli soldato, diplomatico e studioso. Era giunto a Parma nel 1757 e doveva restarci meno di dieci anni. Amico di Duclos, del duca di Nivernois, interessato soprattutto a problemi matematici, scientifici e d'ingegneria, egli costituisce un tipico esempio del piccolo ed attivo mondo francese della Parma settecentesa.

---

[1] Utili elementi ha tratto da questo carteggio Salvatore Rotta, *Documenti per la Storia dell'illuminismo a Genova. Lettere di Agostino Lomellini a Paolo Frisi*, in "Miscellanea di storia ligure", vol. I, Genova 1958, pp. 189 sgg.

[2] Henri Bédarida, *Parme dans la politique française au XVIIIe siècle*, Paris 1930, pp. 164 sgg. Un interessante ritratto di questo personaggio è contenuto nella dissertazione di laurea sostenuta da Luciano Guerci presso la Facoltà di Lettere dell'Università di Torino nel 1965.

Paolo Frisi è personalità di maggiore rilievo, "Une tête philosophique et qui sait bien apprécier les sottises de l'espèce humaine en tout genre", così d'Alembert lo presentò un giorno a David Hume.[3] Matematico e scienziato era stato dapprima il tramite tra il mondo universitario pisano e l'ambiente milanese dell' "Accademia dei Pugni" e del "Caffè", aveva poi allargato il suo orizzonte a tutta l'Europa dei lumi, ricongiungendo la tradizione galileiana e newtoniana allo spirito enciclopedistico francese e alla volontà di applicazione pratica del moto di riforma lombardo.[4]

Frisi era tornato da non molto tempo a Milano, proveniente dall'Università di Pisa, chiamato da Firmian ad insegnare alle Scuole Palatine quando ricevette la prima lettera di Keralio che ci sia stata conservata, del giugno 1764. Da Parma, diventata in quegli anni il principale centro di vita culturale francese nell' Italia d'allora, giungevano così a Frisi, di riflesso, le notizie di Parigi. Keralio gli parlava di d'Alembert e della nascosta preparazione dei volumi conclusivi dell'*Encyclopédie*. "On m'écrit de Paris que l'impression du Dictionnaire Encyclopédique est fort avancée et qu'on en est à la lettre R". L'anno dopo, il 6 maggio 1765, le polemiche sulla cacciata dei Gesuiti erano ampiamente discusse tra i due amici: "J'ai lu l'ouvrage sur la proscrition des Jésuites qu'on dit de M. d'Alembert. Vous savez peut-estre déjà qu'il n'a pas fait fortune, et, en vérité, il ne méritoit pas: on attendoit tout autre chose de M. d'Alembert". Certo era ingiusto che il celebre matematico francese fosse ostacolato e danneggiato, da parte dell'Accademia, per questo suo scritto, ma restava pur sempre che "cet ouvrage est trop au dessous de luy" (25 giugno 1765).

La discussione sui Gesuiti era tanto più importante agli occhi di Frisi e di Keralio che il ducato di Parma e la Lombardia stavano rapidamente entrando in una fase accelerata di contrasti e di riforme in tutto il campo dei rapporti tra la chiesa e lo stato. Ogni indagine, ogni suggerimento in questa iniziale e complessa battaglia poteva esser utile, prezioso. E tanto più amara ogni delusione quando pareva ai due corrispondenti di non aver trovato quel che cercavano nei libri francesi ed italiani. Nel 1767 era uscita a Coira, nei Grigioni, l'opera di Carlantonio Pilati, *Di una riforma d'Italia*, che a molti, tra i quali Voltaire, era apparsa come l'annuncio, il manifesto di una nuova epoca. Keralio ne scriveva a Frisi il 2 novembre di quello stesso anno 1767, ma l'opera gli sembrava soprattutto mancare di quella concretezza che il momento richiedeva. "C'est une déclamation, gli scriveva, et point du tout un

---

[3] *Letters of Eminent Persons adressed to David Hume*, ed. by John Hill Burton, Edinburg and London 1849, pp. 198.

[4] Fondamentale per la conoscenza di Frisi e del suo ambiente l'opera di Pietro Verri, *Memorie appartenenti alla vita e agli studi del signor don Paolo Frisi regio censore e professore di matematica e socio delle primarie accademie d'Europa*, Milano 1787. Per altre indicazioni cfr. *Illuministi italiani*, tomo III, *Riformatori lombardi, piemontesi e toscani*, a cura di Franco Venturi, Milano-Napoli 1957, pp. 287 sgg.

ouvrage raisonné et philosophique: quant aux moyens de procéder à cette réforme on ne peut pas estre plus bref qu'il est sur cet article, aussi bien que sur celui de l'administration de la justice. Articles cependant bien intéressans et bien essentiels". Parole che devettero trovare qualche eco nell'ambiente milanese e nell'animo stesso di Frisi. Ben più modesto nel suo slancio, ma ben più concreto che non la *Riforma* proposta da Pilati sarà il *Ragionamento sopra la podestà temporale de' principi e l'autorità spirituale della chiesa* che Frisi scriverà su invito di Kaunitz l'anno seguente, nel 1768, quasi a tracciare un programma preciso di azione politica e giuridica immediata. Quanto a Parma, il piccolo ducato era impegnato in un conflitto ravvicinato con la Curia romana e, sotto la direzione del ministro Du Tillot, sembrava porsi alla testa della lotta anticuriale in tutta l'Italia. L'8 febbraio 1768 Keralio poteva annunciare a Frisi: "dans la nuit d'hier à aujourd'hui a été faite l'opération de l'expulsion des Jésuites. Tout s'est passé fort doucement, sans trouble et sans scandale . . .". Ai rallegramenti e agli incitamenti che ricevette da Milano rispondeva, il 22 febbraio: "il est certain que ce seroit un grand service à l'humanité que de détruire jusque dans ses fondemens le tribunal aussi inique qu'absurde de l'Inquisition. Mais malheureusement nous n'en sommes pas là . . .". Ma gli orizzonti sembravano allargarsi, malgrado tutti gli ostacoli. Nè di problemi giurisdizionali soltanto si trattava. Le riforme traevano l'attenzione verso le questioni politiche ed economiche. Keralio dava notizia a Frisi di come era stato accolto a Parigi il libro di Mercier de la Rivière, l'*Ordre naturel et essentiel des sociétés* (e si trattava soprattutto di critiche): "Je n'ay pas esté plus content que vous de cet ouvrage. L'abbé de Condillac m'avoit prié de le lire et de lui dire mon sentiment. Je l'ay lu et il s'est trouvé que nous en avons porté tous deux le même sentiment" (2 novembre 1767). Con tanto maggior interesse e gusto lessero la confutazione che Mably aveva scritta di quest'opera. Lo stesso Du Tillot si era affrettato di farne avere una copia a Firmian. "Vous le lirez surement avec plaisir; vous y verrez démonstrativement que nous n'avions pas si grand tort" (10 mars 1768).

L'interesse per i problemi italiani e per il loro vario intrecciarsi con la vita intellettuale francese non venne meno in Keralio quando egli lasciò Parma e tornò a Parigi, nel 1769. Viveva nell'ambiente di d'Alembert, grande estimatore di Frisi ("Nous avons . . . parlé de vous et si vous aviez entendu de derrière le rideau ce que nous en avons dit, je suis sur que vous n'auriez pas esté mécontent", gli diceva il 26 novembre 1769). Frequentava Morellet, allora alle prese col suo dizionario di commercio, e questi gli diceva le sue speranze d'esser aiutato da Firmian, "dont il n'a pas oublié les bontés", per tutta la parte della sua opera che riguardava la Lombardia (16 dicembre 1769). Ben presto la pubblicazione dei *Dialogues* di Galiani avrebbe sollevato le più vivaci polemiche e discussioni (28 gennaio 1770). Si apriva l'*annus mirabilis* dell'illuminismo francese, l'anno del *Système de la nature*, che doveva avere un suo sia pur modesto parallelo a Milano nelle discussioni tanto politiche, di Alfonso Longo, che filosofiche, sul corpo umano, sul rapporto tra uomini

ed animali, che si svolsero nella capitale lombarda tra Pietro Moscati, Giuseppe Po e Giambattista Vasco.[5] "Je suis très curieux de voir les pièces de
l'abbé Longhi et du docteur Moscati: ainsi vous me ferez plaisir de me les
faire passer par la voie de Parme. Ce n'est pas seulement à Milan qu'on
prêche le matérialisme. Il vient de paroître icy un ouvrage en 2 volumes,
grand in 8⁰, qui se vend trentesix livres sous les manteaux. Il est intitulé
Système de la nature. C'est un système complet de matérialisme" (29 aprile
1770). Il libro di d'Holbach piacque abbastanza a Keralio. "Il n'est pas mal
fait. C'est seulement un peu long, un peu diffus" (26 maggio 1770). Nè, a
giudicar dalle risposte, si direbbe che Frisi fosse affatto scandalizzato o dissen-
ziente di fronte a questo atteggiamento del suo corrispondente. La discussione
anzi continuava nei mesi seguenti, intrecciandosi con quella che si era accesa
tra loro a proposito del libro di Cornélius de Pauw, *Recherches philosophiques
sur les Américains* ("Il est fort rare . . . , on le dit beaucoup mieux fait que
le *Système de la nature*", leggiamo già il 26 maggio 1770 ed il 21 luglio dello
stesso anno Keralio dichiarava: "C'est un ouvrage vraiment philosophique").
La campagna di d'Holbach trovava un'eco sempre più larga e consenziente in
questa corrispondenza. "Il y a aussi, leggiamo il 21 luglio 1770, un *Essai sur
les préjugés* que je ne connois point et qui est aussi fort rare. Je sçai que le
Roi de Prusse en est fort mécontent: on dit que c'est parceque les rois y sont
assez maltraités, et surtout ceux dont le caractère est analogue au sien".[6]

Gli anni che avevano visto le maggiori affermazioni materialistiche ed
atee erano anche quelli in cui, qua e là in Italia e soprattutto in Francia, la
situazione andava facendosi sempre più difficile per il moto dei lumi e delle
riforme. A Parma la situazione volgeva ormai alla reazione. A Torino, le
nuove *Regie costituzioni* mostravano tutta la distanza che si era venuta allar-
gando tra le nuove concezioni giuridiche e il conservatorismo e tradiziona-
lismo dello stato sabaudo ("qui ne seroit pas scandalisé comme vous de cette
nouvelle ordonnance criminelle du Piémont! Elle révolte l'humanité. Si la
philosophie, ou, ce qui est la même chose, la raison fait des progrès en certains pays, il faut convenir qu'elle rétrograde bien en d'autres", diceva
Keralio il 26 agosto 1770). Ma, ripetiamolo, soprattutto in Francia evidente
era la crisi.[7] Il 16 febbraio 1771 Frisi leggeva nella lettera del suo amico: "La
presse ne fut jamais moins libre. Des libraires qui ont imprimé des ouvrages
depuis longtems avec toutes les permissions ordonnées par les loix n'ont pas
la permission de les publier. Enfin on a exigé qu'on mit des cartons à une
traduction de Platon. Aussi n'ai d'autre ouvrage nouveau à vous annoncer
qu'un traité élémentaire d'hydrodynamique en 2 vol. in 8⁰, par l'abbé

---

[5] Franco Venturi, *Giambattista Vasco in Lombardia*, in "Atti dell'Accademia
delle Scienze di Torino", vol. 91 (1956—57). Cfr. pure la lettera di Condorcet a
Frisi, del 30 aprile 1770, conservata tra i manoscritti del British Museum, Eg. 18.

[6] Per le discussioni attorno a quest'opera, vedi Diderot, *Œuvres politiques*, éd. de
P. Vernière, Paris 1963, pp. 125 sgg.

[7] Furio Diaz, *Filosofia e politica nel Settecento francese*, Torino 1962, pp. 428 sgg.

Bossut". Sintomo e riflesso particolarmente grave della crisi appariva, agli occhi di Keralio, la caduta del duca di Choiseul. Nella medesima lettera che abbiamo ora citata egli faceva sentire a Frisi tutta la gravità della situazione. "Vous me demandez des nouvelles. Je vous en dirois si vous étiez ici, mais il seroit pas prudent de les écrire: nous sommes actuellement dans une crise dont il n'est rien moins qu'aisé de prévoir la fin. Dieu veuille qu'il en résulte la gloire et le bien de l'état. Ce qu'il y a de fâcheux, c'est que beaucoup d'honnêtes gens souffrent et que suivant toute apparence ils souffriront encore longtems". Il 27 aprile 1771 esprimeva efficacemente l'atmosfera d'incertezza e di malessere che sempre più si appesantiva su Parigi, sulla Francia, dove sempre più evidente era "un levain d'inquiétude et de mécontentement qui pourroit fermenter un jour pour le malheur de l'état". La sua corrispondenza era sempre più costellata di forzati silenzi e di imbarazzanti reticenze. "Je ne vous parle point des affaires publiques: c'est un sujet trop affligéant. Si vous étiez en ce pais-cy vous n'entendriez parler que d'exils, de proscriptions, de privations de charges; vous vous croiriez transporté dans l'ancienne Rome, dans ces tems affreux que Tacite a peint avec tant de force" (1 giugno 1771). Come pure per altri "philosophes" anche per Keralio la lotta contro i Parlamenti non solo non suscitava alcun entusiasmo, ma finiva per far sorgere i più profondi dubbi sulla monarchia stessa. "On détruit successivement tous les Parlemens pour leur en substituer d'autres ou pour n'y rien substituer, diceva il 25 novembre 1771. On dit que le but de toutes ces opérations violentes est l'affermissement de l'autorité royale. Bien des gens croient que cela pourroit bien quelque jour en causer la destruction".

Su questo fondo oscuro lo sforzo metodico della Lombardia, le sistematiche riforme che vi si andavano compiendo, la stessa atmosfera intellettuale che vi predominava finirono col risaltare con i chiari colori della fiducia e della speranza. "Je suis bien aise que vous vous soyez separé en riant de l'Inquisition. Elle a fait gémir assez longtems", scriveva Keralio il 1° novembre 1771. Un pacchetto di libri era allora giunto a Parigi, portando una viva voce dell'illuminismo lombardo. Attraverso Frisi e Keralio Pietro Verri inviava ai confratelli d'oltr'alpe le sue *Meditazioni sull'economia politica*, uscite a Livorno nella stamperia dell'*Encyclopédie*. "Les exemplaires de l'ouvrage de M. le comte Verri sont enfin parvenus à ceux auxquels ils étoient destiné. J'ai presté mon exemplaire à plusieurs personnes très instruites et très capables d'en juger. Tous portent le même jugement de l'ouvrage. Ils le trouvent très bien fait, les principes solides et les conséquences très clairement et très méthodiquement déduites". E proponeva se ne facesse presto una traduzione (19 ottobre 1771). D'Holbach confermava queste parole in una lettera a Frisi del 1° dicembre 1771: "Tous ceux qui ont été en état de le lire sont très satisfaits; je ne doute pas qu'une traduction françoise ne valut à l'auteur des applaudissemens universels, mais la presse est si gênée ches nous qu'il est presque impossible de dire les moindres vérités; nous sommes réduits à jouir

de celles que nous viennent des pays étrangers".[8] Keralio molto si diede da
fare per procurare quella traduzione dell'opera di Verri che si andava così da
varie parti richiedendo. Morellet si impegnò in un primo momento a rivedere
questa versione. Se non fosse stato possibile pubblicarla a Parigi, "je la ferai
imprimer aux Deux-Ponts, où j'ai un frère qui veillera sur l'édition", diceva
Keralio il 25 novembre 1771. Suard finì col trovare il traduttore, che esigeva
tuttavia un compenso piuttosto alto. Il 25 ottobre 1772 Keralio poteva annunciare che la traduzione era compiuta e che era nello mani di Suard il quale la
controllava. Ben presto il manoscritto sarebbe stato nelle mani di Verri.
Bisognava attendersi delle noie da parte dei censori, particolarmente lenti nel
compiere il mestier loro, "Mrs. les censeurs, occupés d'autres besognes ne
lisant le plus souvent les ouvrages qu'on soumet à leur examen que dans les
momens perdus..." (25 ottobre 1772). Ma questa volta la colpa non fu dei censori. La traduzione non soddisfece Pietro Verri, intervennero ritardi e malintesi
e quella versione francese non vide mai la luce. Episodio che illustra ancora
una volta, sul piano anedottico, quel mancato incontro tra Verri e i *philosophes* parigini che tanto dovette amareggiare il riformatore milanese e che
certo si spiega anche con la situazione sempre più diversa che venne creandosi
a Parigi e a Milano all' inizio degli anni Settanta. Mentre infatti Keralio
continuava a raccontare a Frisi i conflitti politici ed economici degli ultimi
anni di Luigi XV, narrandogli delle lotte che si erano aperte attorno al nome
e alle idee di Necker, Frisi poteva scrivere del lento progredire delle riforme
di Verri e di Beccaria, e magari sue, sul suolo lombardo. Keralio rispondeva
dicendo: "Heureux le pays où le gouvernement sçait connoître les gens de
mérite et en faire usage!" (5 settembre 1773). Ma accompagnava questo
apprezzamento con il frequente invio delle testimonianze del tanto più vivace,
violento dibattito parigino.

Il 20 maggio 1772 gli parlava dell'*Histoire philosophique et politique des
établissemens et du commerce des Européens dans les deux Indes*, dell'abate
Raynal, "écrit avec chaleur et hardiesse". "Il se vend sous le manteau",
aggiungeva. L'11 luglio dello stesso anno parlava dei *Systèmes* di Voltaire,
opera "digne de ses beaux jours", il 25 ottobre ecco il *Bon sens* dell'abate
Meslier: "On le croit de l'auteur du *Système de la nature*". E così, lungo il
corso dei mesi e degli anni, si seguivano gli opuscoli ed i libri, come, ad
esempio, quello di Condorcet sul commercio dei grani o quello di Mably *De la
législation ou principes des loix*, caratteristici entrambi del dibattito dell'età
che preparò e seguì il tentativo riformatore di Turgot.

Con gli anni la corrispondenza si fa talvolta più accademica, scientifica,
meno vicina ai problemi del giorno, non senza tuttavia frequenti ritorni ai
motivi più prossimi all'attualità o più tipicamente illuministi. "Je plains de

----

[8] Su questi ed altri echi contemporanei di quest'opera cfr. Franco Venturi, *Riflessi
in Germania di alcune opere di Pietro Verri*, in *Arte e storia. Studi in onore di
Leonello Vincenti*, Torino 1965, pp. 429 sgg.

tout mon cœur le pauvre Denina. Mais c'est bien pis en Espagne. Vous en avez sans doute sçu les nouvelles dans le tems", diceva il 2 marzo 1777, alludendo evidentemente all'arresto di Olavides. I *philosophes* erano diventati ormai, anche per Frisi, dei modelli ammirati e seguiti da lontano, come degli dèi d'un nuovo pantheon. Keralio, l'11 giugno 1778, spediva all'amico milanese i ritratti di Voltaire, d'Alembert, Diderot e Montesquieu. E Frisi ricambierà con l'invio ormai regolare de quegli *elogi* di pensatori, scienziati e sovrani che occuparono una parte non piccola degli ultimi anni della sua vita. Gli *elogi* di Galilei e di Cavalieri andarono all'ambasciatore austriaco a Parigi, il conte Mercy d'Argentau, all'ambasciatore napoletano Caracciolo, a Condorcet, a d'Alembert, a Bailly. "On est içy extrèmement content de vos éloges" (20 settembre 1778). Condorcet ne parlò nel "Mercure de France". "Il regrette avec raison que quelqu'écrivain ne nous en donne pas une traduction françoise" (24 juillet 1779). Quando d'Alembert morì, dopo una lunga malattia che è ansiosamente e minutamente seguita nelle lettere di Keralio, e Frisi ne scriverà un elogio, il mondo dei lumi francese e quello italiano sembrarono trovare un compiuto punto d'incontro e d'accordo nella visione scientifica, positivistica, staccata ed attiva insieme, che era stata quella dello scomparso. Frisi sperò persino un momento che il suo scritto potesse essere ufficialmente premiato ed accettato a Parigi. Keralio dovette dissuaderlo. Nell'ultima lettera che gli indirizzò, il 22 agosto 1784, gli diceva: "Il est de toute impossibilité que l'*Eloge* de d'Alembert en italien puisse être admis au concours de l'Académie françoise. Cette Académie, fondée pour la perfection de la langue françoise..." non avrebbe mai potuto accettare una cosa simile.

Se l'accademia e la gloria avevano i loro limiti, ben più vicini si sentivano i due uomini quando rivolgevano lo sguardo al mondo politico che li attorniava. Keralio era appassionatamente favorevole ai coloni americani insorti. L'Inghilterra gli pareva profondamente in crisi. Persino il ritardo, o l'assenza addirittura degli esperimenti aerostatici al di là della Manica egli credeva di poter spiegare con le grandi preoccupazioni degli inglesi in politica interna ed estera. Nella primavera del 1784 l'isola gli sembrava sull'orlo dei più gravi conflitti. "Les Anglois sont trop occupés de leurs divisions domestiques qui de jour en jour paroissent prendre la tournure la plus sérieuse. Suivant les nouvelles du 19 (mars) le Parlement étoit au moment d'être dissou" (23 marzo 1784). Riflessi tutti della vittoriosa ribellione degli americani, che Keralio aveva sentito come propria e che sempre aveva sperato giungesse a buon fine. Il 2 ottobre 1782 aveva detto a Frisi che la Francia non si sarebbe scoraggiata delle difficoltà incontrate nell'aiutare gli insorti. Il suo paese "regarde la guerre présente comme une guerre nationale...". Ogni trattativa con gli inglesi gli era parsa inammissibile se non avesse avuto come presupposto inderogabile l'indipendenza dell'America, vera condizione *sine qua non* per una cessazione delle ostilità. E gli avvenimenti erano venuti a confermare queste speranze e queste visioni di Keralio.

Un certo ottimismo pure egli riteneva di poter trarre anche dagli avvenimenti di quegli anni nell'Europa centrale. Giuseppe II procedeva con decisione ed energia. "Les gens de bon sens voient icy avec plaisir les démarches pleines de vigueur qui en sont la suite. On espère que le bon exemple ne sera pas perdu et que les princes ses voisins en profiteront quelque jour" (5 ottobre 1781). L'anno dopo ribadiva il suo pensiero: "Vous imaginez bien qu'on parle beaucoup icy des rescripts et déclarations de S.M.I. Notre clergé surtout s'en occupe beaucoup en craignant, comme de raison, la contagion de l'exemple. Les gens sensés au reste voient avec plaisir qu'on commence à dépouiller la Cour de Rome de ses usurpations". Non mancavano, è vero, le opposizioni ed i pericoli. "On vient de me dire que le Primat et les Magnatz de Hongrie avoient fait à l'Empereur des représentations très vives sur ses nouvelles ordonnances" (3 marzo 1782). Soprattutto poteva parergli un pericolo grave la progettata intervista tra il papa e l'imperatore. Non sarebbe stato quest' ultimo indotto a recedere dalla sua politica? Keralio fu del tutto soddisfatto quando seppe i risultati del viaggio del "pellegrino apostolico": "Je vois avec plaisir que la présence de S.S. n'a pas arrêté la marche de l'Empereur. Ceux qui connoissent ce Prince n'en ont jamais douté. Dieu veuille que ce bon exemple soit imité ailleurs" (17 aprile 1782).

La politica di Giuseppe II si rifletteva direttamente sulla vita italiana, e Keralio lo constatava. Ma, nella penisola, le luci e le ombre continuavano ad alternarsi ed a scontrarsi. Vario e contrastato restava il paesaggio culturale e politico italiano. Egli continuava a rivolgervi non poco della sua attenzione, guidato sempre dalla mano di Frisi. Tornava spesso col pensiero a quel ducato di Parma che aveva visto i suoi giovanili tentativi di riforma. Tanto più gravemente lo colpivano l'oscurantismo e la bigotteria di quello staterello. "Vous avez donc entendu faire l'éloge du Marquis de Félino à Plaisance, scriveva il 5 giugno 1780. En ce cas les Plaisantins ont bien changé de langage. C'est à Plaisance que se sont ourdies toutes les trames pour la persécution de cet honnête homme. Ils sentent à présent leur injustice. Ils en sont punis. C'est le sort ordinaire de méchans". Qualche anno dopo riceveva il *Diario di Colorno per l'anno 1783, nel quale trovansi segnate tutte le funzioni ecclesiastiche e tutte le indulgenze oltre alla dichiarazione di varie cose necessarie, dilettevoli ed utili agli abitanti di Colorno a cui comodo e vantaggio principalmente è stato composto*, pubblicato dalla Stamperia reale di Parma — straordinario esempio, in verità, di bigotteria ufficiale. "Le *Diario di Colorno*, diceva il 2 luglio 1783, m'est parvenu. J'en ay gémi. Malheureusement c'est tout ce que je puis faire".

Se queste erano le tristezze, non mancavano le gioie. Il nome di Spallanzani, così come di altri scienziati italiani, la discussione delle loro esperienze e delle loro scoperte tornava frequentemente sotto la penna di Keralio. Quanto alla letteratura, ben volentieri si accingeva, per quanto era in lui, a diffondere a Parigi le opere del tragediografo che si era allora affermato in Italia. "A' l'égard des tragédies du comte Alfieri, scriveva il 18 dicembre 1783,

il me sera aisé de les faire connoître à M. de Condorcet. Il n'en est pas de
même pour M. de la Harpe que je ne connois que pour l'avoir rencontré
quelque fois et avec qui je n'ay aucune liaison".[9] Pietro Verri continuava a
fargli conoscere le sue opere e a porgerle, tramite suo, agli scrittori parigini.
Particolarmente colpito fu Keralio il giorno in cui ebbe tra mano e lesse la
Storia di Milano. "C'est vraiment un bon ouvrage, écrit comme j'imagine que
toute histoire devroit être écrite. Un stile noble et simple en même tems, une
critique sage, des faits qui se suivent sans embaras, des reflexions qui nais-
sent du sujet, voilà ce que je trouve dans l'ouvrage de M. le comte Verri et ce
qu'on ne trouve que rarement dans les ouvrages modernes de cette nature"
(23 maggio 1784). Era tanto più interessato alla storiografia moderna che un
carissimo amico suo, che caldamente egli raccomandava a Frisi in una lettera
dell'8 settembre 1782, Mr. de Septchènes, allora in procinto di partire per
l'Italia, era autore di opere di questo genere e soprattutte traduttore francese
di Gibbon.

La morte, che sorprese Paolo Frisi il 22 novembre 1784, venne a spezzare
questo ventennale carteggio, questa corrispondenza letteraria dove, nella
pacata ed asciutta prosa di Keralio, si riflettono tanti degli elementi più vivi
del Settecento europeo.

---

[9] Cfr. Vittorio Alfieri, *Epistolario*, a cura di *Lanfranco Caretti*, vol. I (1767–1788),
Asti 1963, pp. 163 sgg., 169 sgg., 174 sgg.

IRA WADE

POVERTY IN THE ENLIGHTENMENT

The present drive against poverty in rich America of the twentieth century leads us to consider the life of the eighteenth-century peasant in France. We can imagine the normal hardships of his struggle for survival against nature, biting cold, scorching heat, torrential rain, wind and hail, things which will always be with us until some noble-minded scientist invents an air-conditioned universe. But his real misery is difficult to envisage. H. Sée in his *France économique au XVIIIe siècle*, Paris, 1925, has given perhaps the most accurate account of his situation (p. 41):

> One of the consequences of misery and bad living conditions, is epidemics, which though less terrible than those of the middle ages, are still very fatal . . .
> Epidemics are more frequent and more fearful in the country than in cities . . .
> The peasants are almost devoid of medical care. Only at the end of the Ancien Régime did the government organize medical aid . . .
> Begging and vagabonding became real scourges, against which the government was powerless. Especially in the country beggars and vagabonds are very numerous in periods of economic crises; many day laborers, reduced to misery, increase the number of these wretches . . .
> In dealing with all this misery, private charity is ineffective. Public aid, increasing in towns, became more and more insufficient in the country. Hospitals and Alms-houses, formerly rather widespread, little by little disappeared.

There remained only the foundations and the clergy to relieve the situation, but they were pitifully inadequate. The rich Abbeys abandoned the task of distributing alms. Thus by the time of Turgot and Necker, some *Ateliers de charité* were formed along with the centers for alms, but all of these agencies were still so inadequate at the time of the Revolution that one of the things most urgently recommended in the Constituant Assembly, was a Committee for Overseeing Beggars.

The school situation for peasant children was also deplorable. In Northern France thanks to a certain industrial prosperity schools did exist, but elsewhere many parishes had none whatever, instruction for girls being particularly meagre. Usually the village priest was entrusted with teaching, but the whole situation was very badly organized and many schools remained closed over a period of years.

In an age committed to reform, this deplorable situation did not pass unnoticed. The indefatigable Abbé de St. Pierre, so fertile in plans for improvement in the public good, wrote two essays on the subject, a *Projet pour rendre les établissements des religieux plus parfaits* and a *Projet pour renfermer les mendians,* which were published in volume IV of his *Oeuvres de politique,* Rotterdam, 1733. The astute Abbé suggested that the government take care of the destitute by allocating them the duty on merchandise entering Paris. He noted in passing that this was already being done, but inefficiently. He maintained that it is the government's duty to make beggars work, not however in a perfunctory way. It should secure suitable and adequate jobs for them. Orphans and foundlings should be brought up in almshouses and «les familles à enfants nombreux ont droit à une subsistance à proportion du nombre de ces enfants.» In the recommendation we note that the good Abbé who in his day passed for a dreamer but who was soundly commended by Voltaire himself for his beneficence, anticipated by two hundred years some of the activities of our present-day Social Security. He urged the State to care for the blind, the invalids, the aged, and the sick. Finally, he suggested that each almshouse have a year's grain reserve for famine years.

These recommendations were made in 1724. The King acted upon them immediately and, according to a note by St. Pierre, with great success. Unfortunately, in two years time, the whole scheme fell through, due to faulty administration. St. Pierre nonetheless noted the increased number of beggars, especially since 1730, and he reiterated the necessity of adopting his reforms.

It is obvious, however, that very little heed was paid his demands. When, in 1738, D'Argenson wrote his *Considérations sur le gouvernement, ancien et présent de la France,* he stressed that begging had become a major social problem and deplored that every attempt of the government to deal with it had ended in failure. D'Argenson gave as reason for this state of affairs the incapacity of a monarchy to spend its funds efficiently. He condemned out of hand the government's policy of establishing « Hôpitaux-Généraux », alleging that they were run not for the alleviation of the sick and poor, but for the financial advantage of administrative officers. One is reminded of a similar situation depicted fictionally at a later date by Stendhal in *Le Rouge et le noir.* D'Argenson's remedies are practical but limited. He would send beggars back to their native villages; each community would be entrusted with a certain number of foundlings; and a modest pension would be allocated incurables and invalids. But practical and limited as this suggested assistance was, D'Argenson added wryly that many villages were practically deserted or already inhabited only by beggars.

Montesquieu likewise treated the problem in a chapter of *De l'Esprit des lois (Oeuvres* [Pléïade], Paris, 1958, p. 712, vol. 2). He takes the position that a person is poor who doesn't work. But he admits that in commercial countries where so many people have only their skill, the state is often forced to provide for the needs of the aged, the sick, and orphans. The well-policed state gets its resources from the development of its own prosperity; it provides each man with the type of work for which he is trained, and it trains others to perform a special work. There are in these decisive ramblings of Montesquieu two fundamental principles of real consequence. First, he believes that the best way to take care of the indigent is to raise the economic level of the State. In a poor state the poverty of the individual derives from poverty in general and all the almshouses in the world can never cure this private poverty. What is worse, the poverty-stricken state breeds idleness, and the « Hôpitaux », which also foster this idleness, only add to the universal poverty. Thus the remedy lies in founding a prosperous economic state. Montesquieu's second principle is equally important: the state owes each of its citizens a guaranteed subsistence, food, clothing, and a healthy manner of living. It is extraordinary that these are the two fundamental ideas now put forward for the development of the underdeveloped country. They are known popularly as the theory of economic prosperity and the theory of social justice. It is argued that both theories are essential for the welfare of a state. [See Toynbee, A. J., *The Economy of the Western Hemisphere*, Feb., 1962. (Lectures delivered at the University of Puerto Rico.)] Montesquieu adds that if one accepts these principles and means are devised to give them effective expression, there will be no need for almsgiving or charity hospitals. At the same time the wily Gascon concedes that in periods of depression it might again be useful to institute charity hospitals.

It is in the thought of writers like the Abbé de St. Pierre, D'Argenson and Montesquieu that a real social consciousness was developed. In this thinking of a priest, a statesman, and a jurist there is not only ready agreement; as Sagnac has pointed out *(La Formation de la société fr. moderne*, II, 207, Paris, 1946), noblemen and priests, masonic lodges, and even philanthropic foundations were devoted to alleviating the misery of the poor. But it is doubtful that these perfectly genuine expressions of humanitarianism replaced the humble but dedicated devotion of the village priest. At all events, when the *Encyclopédie* in 1765 published its article « Hôpital », it defined such institutions as follows: « . . . Ce sont aujourd'hui des lieux où des pauvres de toute espèce se réfugient, et où ils sont bien ou mal pourvus de choses nécessaires aux besoins urgens de la vie. »

The *Encyclopédie* proposed in fact a definite program of reform. In the article « Mendiant » (X, 332[a]) the Chevalier de Jaucourt suggested, in line with remarks already made in the *Considérations sur les finances*, that each almshouse add workhouses to its central plant, stating explicitly that these institutions exist for the sick and aged. He deplores the fact that they are the most poorly financed of institutions, often lacking the barest necessities. While thousands of men are well-dressed and nurtured in idleness, a simple worker fallen sick has to spend everything he possesses or have himself placed in a bed with other sick persons who complicate his case.

The viewpoint expressed in the *Encyclopédie* does not differ greatly from Montesquieu's. Indeed, in the Introduction to Vol. V, p. xii[b], which was an *Eloge de M. le Président de Montesquieu*, the writer summarized in a very cogent way the President's views. Charity hospitals are necessary in a state where the majority of the population has no resource except its industry. However, they can offer only temporary relief in moments of distress. Authorities must be especially careful not to encourage begging and idleness. The proper way to handle the situation is to foster prosperity among the workers, and to keep almshouses for unforeseen emergencies. « Malheureux les pays où la multitude des hôpitaux et des monastères, qui ne sont que des hôpitaux perpétuels, fait que tout le monde est à son aise, excepté ceux qui travaillent. » The *Encyclopédie* (vii, 102[a]) is skeptical about unlimited hospitals for the public, and much preoccupied with the idea that they may foster laziness. It even inclines to the belief that foundling institutions do not necessarily contribute to population growth. Ultimately, however, the *Encyclopédie* establishes (viii, 293[a]) a policy for handling the situation, a policy consisting in a series of precepts: There must be a systematic effort to reduce the number of indigent people. This can be done only by offering everyone a modest job and counseling the worker strict economy when he is strong and healthy. The state must be sufficiently active and wealthy to supply everyone with work and must not tolerate idleness in the young and vigorous. Institutions should distinguish between the poor who are sick and those who are well. Professional beggars must be excluded and put to work. However, charity hospitals are necessary and should be well equipped to care for the sick and aged. There should be an over-all administration to direct them, a general reservoir for collected alms, and responsibility for the distribution of such funds should be entrusted to the King himself.

Such was the situation when an unknown village priest apparently from the little village of Chavignon, half-way between Laon and Soissons, wrote a series of dialogues on the organization of social security among the peasants. Social science was very close to the humanities at that time and the good priest entitled his manuscript *La Plusiptochie; ou Riche Pauvreté*, as he explained in his introduction; it was a set of dialogues between Démophile, the lover of the common man, and Agathopis, the benefactor. In the midst of the misery following the Seven Years War the priest had been seized with what he termed « une ambition innocente et très chrétienne. » This ambition was to diminish the ever-increasing number of unfortunates whom we call beggars, and to succour the poor who, though not beggars, are overwhelmed by most frightful misery. (The ms. is now in Princeton.)

The author is something more than an inspired priest who wants to alleviate the sufferings of humanity. He is also a practical man who is conscious of the need for understanding the condition of the poor and who is also impressed with the enlightened ideas of certain economic thinkers which had just begun to permeate the public. He gives an imposing list of references at the very beginning of his article: Mirabeau's *L'Ami des hommes*; Duhamel's *La Nouvelle Culture des terres*; Ange Goudar's *Les Intérêts de la France mal entendus dans les branches de l'Agriculture, de la population, des finances ; L'Amélioration des terres ; Les Défrichements ; Le Gentilhomme cultivateur ; L'Agronome ; Les Considérations sur les bêtes à laine ; La Nouvelle Construction des ruches de bois ;* and the articles of the *Encyclopédie.* In addition, the author quotes from *L'Agronome politique* and refers to articles which he has read in the *Journal économique.* I know of no better case of the formation of the idea of beneficence in the 18th century. Charity and the dispensing of relief has of course always been the apanage of the priest. But this is something more. Not only is our author fully aware of the suffering poor, he is cognizant also of a wealth of material on economic prosperity and the physiocratic means of achieving it. He has been fired with zeal for the alleviation of distress, but he understands also the whole reform movement and the utopic spirit in which it is undertaken. We have often been baffled in our search for the means whereby the philosophic ideas of the enlightenment sifted down to the people. This is a good clear case of that diffusion.

Our priest, however, is not a naive dispenser of enlightened optimism. He is familiar with the decline in agricultural populations: « Et effectivement, nous voions que les habitans de la campagne diminuent très sensiblement. » (p. XXVII) He is particularly conscious of the plight of the « journaliers », the « femme qui est dans les douleurs de l'enfantement, » the curate « à portion congrue », the « malheureux soldat. » The misery glimpsed by Arthur Young in his famous journey was well-known to our priest. In some respects, he is even anti-clerical or at least, strenuously opposed to the extravagances of the higher clergy, and cognizant of the misery of the country parish priest. Already the moment when the lower clergy will cast its lot with the man in the fields is approaching:

« Quelle différence énorme entre l'état de ces curés qui ont toute la fatigue et les poids du jour, sans avoir presque de quoi subsister, quoiqu'ils n'aient fait aucun voeu de pauvreté et la condition de ces gros religieux paisibles, possesseurs d'un bon revenu . . . » (p. XXXIX) He proposes, p. 132, reducing the portion of rich abbots with the comment:

«Outre cela, on ne sauroit s'imaginer combien cette disparité des biens fait un mauvais effet entre les confrères qui sont tous égaux par leurs états et leurs fonctions. » He protests against the rich princes of the church:

« Je ne vois point de nécessité absolue pour un Cardinal d'avoir un revenu de quarante mille écus, ou comme vous le disiez de 400,000 francs » (p. 493) And against the rich bishoprics:

Je ne vois pas non plus de nécessité à ce qu'un Evêché ait plus de douze ou quinze fois le revenu d'un autre. La dignité, le caractère sont égaux dans tous les évêques, mêmes obligations, mêmes fonctions, même train par conséquent à avoir, mêmes dépenses à faire, à peu de différence près, car je ne disconviens pas qu'il ne puisse y en avoir. *(ibid.)*

Our abbot is terribly egalitarian, not perhaps after the fashion of Rousseau, but after the fashion rather of primitive Christianity. He asserts without equivocation that it is not enough to maintain that in the ecclesiastical realm the wealth of the rich should be used for the elimination of indigence among the poor. The doctrine of a more equal distribution of wealth should apply to all areas of activity.

His plan, which was very simple, consisted in building a country alms-house for every 20, 25 or 30 parishes. Each should be able to house between 200 and 300 people, young as well as old, poor as well as those who will devote themselves to the service of the poor. It should be financed from the tithe, but each institution is to be solidly founded and permanently endowed. Each parish priest is to be paid a fair salary and funds are to be supplied for the upkeep of the Church property. Finally, the institution must provide free education to the country children, and alleviate suffering in the district. To administer the program, the priest advises a governing board consisting of a bishop, an intendant, and a presiding officer chosen from the curates. But there is also a staff: permanent secretary, collectors, inspectors; a working force: a chaplain, two brothers for the boy's school, two sisters for the girl's school, four sisters for the sick, a medical doctor, a surgeon maître-ès-arts, an apothecary, two midwives, two "économes," one for the officers, the other for the poor, and servants, four for the sick, and the pensionnaires, cook, gardener, and outdoor helpers, weaver, butcher, shoemaker, tailor and seamstress. The institution is certainly well equipped and set up.

Inmates will be of three groups: the poor, the paying guests, the service. The poor will not be admitted indiscriminately: only those who have proven themselves through previous industry and well-established character will be admitted. The good priest is as anxious as the Montesquieus and the d'Argensons to eliminate the professional tramp. In addition, he counsels receiving those who wish to be paying guests:

> Ce seront des personnes qui, quoiqu'elles aient de quoi subsister, se retireront cependant dans nos hôpitaux pour se délivrer de tout soin, et de tout embarras de ménage, et cela en payant une pension convenable. (p. 322)

Obviously, one of his most interesting schemes is the education of the young. They will be accepted at the age of six, boys as well as girls, one for every 20 families, the group quota being 100. Each district will have a central school and boys will be taught agriculture; girls, the domestic arts.

By far the most interesting part of the work is the section concerning advantages to be derived from the scheme. Here the emphasis has been completely shifted. It is no longer alleviation of distress, care of the poor, education of the young. The horizon has been broadened and the goal is multiple national welfare. The good abbot calculated that one person in 500 dies of poverty, and at least one in 500 is a hopeless charge of the state. Thus out of a population of 16,000,000 — 640,000 are lost to the state every ten years. A scheme of rehabilitation would return to the state 480,000 subjects every ten years. These figures seem to twentieth-century man very modest but in an age haunted by the idea of depopulation, the saving of ¹/₂ million people a decade must have looked impressive. The Abbé suggests that these subjects of the state could be profitably employed in the colonies. He proposes further preservation of human life by recommending the instruction of peasant girls in midwifery — thus cutting down infant mortality. He foresees great prosperity to be derived from the instruction of boys in Agriculture. Agriculture as we know was the basis of economic strength according to the Physiocrats, our Abbé's source of information and inspiration:

> Il me paraît encore que, par un contrecoup favorable, ce sera un moyen assez sûr d'animer l'Agriculture: car outre les livres de piété et de religion qu'on doit nécessairement mettre entre les mains des enfants, on pourra leur en fournir d'autres qui traitteront de l'agriculture, et qui pourront leur en donner le goût. (p. 200)

Our Abbé looks even further: prosperity for the peasant, increase in population and agriculture, elimination of begging — all of these objectives are indeed worthy. But there is a higher objective. The schools will be able to sift from these groups of ordinary students, the geniuses, the hope of the future race.

*

While the unknown priest was devising means of coping with these problems (1764), the government itself was not idle. We find this statement by a responsible member of an investigating committee organized in 1774:

> On pourra en conclure que la mendicité a toujours fixé l'attention du gouvernement, et que l'opération n'est pas si aisée qu'on le croirait au premier coup d'oeil, puisque depuis tant d'années le mal subsiste et n'a pû être arrêté. Le dernier règne (Louis XV) est celui où on s'en est le plus occupé. (B. N. f. fr. 8129—30, f. 3)

It is true that Louis XV's administration was deeply interested in the problem as we shall show later. At a time when, as recent historians (Duby, Mandrou, Labrousse) have demonstrated, France was the most prosperous, the largest in population, the wealthiest in private ownership, and the most active in internal trade and commerce of all European countries, it seems paradoxical that so much attention was given the condition of the poor and needy. Montesquieu's theory, repeated by the *Encyclopédie*, that prosperity in the state eliminated need and sickness, was apparently not justified in fact. Since it is necessary to interpret political and social conditions as they occur rather than as they appear in theory, some reasons may be adduced for the discrepancy between theory and practice in the inequities of distribution, as well as in the recurrence of famine conditions, but especially in the rise of a social consciousness.

At all events, three facts stand out. Between 1682 and the end of the Ancien Régime, the government had been continually preoccupied with the problem and had taken constant measures to cope with it, as we have recorded above. The same contemporary who established this fact also noted that the age of Louis XV had been particularly interested in this area of reform in the broad context of change in general and regretted that it had never quite achieved its objectives, although it gave great promise of doing so:

> Ce n'est pas la seule partie d'administration qu'on ait tenté d'y améliorer, et si ce régne eût eu plus de force et d'ensemble, tant de projets heureux commencés, ne se seroient pas évanouis. La lumière qui croissait tous les jours, semblait mener l'Administration à sa perfection, et à chaque pas elle étoit arrêtée par l'intrigue, l'incertitude et les variations continuelles qui faisoient passer le gouvernement de l'anarchie au despotisme, et du despotisme à l'anarchie. (f. fr. 8129—30, f. 3)

The third fact was derived from the lack of success achieved by the administration of Louis XV. In a charming book recently published in Paris by Edgar Faure entitled *La Disgrâce de Turgot*, the distinguished historian has once more reviewed the « great reforms » of Louis XVI's Controlleur-Général, and studied the psychological factors, the personalities and the curious twist of circumstances which rendered Turgot's grand schemes practically useless. Precisely, one of those schemes barely treated by Faure is Turgot's reforms in mendicity. In fact, immediately after his appointment as Controlleur-Général, Turgot appointed a committee consisting of Trudaine, Boullogne, Le Noir, D'Albert, and Bertier. A first meeting was held in which M. Bertier who was in charge of the Administration of the poor and needy made a report of the situation. Following this meeting the Chairman undertook to assemble the material:

> Après cette conférence je demandai à M. Bertier des éclaircissements sur ses opérations, qu'il m'envoya et qu'on trouvera à leur place; je fis aussi des recherches sur les anciennes ordonnances, je reçus des mémoires particuliers, et après avoir lu et réfléchi, je me proposai un mémoire général, je le placerai à la suite des pièces que j'ai consultées avant de le rédiger, et il sera suivi des pièces auxquelles il donnera lieu, soit qu'on en suive en tout les dispositions, soit qu'on adopte quelques-unes, soit qu'on y en substitue d'autres.

The dossier thus constituted is now in two bound manuscript volumes at the Bibliothèque Nationale, f. fr. 8129—30. It is an impressive folio, beginning with a rapid survey of the principal documents on poverty from Charlemagne to 1751, the two most important being the edict of July 18, 1724, and that of 1750. This summary is followed by a *Traité de la police* (ff. 9—22) by Lamare, and by an imposing collection of all the « édicts, déclarations, ordonnances » concerning poverty, vagabonds, beggars, from 1682 to 1770 (ff. 23—108). This collection of printed decrees constitutes eloquently the activities of the governments in dealing with the problem. While there is a sameness to the decrees, from time to time there appear also little details and remarks which throw light upon a desperate situation. In the Declaration of 1685, for instance, the King acknowledges that it is his duty to furnish work to all his able-bodied subjects: « la bonté que nous avons pour tous nos sujets nous engageant à procurer les moyens de gagner leur vie ... » In execution of this duty, the King proclaimed the opening of « Hasteliers publics » and ordered that beggars repair thereto. The following year, 1686, an edict announced an increase in the number of these « Hasteliers publics. » In 1690, Parlement took cognizance of a situation which had worsened considerably. The number of poor had increased tremendously. Never had begging been practiced with such bravado. Alms were demanded with insistence and even with murmured threats, and beggars themselves were working in conjunction with thieves. As a remedy for this alarming state, Parlement decreed: « On renouvelle les hôpitaux, on ouvre une Hastelerie de plus, on exhorte les pauvres à revenier dans leur pays, et on ordonne l'arrestation de tous les fainéants et vagabons de Paris. » These normal measures taken to exterminate poverty were totally inadequate. The decree of 3 Oct. 1693, for instance, noted that the King's declaration establishing general almshouses in all the large towns of the realm had not been put into effect. Those which had been established were overrun by the poor coming from other regions, more so than ever this particular year 1693, when crops failed. The situation demanded extreme measures: orders were given that the poor unable to work should repair to their parishes within a month. It was decreed that their care was the responsibility of the curate and his parishioners, who were instructed to devise means for providing subsistence. The finances required were to be levied every 15 days for the period of a year, and even the « portion congrue » of the curate was to be tapped. This manner of dealing with the situation became a set pattern for the last part of Louis XIV's reign and the whole of Louis XV's. Many of the decrees throughout the first 75 years of the eighteenth century urge this approach. Whenever a famine year occurs, as in 1709, for instance, the same extreme measures were advocated, and sometimes special measures were added as in 1700 when attention was given to children with no family:

> Ordonne que les enfans qui n'ont ni père ni mère, ny aucuns parens qui en veulent prendre soin, et qui n'auront aucuns biens, et qui ne sont pas en âge de gagner leur vie par aucune sorte de travail, soient receus dans les dits Hôpitaux pour y être élevés et instruits ...

Or, in 1719, when the policy of sending criminals and vagabonds to the colonies was adopted:

> Voulons que ceux qui auront esté condamnez à estre envoyés dans nos colonies, conformément aux présentes, soient incessamment renfermez dans l'Hôpital général ... pour y être nourris et gardez jusqu'à ce qu'ils soient conduits dans nos ports, pour y être embarquez et transportez dans nos colonies.

It was doubtless in execution of some such order that Manon Lescaut was sent to Louisiana, so closely is fiction tied to reality.

These decrees, however, appearing at intervals from 1700 to 1764, never seemed to accomplish more than note the sad state of affairs. The year 1764, it will be remembered was the date of the *Plusiptochie* by the village priest. It was also the year of Voltaire's *Dictionnaire philosophique* and the moment of his intense interest in social and political reform. It was, as well, the high spot of the physiocratic movement. Small wonder that the government of Louis XV bestirred itself more than ever to cope with the problem. A committee on the state of the needy was formed consisting of Marville, Boulogne, Fleury, Boynes, etc., to draw up a document. They described four types of indigent: (1) those who can but do not work; (2) the crippled; (3) invalids and (4) foundling children. The first group they propose to condemn the men to the galleys, the women to prison. The second they propose to succour but at home rather than in institutions. To secure money for their upkeep, the Committee proposed the establishment of Bureaux Généraux in every episcopal city, and corresponding bureaux in every city and in selected parish arrondissements in the country. The bureaux would have as their task collecting charitable gifts for the poor, administering to their needs, and also securing work which they can perform. It is proposed that the third group which includes not only those too old to work, but also mental cases, the homeless, and foreigners, be accepted in the « Hôpitaux ». Since, however, there were not sufficient « Hôpitaux », the Committee proposed both an increase in their number and a reform in their administration. The fourth group, consisting of orphans and foundling children should be farmed out to workers who would receive a modest pension for their care until the child attains age 16.

This project was sent to the Intendants des Provinces; the King issued an edict and Parlement a decree. As a result 2000 vagabonds were arrested annually, but only 200 were convicted. Then another difficulty arose: places for the 200 could not be found in the « Hôpitaux » either because there was no room or because the administrators refused to accept them. Two years later, Parlement rejected the law which it had promulgated, maintaining that it was too complicated, that it would be impossible in each village to establish sufficient lodging for beggars, that the cost of maintaining them would be prohibitive, and that the operation would injure the agricultural economy.

A memorandum (f. 118) adds that inefficiency in the highest circles hindered the execution also. Mr. de Laverdy, it states, in spite of his good intentions, had views which were « peu sûres ». He felt the necessity of destroying the menace, but he was the slave of Parlement and when objections were raised, he failed to overcome them. As a consequence only half-measures were taken. A post was created and awarded to Mr. Bertier, a sort of cabinet position which did not do any harm, but squandered the money without any effect whatsoever. And the memo adds significantly: « Ce n'est pas la première fois que des besognes inutiles ont été créées et se sont maintenues par l'adresse de celui qui a sçu se les approprier, et l'ineptie ou la bonhomie de ses supérieurs ». The Abbé Terray even sponsored the enterprise and Mme du Barry had ended by favoring it for her *protégés*. And the author of the memo draws a second moral conclusion: That is what happens in monarchies; wherever there is a budget and cash they are swept up by favors and claims. « Il n'y a que les administrations locales et particulières qui se soutiennent au milieu des révolutions ».

In line with this last remark, a statement of policy issued by the Commissioners to show an accord with the activities of the Controlleur-Général, April, 1767, proposed that each local community should look after its poor. It further urged that the capitation be reduced and this money be turned over to the communities, and that stiffer penalties against begging be applied. Again beggars were exhorted to return to their birthplaces, and to seek gainful employment. The local community should organize bureaux for receiving alms, and these bureaux should have the authority to collect from members of the community the cost of bread distributed to the poor. Further begging was banned, every beggar disobeying these orders would be sent to the galleys, for five years, or in the case of women committed to jail.

Besides these police orders, there appeared in the decade following 1764 a tendency to seek out reasons for the failure to provide adequate relief. An analysis of the measures of 1764, written by Turgot's Committe in 1774, noted that practically all European countries have failed to cope with the problem (f. 119). The only two exceptions were Holland and Piedmont. The Committee indicates that the existence of begging constitutes a menace to the State, but it stresses also that these unfortunates have a right to be cared for by society. It notes apparently with approval that Toulouse in 1572 ordered that 1/6 of the Church revenues « des évêchés, prieurés, cures et autres bénéfices, même ceux des religieux, les décimes déduites » should be distributed to the poor. It appears from the review made by the Commissioners that in 1724 a most serious attempt was made to exterminate poverty. But it is recorded that in many provinces plans were not carried out, and in others, just as the Abbé de Saint Pierre had stated, such plans as were put into effect, lasted only for a year. Reasons for this failure are presented. First there was a rise of prices in 1725. Then, too, there was an insufficient number of « hôpitaux » to house the beggars. Finally, the tremendous bureaucracy was overpowering; « . . . moins de six mois on avait rempli dans les bureaux de l'Hôpital général de Paris un nombre prodigieux de registres. » (f. 125) But the real reason was given by the report of 1774. Speaking of the law in 1764 which grew out of the experiences of the edict of 1724 modified by the changing social conditions of the last half-century, the writer noted:

Je crois toutes ces lois excessives et impossibles à exécuter. Je ne crois pas aussi que personne doive être arrêté sans l'autorisation de la loi, et en conséquence je ne puis approuver les arrestations qui ont lieu depuis 1768. Elles ont outrepassé les dispositions de la déclaration de 1764; et pouvaient être l'occasion de plus grands abus ... Il ne doit y avoir d'arrestation que par la loi; on ne doit arrêter que ceux qui sont coupables, et non ceux qui sont malheureux. (f. 244)

The writer of this 1774 document was a real statesman. The only way to prevent begging, he states, is to eliminate poverty. That is a matter to be undertaken by the administration of the country. He proposed specifically far-reaching reforms. Taxation must be reduced and more evenly distributed. The overhead of administration must not be allowed to fritter away this income. The doors of Justice must be open to the poor as well as to the rich. Every man should be granted the free use of his strength and of his mental capacities. The government must utilize all means to increase the happiness of its citizens. These measures, he admits, will not, however, banish poverty, especially in a monarchy. They will only create conditions where the problem of poverty can be tackled. More specifically still the author offers a plan to forestall the suffering of the poor. This can only be done by creating work for them and increasing the wage scale: "Mais des travaux ouverts par le gouvernement accéléreront cette époque. Il en résultera une concurrence qui forcera le particulier à ne pas abuser de la détresse du manœuvrier." (f. 257)

This scheme for creating public works for the indigent and for the establishment of a minimum wage to compete with the depressed wages of private capital has all the earmarks of our own period. Even the idea that the work thus dealt with should be manual labor recalls our own efforts of the early 1930s. He proposes suppressing « corvées ». They are to be replaced by work companies, and paid a regular salary. For the illegitimate he has rather advanced ideas. The current laws which require open confession on the part of the unwedded mother he declares unjust and he proposes establishments where unwedded mothers may have their children, establishments under the surveillance of the magistrate. The illegitimate child should belong to the state which has the responsibility of looking after his welfare. For the sick there should be many small establishments distributed here and there rather than the enormous Hôtel-Dieu, in Paris. These recommendations have about them an air of true reform and for once their motivation seems genuine. As one of the commentators remarked: "La vraie justice est celle qui maintient comme un principe inviolable, et comme le fondement de tout empire et de toute société, la propriété des biens et la liberté des hommes." (f. 298)

The second volume of the Committee's collection, Ms. f. fr. 8130, was an addenda to its report. In accordance with the plan adopted by the Committee, the report was distributed not only to the Intendants des provinces, but to the Bishops as well, and each was invited to submit a commentary. These papers are very interesting also since they disclose an embryo public opinion which gradually was forming. One of the everpresent problems was the question of funds. This was scrutinized by a Mr. Harel who proposed a lottery for the purpose (ff. 61–64). Another proposed the organization of a « Petite Maison de Santé ou grande infermerie » for workers and servants

who were to pay a fixed annual sum. This particular proposal reminds one
of our present Social Security schemes. It begins, however, with a grandi-
loquence worthy of Jean Jacques Rousseau:

> "La terre est le patrimoine des hommes ; elle devait indistinctement être
> partagée entre tous, parce que tous également sont ses enfants. Tel étoit le
> voeu de la nature qui assujettit à ses lois immuables, indistinctement et sans
> choix les grands et les petits, les riches et les pauvres. Vainement elle l'a gravé
> dans tous les coeurs."

Several of the memoranda give a somewhat confusing picture of the state
of affairs in the « Hôpitaux ». M. de la Brousse, speaking of the institutions
in Languedoc notes that the inhabitants are badly lodged, badly fed, and
useless in prison. Some of them, he adds, become accustomed to this
wretched existence, and have become totally indifferent to everything. And
he concludes significantly: « L'homme n'est pas fait pour les fers, il faut qu'il
y périsse, qu'il les rompt ou qu'il les méprise ». The same Mr. de la Brousse
on the other hand reported that the Bishop of Nîmes had organized the
town's outstanding citizens to canvass the town and solicit alms for the poor
on the first of each month. It appears, however, that Carcassonne was a
model city in its organization for this purpose. The city was divided into 52
districts, each district being placed under an appointed leading citizen. A
collection was taken up every month and work rooms were opened for the
indigent.

On the whole, conditions were intolerably bad. One document notes that
the sick wards were so crowded that three, four and even more patients were
put in one bed, a condition rendering treatment impossible. The author
suggests as a remedy that the patient be accorded a private bed on the
payment of 22 francs. The care of children gave the most concern, for young
vagabonds were thrown among hardened criminals and quickly became
corrupted by their surroundings:

> "Si l'on va dans ces prisons de la justice originaire, dans ces lieux infectés,
> dernier azile du crime et du libertinage, où on voit une multitude de ces petits
> garnements, qui à peine sortis de l'enfance ont déjà provoqué le courroux de la
> justice et mérité de tomber sous son glaive ; on ne peut s'empêcher de verser
> des larmes sur ces petits criminels, qui auraient peut-être été des sujets fort
> intéressants, si on eût mieux dirigé leurs premiers pas." (f. 6)

The author of this report proposes the establishment of an institution for
boys between 10 and 12 where they can be engaged in different kinds of
work, until they can begin to learn a trade. They would be given military
training and screened for special aptitudes. Those who had exceptional
talents, would be given the opportunity to develop them.

Emphasis is usually placed, however, upon inefficient administration.
Thus (f. 73) one report emphasizes the urgency of remedying waste in funds
as well as combatting indifference to institutional treatment. « Leurs revenus

immenses », he adds, « ne sont profitables que pour les sousordres qui en ont le maniement ». The budget system of institutions will have to be completely overhauled. The abuses are so great that the poor prefer dying on the street or in some attic hole to bad treatment in a poorhouse. This happens because the lower help unite to pool their salaries. Inferior food and drugs are supplied. No attention is given to the distribution of bedding and prescriptions are carelessly filled. The author of this memorandum proposes the establishment of a central pharmacy, a central bakery and a central linen supply service, a complete overhauling of the administration, and the requisition of useless religious institutions to be converted into almshouses and finally the creation of a royal order of charity sponsored by the Queen.

The activities of Turgot's committee are already well known. It deserves praise for the methodical way in which it pursued its investigation. It may be commended for the intelligent recommendations it submitted, some of which in embryo are the key measures featured by the Social Security of some of the present-day "advanced" democracies. There is some intellectual satisfaction in noting that Turgot's committee offered abundant evidence in its numerous reports that a simple curate meditating under the inspiration of a set of works written by the Physiocrats and close, by profession, to the suffering of the poor understood conditions which demanded reform and offered an active program to remedy them. His set of *Dialogues* remained in manuscript, and the recommendations of Turgot's committee remained in manuscript also. The challenge was not accepted; Turgot's reforms never materialized and the country curate if he lived on into the century could only contemplate his project as a utopic dream, a sort of *Candide* in dialogue — and without the wit.

History records, however, that humanity's unsolved problems may be a source of great misery. I have read very recently a statement by one of our most enlightened historians, that economic prosperity can only be successful in an atmosphere of social justice. In this case which we have reviewed, unimportant in comparison with the misery of all mankind, the demands of social justice were rejected. As a consequence, my documents often refer to the uneasiness created by the uprising of those who found life intolerable. These uprisings in the Ancien Régime have been noted, from the march on Versailles in 1709 to the march on Versailles in 1789. The possibility of rebellion is often noted in my documents; of especially grave concern were the wandering bands of beggars. « Il y a des provinces entières », stated one report, « où deux ou trois habitans de chaque communauté sont obligés de monter la garde tous les jours à tour de rôle ». The report could be exaggerated, but it can be substantiated by similar reports. G. Lefèbvre (*Quatre-vingt-neuf*, Part IV: La Révolution Paysanne, pp. 164 ff.) has summarized neatly the forces which came suddenly together: the economic crisis developing after 1780, the famine of 1788, and the rapid multiplication of beggars and vagabonds. «Ils étaient beaucoup plus redoutés du paysan que du citadin parce que, s'il les éconduisait, il était beaucoup plus exposé à leur vengeance ». In the spring of 1789 bands of vagabonds appeared everywhere, and « La Peur des brigands » undoubtedly had its role in «La Grande Peur » which swept France.

SCHRIFTENVERZEICHNIS HERBERT DIECKMANN

Selbständig erschienene Veröffentlichungen

Die Kunstanschauung Paul Claudels. München 1931. 110 S. (Bonn, Phil.Diss.)

Stand und Probleme der Diderot-Forschung. Ein Beitrag zur Diderot-Kritik. Bonn 1931. 40 S.

Le Philosophe. Texts and interpretation. St. Louis 1948. 108 S. (Washington University Studies. New Series. Language and literature, 18.)

Inventaire du Fonds Vandeul et inédits de Diderot. Genève 1951. XLIX, 283 S. (Textes littéraires français.)

Denis Diderot. *Supplément au voyage de Bougainville.* Publ. par H. Dieckmann. Genève 1955. CLV, 87 S. (Textes littéraires français, 66.)

Denis Diderot. *Le Neveu de Rameau.* Ed. présentée par H. Dieckmann. Paris 1957. XLVIII, 272 S. (Collection Astrée, 5.)

Diderot et Falconet. Correspondance. Les six premières lettres. Texte en partie inéd., établi et présentée avec variantes, notes et introduction par H. Dieckmann et J. Seznec. Frankfurt 1959. 73 S. (Analecta Romanica, 7.)

Cinq leçons sur Diderot. Préf. de J. Pommier. Genève, Paris 1959. 152 S. (Société de Publications romanes et françaises, 64.)

Diderot und Goldoni. Krefeld 1961. 47 S. (Schriften und Vorträge des Petrarca-Instituts Köln, 16.)

Denis Diderot. *Contes.* Ed. with introduction by H. Dieckmann. London 1963. 207 S. (Textes français classiques et modernes.)

Charles Louis de Montesquieu. *Persische Briefe.* Mit e. Nachwort von H. Dieckmann. Frankfurt 1964. 301 S. (Fischer-Bücherei. Exempla classica, 94.)

Voltaire. *Zadig — Die Prinzessin von Babylon.* Mit e. Nachwort von H. Dieckmann. Frankfurt 1964. 166 S. (Fischer-Bücherei. Exempla classica, 96.)

Denis Diderot. *Die indiskreten Kleinode.* Mit e. Einleitung von H. Dieckmann. Karlsruhe 1965. XII, 344 S. (Prosa aus Frankreich)

Denis Diderot. *Nachtrag zu Bougainvilles Reise oder Gespräche zwischen A. und B. über die Unsitte, moralische Ideen an gewisse physische Handlungen zu knüpfen, zu denen sie nicht passen.* Mit e. Nachwort von H. Dieckmann. Frankfurt 1965. 82 S. (Sammlung Insel, 4.)

Die künstlerische Form des Rêve de D'Alembert. Köln, Opladen 1966. 66 S. (Arbeitsgemeinschaft für Forschung d. Landes Nordrhein-Westfalen. Geisteswissenschaften, 127.)

Denis Diderot. *Mystifikation oder die Porträtgeschichte.* Nachtrag von H. Dieckmann. Frankfurt 1966. 63 S. (Insel-Bücherei Nr. 885)

Aufsätze

Das dramatische Werk Paul Claudels. *Neue Schweizer Rundschau* 24, 1931, S. 212—223 und 295—308

La poésie de E. Mörike. *Nouvelle Revue* 1932, S. 1—20. (Repr. in *Cahiers du Sud* 1937)

Goethe und Diderot. *Deutsche Vierteljahresschrift f. Literaturwiss. u. Geistesgesch.* 10, 1932, S. 478—503

Aus den Tagebüchern von Charles Du Bos (Übersetzung). *Corona* 2, 1931/32, S. 690—706

Gentile und der Faschismus. *Deutsche Vierteljahrsschrift f. Literaturwiss. u. Geistesgesch.* 14, 1936, S. 103—131

Diderots Naturempfinden und Lebensgefühl. *Travaux du Séminaire de Philologie Romane Istanbul* 1, 1937, S. 57—83

Théophile Bordeu und Diderots *Rêve de D'Alembert. Romanische Forschungen* 52, 1938, S. 55—122

J.-A. Naigeon's analysis of Diderot's *Rêve de D'Alembert. Modern Language Notes* 53, 1938, S. 479—486

Zur Interpretation Diderots. *Romanische Forschungen* 53, 1939, S. 47—82

Diderot's conception of genius. *Journal of History of Ideas* 2, 1941, S. 151—182

Biographical data on Diderot. in: *Studies in honor of Frederick W. Shipley.* St. Louis 1942, S. 181—220 (Washington University Studies. New Series. Language and literature, 14.)

The Influence of Francis Bacon on Diderot's *Interprétation de la Nature. Romanic Review* 34, 1944, S. 303—330

Charles Du Bos. *Symposium* 1, 1946/47, S. 31—45

French existentialism before Sartre. *Yale French Studies* 1, 1949, S. 33—41

The importance of Fonds Vandeul manuscripts for the studies of Diderot and the 18th century." *Bulletin of the American Academy of Arts and Sciences* 3, 1950

The autopsy report on Diderot. *Isis* 41, 1950, S. 289—299

The sixth volume of Saint-Lambert's works. *Romanic Review* 42, 1951, S. 109—121

L'Encyclopédie et le Fonds Vandeul. *Revue d'histoire littéraire de la France* 51, 1951, S. 318—332

Diderot's letters to Falconet. *French Studies* 5, 1951, S. 307—324

Les contributions de Diderot à la correspondance littéraire et à l'*Histoire des Deux Indes. Revue d'histoire littéraire de la France* 51, 1951, S. 417—440

The relationship between Diderot's Satire I and Satire II. *Romanic Review* 43, 1952, S. 12—26

Three Diderot letters, and *Les Eleuthéromanes. Harvard Library Bulletin* 6, 1952, S. 69—91

Description of a portrait. *Diderot Studies* 2, 1952, S. 6—8

The Préface-Annexe of *La Religieuse. Diderot Studies* 2, 1952, S. 21—147

The Horse of Marcus Aurelius. A controversy between Diderot and Falconet. (in collaboration with J. Seznec) *Journal of the Warburg and Courtauld Institutes* 15, 1952, S. 198—228

An unpublished notice of Diderot on Falconet. *Journal of the Warburg and Courtauld Institutes* 15, 1952, S. 257—258

The Abbé Jean Meslier and Diderot's *Eleuthéromanes. Harvard Library Bulletin* 7, 1953, S. 231—235

André Gide and the conversion of Charles Du Bos. *Yale French Studies* 12, 1953, S. 62—72

Condillac's philosophical works. *The Review of Metaphysics* 7, 1953, S. 225—261

An interpretation of the 18th century (on: Cassirer, *The Philosophy of the Enlightenment*). *Modern Language Quarterly* 15, 1954, S. 295—311

The autograph manuscript of Galiani's *Dialogues sur le commerce des blés* (in collaboration with Ph. Koch). *Harvard Library Bulletin* 9, 1955, S. 110—118

The first edition of Diderot's *Pensées sur l'interprétation de la nature. Isis* 46, 1955, S. 251—267

Das Problem der Ausdrucksform des Denkens bei Diderot. *Romanische Forschungen* 69, 1957, S. 1—27

Diderot et son lecteur. *Mercure* 329, 1957, S. 620—648

Diderot: *Sur Térence.* in: *Studia philologica et litteraria in honorem Leo Spitzer.* Bern 1958, S. 149—174

André Gide et la conversion de Charles Du Bos. *Cahiers Charles du Bos* 5, 1960, S. 6—21

Themes and structure of the enlightenment. in: *Essays in comparative literature.* St. Louis 1961, S. 41—72

The concept of knowledge in the *Encyclopédie* in: *Essays in comparative literature.* St. Louis 1961, S. 73—107

Le thème de l'acteur dans la pensée de Diderot. *Cahiers de l'Association Internationale des Etudes françaises* 13, 1961, S. 157—172

Das Thema des Schauspielers bei Diderot. *Sinn und Form* 13, 1961, S. 438—456

The presentation of reality in Diderot's tales. *Diderot Studies* 3, 1961, S. 101—128

Tribute to Norman L. Torrey. *Diderot Studies* 4, 1963, S. 13—16

Observations sur les manuscrits de Diderot conservés en Russie. *Diderot Studies* 4, 1963, S. 53—71

Claude Gillot interprète de la Commedia dell'arte. *Cahiers de l'Association Internationale des Etudes françaises* 15, 1963, S. 201—224

Religiöse und metaphysische Elemente im Denken der Aufklärung. in: *Wort und Text. Festschrift für Fritz Schalk.* Frankfurt 1963, S. 333—354

Die Wandlung des Nachahmungsbegriffes in der französischen Ästhetik des 18. Jahrhunderts. in: *Nachahmung und Illusion. Kolloquium Gießen 1963.* München 1964, S. 28—59

Currents and croscurrents in *Le Fils naturel.* in: *Linguistic and literary studies in honor of Helmut A. Hatzfeld.* Washington 1964, S. 107—116

Reflexionen über den Begriff *Raison* in der Aufklärung und bei Pierre Bayle. in: *Ideen und Formen. Festschrift für Hugo Friedrich.* Frankfurt 1965, S. 41—59

Schäferpoesie. in: *Literatur II,* Teil 2. Hrsg. v. Wolf-Hartmut Friedrich u. Walther Killy. Frankfurt 1965, S. 519—529, (Das Fischer Lexikon Bd. 35,2.)

Esthetic theory and criticism in the enlightenment: some examples of modern trends. in: *Introduction to modernity. A symposium on eighteenth century thought.* Austin 1965, S. 65—105

Denis Diderot. Brief zur Verteidigung des Abbé Raynal an Herrn Grimm. Mit Nachbemerkung u. Anmerkungen von H. Dieckmann. in: *Insel Almanach auf das Jahr 1966.* Frankfurt 1965, S. 62—79

Zur Theorie der Lyrik im 18. Jahrhundert in Frankreich, mit gelegentlicher Berücksichtigung der englischen Kritik. in: *Immanente Ästhetik — ästhetische Reflexion. Lyrik als Paradigma der Moderne.* Hrsg. v. W. Iser. München 1966, S. 73—112

Besprechungen

Denis Diderot. *Correspondance inédite publ. d'après les manuscripts originaux* par André Babelon. Paris, 1931. *Literaturblatt f. germanische u. romanische Philologie* 53, 1932, Sp. 401—406

Wilhelm Giese, *Zur Morphologie der Märchen der Romanen.* Palma de Mallorca, 1929. *Literaturblatt f. germanische u. romanische Philologie* 54, 1933, Sp. 117—119

André Monglond, *Jeunesses.* Paris, 1933. *Volkstum und Kultur der Romanen* 6, 1933, S. 276—278

Albert-Marie Schmidt, *Saint-Evremond ou l'humaniste impur.* Paris, 1932. *Literaturblatt f. germanische u. romanische Philologie* 54, 1933, Sp. 399—401

R. Brummer, *Studien zur französischen Aufklärungsliteratur im Anschluß an J. A. Naigeon.* Breslau, 1932. *Zeitschrift f. französische Sprache u. Literatur* 58, 1934, S. 372—375

Johan Huizinga, *Herbst des Mittelalters*. Leipzig, 1931. *Archivum Romanicum* 18, 1934, S. 466—469

Benedetto Croce, *Geschichte Europas im 19. Jahrhundert*. Zürich, 1935. *Neue Zürcher Zeitung* 1935

Romano Guardini, *Christliches Bewußtsein. Versuch über Pascal*. Leipzig, 1935. *Neue Zürcher Zeitung* v. 4. 8. 1935

Martin Löpelmann, *Der junge Diderot*. Berlin, 1934. *Literaturblatt für germanische u. romanische Philologie* 56, 1935, Sp. 59—60

Kurt Wais, *Das antiphilosophische Weltbild des französischen Sturm und Drang*. Berlin, 1934. *Zeitschrift f. französische Sprache u. Literatur* 60, 1936, S. 382—384

Chinards Neuausgabe von Diderots *Supplément au voyage de Bougainville*. Paris, 1935. *Romanische Forschungen* 50, 1936, S. 241—248

Hermann Blackert, *Der Aufbau der Kunstwirklichkeit bei Marcel Proust*. (Neue deutsche Forschungen, Bd 45.) Berlin, 1935. *Romanische Forschungen* 50, 1936, S. 340—342

Fritz Schalk, *Einleitung in die Enzyklopädie der französischen Aufklärung*. München, 1936. *Historische Zeitschrift* 156, 1937, S. 594—599

Hugo Friedrich, *Das antiromantische Denken im modernen Frankreich*. München, 1935. *Romanische Forschungen* 52, 1938, S. 344—351

Supplementum Ficinianum, ed. P. O. Kristeller. Florence, 1937. *Romanische Forschungen* 53, 1939, S. 131—133

Karl-Eugen Gass, *Antoine de Rivarol (1753—1801) und der Ausgang der französischen Aufklärung*. Hagen, 1938. *Romanic Review* 31, 1940, S. 183—187

Lester Krakeur, *La correspondance de Diderot*. New York, 1939. *Modern Language Notes* 55, 1940, S. 472—473

Voltaire's Poème sur la loi naturelle. A critical edition by Francis J. Crowley. Berkeley, 1938. *Modern Language Notes* 56, 1941, S. 233—234

Yvonne Bézard, *Le Président de Brosses et ses amis de Genève*. Paris, 1939. *Modern Language Notes* 57, 1942, S. 684—685

Joseph Edmund Baker, *Diderot's treatment of the christian religion in the Encyclopédie*. New York, 1941. *Romanic Review* 34, 1943, S. 174—177

Emile Cailliet, *La Tradition littéraire des Idéologues*. Philadelphia, 1943. *Romanic Review* 35, 1944, S. 345—348

Daniel Mornet, *Diderot, l'homme et l'œuvre*. Paris, 1941. *Romanic Review* 38, 1947, S. 360—362

Charles Du Bos, *Qu'est-ce que la littérature?* Paris, 1945. *Romanic Review* 39, 1948, S. 260—264

Erich Auerbach, *Mimesis*. Bern, 1946. *Romanic Review* 39, 1948, S. 331—335

Y. Belaval, *L'Esthétique sans paradoxe de Diderot*. Paris, 1950. *Romanic Review* 42, 1951, S. 61—65

Armand Bégué, *Etat présent des études sur Rétif de la Bretonne*. Paris, 1948. *The French Review* 24, 1951, S. 511—513

Angelo Philip Bertocci, *Charles Du Bos and English literature*. New York, 1949. *Symposium* 5, 1951, S. 110—113

J. Robert Loy, *Diderot's determined Fatalist*. New York, 1950. *Romanic Review* 42, 1951, S. 213—217

Diderot, *Rêve de D'Alembert*. Ed. P. Vernière. Paris, 1951. *Romanic Review* 43, 1952, S. 139—143

Joseph R. Smiley, *Diderot's relations with Grimm*. Urbana, 1950. *Romanic Review* 43, 1952, S. 143—147

Jean-Jacques Rousseau, *Le nouveau dédale*. Pasadena, 1950. *Modern Language Forum* 37, 1952, S. 85

Georges May, *Quatre visages de Denis Diderot*. Paris, 1951. *Modern Language Quarterly* 13, 1952, S. 212—213

Diderot, *Lettre sur les aveugles*, ed. R. Niklaus. Genève, 1951. *Modern Language Quarterly* 14, 1953, S. 319—322

Georges May, *Diderot et La Religieuse*. Paris, 1954. *Modern Language Notes* 70, 1955, S. 228—234

Aram Vartanian, *Diderot and Descartes*. Princeton, 1953. *Modern Philology* 53, 1955, S. 61—66

Roland Mortier, *Diderot en Allemagne*. Paris, 1954. *Journal of English and Germanic Philology* 56, 1957, S. 95—99

Jacqueline E. de la Harpe, *Jean-Pierre de Crousaz (1663—1750) et le conflit des idées au siècle des lumières*. Berkeley, 1955. *Modern Language Quarterly* 18, 1957, S. 164—166

Arthur M. Wilson, *Diderot: The testing years 1713—1759*. Oxford, 1957. *Modern Philology* 56, 1958, S. 67—68

Gita May, *Diderot et Baudelaire: Critiques d'art*. Genève, 1957. *Romanic Review* 49, 1958, S. 215—217

Diderot, *Salons*. Vol. I, ed. J. Seznec and J. Adhémar. Oxford, 1957. *Revue d'histoire littéraire de la France* 59, 1959, S. 225—230

Jules Brody, *Boileau and Longinus*. Genève, 1958. *Zeitschrift für romanische Philologie* 75, 1959, S. 555—559

Frances A. Yates, *The Valois Tapestries*. London, 1959. *Romanic Review* 51, 1960, S. 297—299

Margaret Gilman, *The idea of poetry in France*. Cambridge, Mass., 1958. *Modern Language Notes* 76, 1961, S. 75—81

Pierre Bayle, *Le Philosophe de Rotterdam*. Amsterdam, 1959. *Journal of History of Ideas* 22, 1961, S. 131—136

Werner Krauss, *Cartaud de la Villate*. Berlin, 1960. *Deutsche Literaturzeitung* 82, 1961, Sp. 595—600

Martin Rang, *Rousseaus Lehre vom Menschen*. Göttingen, 1959. *Philosophical Review* 71, 1962, S. 108—111

Renée Simon, *Nicolas Fréret, académicien*. Genève, 1961. *Romanic Review* 53, 1962, S. 149—151

Claude Digeon, *La crise allemande de la pensée française (1870—1914)*. Paris, 1959. *Romanische Forschungen* 74, 1962, S. 195—198

W. S. Ljublinski, *Voltaire-Studien*. Berlin, 1961. *Archiv f. d. Studium d. neueren Sprachen u. Literaturen* 200, 1963/64, S. 311—313

Diderot, *Salons*. Vol. II, ed. J. Seznec et J. Adhémar. Oxford, 1960. *Revue d'histoire littéraire de la France* 64, 1964, S. 674—682

Eckhart Schroeder, *Diderot und die literarästhetische Tradition*. Marburg, 1963. *Archiv f. d. Studium d. neueren Sprachen u. Literaturen* 202, 1965, S. 75—76

Diderot, *Salons*. Vol. III, ed. J. Seznec et J. Adhémar. Oxford, 1963. *The Art Bulletin* 47, 1965, S. 394—395

REGISTER

Namenverzeichnis

Sach- und Wörterverzeichnis